PARIS ENFANTS

Directeur	David Brabis
Rédactrice en chef	Nadia Bosquès
Responsable éditoriale	Hélène Payelle
Rédaction	Émilie Morin, Thérèse de Chérisey, Marylène Duteil, Laurence Ottenheimer
Informations pratiques	Catherine Rossignol, Isabelle Foucault
Documentation	Isabelle du Gardin, Eugénia Gallese, Sara Windgassen
Cartographie	Alain Baldet, Michèle Cana
Iconographie	Cécile Koroleff, Stéphane Sauvignier, Geneviève Corbic
Secrétariat de rédaction	Pascal Grougon, Jacqueline Pavageau, Danièle Jazeron
Correction	ML Éditions
Mise en pages	Didier Hée
Maquette intérieure	Agence Rampazzo
Création couverture	Laurent Muller
Fabrication	Pierre Ballochard, Renaud Leblanc
Marketing	Cécile Petiau, Ana Gonzalez
Ventes	Gilles Maucout (France), Charles Van de Perre (Belgique), Philippe Orain (Espagne, Italie), Jack Haugh (Canada), Stéphane Coiffet (Grand Export)
Relations publiques	Gonzague de Jarnac
Remerciements	Louise, Maylee, Coline, Lola, Gabriel, Balthazar, Théo, Arthur et William
Régie pub et partenariats	michelin-cartesetguides-btob@fr.michelin.com *Le contenu des pages de publicité insérées dans ce guide n'engage que la responsabilité des annonceurs.*

Pour nous contacter

Le Guide Vert Michelin
Éditions des Voyages
46, avenue de Breteuil 75324 Paris Cedex 07
✆ 01 45 66 12 34 – Fax : 01 45 66 13 75
LeGuideVert@fr.michelin.com
www.ViaMichelin.fr

Parution 2006

Note au lecteur

L'équipe éditoriale a apporté le plus grand soin à la rédaction de ce guide et à sa vérification. Toutefois, les informations pratiques (prix, adresses, conditions de visite, numéros de téléphone, sites et adresses Internet…) doivent être considérées comme des indications du fait de l'évolution constante des données. Il n'est pas totalement exclu que certaines d'entre elles ne soient plus, à la date de parution du guide, tout à fait exactes ou exhaustives. Elles ne sauraient de ce fait engager notre responsabilité.

Ce guide vit pour vous et par vous ; aussi nous vous serions très reconnaissants de nous signaler les omissions ou inexactitudes que vous pourriez constater. N'hésitez pas à nous faire part de vos remarques et suggestions sur le contenu de ce guide. Nous en tiendrons compte dès la prochaine mise à jour.

Le Guide Vert
Les Thématiques
le guide de vos week-ends

Vous avez envie de bouger, de faire un break, de vous ressourcer, de partir en famille ou avec des amis ? Les Thématiques du Guide Vert vous proposent des **idées de sorties ou de week-end clé en main**.

Aujourd'hui, **nos rythmes de vie changent** ; nous avons plus de temps pour nos loisirs, mais pas toujours de longues vacances pour en profiter. Partir un jour ou deux, ou quelques heures seulement, permet à chacun de prendre son temps pour goûter à loisir tourisme et farniente, patrimoine et gastronomie, activités sportives et rêverie ou flânerie dans un cadre inhabituel. Les Thématiques du Guide Vert répondent à cette nouvelle façon de voyager ou de visiter.

Chaque titre **associe un thème à une destination** :il regroupe toutes les informations sur ce thème pour réussir vacances ou sortie sans perdre de temps en préparatifs. Connu dans le monde entier pour être le spécialiste du tourisme culturel à la portée de tous, Le Guide Vert vous propose avec ses Thématiques mille et une idées d'activités pour découvrir autrement une région, une ville, un quartier.

Paris Enfant permet à tous, parents ou grands-parents, de faire de la découverte de Paris une vraie occasion de divertissement. Il vous propose des promenades et des activités, et de plus vous facilite la visite en apportant nombre d'astuces pour ne pas vous faire piéger par les questions de vos enfants, parer à leur fatigue, trouver une solution de remplacement à une promenade en plein air un jour de pluie.

Près ou loin de chez vous, des trésors insoupçonnés vous attendent. Voici enfin un guide qui offre de quoi satisfaire à la fois votre envie de vous détendre et votre curiosité à mieux connaître le terroir et le patrimoine français.

L'ÉQUIPE DU GUIDE VERT MICHELIN
LeGuideVert@fr.michelin.com

LE GUIDE, MODE D'EMPLOI

BON À SAVOIR

DÉCOUVRONS LES QUARTIERS

PROMENONS-NOUS DANS LES BOIS

VISITONS LES MUSÉES

MAMAN, J'SAIS PAS QUOI FAIRE !

SOMMAIRE

ATLAS, CARTES ET PLANS

INDEX

VOS PROMENADES EN COUP D'ŒIL

Le tableau récapitulatif de vos promenades se trouve à la fin du guide, dans la couverture.

LE GUIDE, MODE D'EMPLOI

SE REPÉRER DANS LE GUIDE

Il y a plusieurs clés d'entrée pour repérer facilement les promenades ou les visites que vous aimeriez faire avec vos enfants.
La **carte générale**, à l'intérieur de la couverture au début du guide, permet de visualiser tout ce qui est abordé dans le guide. Vous choisissez le quartier, vous repérez son **numéro**, puis vous allez directement chercher ce numéro dans le guide (ils sont présents sur les petits onglets de couleur en haut à droite de chaque page).
Avez-vous vu qu'il y avait trois **couleurs** différentes ? Elles correspondent aux trois thématiques du guide : rose pour les promenades de quartier, vert pour les jardins, jaune pour les visites de musée. Ces couleurs sont reportées sur les mêmes petits onglets, en haut des pages du guide.
Le **sommaire** vous indique également tout ce qui apparaît sur la carte générale, donc à l'intérieur du guide.
Le **tableau « vos promenades en un coup d'œil »** (à l'intérieur de la couverture, à la fin du guide) vous permet d'affiner vos choix : d'après le thème de visite, le métro d'accès, la possibilité d'emmener un enfant de moins de 6 ans, la présence d'un jardin.
Enfin, l'**index** vous renvoie à tout ce qui est de près ou de loin évoqué dans le guide.

LES PROMENADES

Les promenades proposées dans la première partie du guide intitulée « Découvrons les quartiers » allient balade à travers les rues, visite des petits musées et monuments, pause et jeux dans les parcs et jardins en un parcours clairement dessiné sur le plan qui accompagne chacune d'elles.
Après cette petite marche, qui dure en général 2h, vos enfants voudront peut-être finir la journée dans le quartier : nous leur proposons alors la visite de musées ou de monuments à proximité (rubrique « Et s'il pleut ? ») et la découverte d'autres sites (rubrique « Un peu de rab ? »).
Chaque promenade porte un thème, en rapport avec le quartier traversé : le Moyen Âge dans l'île de la Cité, les sciences dans le quartier du Jardin des Plantes, la mode dans celui de l'Alma, etc. Ces thèmes permettent aux enfants d'avoir un fil conducteur à suivre tout au long de la balade, à la manière d'un jeu de piste.

LES JARDINS

Les principaux parcs et jardins de Paris sont traités dans la partie « Promenons-nous dans les bois ».
Nous proposons tout d'abord une promenade guidée à la rencontre des arbres, des statues et des paysages qui constituent le parc, puis nous détaillons toutes les activités que vos enfants pourront y pratiquer.
D'autres jardins sont présentés au cours des promenades de la partie « Découvrons les quartiers », d'autres enfin sont listés dans la dernière partie de guide, « Maman, j'sais pas quoi faire ! » (rubrique « jardins »).
Tous sont recensés et indexés à la fin de « Promenons-nous dans les bois ».

LES MUSÉES

Les grands musées parisiens (Louvre, Orsay, Guimet et La Villette) ont droit à un traitement à part, dans la partie intitulée « Visitons les musées ».
Au lieu de présenter le musée dans sa globalité (ce qui serait très fastidieux et surtout inutile puisque nous savons bien qu'avec vos enfants vous ne visiterez pas toutes les salles), nous avons choisi des thèmes de visite susceptibles de captiver l'attention de ces chers petits. Vous pouvez ainsi suivre la visite d'un seul thème, puis en tester un autre lors d'une prochaine venue au musée.
Nous avons également indiqué tous les supports pédagogiques à disposition des parents pour visiter les musées, ainsi que les activités et ateliers destinés aux enfants. Ces ateliers sont organisés par les musées et sont en général d'une grande qualité pédagogique. Vos enfants en redemanderont. Pour les musées non traités dans cette partie, nous avons rassemblé les ateliers dans la partie « Maman, j'sais pas quoi faire ! » (rubrique « Ateliers des musées »).
D'autres musées sont abordés au cours des promenades de la partie « Découvrons les quartiers », d'autres enfin sont listés dans la dernière partie de guide, « Maman, j'sais pas quoi faire ! » (rubrique « Musées »).

Tous sont recensés et indexés à la fin de « Visitons les musées ».

QUIZ ET AUTRES JEUX

Dans nos promenades, pauses jardins et visites de musées, nous avons égayé la description par des petits jeux destinés directement à vos enfants. Ils vous permettront d'éveiller leur curiosité (d'autant plus si leur attention tombe tout à coup !) et de les amener à être attentifs aux détails, à observer les choses et à comprendre l'histoire d'un quartier ou une technique de peinture. Ces petits jeux sont présentés dans le texte sous forme d'encadrés.

LES CARNETS D'ADRESSES

Chaque promenade, chaque visite a son carnet d'adresses. Ce sont des lieux où l'on peut manger et faire des achats sur l'itinéraire du quartier traversé ou à proximité du jardin et du musée visités.

Pause déjeuner

Pour votre « pause déjeuner », nous avons privilégié les adresses où l'on peut emmener les enfants : ce sont soit des adresses de restauration rapide (sandwicheries, saladeries, crêperies, bistrots), soit des restaurants où le décor, la situation ou ce qu'il y a dans l'assiette les feront patienter jusqu'au dessert. Dans tous les cas, ce sont des adresses bon marché, comme vous pourrez-le voir dans le tableau « Nos catégories de prix ».

NOS CATÉGORIES DE PRIX	
Pause déjeuner (prix déjeuner)	
⊖	16 € et moins
⊖⊖	plus de 16 € à 30 €

Pour chaque établissement, plusieurs renseignements sont donnés. En voici la légende :
12 € déj. – Restaurant : prix menu servi au déjeuner uniquement.
16/38 € – Prix mini/maxi : menus (servis midi et soir) ou à la carte.
réserv. – Réservation recommandée.
⊭ – Cartes bancaires non acceptées.

H. Le Gac / MICHELIN

Pause quatre-heures au jardin des Tuileries.

Pause quatre-heures

Pour une « pause quatre-heures », vous trouverez pêle-mêle des boulangeries, des pâtisseries, des glaciers, des salons de thé, des cafés, des chocolateries. Il y en a pour tous les goûts !

Pause achats

Enfin, vos enfants seront naturellement attirés vers les belles vitrines : jeux, livres, gadgets rigolos sont le fonds de commerce des boutiques que nous avons sélectionnées pour eux. Sachez que dans la partie « Maman, j'sais pas quoi faire ! », sont recensés d'autres magasins de jouets et librairies jeunesse.

LES ACTIVITÉS

Enfin, nous ne pouvions pas terminer ce guide sans vous donner tout un tas d'adresses qui permettront à vos enfants de profiter pleinement de cette belle ville qu'est Paris. Vous trouverez dans la partie « Maman, j'sais pas quoi faire ! » (on la repère à ses bandeaux de couleur bleu) des activités aussi diverses que variées : ateliers des musées, bus touristiques, croisières sur la Seine, jardins, manèges, monuments éclairés la nuit, parcs d'attractions (à proximité de Paris), piscines, pistes de roller, location de vélos, etc.
Chaque adresse renvoie à une promenade précédemment décrite dans le guide. Vous pourrez ainsi programmer une belle journée de découverte dans Paris avec vos enfants.

Bonne lecture et bon Paris !

BON À SAVOIR

Voici, en quelques mots clés, ce qu'il faut savoir et prévoir avant de vous lancer dans nos promenades et nos visites.

ADRESSES UTILES

Office du tourisme et des congrès de Paris – *25 r. des Pyramides - 1er arr. - M° Pyramides - ✆ 0 892 683 000 (0,34 €/mn) - www.parisinfo.com - juin-oct. : 9h-19h ; nov.-mai : 10h-19h, dim. et j. fériés 11h-19h - fermé 1er Mai.* Informations sur hébergement, restauration, transports, sites touristiques, manifestations. Réservation hôtelière sur place et en ligne. Vente de bons d'excursions et de croisières, cartes musées-monuments et de pass RATP. Bureau de la gare de Lyon : tlj sf dim. 8h-18h. Bureau de la gare du Nord « Bulle accueil » : 8h-18h - fermé 1er Mai, 25 déc. Bureau Opéra-Grands Magasins - 11 r. Scribe : tlj sf dim. 9h-18h30 - fermé 1er janv., 1er Mai, 25 déc. Bureau saisonnier de la tour Eiffel - M° Bir-Hakeim ou RER C Champ-de-Mars : de fin mars à fin oct. 11h-18h40 - fermé 1er Mai.

Côté Internet, le site de la **Mairie de Paris** fournit de nombreuses informations tant sur le tourisme que sur la vie quotidienne à Paris : **www.paris.fr**

CHARTE DU PETIT TOURISTE

Profiter de la ville, c'est d'abord la respecter. Apprenez donc à vos enfants à devenir des éco-promeneurs et des éco-touristes. Lors de vos promenades, dans les rues, dans les jardins ou dans le métro, ne jetez aucun papier par terre (même les tout-petits, même vos vieux tickets de métro) : il y a des poubelles partout à votre disposition. Si jamais vous ne les trouvez pas, gardez vos déchets dans votre sac.
Si vous emmenez Milou en balade, sachez qu'il ne pourra pas entrer dans certains parcs et jardins, encore moins dans les musées, cela va de soi. Ramassez ses besoins (prenez des sacs en plastique en prévision). Et surtout, tenez-le en laisse.
Les transports en commun sont ultrapratiques : la voiture doit donc absolument rester au garage (il y en a bien assez comme ça dans les rues), vous pouvez également prendre votre vélo (voir la rubrique « Vélo » dans la partie « Maman, j'sais pas quoi faire ! »).
Dans le métro, apprenez à vos petits à tenir la porte pour les voyageurs qui arrivent après eux, à se mettre toujours à droite dans les escalators (pour ne pas gêner ceux qui veulent doubler), à ne pas rester en plein milieu devant les portes du wagon de métro (sinon, personne ne peut descendre ou monter dans la rame), bref, toutes ces petites choses finalement normales, mais que les Parisiens ont parfois tendance à oublier.
Dans les musées, laissez votre sac à dos au vestiaire (vous pourriez abîmer sans le faire exprès des œuvres d'art), évitez de prendre des photos avec flash (cela détériore les couleurs), et ne touchez surtout pas aux objets. Dites à vos enfants qu'ils ont de la chance de pouvoir admirer des chefs-d'œuvre parfois vieux de plusieurs milliers d'années parce que les visiteurs avant eux ont fait attention à ne pas les toucher. Profitez-en également pour leur expliquer en quoi consiste le métier de conservateur de musée. Demandez-leur de ne pas crier !
Les musées sont des lieux où il faut apprendre à regarder en silence (mais on peut quand même demander à son papa ou à sa maman des infos, en parlant tout bas). Certains musées sont quasiment réservés aux enfants (Palais de la Découverte, Cité des sciences…), on peut donc parler un peu plus fort, mais pas trop quand même, sinon, on ne s'entend plus !
Ces musées sont souvent interactifs : il y a de nombreuses manettes à bouger, des boutons où appuyer : ces systèmes sont malheureusement assez fragiles ; inutile donc de les utiliser comme des forcenés ! Et faites en sorte que vos enfants ne se précipitent pas comme des fous sur les machines sans même regarder en quoi consiste la manipulation. Regarder avant de toucher, c'est souvent plus efficace. Certaines manipulations ont plus de succès que d'autres : demandez à vos enfants de ne pas les mobiliser ; il y a certainement d'autres enfants qui attendent pour les essayer.

ÉQUIPEMENT

Jouer les touristes en herbe requiert quelques accessoires. Tout d'abord, mettez aux pieds de vos enfants de bonnes chaussures de marche : nos

promenades durent en moyenne 2h, il faudra donc crapahuter. Si le temps est au beau fixe, n'oubliez pas chapeau (ou casquette ou bob) et lunettes de soleil ; une gourde ou une bouteille d'eau sera aussi la bienvenue en cours de route. Si le ciel est tout gris, l'imperméable s'impose ; n'encombrez pas vos enfants d'un parapluie, rien ne vaut la bonne vieille capuche (pour vous, c'est différent : c'est vous qui allez tenir le guide entre vos mains, il faut donc pouvoir le protéger de la pluie...).

Dans leur sac à dos, glissez quelques objets qui s'avéreront fort utiles au moment venu : un petit bloc-notes et des crayons (de couleur) pour noter deux, trois choses ou esquisser une jolie sculpture, un appareil photo pour saisir leurs meilleurs souvenirs (un jetable peut faire l'affaire), du pain rassis pour donner aux canards (dans certains parcs, il y a des bassins, qui attirent toujours les canards, comme par exemple à Bercy, aux Batignolles, à Monceau, etc.), et un peu d'argent de poche pour acheter une carte postale, ou une tour Eiffel en porte-clé. Vous-même, si vous en possédez une, emportez une paire de jumelles, ça peut toujours servir.

De retour à la maison, faites faire à vos enfants un « carnet de souvenirs parisiens » : à l'intérieur, ils pourront y raconter leurs promenades, coller les tickets d'entrée des musées (ils sont souvent très jolis), dessiner leurs monuments préférés, agrafer la photo du singe prise au zoo, scotcher les tickets de métro usagés. Ce sera en quelque sorte leur petit guide personnel ! Mais pour pouvoir faire tout cela, il faut penser à bien tout garder dans sa poche ou dans son sac !

FORFAITS

Carte Musées-Monuments – Association interMusées - 4 r. Brantôme - 3e arr. - ✆ 01 44 61 96 60 - www.intermusees.com - 18 €/j, 36 €/3 j, 54 €/5 j consécutifs. En vente dans les principales stations de métro, les musées et monuments et à l'office du tourisme de Paris, cette carte permet un accès libre et direct (nombre de visites illimité) aux collections permanentes de 60 musées et monuments de Paris et de la région parisienne.

City Pass – Sous l'appellation « Offrez-vous Paris », un City Pass permet aussi bien aux touristes qu'aux Parisiens de bénéficier de nombreux avantages dans Paris. Pour 5 € (10 € s'il est combiné avec le titre de transport Mobilis), il propose un carnet de « bons plans » dans lequel se trouve une brève description des sites touristiques (bilingue français et anglais) ainsi qu'un carnet de coupons de réduction venant d'une centaine de partenaires (Bateaux-Mouche, musées, cinémas, shopping, soirées.). Très pratique, ce pass est valable un an et n'est pas nominatif.

JARDINS

Les jardins, parcs et squares sont des lieux publics soumis à un règlement, auquel vous néchapperez pas.

Les vélos sont interdits, sauf sur les pistes des bois de Boulogne et Vincennes, et sur l'allée Ferdousi du parc Monceau. Les chiens sont priés de rester dehors, sauf mention spéciale. L'utilisation par les enfants des jeux est placée sous la surveillance et la responsabilité des parents. Les jeux de ballons ne sont pas autorisés partout. Interdiction aussi de faire voler son cerf-volant, à part dans les plaines de jeux.

P. Jausserand / MICHELIN

Pause photo sous un cerisier en fleur, au Jardin des Plantes.

Les jardins peuvent être fermés au public en cas de grosses intempéries (par exemple une tempête, mais également lorsqu'il y a de la neige – tant pis pour les parties de boules !). Bref, vous l'aurez compris, il y a le règlement général, puis des exceptions : la sagesse voudrait donc que vous jetiez un coup d'œil au règlement toujours affiché à l'entrée des jardins.

MÉTÉO

Avant de suivre, guide en main, les promenades que nous vous proposons, renseignez-vous sur la météo.
Accès direct aux prévisions du département : ✆ 0 892 680 2 suivi de 75 (0,34 €/mn). Toutes ces informations sont disponibles sur www.meteo.fr
Et pour finir, un conseil d'ami : évitez la canicule (on ne respire pas, l'asphalte est brûlant) et le froid mordant (vous n'aurez qu'une envie : rentrer à la maison !).

MUSÉES

Voici quelques informations générales sur les musées que vous rencontrerez au cours de vos promenades.

Gratuité – L'accès aux collections permanentes des musées de la Ville de Paris est gratuit, à l'exception des Catacombes, de la Crypte archéologique du parvis de Notre-Dame, du musée Galliera (dont les collections ne sont visibles que durant des expositions) et du Pavillon des Arts. Des informations complémentaires sont disponibles dans les musées ou à la Direction des affaires culturelles - Bureau des musées - Services des relations avec le public - 70 r. des Archives - 75003 Paris - ✆ 01 42 76 83 65.
Les musées nationaux et certains monuments historiques (tarif réduit pour les visites-conférences) sont gratuits pour les personnes handicapées et leur accompagnateur sur présentation de la carte Cotorep délivrée par la direction des Affaires sociales. Ces musées sont également gratuits pour tout le monde le 1er dimanche de chaque mois.

Tarifs réduits – Ils concernent les étudiants (-25 ans), les enfants jusqu'à 12 ans, les demandeurs d'emploi et les familles nombreuses sur présentation d'un justificatif.

Cartes d'abonnement – Plusieurs musées proposent à la vente des cartes d'abonnement permettant de voir et revoir les œuvres d'art qu'ils abritent. C'est notamment le cas pour le centre Georges-Pompidou, le Louvre et le musée d'Orsay. Se renseigner sur place.

Horaires – La fermeture des caisses s'effectue en général une demi-heure avant celle du monument ou du musée. Les églises ne se visitent pas pendant les offices et sont généralement fermées de 12h à 14h. Les horaires d'ouverture des musées et des monuments les jours fériés sont très variés. Téléphoner à l'avance pour vérifier.

TRANSPORTS EN COMMUN

Pour chaque promenade, nous indiquons systématiquement l'accès en métro, en bus et en RER. Les points de départ et d'arrivée de ces promenades correspondent toujours à une station de métro ou à un arrêt de bus le cas échéant.

Utilisation – Service assuré de 5h30 à 0h30 (dernier dép.) pour le métro et de 5h à 0h20 pour le RER, de 6h30 à 21h30 du lun. au sam. (horaire général) pour le bus. Paris intra-muros est couvert par la zone 1 et 2, la périphérie de Paris par les zones 3 à 8, selon la distance.

Renseignements – ✆ 0 892 687 714 - www.ratp.fr - www.citefutee.com

Forfaits –Le coupon Mobilis permet un nombre de trajets illimité pendant une journée dans les limites des zones choisies. Il est valable sur tous les bus d'Île-de-France (réseaux RATP et Optile), le métro, le RER et les trains SNCF, à l'exception des liaisons avec les aéroports. Le coupon Paris-Visite est valable dans les mêmes conditions pendant 1, 2 ou 5 jours, et permet d'utiliser les liaisons avec les aéroports (coupons zones 1-3 et 1-5). Attention, les coupons magnétiques Mobilis, Paris-Visite, carte orange et toutes les cartes hebdomadaires, mensuelles, annuelles, touristiques ne doivent jamais être compostés dans les bus. Il suffit de les montrer au chauffeur lors de la montée. Sinon, ils ne fonctionneront plus dans le métro ou le RER.

Métro – 14 lignes sillonnent la capitale en long, en large et en travers. Les lignes 6 et 2 sont en grande partie aériennes. *(Plan du métro p. 304)*.

RER (Réseau express régional) – Le réseau compte 5 lignes dont 3 s'articulent sur la station centrale Châtelet-Les Halles (lignes A, B et D). Ligne A (d'Ouest en Est) de St-Germain-en-Laye, Poissy ou Cergy à Marne-la-Vallée-Chessy (Parc Disneyland) ou Boissy-St-Léger. Ligne B (du Nord au Sud) de Robinson ou St-Rémy-lès-Chevreuse à la gare du Nord puis (via le réseau SNCF) à l'aéroport de Roissy-Charles-de-Gaulle ou Mitry-Claye. Ligne C (d'Ouest en Est) de Versailles-Rive

Gauche (château), St-Quentin-en-Yvelines, Argenteuil ou Pontoise à Dourdan, Étampes, Massy-Palaiseau ou Versailles-Chantiers. Ligne D (du Nord au Sud-Est) d'Orry-la-Ville à Malesherbes ou Melun. Ligne E (d'Ouest en Est) de la gare Haussmann-Saint-Lazare à Villiers-sur-Marne ou Chelles-Gournay.

Tramway – ✆ 01 42 76 86 10 - www.tramway.paris.fr ou www.ratp.fr - En 2006, une ligne de tramway devrait fonctionner sur les boulevards des Maréchaux, du pont du Garigliano (15e) à la porte d'Ivry (13e). Ce tramway remplacera l'actuel bus PC sur un premier tronçon long de près de 8 km et desservira 17 stations en correspondance avec certaines lignes de bus, de métro et de RER. À terme, la ligne du tramway des Maréchaux sera prolongée à l'Est et au Nord, de manière à effectuer une boucle complète autour de Paris.

Bus parisiens – Comme tous les transports en commun, ils sont plus ou moins réguliers, plus ou moins bondés (évitez, si possible, les heures de pointe), et cela varie suivant les lignes. Mais ils constituent un excellent moyen de découvrir Paris en s'insérant dans le tissu et le trafic urbains.
Les 59 lignes complètent agréablement le réseau métropolitain. Certaines lignes passent par les monuments et quartiers phares de Paris (les 24 et 72 en particulier). Certains bus (18 lignes sont concernées) fonctionnent en nocturne : ce sont les Noctambus ; ils circulent la nuit de 1h à 5h30 environ, avec un dép. ttes les heures (30mn le w.-end) à Châtelet pour rayonner jusqu'à 30 km autour de Paris.

Cette fois, vous voilà fin prêts pour partir à la conquête de Paris !

H. Le Gac / MICHELIN

DÉCOUVRONS LES QUARTIERS

Île de la Cité

Le berceau de Paris

ATLAS MICHELIN PARIS N° 56 (P. 44-45) ET N° 57 (P. 8-9), REPÈRES J14-15, K15-16 – 1ER ET 4E ARR.

Imaginez la Seine, deux fois plus large qu'aujourd'hui, baignant une multitude de petites îles… Tout autour des marécages. Seules émergent quelques buttes, sur la rive droite, et une petite montagne (Ste-Geneviève) sur la rive gauche. Ce paysage, c'est celui que contemplaient les Parisii, les premiers habitants de l'île de la Cité. Berceau de la capitale, cette île est devenue au Moyen Âge le centre de tous les pouvoirs. Elle s'est dotée d'un palais et d'une cathédrale dont l'éclat rayonnait par-delà les frontières. Il nous en reste des joyaux : Notre-Dame bien sûr, mais également la Sainte-Chapelle et la Conciergerie.

POINT DE DÉPART

En **métro** : ligne 7, station Pont-Neuf.
En **bus** : lignes 21, 24, 27, 58, 67, 69, 70, 72, 74, 75, 85 et Balabus, arrêt Pont-Neuf-Quai-du-Louvre.
À proximité, vous pouvez suivre les promenades du Quartier latin (2) et de St-Germain-des-Prés (3).

POUR LES PETITS MALINS

Cette promenade riche en monuments offre aussi d'agréables pauses dans des squares verdoyants, bordés par la Seine. Notre-Dame, la Sainte-Chapelle et la Conciergerie étant très fréquentées par les touristes, mieux vaut effectuer la promenade de bon matin ou hors saison.
Une bonne idée : prévoyez une paire de jumelles pour observer les sculptures de Notre-Dame et les vitraux de la Sainte-Chapelle. Sinon, sachez qu'il existe des jumelles payantes (munissez-vous de pièces de 1 € ou de 50 cts) sur le parvis de Notre-Dame et qu'on peut en louer à la Sainte-Chapelle.

LE CLOU DE LA VISITE

Le square du Vert-Galant qui s'avance comme une proue de navire dans les eaux de la Seine ; les vitraux de la Sainte-Chapelle éclairés par le soleil ; la vue sur Notre-Dame depuis le square Jean-XXIII ; la vue sur Paris depuis les tours de Notre-Dame… et les glaces de chez Berthillon.

Pour mieux comprendre

Le berceau de Paris – Vers 200 avant notre ère, des pêcheurs gaulois, de la tribu des Parisii, installent leurs huttes sur la plus vaste des îles de la Seine, l'actuelle île de la Cité. Ainsi naît une petite bourgade fortifiée, Lutèce, un nom celtique qui signifie « chantier naval sur un fleuve ». Conquise par les Romains en 52 av. J.-C., la petite cité prospère grâce à la batellerie (la nef qui figure sur les armoiries de la capitale évoque à la fois la forme de l'île et l'activité la plus ancienne de ses habitants). À l'Est de l'île se dresse le temple, à l'Ouest le palais-forteresse des gouverneurs romains. Sur la rive gauche du fleuve se développe une importante ville nouvelle. Mais au 3e s., les invasions des Barbares poussent ses habitants à se réfugier sur l'île de la Cité. C'est à cette époque que Lutèce prend le nom de ses premiers habitants et devient Paris.

Capitale à éclipse – Devenu maître de la Gaule, Clovis établit sa capitale à Paris en 508. Son fils Childebert Ier fait édifier la première cathédrale sur l'île de la Cité. Les autres rois mérovingiens résident aussi au palais de la Cité quand ils séjournent à Paris. Puis à l'époque carolingienne, le centre de l'Empire se déplace vers l'Est. Les rois négligent leur palais parisien, et la Cité se dépeuple…

La Cité de tous les pouvoirs – Avec les Capétiens, Paris retrouve son rôle de capitale. Le palais de la Cité devient le centre du pouvoir. Durant quatre siècles, de Robert le Pieux à Jean II le Bon, en passant par Saint Louis, les rois capétiens n'ont de cesse d'agrandir et d'embellir l'ancienne forteresse pour en faire le symbole de leur puissance. Au 14e s., c'est le plus magnifique palais d'Europe. Entre-temps, l'Est de l'île, siège du pouvoir religieux, s'est lui aussi enrichi d'une grandiose cathédrale, Notre-Dame.

Les heures sombres du palais – En 1358, des émeutiers conduits par le prévôt de Paris, Étienne Marcel, envahissent la chambre du dauphin, le futur Charles V, et égorgent ses conseillers sous ses yeux. Redevenu maître de la situation, Charles V ne voudra plus résider dans le palais de la Cité. Il y installera, à la place, le Parlement, la Cour suprême de justice du royaume.
La Révolution française signera une autre page sombre de l'histoire de la Cité quand la Conciergerie sera transformée en prison et que le Tribunal révolutionnaire siégera dans le Palais de justice.

Les transformations de l'île – Au début du 17e s., Henri IV agrandit l'île, par l'annexion d'îlots voisins, et la relie aux deux rives de la Seine par le Pont-Neuf. Sous Napoléon III, tout le centre ancien de l'île est démoli pour céder la place à d'énormes bâtiments administratifs. Le Palais de justice double de superficie. Le parvis de Notre-Dame voit sa surface quadrupler... Seules les ruelles de l'ancien quartier du Chapitre, au Nord de la cathédrale, conservent un peu leur aspect médiéval.

Embarquement vers le Moyen Âge

Départ M° Pont-Neuf. 2h de promenade. Prendre la sortie « Musée de la Monnaie ». Tourner à droite sur le Pont-Neuf.

Pont-Neuf★

Commencé en 1578, c'est le plus vieux pont de Paris (il a résisté à toutes les crues, d'où l'expression « se porter comme le Pont-Neuf » !). Grande nouveauté pour l'époque : il n'est pas bordé de maisons et comporte des trottoirs. Les piétons peuvent ainsi contempler la vue et flâner à loisir sur les terrasses en demi-lune qui accueillent boutiques en plein vent, arracheurs de dents, « farceurs » et bateleurs. Dernière innovation : Henri IV, à cheval, trône au milieu du pont. C'est la première fois que l'on voit à Paris une statue de roi dans un lieu public.

Descendre l'escalier, derrière la statue d'Henri IV.

Square du Vert-Galant

Un ginkgo biloba, arbre sacré paré de feuilles d'or à l'automne, des oiseaux, des pelouses ombragées et des fleurs... puis, à la pointe de l'île, un magnifique saule pleureur et l'eau qui vous entoure, comme sur un navire. C'est un jardin pour amoureux – d'ailleurs, il porte le surnom donné à Henri IV en raison de son amour pour les femmes. Mais c'est aussi un jardin délicieux avec des enfants. Comme sur une passerelle de bateau, ils peuvent s'appuyer au bastingage (pas de danger de tomber à l'eau !) pour observer de tout près les pompiers et leurs bateaux-pompes, le va-et-vient des péniches et parfois les grèbes huppés, ces oiseaux qui disparaissent soudain en plongée et ne ressortent que 30 secondes plus tard. La vue est magnifique : le Louvre et sa colonnade, la passerelle des Arts, la Monnaie, la coupole de l'Institut. En sortant, prenez le temps d'observer le Pont-Neuf avec ses douze belles arches et ses 384 mascarons à têtes de faunes.

Le long de la Seine, le Palais de justice, sur l'île de la Cité.

Remonter sur le Pont-Neuf, prendre la rue H.-Robert et traverser la place Dauphine (chemin Nord).

Place Dauphine★

Pendant longtemps, la Cité s'est terminée à l'Ouest par une série d'îlots bas. À la fin du 16e s., Henri II fait combler les fossés boueux et souder les îlots entre eux, En 1607, Henri IV décide d'y édifier une élégante place triangulaire bordée de maisons en brique rouge et pierre blanche, toutes identiques. La place est baptisée « Dauphine » en l'honneur du futur Louis XIII. Jusqu'à la fin du 17e s. elle sert de cadre à de somptueuses fêtes. Certains immeubles, comme le n° 14, n'ont pas changé depuis cette époque.

Palais de justice

Le grand bâtiment qui se dresse au bout de la place Dauphine est la façade arrière (restaurée aux 19e-20e s.) du Palais de justice où siègent aujourd'hui tous les tribunaux parisiens. Il occupe l'emplacement de la forteresse des gouverneurs romains transformée par les rois capétiens en un somptueux palais. Ce fut la résidence et le siège du pouvoir des rois de France du 10e au 14e s. Il abrite la Sainte-Chapelle, construite par Saint Louis, et la Conciergerie édifiée par son petit-fils, Philippe le Bel.

Prendre à gauche la rue de Harlay, puis à droite le quai de l'Horloge en restant côté Seine afin de mieux voir la Conciergerie.

Conciergerie : extérieur★

Construite au 13e s., la Conciergerie est la partie la plus ancienne du palais des Capétiens. Lorsque le roi s'installa au Louvre, elle devint la première prison de Paris et le resta jusqu'à la fin du 19e s. Elle est flanquée de quatre tours. La première, la **tour Bonbec**, crénelée, est la plus ancienne. Pendant des siècles, on y pratiqua la torture pour faire parler les prisonniers, d'où ce nom de « bon bec ». Au centre de la façade néo-gothique se dressent des tours jumelles qui commandaient jadis l'entrée du Palais royal : à droite, la **tour d'Argent**, qui abritait le trésor de la Couronne ; à gauche, la **tour César**, où Fouquier-Tinville avait son logement pendant la Terreur. La **tour de l'Horloge**, qui fait l'angle avec l'actuel boulevard du Palais, fut ornée en 1370 de la première horloge publique de Paris (son cadran actuel date du 16e s.).

À la Révolution, la Conciergerie fut aménagée pour accueillir jusqu'à 1 200 détenus à la fois. Entre janvier 1793 et juillet 1794, près de 2 600 prisonniers y ont été enfermés avant de partir vers la guillotine. Parmi eux : Marie-Antoinette, Charlotte Corday, Mme du Barry, favorite de Louis XV, le poète André Chénier et le savant Lavoisier.

Tourner à droite dans le boulevard du Palais pour aller voir l'entrée principale du Palais de justice.

Le **boulevard du Palais** dessert les entrées du Palais de justice. Après la petite entrée menant à la Conciergerie, on passe devant l'entrée principale (18e s.) du **Palais de justice** qui s'ouvre sur la cour du Mai (son nom vient du fait que chaque année, les clercs y plantaient un arbre), fermée par une magnifique grille. En levant les yeux, vous verrez dépasser l'élégante silhouette, la flèche élancée (75 m de haut depuis le sol) et l'ange du chevet de la **Sainte-Chapelle** (*pour y accéder, emprunter un passage voûté situé peu après*).

Revenir un peu sur ses pas et traverser le boulevard pour prendre la rue de Lutèce (côté Nord) qui débouche sur la place Louis-Lépine où se tient le marché aux Fleurs. Le **marché aux Fleurs** : voilà un endroit où ça sent bon ! Pour prendre un bain de fleurs et de verdure, suivez de préférence l'avant-dernière allée, aux allures de serre, pour revenir ensuite par la dernière allée où vous verrez des orchidées, des plantes carnivores (attention à vos doigts !) et d'étonnants troncs de palmiers.

Continuer dans la rue de la Cité. Puis la traverser à la hauteur de l'angle de l'Hôtel-

P. Jausserand / MICHELIN

Le marché aux Fleurs, un vrai régal pour les yeux et le nez !

Dieu et longer cet hôpital jusque vers son entrée avant de rejoindre le parvis Notre-Dame à la hauteur de la Crypte archéologique

Parvis de Notre-Dame

Au Moyen Âge, le parvis était quatre fois plus petit. La cathédrale était enserrée entre les maisons, ce qui renforçait encore son impression d'envolée. À cette époque, des sujets religieux étaient mis en scène devant les églises, à la manière d'un théâtre de plein air : c'étaient les **« mystères »**. Le porche représentait le paradis, d'où le nom de parvis qui désigne l'esplanade en avant de l'église. Certains mystères, interprétés par plusieurs centaines d'acteurs amateurs, duraient jusqu'à quatre jours pleins.
Dans la **Crypte archéologique du parvis de Notre-Dame**, les enfants passionnés d'histoire découvriront des vestiges de la ville depuis l'époque gallo-romaine (les contours des principales constructions figurent sur le sol du parvis). Des dioramas montrent l'évolution de Paris depuis les origines. *☎ 01 55 42 50 10 - tlj sf lun. et j. fériés 10h-17h30 - 3,30 € (-14 ans gratuit).*
Tout à côté, des **jumelles payantes** permettent de voir de près les sculptures de Notre-Dame. Le temps de vision est court, mais peut sensibiliser les enfants à ces œuvres.
Pour éviter la foule, longez plutôt le parvis côté Sud, qui bénéficie de verdure et d'une jolie vue de trois quarts sur Notre-Dame. Remarquez au passage la **statue de Charlemagne** armé de sa célèbre Durendal, l'épée qui jamais « ne se brise » ; à ses côtés figurent ses preux chevaliers Olivier et Roland.

En revenant face à l'entrée principale de Notre-Dame, repérez la petite dalle de bronze qui indique le kilomètre zéro des routes de France : c'est à partir de ce point que se calculent les distances entre Paris et les autres endroits de France.

Notre-Dame★★★

☎ 01 42 34 56 10 - www.cathedraledeparis.com - accès libre : 8h-18h45 - possibilité de visite guidée (façade et intérieur 1h30) 12h et 15h, w.-end 14h30 ; de mi-juil. à mi-août : se renseigner à l'accueil - gratuit.
Les premiers habitants de la Cité avaient déjà fait de cette partie de l'île un lieu de prière. À l'emplacement de Notre-Dame existaient un temple gallo-romain, puis une première cathédrale mérovingienne dédiée à saint Étienne (6e s.).
À la suite de l'abbé Suger, qui a entamé la construction d'une grandiose basilique royale à Saint-Denis *(voir « un peu de rab ? »)*, Maurice de Sully, évêque de Paris, décide, vers 1160, la construction d'une immense cathédrale. Les travaux commencent trois ans plus tard ; ils vont durer près de deux siècles. Mais dans cette époque de grande foi religieuse, rien n'est trop beau pour glorifier Dieu. Le roi et l'évêché apportent leur contribution financière. L'humble peuple des corporations, tailleurs de pierre, charpentiers, forgerons, sculpteurs, verriers, etc., participe avec ses bras. Dirigée au départ par un architecte de génie inconnu, la construction de Notre-Dame se poursuit au 13e s., sous la direction de Jean de Chelles et de Pierre de Montreuil, l'architecte de la Sainte-Chapelle et de Saint-Denis. Au fil du temps, le projet évolue : l'architecture se fait de plus en plus légère, de plus en plus lumineuse grâce à l'utilisation des arcs-boutants. Ces arcs de pierre, qui soutiennent de l'extérieur les parties hautes du mur, permettent d'agrandir l'espace intérieur et d'ouvrir de hautes fenêtres pour laisser rentrer à flot la lumière. Autre nouveauté : les gargouilles qui permettent de rejeter loin des fondations les eaux de pluie qui ruissellent des toits.
La Révolution saccage la cathédrale : croyant avoir affaire à des portraits de rois, les révolutionnaires décapitent ou détruisent toutes les statues en pied. L'église est privée de sa flèche et durant un moment transformée en temple de la Raison. Toutes les cloches sont fondues, sauf le gros bourdon. Quand, enfin, elle est rendue au culte, Notre-Dame est si délabrée qu'il faut masquer tous ses murs sous des tentures pour la cérémonie du sacre de Napoléon. C'est Victor Hugo qui lance l'alarme. À travers son roman *Notre-Dame de Paris,* qui se déroule au Moyen Âge à l'ombre de Notre-Dame, il amène l'opinion publique à s'inquiéter de la dégradation de la cathédrale. Un grand projet de restauration de l'édifice est enfin lancé. Principal architecte chargé des travaux, Viollet-le-Duc consolide l'édifice. Puis il reconstruit une nouvelle flèche et refait toutes les sculptures détruites. C'est pourquoi un certain nombre des statues que vous voyez aujourd'hui sont des copies du 19e s.
Notre-Dame pourrait en raconter sur les grands événements de l'histoire : elle a vu Henri VI, roi d'Angleterre, couronné roi de France en 1431, la révision du procès de Jeanne d'Arc en 1455, le mariage de Marguerite de Valois et d'Henri de Navarre en 1562 (le futur Henri IV dut rester à la porte de l'église car il n'avait pas encore renoncé à sa religion protestante), le sacre de Napoléon en 1804, le mariage de Napoléon III en 1853, la cérémonie de la libération de Paris le 26 août 1944 ou encore le dernier hommage au général de Gaulle en 1970.

Façade – Chef-d'œuvre d'équilibre et d'harmonie, cette façade présente cependant plusieurs dissymétries. Voyez-vous les différences entre les trois portails ? Celui du milieu est plus haut et plus large ; celui de gauche et celui de droite diffèrent légèrement l'un de l'autre. C'était au Moyen Âge un moyen souvent employé pour atténuer la monotonie des grandes surfaces. Les portails présentaient d'ailleurs un tout autre aspect : les statues étaient peintes de couleurs vives sur fond d'or. Il est vrai qu'à cette époque beaucoup de gens ne savaient pas lire ; les sculptures étaient alors comme un livre d'images, une Bible de pierre où les fidèles pouvaient apprendre l'histoire sainte et ce qui les attendait après leur mort s'ils se conduisaient mal sur Terre.

Regardez le **portail du Jugement dernier** *(au centre)*. En bas, la Résurrection ; au milieu, la Pesée des âmes : les élus sont emmenés au ciel par des anges, et les damnés entraînés en enfer par des démons. Dans la pointe, le Christ, juge suprême, est assis sur son tribunal. La Vierge et saint Jean, à genoux, intercèdent pour les hommes. Les voussures (arcs qui encadrent le portail) représentent la cour céleste. En bas, le ciel et l'enfer sont symbolisés par Abraham recevant les âmes *(à gauche)* et par d'affreux démons *(à droite)*. Remarquez en particulier ce cavalier qui tue son ami en se jetant dans le mur les yeux bandés (symbole de l'aveuglement). Tout en bas, des médaillons représentent les Vices *(rangée inférieure)* et les Vertus *(rangée supérieure)*.

Le très beau tympan du **portail de la Vierge** *(à gauche)* a servi de modèle aux imagiers pendant tout le Moyen Âge. Au linteau inférieur, l'arche d'alliance est entourée par les prophètes, qui ont annoncé le destin glorieux de la mère de Dieu. Dans la pointe, le couronnement de Marie : dans une attitude pleine de noblesse, le Christ tend un sceptre à sa mère, qu'un ange couronne. Sur les piédroits (montants verticaux de porte), de petits bas-reliefs évoquent les travaux des mois et les signes du zodiaque correspondants *(de gauche en montant, à droite en descendant)*. Repérez aussi saint Denis : il tient sa tête dans les mains et est soutenu par deux anges.

Certaines sculptures du **portail de sainte Anne** *(à droite)* sont les plus anciennes de Notre-Dame, en particulier celle de la Vierge en majesté à la pointe du tympan : elle trône de face et présente l'Enfant Jésus, selon la tradition romane. Elle est entourée par deux anges, ainsi que par un évêque debout et un roi à genoux, sans doute les fondateurs de l'église mérovingienne.

Au-dessus des portails, on voit la **galerie des Rois**. Ses 28 statues représentent les rois de Juda et d'Israël, ancêtres du Christ. En 1793, la Commune, les prenant pour des rois de France, les fit décapiter sur le parvis *(on peut voir leurs têtes au musée de Cluny, voir la promenade 2)*.

Avec près de 10 m de diamètre, la **grande rose** fut longtemps la plus vaste qu'on ait osé percer. Son dessin est si parfait qu'aucun de ses éléments n'a joué depuis plus de sept siècles. Elle forme comme une auréole à la statue de la Vierge à l'Enfant, encadrée par deux anges.

La **grande galerie** est une superbe ligne d'arcades qui relie la base des tours. Aux angles des contreforts de la balustrade qui la surmonte, Viollet-le-Duc a placé des oiseaux fantastiques, des monstres, des démons, peu visibles du parvis.

Intérieur – L'essentiel est de se laisser gagner par la grandeur des lieux, leur caractère sacré. Pour cela, le meilleur moment serait de venir quand les grandes orgues retentissent sous les voûtes. De toute façon, on reste émerveillé devant la pureté, l'élancement et l'immensité de la nef : 130 m de long, 48 m de large, 35 m de haut ! Quelle foi et quel génie animèrent les bâtisseurs de cathé-

Jeu d'observation

1 - Sur le portail central, repère la scène de la pesée des âmes. Mais que fait le diable ?

2 - Pourquoi le diable est-il représenté avec des cornes, des ongles crochus et des poils partout ?

3 - Que regardent les humains qui sont à gauche de l'ange ?

4 - Comment sont les humains à la droite du diable ?

5 - Baisse maintenant le regard vers les médaillons. Parmi les vices (tout en bas), cherche l'homme qui se transperce d'une épée, symbole du désespoir, et l'homme qui s'enfuit devant un lion en abandonnant son épée, symbole de lâcheté. Parmi les vertus (au-dessus), repère l'agneau symbole de douceur et la brebis symbole de charité.

Réponses : 1 - Le diable triche en appuyant sur la balance pour essayer de la faire pencher de son côté. Malgré tout, la balance penche du côté de l'ange pour manifester la victoire de Dieu sur le mal.

2 - Pour faire peur et montrer que le mal est comme une bête qu'il faut chasser.

3 - Ils regardent vers le ciel, vers Dieu. Ce sont les élus.

4 - Ils sont encordés pour être entraînés vers l'enfer.

5 - Pour t'aider à trouver : désespoir et charité sont du côté gauche, lâcheté et douceur du côté droit.

drale ! Des millions et des millions de fidèles et de pèlerins sont venus se recueillir ici. Des incroyants y ont trouvé la foi. L'un d'eux, écrivain et poète, Paul Claudel (1868-1955), y eut la révélation de Dieu un jour de Noël 1886, près d'un pilier...
N'oubliez pas de regarder la **rose Nord**, presque intacte depuis le 13e s : la Vierge trône au centre entourée de 80 prophètes, juges, rois et grands prêtres de l'Ancien Testament. Jamais encore on n'avait représenté autant de personnages ni inclus du jaune, du vert et du blanc dans les vitraux traditionnellement rouge et bleu.
La **vie de Jésus sculptée autour du chœur** pourra également intéresser les enfants, peut-être plus que les peintures des nombreuses chapelles qui abritent pourtant de magnifiques **« mays »**, ces œuvres d'art offertes par les orfèvres de Paris.

Ressortir et prendre sur la droite la rue du Cloître-Notre-Dame.

Tours

✆ 01 53 10 07 00 - juil.-août : 9h-19h30, w.-end 9h-23h ; avr.-juin et sept. : 9h30-19h30 ; oct.-mars : 10h-17h30 (dernière entrée 45mn av. fermeture) - accès au pied de la tour Nord (402 marches) - fermé 1er janv., 1er Mai, 25 déc. - 7 € (-18 ans gratuit).

Hautes de 69 m au-dessus du sol, ces tours paraissent relativement légères grâce à leurs baies étroites et très hautes (plus de 16 m). Celle de droite porte *Emmanuel*, le fameux bourdon qui pèse 13 t. La pureté de son timbre (il donne l'actuel *fa* dièse) serait due aux bijoux d'or et d'argent que les Parisiennes jetèrent dans le bronze, lorsqu'il fut refondu au 17e s.
Après une rude montée, le sommet de la tour Sud offre une **vue★★★** splendide sur la flèche et les arcs-boutants, la Cité et tout Paris. Au niveau de la grande galerie, remarquez les chimères et le bourdon. Dans la chapelle haute, un musée-vidéo retrace les grandes heures de Notre-Dame (*durée : 15mn*).

De retour en bas et en longeant le flanc Nord de Notre-Dame, on retrouve un peu l'ambiance de la Cité du Moyen Âge avec ses petites maisons étroitement serrées autour de la cathédrale. C'est l'**ancien quartier du Chapitre**. C'est là qu'habitaient les chanoines : ils avaient chacun leur maison à l'intérieur d'une enceinte percée de quatre portes.
Avant d'entrer dans le square Jean-XXIII, empruntez le pont Saint-Louis pour faire un saut dans l'**île St-Louis★★**, histoire d'aller déguster une des sublimes glaces de chez **Berthillon** *(voir le carnet d'adresses)* et d'admirer au passage cette ravissante île construite au 17e s. Si vous n'avez pas trop envie de marcher, vous trouverez aussi certains sorbets et glaces Berthillon au **Flore en l'île** *(voir le carnet d'adresses)*, un café-restaurant juste à côté du pont et qui jouit d'une vue superbe.

Square Jean-XXIII

Jeux pour enf., bac à sable, toilettes publiques. Ici, tout a disparu : les maisons, les chapelles, le palais de l'évêque. Mais ce petit square qui les remplace a l'avantage de donner directement sur le chevet de Notre-Dame. C'est le moment d'admirer la prodigieuse parure de ses grands arcs-boutants (14e s.) de 15 m de volée ! Ces extraordinaires arcs de pierre, qui font penser à des pattes d'araignée ou à des rames de bateau, soutiennent le vaisseau au point même de la poussée des voûtes.
En prenant du recul, on voit apparaître la toiture du 13e s. et la **flèche** reconstruite par Viollet-le-Duc. Il l'a élevée à 90 m au-dessus du sol et s'est représenté en saint Thomas parmi les Évangélistes et les Apôtres qui la décorent. Le voyez-vous ?

En faisant le tour du square, on arrive près du **Pont-au-Double** où se déroulent souvent d'impressionnants spectacles improvisés de rollers. On peut ensuite aller prendre un verre sur l'un des bateaux accostés **quai de Montebello** ou **quai de la Tournelle** pour profiter encore de la vue sur le fleuve et sur Notre-Dame.
Puis quand vient le temps du retour, il reste à choisir entre le Batobus, quai de Montebello, ou le métro St-Michel, ce qui vous permettra de longer le quai St-Michel et les étals des bouquinistes.

Et s'il pleut ?

Si vous voulez visiter à la suite la Sainte-Chapelle et la Conciergerie, prenez plutôt un billet jumelé à la Conciergerie, où la file d'attente est moins longue. Cela ne vous épargnera pas la file d'attente sur le boulevard liée au plan Vigipirate, mais vous évitera la seconde file d'attente, souvent longue, pour prendre le billet d'entrée à la Sainte-Chapelle.

Sainte-Chapelle★★★

✆ 01 53 40 60 80 - mars-oct. : 9h30-18h ; nov.-fév. : 9h-17h (dernière entrée 30mn av. fermeture) - possibilité de visite guidée 11h et 15h (sf 1er dim. du mois) - fermé 1er janv., 1er Mai, 25 déc. - 6,10 € (-18 ans gratuit), gratuit 1er dim. du mois d'oct. à mars.

Petit conseil : pour que le soleil éclaire les vitraux, évitez d'y aller trop tard. Les scènes des verrières de la chapelle haute, difficilement visibles sans une paire de jumelles (possibilité de location à l'accueil), se lisent de gauche à droite et de bas en haut. Des plaquettes détaillées (à rendre en fin de visite) vous expliquent les scènes. Mais pour la plupart des enfants l'important reste surtout de sentir la magie du lieu plutôt que de se plonger dans un décryptage fastidieux.

Allez, on commence la visite. En 1239, Saint Louis rachète des reliques de la Passion du Christ conservées à Byzance, en particulier la Couronne d'épines. C'est une manière d'affirmer sa foi ardente et de faire de son royaume le phare de la chrétienté. Pour abriter ces précieuses reliques, il fait bâtir, au cœur même de son palais de la Cité, un écrin de lumière, chef-d'œuvre du gothique rayonnant : la Sainte-Chapelle. Les reliques du Christ, ainsi que celles de la Vierge, échappées en partie à la destruction révolutionnaire, sont maintenant conservées à Notre-Dame. Selon le vœu de Saint Louis, la Couronne d'épines n'est présentée aux fidèles qu'à Pâques.

Construite en un temps record (4 à 6 ans), la Sainte-Chapelle comporte deux étages : une chapelle haute, située au niveau des appartements royaux, destinée à abriter les reliques et réservée au roi et à sa famille ; et une chapelle basse ouverte aux soldats, aux serviteurs du roi et aux courtisans.

L'architecture de la chapelle dépasse encore en clarté et en légèreté celle de Notre-Dame. Pour la première fois, les murs sont presque entièrement ajourés : des verrières de 15 m de haut remplissent les vides.

La **chapelle basse** est consacrée à la Vierge. Sur les colonnes alternent fleurs de lys et châteaux de Castille, armoiries de Blanche de Castille, mère de Saint Louis (ce décor date du 19e s., mais la chapelle était déjà peinte au 13e s.).

La voix manque lorsqu'on pénètre dans l'écrin de lumière formé par ces immenses verrières de la **chapelle haute**, dont le soleil diffracte les couleurs ! Le reflet de ces scintillements multicolores sur le sol de marbre blanc qui tapissait la chapelle autrefois apparaissait aux gens du Moyen Âge comme une évocation de la Jérusalem céleste, une image du paradis.

Sur les **chapiteaux** finement sculptés figurent les différentes espèces d'arbres et de végétaux existant à l'époque à Paris : chardon, chêne, armoise, renoncule, houblon, figuier, érable, aubépine, etc. À chaque pilier est adossée une **statue d'apôtre**. Au milieu de l'abside s'élève une **tribune**, surmontée d'un baldaquin en bois qui abritait la châsse. Deux petites niches, dans la 3e travée, étaient réservées au roi et à sa famille. Dans la travée suivante *(à droite)*, on voit la porte de l'oratoire bâti par Louis XI : une petite baie grillagée lui permettait de suivre l'office sans être aperçu.

Les **vitraux** sont les plus anciens de Paris. L'ensemble couvre

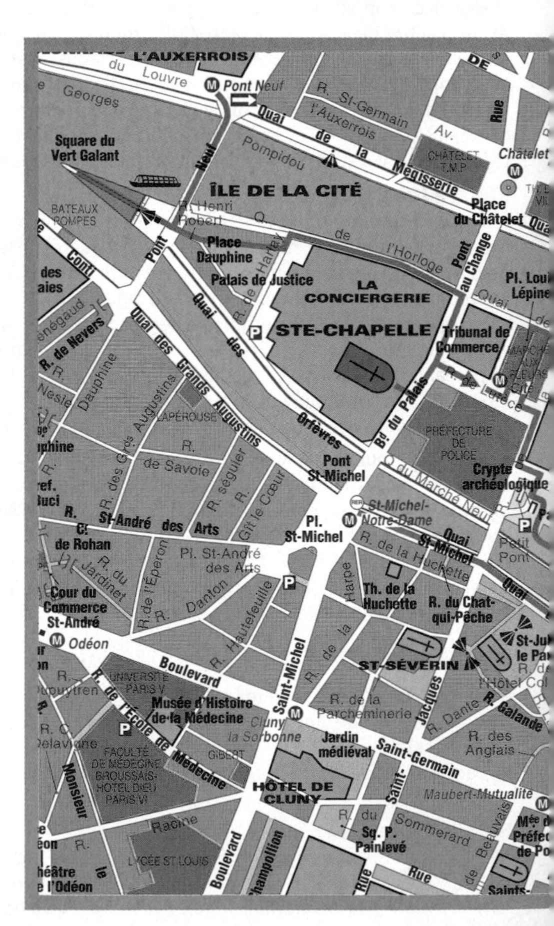

618 m² et compte 1 134 scènes (les deux tiers sont d'origine) ! La plupart des verrières racontent un passage de l'Ancien Testament, de la Genèse à l'Apocalypse, ou du Nouveau Testament (la vie de Jésus et de ses disciples). D'autres sont des allusions à l'histoire contemporaine : on voit Saint Louis portant la couronne du Christ et de nombreuses scènes de bataille ou d'idolâtrie rappelant la mission dont le roi se sentait investi lorsqu'il décida de partir en croisade après la consécration de la Sainte-Chapelle. Levez les yeux vers la rose qui remplaça au 15e s. la rose d'origine. À quoi vous fait penser le réseau de pierre ? À des flammes ? C'est pourquoi on appelle ce style « flamboyant » à la différence des roses de Notre-Dame (13e s.) qui sont de style « rayonnant ».

Conciergerie : visite intérieure★

☏ 01 53 40 60 80 - mars-oct. : 9h30-18h ; nov.-fév. : 9h-17h (dernière entrée 30mn av. fermeture) - fermé 1er janv., 1er Mai, 25 déc. - 6,10 € (-18 ans gratuit), gratuit 1er dim. du mois d'oct. à mars. Visite guidée spéciale pour les enfants (8-12 ans) - merc. 14h30 - réserv. obligatoire merc. 10h-12h30, ☏ 01 53 40 60 93/97 - gratuit.

Après avoir traversé la salle des Gardes, on accède dans la **salle des Gens d'armes★★**, gigantesque : longue de 64 m et large de 27,50 m, elle mesure 8,50 m de hauteur pour une superficie de 1 800 m² ! C'est dans cette magnifique salle gothique que se tenaient les lits de justice royaux puis le Tribunal révolutionnaire (1793-1795). Au-dessus s'étendaient la Grand-Salle du palais réservée aux festins royaux et les appartements du roi.

Vous entrez maintenant dans les **cuisines**. Imaginez qu'il faille nourrir 2 000 à 3 000 bouches… Imaginez encore des viandes rôtissant à la broche dans l'une des monumentales cheminées, bouillant dans un autre coin dans de vastes chaudrons…

Que cela ne vous coupe pas l'appétit : nous entrons dans la **prison** ! Couloir central de la Conciergerie, la **rue de Paris** était l'endroit où se croisaient prisonniers, visiteurs, avocats, procureurs, greffiers, gendarmes et geôliers. Encadrés par des gendarmes, les prisonniers descendaient de la Grande Chambre du Parlement au

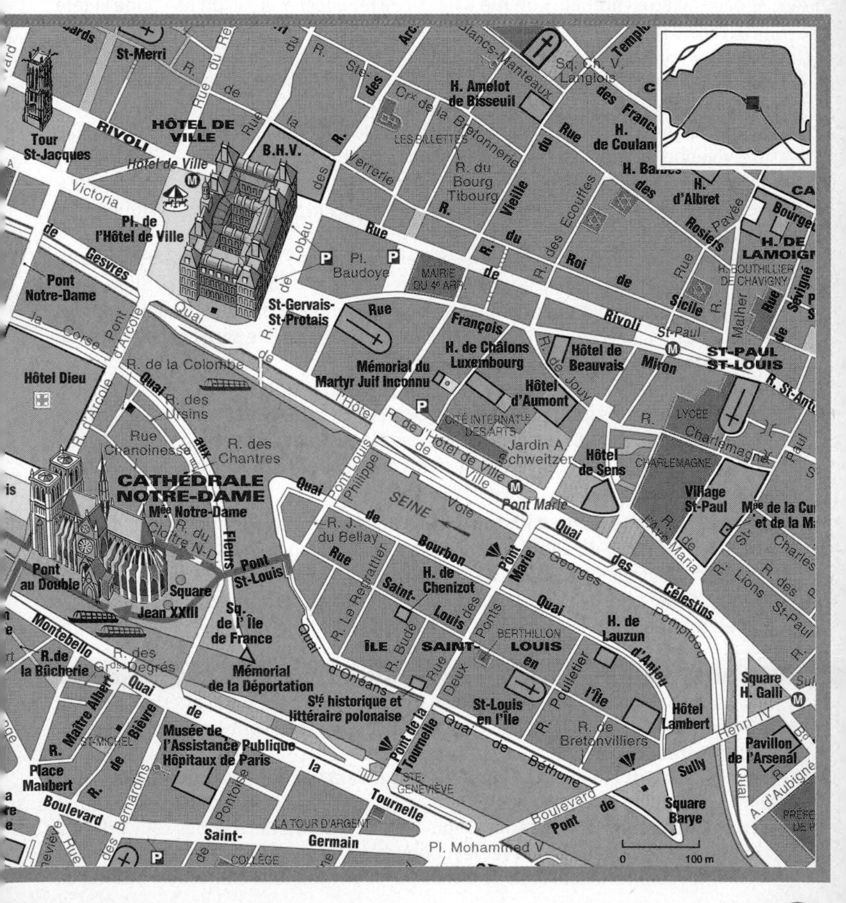

1er étage et étaient conduits dans une salle où on les installait sur un escabeau. Là les aides du bourreau Sanson procédaient à leur toilette, leur liaient les mains derrière le dos, échancraient le col de leur chemise et leur coupaient les cheveux sur la nuque. La « fournée » franchissait ensuite la porte du guichet du greffe donnant sur la cour du Mai et montait dans la charrette qui les menait à la guillotine. Pas très gai tout ça...
Au 1er étage sont évoqués l'histoire de la prison et celle des grands prisonniers d'État tels que Ravaillac qui tua Henri IV ou encore celle de Robespierre. Au rez-de-chaussée, le **cachot de Marie-Antoinette** a été aménagé en **chapelle expiatoire**, mais on peut en voir une reconstitution.

Qui est le concierge ?

On parle de « conciergerie », mais sais-tu qui était le concierge ? Dans l'ancien palais du Roi, le concierge était un grand personnage, gouverneur de la maison du Roi. Il gagnait très bien sa vie car il touchait les loyers des très nombreuses boutiques qui étaient alors installées au rez-de-chaussée du palais. Lorsque le bâtiment devint une prison, le concierge toucha aussi les loyers des cachots et le prix de location du mobilier des cellules. On appelait conciergerie les lieux soumis à son autorité.

À quelques kilomètres de là...

Autre chef-d'œuvre gothique, autre grande église qui vit passer des rois... Nous vous proposons un petit voyage à St-Denis pour voir la basilique.

Basilique de Saint Denis★★★

Carte Michelin Local 305, repère F7. M° St-Denis-Basilique (ligne 13), RER La Plaine-Stade-de-France (ligne B) ou St-Denis et Stade-de-France (ligne D). *1 r. de la République, 93200 St-Denis, ✆ 01 55 87 08 70. www.ville-saint-denis.fr*

Mais avant d'entrer, un peu d'histoire... – Vers 250, Denis, premier évêque de Lutèce, prêche la parole de l'Évangile. Mais dans cette époque gallo-romaine, il ne fait pas bon être chrétien. Comme il refuse de renoncer à sa foi, on lui coupe la tête sur la colline de Montmartre. Miracle : il ramasse sa tête et la tenant dans ses mains, il s'éloigne... Il finira par s'effondrer dans la campagne et sera enterré en cachette par une pieuse femme. La légende a sans doute été brodée, mais l'évêque martyr a bel et bien existé.
Là où est enterré saint Denis, sainte Geneviève fait bâtir une église autour de laquelle se développe un monastère qui attire de très nombreux pèlerins. En 630, Dagobert (oui, celui qui a mis sa culotte à l'envers !) en fait une abbaye royale et s'y fait inhumer. À partir d'Hugues Capet, tous les rois de France, sauf cinq, seront inhumés à Saint-Denis.
Né dans une famille pauvre, mais devenu abbé de Saint-Denis et conseiller des rois, Suger fait construire la basilique actuelle à partir de 1136. Cette cathédrale, dans laquelle se manifeste pour la première fois l'art gothique, sera un modèle pour les cathédrales de la fin du 12e s., comme celle de Chartres. Elle sera achevée dans le style rayonnant par Pierre de Montreuil au 13e s.
Durant la Révolution, l'abbaye est transformée en temple de la Raison. Les statues sont démontées, certains tombeaux – comme celui d'Hugues Capet – détruits, d'autres entreposés à Paris. En 1817, ils seront ramenés à la basilique où ils rejoindront les corps de Louis XVI et Marie-Antoinette transférés deux ans plut tôt. Comme Notre-Dame, Saint-Denis sera restaurée par Viollet-Le-Duc.

Après cette petite leçon d'histoire, vous voici fin prêt pour la visite – *✆ 01 48 09 83 54 - avr.-sept. : 10h-18h15, dim. et j. fériés 12h-18h15 ; oct.-mars : 10h-17h15, dim. et j. fériés 12h-17h15 (dernière entrée 30mn av. fermeture) - possibilité de visite guidée - fermé 1er janv., 1er Mai et 25 déc. - 6,10 €, gratuit 1er dim. du mois (oct.-mars).*
Tous les soirs, à la tombée de la nuit, la basilique s'illumine : le spectacle est magnifique.
Bien qu'elle ait perdu une de ses tours et que sa façade ait été un peu trop retouchée au 19e s., cette basilique frappe par son élégance dès qu'on pénètre à l'intérieur. Longue de 108 m, large de 39 m au transept et haute de 29 m sous voûte, elle impressionne par sa légèreté.
Première chose à aller voir à l'intérieur : **les gisants et les tombeaux★★★**. À St-Denis reposent 46 rois, 32 reines, 63 princes et princesses et 10 grands serviteurs de la Couronne, comme Du Guesclin. Depuis la Révolution, leurs tombes sont vides. La sculpture des tombeaux varie avec les époques. Au Moyen Âge, elle ne comporte que des gisants, comme le tombeau de **Clovis** (12e s.) en mosaïque cloisonnée de filets de

cuivre. Vers 1260, Saint Louis fait exécuter les gisants de ses prédécesseurs : sculptés dans le calcaire, ils ont le visage idéalisé, les yeux ouverts, portent une couronne et tiennent le sceptre. Remarquez l'imposant tombeau de **Dagobert** aux scènes sculptées pleines de verve, ou celui de **Pépin le Bref**. Avec le tombeau d'**Isabelle d'Aragon** et **Philippe III le Hardi**, mort en 1285, apparaît le souci de représenter la réalité de l'individu. On utilise également un nouveau matériau, le marbre. À partir du milieu du 14e s., quelques grands personnages font exécuter leurs tombeaux de leur vivant, nous laissant de véritables portraits, comme ceux de **Charles V** ou **Charles VI et Isabeau de Bavière**.
À la Renaissance, les **mausolées**, très imposants, s'ornent d'une décoration somptueuse. À l'étage supérieur, le roi et la reine sont figurés en costume d'apparat, dans une pose de prière qui symbolise leur résurrection. À l'étage inférieur, ils sont représentés en défunts, avec toute la rigidité des cadavres. Remarquez le double monument de **Louis XII et Anne de Bretagne**, et celui de **François Ier et Claude de France** en arc de triomphe (l'un des bas-reliefs du soubassement illustre la bataille de Marignan, 1515).
La châsse moderne de saint Denis et de ses compagnons, Rustique et Éleuthère, se trouve au fond du chœur. Les reliques de saint Denis et de ses compagnons se trouvaient auparavant dans la **crypte★★**. Au centre de celle-ci, la **chapelle d'Hilduin** abrite le caveau collectif des Bourbons, notamment les corps de Louis XVI, Marie-Antoinette et Louis XVIII. En 1817, l'**ossuaire** a recueilli, pêle-mêle, les restes de rois et reines, altesses et princes du sang, Mérovingiens et Capétiens, Orléans et Valois. Toutes les grandes familles de rois.

Carnet d'adresses

PAUSE DÉJEUNER

⊜ **Habitat Restaurant et Café** – *8 r. du Pont-Neuf - 1er arr. - M° Pont-Neuf ou Châtelet - ✆ 01 45 08 14 90 - fermé le soir et dim. - 15/23 €.* Dans la lignée des food-in-shop, restaurant et café installés au premier étage du magasin éponyme. Décor et mobilier en parfaite adéquation avec la marque. Cuisine traditionnelle et petite sélection de pâtisseries pour l'après-midi.

⊜ **Mirama** – *17 r. St-Jacques - 5e arr. - M° Maubert-Mutualité ou St-Michel - ✆ 01 43 54 71 77 - 16/21 €.* Dans le Quartier latin, ce petit restaurant chinois fait l'unanimité : asiatiques, touristes et Parisiens se bousculent dans sa salle ou à la cave en forme de grotte. À table, en jouant un peu des coudes, vous apprécierez sa copieuse cuisine gentiment tournée et ses prix raisonnables.

⊜⊜ **Le Relais du Pont-Neuf** – *18 quai du Louvre - 1er arr. - M° Pont-Neuf ou Louvre-Rivoli - ✆ 01 42 33 98 17 - pontrelay@aol.com - 13/22 €.* Sur les quais de la Seine, une petite adresse sans prétention où tout est mis en œuvre pour que l'on se sente comme chez soi. Sobre cadre aux murs rose pâle et carte des mets originalement mise en scène. L'ardoise sera payée ici de gaieté de cœur !

PAUSE QUATRE-HEURES

Berthillon – *31 r. St-Louis-en-L'Île - 4e arr. - M° Pont-Marie - ✆ 01 43 54 31 61 - tlj sf lun. et mar. 10h-20h - fermé vac. scol. sf Noël.* Le plus célèbre glacier de Paris ! Depuis 1954, cette maison abrite la fabrique de glaces et un petit salon de thé d'une vingtaine de places. De nombreux parfums y sont proposés : sorbet aux litchis, à la rhubarbe, au thym citron, ainsi que les crèmes glacées au pain d'épice, au gingembre... Les glaces tatin, la barre de nougat glacé et les granités remportent également les faveurs des clients.

Le Flore en l'Île – *42 quai d'Orléans - 4e arr. - M° Pont-Marie - ✆ 01 43 29 88 27 - 8h-2h - fermé 25 déc.* La belle vue sur l'abside de la cathédrale Notre-Dame de Paris est le point fort de cette adresse. À la fois glacier, salon de thé et restaurant - faites-y une pause lors d'une promenade sur l'île Saint-Louis.

PAUSE ACHATS

L'Arche de Noé – *70 r. St-Louis-en-Île - 4e arr. - M° Pont-Marie - ✆ 01 46 34 61 60 - 10h30-13h30, 14h-19h15 - fermé 25 déc.* Attrayante sélection de peluches et de jouets en tissu ou en bois. Beau choix de petites valises en carton pratiques pour ranger ses trésors.

Pylônes – *57 r. St-Louis-en-Île - 4e arr. - M° Pont-Marie - ✆ 01 46 34 05 02 - 10h30-19h30 – fermé 25 déc.* La fantaisie est reine dans cette boutique de cadeaux : sonnettes de vélo pop, poules en papier de récupération, suspensions globe-trotter, sacs en forme de théière, etc. C'est toujours amusant à regarder.

Le Quartier latin

La colline aux grosses têtes

ATLAS MICHELIN PARIS N° 56 (P. 44-45) ET N° 57 (P. 10-11), REPÈRES K-L14-15 – 5E ARR.

La montagne Sainte-Geneviève, qui domine le quartier, concentre le plus grand nombre de facultés, écoles, bibliothèques et librairies de toute la capitale. Et cela... depuis le Moyen Âge où l'enseignement se faisait en latin. D'où son nom de Quartier latin. Mais on pourrait aussi l'appeler latin car il existait du temps de la Lutèce romaine. Toujours est-il que cette montagne couronnée par le Panthéon regroupe aussi le musée du Moyen Âge et une foule de cinémas, de magasins de jeux, de cafés et de restos... qui en font un grand lieu de rendez-vous des étudiants... entre autres !

POINT DE DÉPART

En **RER** : ligne B, gare Luxembourg.
En **bus** : lignes 21, 27, 38, 82 et 85, arrêt Luxembourg ; lignes 84 et 89, arrêt Luxembourg ou Mairie-du-Ve-Panthéon.
À proximité, vous pouvez suivre les promenades sur l'île de la Cité (1), à St-Germain-des-Prés (3) et au jardin du Luxembourg (24).

POUR LES PETITS MALINS

Le samedi ou le mercredi, l'ambiance est plus estudiantine et vous pourrez faire une pause à la bibliothèque l'Heure joyeuse. Le dimanche, de 10h à 18h, vous bénéficierez de la tranquillité de nombreuses rues fermées à la circulation et de la « visite en famille » du musée du Moyen Âge. Sachez également que les jolies églises du parcours sont fermées à la visite durant les offices.

LE CLOU DE LA VISITE

Les cinq sens de la *Dame à la licorne* au musée du Moyen Âge et la vue sur Notre-Dame depuis le square Viviani. Mais aussi, peut-être, une plongée dans un magasin de jeux, un cinéma ou à la bibliothèque de l'Heure joyeuse.

Pour mieux comprendre

Au temps d'Astérix – Au 3e s., Lutèce est une petite cité gallo-romaine divisée en deux : une ville basse, la Cité, sur une île de la Seine, et une ville haute qui s'étage sur les pentes de la plus proche colline, l'actuelle montagne Sainte-Geneviève. Nettement plus importante, la ville haute comprend un forum, des thermes et un théâtre. Une longue rue venant du Sud descend tout droit jusqu'au pont menant à la Cité. Cette rue, devenue la rue Saint-Jacques, les thermes de Cluny et les Arènes *(voir promenade 4)* sont les principaux vestiges de cette époque.

La pieuse Geneviève – En 451, Les Huns et leur terrible chef Attila menacent d'envahir Paris. La population affolée veut s'enfuir. Mais une pieuse jeune fille, Geneviève, l'incite à résister et prie pour que Paris soit épargné. C'est ce qui arrive : Attila subit une défaite décisive. En 475, Geneviève sauve la ville de la famine en organisant une expédition pour trouver du blé et en distribuant du pain aux pauvres. Ses nombreux miracles font d'elle la sainte patronne de Paris. Un peu plus tard, Clovis fondera une église pour abriter son tombeau au sommet d'un mont qui prendra le nom de la montagne Sainte-Geneviève.

Au temps de Sorbon – Dès le début du 12e s., plusieurs maîtres indépendants s'établissent sur la rive gauche de la Seine pour échapper à l'influence de l'École de Notre-Dame alors toute puissante. Leur renom attire une foule d'étudiants venus de toute l'Europe. Après bien des difficultés, l'« Université des maîtres et écoliers » obtient la reconnaissance de son autonomie. Les collèges qui accueillent les étudiants pauvres et offrent des salles de cours se multiplient : plus d'une quinzaine s'installeront sur les pentes de la montagne Sainte-Geneviève. L'un des plus célèbres, fondé en 1257 par Robert de Sorbon, deviendra la Sorbonne. À l'époque, l'enseignement se fait en latin et les étudiants paient leurs maîtres. Si les salles manquent, les cours se donnent au besoin dans la rue : la rue du Fouarre doit ainsi son nom aux bottes de foin sur lesquelles s'asseyaient les étudiants.

« Il est interdit d'interdire » – Dès le Moyen Âge, l'esprit de contestation règne souvent parmi les étudiants. Après avoir été supprimée sous la Révolution puis rétablie par l'Empire, l'Université retrouvera au 20e s. cet esprit. En mai 1968, les étudiants révoltés par les rigidités de l'Université en arrivent bientôt à critiquer tous les pouvoirs. La révolte embrase la Sorbonne. Les étudiants multiplient les barricades dans tout le Quartier latin, arrachant les pavés aux rues pour s'en servir de projectiles contre les forces de l'ordre. L'agitation gagnera toute la France…

Sur les pentes du savoir

Départ RER Luxembourg. 2h de promenade. Prendre la sortie « Boulevard St-Michel » côté numéros impairs (rue Gay-Lussac). Traverser la rue Gay-Lussac et tourner à droite.

La **rue Soufflot** porte le nom de l'architecte du Panthéon vers lequel elle mène. Elle monte pour atteindre le sommet de la montagne Sainte-Geneviève. Librairies de droit et de gestion se multiplient à l'approche de l'ancienne faculté de droit.

Voici la **rue Saint-Jacques**, cette ancienne voie romaine que suivirent ensuite les pèlerins en partance pour St-Jacques-de-Compostelle (en Espagne). À gauche, elle est bordée par les austères façades du lycée Louis-le-Grand et de la Sorbonne. On aperçoit au loin la tour Saint-Jacques, vestige d'une église du 16e s.

Devant vous se dresse le **Panthéon** *(voir description intérieure dans « Et s'il pleut ? »)* avec son **dôme★★** magnifique. Qu'est-il écrit sur son fronton ? « Aux grands hommes, la patrie reconnaissante » : la Révolution a fait de cette ancienne église un temple destiné à recevoir les cendres des grands hommes de la nation (à l'origine, le terme panthéon, qui vient du grec, signifie « temple dédié à tous les dieux »). Que voyez-vous sur les bas-reliefs ? Une femme qui distribue des couronnes de lauriers ? C'est la Patrie qui décerne ses récompenses.

Même si vous n'avez pas l'intention d'effectuer la visite, entrez au moins jeter un coup d'œil à l'intérieur du monument pour mesurer son ampleur.

Contourner le Panthéon vers la gauche (ou vers la droite en sortant de l'édifice).

Après l'**ancienne faculté de droit**, on voit la **bibliothèque Ste-Geneviève** – qui abrite des trésors accumulés par les moines et où des générations d'étudiants viennent travailler – puis la façade de l'église **St-Étienne-du-Mont** et, de l'autre côté de la rue Clovis, le **lycée Henri-IV** qui occupe l'ancienne abbaye de Ste-Geneviève.

Église Saint-Étienne-du-Mont★★

Juil.-août : tlj sf lun. 10h-12h, 16h-19h15 ; reste de l'année : 9h-18h45, dim. 8h45-12h15, 14h30-19h45, lun. 12h-19h30 ; vac. scol. : lun. 14h30-19h30, mar.-vend. 8h45-12h, 14h30-19h30, sam. 8h45-12h, 14h-19h45, dim. 8h45-12h15, 14h30-19h45.

Poussez la porte de cette église pour contempler son magnifique **jubé★★** (vers 1530), un des rares que l'on puisse voir encore en France. Élégante dentelle de pierres enroulée en volutes sur les côtés, cette clôture qui sépare le chœur de la nef forme une tribune du haut de laquelle se faisait la lecture des textes saints. Les petits curieux

Ph. Gajic / MICHELIN

Derrière le dragon saint Michel terrasse le diable (Fontaine St-Michel, sur la place du même nom).

iront voir aussi la châsse en cuivre doré du 19e s. qui abrite un fragment du **tombeau de sainte Geneviève**, patronne de Paris, et surtout les **beaux vitraux colorés★** du cloître des Charniers *(sur la droite vers la sacristie puis au fond à gauche)* qui ont l'avantage de se trouver à hauteur d'homme. Les enfants pourront ainsi s'amuser à rechercher la belle scène de l'Arche de Noé, celle de la Multiplication des pains, ce miracle effectué par Jésus pour nourrir la foule venue l'écouter, ou celle d'Adam et Ève chassés du Paradis.

En sortant de l'église, tourner à droite rue de la Montagne-Ste-Geneviève qui débouche sur une charmante placette face à l'ancienne École polytechnique. Par la rue de l'École-Polytechnique, on rejoint la rue de Lanneau.

Bordée de maisons du 16e s. aux façades gentiment de guingois et superbement fleuries en été, la petite **rue de Lanneau** était autrefois entourée de libraires, d'imprimeurs et de nombreux collèges, dont le célèbre collège de Coqueret, situé dans une rue adjacente, qui vit passer Ronsard et Du Bellay.

S'engager sur la place Marcelin-Berthelot bordée d'un côté par un petit square ombragé et de l'autre par le Collège de France.

Fondé en 1530 par François Ier, le **Collège de France** est une prestigieuse institution qui réunit les professeurs les plus illustres dans chaque domaine. C'est à la fois un centre de recherche et un lieu d'enseignement. Les cours sont gratuits et ouverts à tous.

Descendre l'escalier, traverser la rue des Écoles puis la suivre vers la gauche. Changement d'ambiance : voici le **mur d'escalade du Vieux Campeur** *(no 48, voir le carnet d'adresses)*, destiné à démontrer les qualités du matériel vendu par ce magasin de sport.

Après avoir croisé à nouveau la rue Saint-Jacques, continuer rue des Écoles.

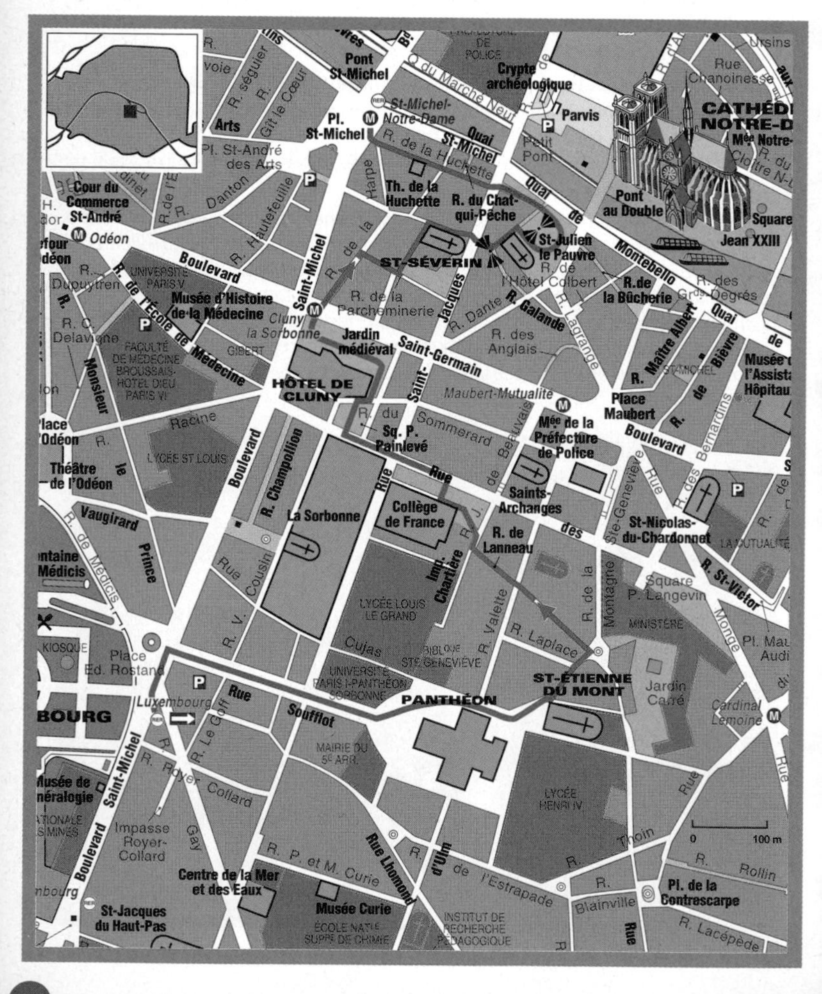

Côté droit, Jeux Descartes *(voir le carnet d'adresses)*, un des nombreux magasins de jeux du quartier. Ce qui tend à prouver que les étudiants ne sont pas toujours sages et font souvent autre chose que travailler. Côté gauche, la **Sorbonne**. La vénérable institution, siège de l'Université depuis le 13e s, fut agrandie à plusieurs reprises. L'immense bâtiment, dont la majeure partie date de la fin du 19e s, compte 22 amphithéâtres, 2 musées, 16 salles d'examens, 22 salles de conférences, 37 cabinets de professeurs, 240 laboratoires, une bibliothèque, une tour de physique, une tour d'astronomie… Pourtant, devant l'afflux des étudiants, l'université a dû aussi se décentraliser à Orsay, à Nanterre, etc.
En poursuivant la rue des Écoles, on arrive boulevard St-Michel de l'autre côté duquel se trouvent deux adresses agréables pour faire une pause ou acheter un goûter, **Le Bouillon Racine**, au superbe décor 1900, qui servit longtemps de cantine pour le personnel de la Sorbonne, et la **Pâtisserie viennoise**, fréquentée par des générations d'étudiants *(voir le carnet d'adresses)*.

Mais pour reprendre le fil de la promenade, traverser le square Paul-Painlevé côté rue de Cluny.

Le parterre du square est censé rappeler les tapisseries de style « mille-fleurs » du musée du Moyen Âge. Au-delà se dresse le très bel **hôtel des abbés de Cluny**, l'une des seules demeures privées du 15e s. qui subsistent à Paris.

Musée national du Moyen Âge - Thermes et hôtel de Cluny★★

6 pl. Paul-Painlevé - 75005 Paris - ✆ 01 53 73 78 16 - www.musee-moyenage.fr - tlj sf mar. 9h15-17h45 (dernière entrée 30mn av. fermeture) - fermé 1er janv., 1er Mai et 25 déc. - 5,50 € (enf. gratuit), gratuit 1er dim. du mois.

La librairie, à l'entrée du musée, offre une mine de livres passionnants sur les chevaliers, les châteaux forts et les histoires du Moyen Âge.

Des **visites en famille** sont conçues pour les enfants de 7-12 ans accompagnés par des adultes. Le conférencier propose une découverte de l'architecture, des objets d'art et de la vie quotidienne du Moyen Âge. *Dim. 15h15 (sf 1er dim. du mois) - durée 1h - enf. 4,20 € + entrée du musée pour les adultes..*

Pour les visites libres, une petite planche « Comme des images » a été conçue pour susciter la curiosité des enfants et les inciter à observer les œuvres. Elle est disponible gratuitement sur demande au vestiaire.

Le site www.musee-moyenage.fr réserve un espace aux enfants pour préparer leur venue au musée.

Les thermes gallo-romains – Ces thermes furent construits par la corporation des nautes (bateliers) aux 2e-3e s. C'étaient les plus grands de Lutèce. Comme il était d'usage chez les Romains, les bains publics servaient à se laver bien sûr, mais aussi à se détendre et à retrouver ses amis. Outre une piscine et un gymnase, ils comportaient des bains froids *(frigidarium)*, tièdes *(tepidarium)* et chauds *(caldarium)*. En longeant les vestiges visibles depuis la rue du Sommerard, à l'angle du boulevard Saint-Michel, repérez le panneau indiquant le plan de ces thermes. À l'intérieur du musée, vous verrez l'immense *frigidarium (salle 9)* haut de 13,50 m.

Une superbe demeure du 15e s. – Construite pour les abbés du monastère de Cluny (en Bourgogne), cette luxueuse demeure est un joyau de l'art gothique flamboyant. Quelques éléments d'architecture rappellent cependant les châteaux forts du Moyen Âge. Lesquels ? (créneaux et tourelles).

Dans la cour d'honneur, remarquez les gargouilles, les ornements sur la grande tour et les lucarnes (la coquille, la croix, l'ange et le bourdon sont les pièces du blason de Jacques d'Amboise, qui fit construire cet hôtel), le puits du 15e s.

Musée★★ – Comment vivait-on à l'époque des châteaux forts et des chevaliers ? Voilà ce que racontent les salles du musée, à travers des objets de la vie quotidienne, des objets d'art et des objets religieux. Au fil des salles, les enfants découvriront l'importance qu'avait alors la religion *(salles 2, 6, 8, etc.)*. Salle 2, le retable s'ouvre comme un livre et raconte une histoire. Ici, comme souvent, c'est celle de Jésus-Christ. Repère la scène de la naissance de Jésus. Comment sont habillées et coiffées les femmes ? Crois-tu qu'il en était ainsi du temps de Jésus ? (non : elles portent des coiffures et des robes du 16e s., époque où l'œuvre fut exécutée). Salle 8, les sculptures proviennent de la cathédrale Notre-Dame de Paris. Vois-tu les rois ? Combien sont-ils ? 21, tous des rois de Juda, un ancien pays des bords de la Méditerranée. On les reconnaît à leur couronne, mais il n'y a que leur tête. Sais-tu pourquoi ? Parce que la Révolution française a voulu faire disparaître tout ce qui pouvait ressembler à des rois. Elle les a décapités à la masse. On a retrouvé leurs têtes par miracle en 1977 dans un chantier.

Regarde salle 12, tu verras les jouets qui existaient à l'époque, et salle 22, des moules à gaufre ! Les tenues de chevalier sont présentées salle 23.
Et maintenat, le clou de la visite : la tenture de la **Dame à la licorne★★★**, chef-d'œuvre de la fin du 15e s. *(salle 13)*. Sur ces merveilleuses tapisseries, de style « mille-fleurs », amuse-toi à identifier les nombreux animaux et à repérer les symboles des cinq sens.

En sortant du musée, tourner à gauche pour emprunter le chemin creux qui s'ouvre sur le côté de l'hôtel de Cluny et mène au jardin médiéval.

Jardin médiéval

8h ou 9h-21h30 (17h30 l'hiver) ; terrasse : 9h15-17h45. ♿ *Jeux pour enf.*
Autour du musée ont été aménagés une série de petits jardins inspirés du Moyen Âge. Jardin d'amour, Jardin céleste, Simples médecines, Préau et Ménagier occupent la terrasse *(panneaux d'explication sur place)*. Vient ensuite la forêt de la Licorne. La **clairière des enfants** destinée aux tout-petits leur propose des jeux inspirés des animaux de la tapisserie de la *Dame à la licorne*. Vous trouverez là fontaine, kiosque et toilettes. Une autre petite clairière entourée de bancs offre un lieu de repos aux plus grands.

Quiz des 5 sens

Assieds-toi face aux six tapisseries de la **Dame à la licorne** disposées en demi-cercle. Chacune représente l'un des cinq sens. Sauras-tu trouver quel sens représente chaque tapisserie ? Pour ce faire, observe bien ce que font la dame et la licorne.
Réponses : 1 - La Vue : la dame tient à la main un miroir dans lequel se reflète la licorne.
2 - L'Ouïe : la dame joue sur un orgue portatif, dont la servante actionne les soufflets.
3 - Le Goût : la dame prend une friandise dans un drageoir.
4 - L'Odorat : la dame tresse une couronne d'œillets.
5 - Le Toucher : la dame touche d'une main la corne de la licorne et de l'autre tient la lance.
Mais que représente la 6e tenture sur laquelle on voit la dame déposer un collier dans un coffret ? Le cœur ? L'intelligence ? La volonté qui permet de dominer les passions déchaînées par les sens ? Les interprétations varient. Le mystère plane encore…

Après avoir traversé le jardin, ressortir par la porte située à l'angle des boulevards St-Germain et St-Michel. Traverser le boulevard St-Germain pour prendre en face la rue de la Harpe, puis à droite le rue de la Parcheminerie et à gauche la rue des Prêtres-St-Séverin.
Ce lacis de ruelles étroites du **quartier Saint-Séverin** a conservé un peu son charme du Moyen Âge. À l'époque, la rue de la Parcheminerie était bordée d'ateliers d'enlumineurs et de relieurs (d'où son nom) tandis que d'autres rues étaient jalonnées de gargotes et de tavernes fréquentées par les étudiants.

Église Saint-Séverin★★

✆ 01 42 34 93 50 - 11h-19h30, dim. 9h-19h30 ; visite du cloître sur demande.
Les étudiants fréquentaient aussi beaucoup Saint-Séverin qui reste encore aujourd'hui leur paroisse. Il fut un temps où l'Université y tenait même ses assemblées générales. Poussez la porte de cette église pour contempler l'incroyable « palmeraie » de pierre, chef-d'œuvre du gothique flamboyant, le **double déambulatoire★★** (galerie qui permet de circuler autour du chœur). Observez son **extraordinaire pilier torsadé** d'où jaillissent les quatorze arêtes de la voûte de l'abside. Enroulées autour de lui telles des lianes autour d'un fût, elles semblent éclater en plein ciel et rayonner vers l'infini.

En sortant de l'église, tourner à droite dans la rue St-Séverin, traverser la rue St-Jacques, prendre la rue Galande qui croise la rue St-Julien-le-Pauvre. Arrêtez-vous un instant pour contempler la **vue★★** : c'est l'une des plus célèbres du vieux Paris. D'un côté St-Séverin, de l'autre un square ombragé, une placette pavée, un puits, une petite église et l'amorce de la rue Galande bordée de maisons médiévales… On se croirait dans un vieux village.

Église Saint-Julien-le-Pauvre★

Cette charmante église fut construite à la même époque que Notre-Dame (12e-13e s.) et en partie remaniée par la suite. Depuis le 19e s., elle est affectée aux catholiques de rite byzantin, ce qui explique la présence de cette cloison de bois qui traverse le chœur et reçoit les icônes ou images saintes. L'un des **chapiteaux★** représente de curieuses femmes-oiseaux, peut-être des sirènes. Trouve-le… *(à droite de la cloison)*.

En sortant de l'église tourner à droite dans le square Viviani.

Square René-Viviani

L'un des plus vieux arbres de Paris (un robinier rapporté d'Amérique en 1601), un sarcophage, des vestiges de chapiteaux et de balustrades contribuent au charme de ce square qui jouxte St-Julien-le-Pauvre. La **vue★★★** y est exceptionnelle : d'un côté sur l'église et la rue St-Julien-le-Pauvre ; de l'autre sur l'île de la Cité et Notre-Dame. Une fontaine inspirée de l'histoire de saint Julien le Pauvre trône au milieu du jardin. C'est l'œuvre d'un sculpteur contemporain, Georges Jeanclos : un panneau en explique les thèmes.

De là vous pouvez rejoindre le port de Montebello pour prendre un verre sur une péniche. Sinon, tournez à gauche dans le square pour revenir vers la place Saint-Michel.

Ceux qui craignent les ambiances de rue survoltées longeront les quais, les autres emprunteront la rue de la Bûcherie et la **rue de la Huchette**. Célèbre dès la fin du Moyen Âge pour ses rôtisseurs, ses cabarets et ses coupeurs de bourse, cette dernière est jalonnée de restaurants méditerranéens où règne une animation intense jusque tard dans la nuit. Remarquez au passage la minuscule **rue du Chat-qui-Pêche** (elle doit son nom à une ancienne enseigne de poissonnerie), la plus étroite de Paris, et au n° 23 le minuscule **théâtre de la Huchette** où furent créées, le 16 février 1957, *La Cantatrice chauve* et *La Leçon* d'Eugène Ionesco. Ces deux pièces, jouées sans interruption depuis lors, ont atteint leur 14 000e représentation !

Place Saint-Michel

Ornée d'une imposante fontaine (19e s.) qui représente saint Michel terrassant le dragon, bordée de librairies et de cafés, cette place est le grand lieu de rendez-vous des jeunes, étudiants ou non. Au moment de la rentrée scolaire s'y tient une bourse improvisée aux livres de classe d'occasion. C'est là que se termine la promenade, juste à côté de la station de métro Saint-Michel.

Et s'il pleut ?

Visite du Panthéon★★

☎ 01 44 32 18 00 - avr.-sept. : 10h-18h30 ; oct.-mars : 10h-18h15 - fermé 1er janv., 1er Mai, 11 Nov. et 25 déc. - 7 € (-18 ans gratuit).

Par un escalier qui compte 206 marches, on accède à la colonnade qui offre une **vue★** superbe sur Paris. ☎ 01 44 32 18 01 - sur réserv.

Tombé gravement malade en 1744, Louis XV fait un vœu : s'il guérit, il remplacera l'église de Ste-Geneviève édifiée par Clovis par un magnifique édifice au point le plus élevé de la rive gauche. Le roi guérit et charge alors Soufflot de dessiner l'église. L'architecte voit grand : il dessine un gigantesque édifice, aux formes antiques, long de 110 m, large de 84 m et haut de 83 m !

En avril 1791, la Constituante ferme l'église et en fait un temple laïc où seront déposées « les cendres des grands hommes », le Panthéon. L'immense **crypte** *(accès derrière le chœur)* abrite les tombeaux. Des panneaux situés au bas de l'escalier indiquent

Ph. Gajic / MICHELIN

L'immense fronton du Panthéon à la gloire des Grands Hommes de la nation.

leur nom et leur emplacement. Qui fut le premier grand homme à être transféré au Panthéon ? Mirabeau. Qui y a été inhumé en 2002 ? Alexandre Dumas. Sauras-tu retrouver les tombeaux de Voltaire, Rousseau, Victor Hugo et Marie Curie ?
Les murs du Panthéon sont décorés de **peintures★** exécutées vers la fin du 19e s. Les plus célèbres sont celles de sainte Geneviève. À toi de les retrouver (indices dans « Pour mieux comprendre »), ainsi que Clovis, Saint Louis et Jeanne d'Arc.

Bibliothèque l'Heure joyeuse

6 r. des Prêtres-St-Séverin - 5e arr. - M° Cluny ou St-Michel - ✆ 01 56 81 15 60 - mar., jeu., vend. 15h30-18h15, merc. et sam. 10h30-18h15 ; vac. scol. : mar., jeu., vend. 14h-18h15, merc. et sam. 10h30-13h, 14h-18h15. Accès libre et gratuit pour consulter les documents imprimés. Prêts de livres, de K7 et de CD sur inscription (gratuit pour tout ce qui est imprimé).
C'est la plus ancienne bibliothèque française destinée spécialement aux enfants. Nombreuses animations régulières ou temporaires gratuites : contes en diapositives (2-3 ans et 4-8 ans), spectacles musicaux, théâtre pour enfants, etc.

Carnet d'adresses

PAUSE DÉJEUNER

Relais Lagrange – *17 r. Lagrange - 5e arr. - M° Maubert-Mutualité - ✆ 01 43 54 14 65 - fermé août - - 12,50/23 €.* Avions de bois, coque de hors-bord, patins à glace, raquettes et skis nautiques rétro... Toutes sortes d'objets incroyables composent le décor de ce café-brasserie-restaurant tenu par un passionné de voitures anciennes. Les croques ou salades figurent au « départ » les viandes au « checkpoint » les desserts à l'« arrivée » et les boissons non alcoolisées font partie des « liquides de refroidissement ». Un cadre qui devrait amuser les enfants ! Brunch le dimanche.

La Fourmi ailée – *8 r. du Fouarre - 5e arr. - M° Maubert-Mutualité - ✆ 01 43 29 40 99 - 12h-1h - fermé 24, 25, 31 déc. et 1er janv.* À deux pas de Notre-Dame, cette ancienne librairie accueille aujourd'hui un charmant salon de thé-restaurant. Salades, copieux plats du jour et pâtisseries se dégustent face à la cheminée dans un décor mariant avec bonheur livres, tableaux anciens et bibelots.

Le Perraudin – *157 r. St-Jacques - 5e arr. - RER Luxembourg - ✆ 01 46 33 15 75 - fermé août - 18/28 €.* Avec son ambiance à la Maigret, cet ancien bougnat est bien réel avec ses chaises bistrot, ses nappes à carreaux, son zinc et ses vieux miroirs. Belle table bistrot avec ses plats qui fleurent bon le passé et une tarte Tatin pour les gourmands. Pas de réservation.

PAUSE QUATRE-HEURES

Pâtisserie viennoise – *8 r. de l'École-de-Médecine - 6e arr. - M° St-Michel ou Odéon - ✆ 01 43 26 60 48 - lun-vend. 9h-19h - fermé j. fériés et août.* Une minuscule mais délicieuse pâtisserie-salon de thé où l'on viendra s'asseoir pour un chocolat viennois. S'il fait beau, emportez votre forêt noire, votre strudel ou votre tarte salée pour aller les déguster dans le jardin de Cluny.

The Tea Caddy – *14 r. St-Julien-le-Pauvre - 5e arr. - M° St-Michel - ✆ 01 43 54 15 56 - fermé mar.* Institution immuable depuis 1928, ce petit salon de thé cosy, situé en face de St-Julien-le-Pauvre, vous donne le sentiment d'être en Angleterre. La patronne, charmante, fournira papier et crayons aux enfants qui ont envie de dessiner pour préserver l'ambiance agréablement feutrée. Savoureux pies, scones, muffins ou tartes maison.

PAUSE ACHATS

Jeux Descartes – *52 r. des Écoles - 5e arr. - M° Cluny ou Odéon - ✆ 01 43 26 79 83 - www.jeuxdescartesecoles.net - tlj sf dim. 10h30-19h (lun. 11h30).* Des jeux de société pour toute la famille y compris les petits à partir de 3-4 ans. Des jeux de rôle, des jeux de figurines à peindre ou pour reconstituer une bataille démesurée, des jeux de cartes à jouer ou à collectionner (Yu Gi Oh Pokemon, Harry Potter...) Il y en a pour tous les âges et pour tous les goûts.

St-Germain-des-Prés 

Esprit rive gauche, es-tu là ?

ATLAS MICHELIN PARIS N° 56 (P. 43-44) ET N° 57 (P. 13), REPÈRES J-K13 – 6E ARR.

Au fil des époques, les ambiances se sont succédé à Saint-Germain-des-Prés et dans les petites rues adjacentes qui s'étendent jusqu'à l'Odéon. Chacune a laissé sa trace : abbaye et marché, église et séminaire, clubs révolutionnaires, cafés et boîtes de jazz, éditeurs et libraires, écoles et galeries d'art, mode branchée et commerces de luxe… L'amusant aujourd'hui dans ce quartier mythique, encore un peu village, c'est de papillonner des plaisirs culturels à ceux du lèche-vitrine.

POINT DE DÉPART

En **métro** : lignes 4 et 10, station Odéon.
En **bus** : lignes 58, 63, 70, 86, 87 et 96, arrêt St-Germain-Odéon.
À proximité, vous pouvez suivre les promenades sur l'île de la Cité (1), dans le Quartier latin (2) et au jardin du Luxembourg (24).

POUR LES PETITS MALINS

C'est une promenade à réserver aux enfants amateurs de plaisirs raffinés. Ceux qui ont besoin de se défouler seront mieux au Luxembourg. Mais s'ils ne sont pas fatigués, ne manquez pas de pousser la balade jusqu'au pont des Arts, un lieu souvent festif d'où l'on jouit d'une vue superbe (emportez crayons et papier, c'est l'occasion de dessiner…).
Certaines rues bordées de boutiques et de cafés sont noires de monde le samedi après-midi. Si vous recherchez le calme, promenez-vous plutôt le matin. Mais si l'animation et les spectacles de rue vous amusent, ils battent leur plein en fin d'après-midi.

LE CLOU DE LA VISITE

Avoir la chance d'assister à certains spectacles de rue du côté de Buci, dont celui d'un certain explorateur en moto jaune… mais là, pas de programme assuré. Sinon s'installer pour dessiner sur le pont des Arts en savourant l'une des spécialités des pâtissiers du quartier : macarons de Ladurée, Val de Loire de Mulot ou éclair au chocolat de la Bonbonnière de Buci.

Pour mieux comprendre

L'abbaye et la foire – Fondée en 542 par Childebert, un des fils de Clovis, l'abbaye de Saint-Germain-des-Prés connut un extraordinaire essor jusqu'à la Révolution. Entourée de murailles fortifiées, propriétaire de prairies et de vignes, c'était une véritable cité qui jouissait d'une complète autonomie. Une partie de sa richesse provenait de la foire Saint-Germain qui se tenait chaque année à sa porte et attirait des marchands de Flandres, d'Allemagne et d'Italie. Riches et pauvres s'y côtoyaient pour faire la fête ou assister aux premiers spectacles de théâtre. Pendant des siècles, l'abbaye fut aussi un foyer intellectuel et spirituel qui rayonna dans toute l'Europe grâce à son importante bibliothèque et à ses moines érudits. La Révolution sonna le glas de l'abbaye. Elle fut transformée en entrepôt de poudre. C'est d'ailleurs une explosion qui détruisit la plupart des bâtiments du couvent. Après avoir fait abattre deux de ses tours par souci d'économie, l'église fut finalement très restaurée au 19e s. Mais ses parties les plus anciennes en font l'une des plus vieilles églises de Paris.

Ivres de livres, de jazz et de peinture – Comme Montmartre ou Montparnasse, Saint-Germain-des-Prés est un nom qui fait rêver… On l'associe à la fête, à l'effervescence intellectuelle et à la vie d'artiste. Cette célébrité tient surtout à l'époque où Jean-Paul Sartre et Simone de Beauvoir fréquentaient ses cafés, Lipp, les Deux Magots ou le Flore. Juliette Gréco chantait alors dans ses caves et Boris Vian jouait de la trompette dans ses clubs de jazz. C'était au lendemain de la Seconde Guerre mondiale. Aujourd'hui le quartier a changé de visage avec l'afflux de boutiques de luxe et de touristes. Mais on y trouve encore des libraires qui restent ouverts le dimanche et des cafés où les artistes viennent s'attabler après les vernissages ; on y croise des écrivains et des musiciens qui habitent dans le coin ou des étudiants des Beaux-Arts qui jouent de la fanfare… L'esprit de la rive gauche frappe encore.

Papillonner à Saint-Germain

Départ M° Odéon. 2h de promenade. Prendre la sortie « Carrefour de l'Odéon ».

En sortant du métro, levez le nez sur la **statue de Danton**. Retrouvez sur le socle l'une des déclarations que ce révolutionnaire fit à la tribune de la Convention : « Après le pain, l'éducation est le premier besoin du peuple. » Son monument occupe l'emplacement de la maison qu'il habitait.

Tourner à l'angle du café Le Danton vers le carrefour de l'Odéon. Cette jolie placette est ornée d'un paulownia aux magnifiques fleurs en tube violet pâle. Au bout de la rue apparaît le **théâtre de l'Odéon** créé en 1767. Sur la droite le café Les Éditeurs rappelle que libraires et éditeurs restent nombreux dans le quartier.
Un peu plus loin, la vitrine de Christian Tortu offre toujours une superbe mise en scène de fleurs et de feuillages.

Tourner à droite rue des Quatre-Vents. Au croisement de la rue de Seine, remarquez sur la gauche le Sénat, l'ancien palais de Marie de Médicis qui domine le jardin du Luxembourg. Devant vous, la **pâtisserie Gérard Mulot**, malheureusement fermée le mercredi. Avec **Pierre Hermé** *(72 r. Bonaparte)* et **Ladurée** *(21 r. Bonaparte)*, Mulot forme le triangle d'or des macarons : c'est à celui de ces pâtissiers qui inventera les parfums les plus insolites et les plus sublimes. À vous de juger !
La rue Lobineau qui fait l'angle abrite le **marché Saint-Germain**, pâle vestige de ce que put être la grande foire Saint-Germain. Outre un marché alimentaire, vous y trouverez une piscine, un magasin de jouets pour enfants, une salle de spectacles, un sympathique pub irlandais et de nombreux magasins de vêtements.

Prendre la rue de Seine en direction du Sénat, puis tourner à droite rue St-Sulpice. Elle est bordée d'élégants magasins, dont Agnès B enfant (n° 22) et Marie Mercié (n° 23) qui présente souvent d'incroyables chapeaux dans un décor plein de fantaisie.

Place Saint-Sulpice★

Jadis c'était la place du Bon-Dieu : outre l'église et la **fontaine des Orateurs-Sacrés** ou des **Quatre-Points-Cardinaux** (dans ses niches figurent quatre grands évêques qui furent tous de grands orateurs mais dont aucun n'a été nommé cardinal !), elle était bordée par un célèbre séminaire et par de nombreux magasins d'articles de piété. Le séminaire a été remplacé par un service des impôts et les boutiques de luxe telle Annick Goutal (vitrines souvent ravissantes) remplacent peu à peu les commerces d'objets pieux. Mais au moment de Noël, on peut encore voir des crèches agrémentées de charmants santons de Provence chez Thuillier (n°s 8 et 10) et à proximité.

Église Saint-Sulpice★★

Fondée par l'abbaye de St-Germain-des-Prés, St-Sulpice a été considérablement agrandie aux 17e et 18e s. Pour construire cette église, l'une des plus vastes de Paris, il fallut 134 ans et quatre architectes successifs. Malgré cela, la tour Sud ne fut jamais achevée car la Révolution interrompit les travaux.

L'histoire de Jacob et celle d'Héliodore – *Entrer dans la 1re chapelle à droite et éclairer les peintures en appuyant sur les minuteries placées sur le mur à droite.* Deux **peintures murales de Delacroix★★** (1849-1861), tout en fougue romantique, se font face. Elles représentent deux épisodes de la Bible. Sur la gauche, Jacob, une canaille qui a raflé par la ruse le droit d'aînesse à son frère, se retrouve un soir, au fond d'un vallon, face à un ange. Toute la nuit, il lutte avec acharnement contre lui… Au lever de l'aurore, l'ange finit par le toucher à la hanche et Jacob s'incline. Après ce combat, sa vie ne sera plus la même car, dira-t-il : « J'ai vu Dieu face à face et mon âme a été délivrée. »
Sur la droite, Héliodore, une autre canaille au service d'un roi d'Asie, tente de s'emparer du trésor du temple de Jérusalem. À peine a-t-il commencé qu'apparaît un

Jeu d'observation

Observe bien la *Lutte de Jacob avec l'ange.*
1 - Comment reconnais-tu l'ange ?
2 - Qu'est-ce qui permet de voir que le combat est difficile ?
3 - De quoi est constitué le petit tas d'affaires abandonnées à la hâte par Jacob ?
4 - Qu'est-ce qui occupe la plus grande surface du tableau ?
5 - Pourquoi la Bible dit-elle de Jacob qu'il a vu Dieu alors qu'il a combattu avec un ange ?
Réponses : 1 - À ses ailes.
2 - Le mouvement des bras, du genou, la tension des muscles.
3 - Un chapeau de paille, une pique, des flèches et un carquois, une gourde, un bouclier et des vêtements.
4 - Un arbre qui oppose sa force calme à la violence de la lutte.
5 - Parce que l'ange est le messager de Dieu et que Dieu lui-même est difficile à représenter.

cavalier terrifiant portant une armure d'or qui lance son cheval contre lui. Renversé par les coups de sabots, Héliodore tombe à terre tandis que deux autres hommes le fouettent sans relâche. Finalement – mais le tableau ne le montre pas –, Dieu acceptera de ramener Héliodore à la vie et ce dernier se convertira. Observe cette peinture. Que vois-tu ? Héliodore frappé par les sabots du cheval et fouetté par deux hommes ? Les bijoux et les pièces d'orfèvrerie qu'il a tenté de dérober jonchant le sol ? Le rideau qui vole au vent ? L'expression d'effroi sur le visage des personnes au balcon ?

Des coquillages géants – Les deux bénitiers, accolés aux 2e piliers de la nef, sont les coquilles d'un mollusque géant, le tridacne ou bénitier, qui vit dans les récifs coralliens de l'océan Indien. Offertes à François Ier par la République de Venise, elles furent ensuite données par Louis XV à Saint-Sulpice.

Un rayon de soleil – Tout d'abord, il faut repérer la ligne de laiton dorée encastrée dans le sol qui part d'une plaque située dans le transept droit et rejoint un obélisque de marbre dans le transept gauche. Ensuite, il faut trouver le trou percé dans la fenêtre haute du transept droit. Enfin, il faut qu'il y ait un rayon de soleil. Si le rayon atteint des repères portés sur l'obélisque, vous savez que vous êtes au solstice d'hiver ; si le rayon frappe la plaque, c'est un équinoxe ; dans tous les cas, il est midi. Ce subtil instrument qui marque les heures, ou les hauteurs du soleil, est un « gnomon astronomique » établi dans l'église Saint-Sulpice au 18e s. par l'Observatoire de Paris.

Prendre la rue des Canettes qui part sur la droite du Café de la mairie. Bordée de pizzerias et de boutiques de jeans et de baskets de marque (Cimarron, Converse, etc.), cette rue vous remet vite les pieds sur terre. Faites une incursion au n° 16 rue Guisarde, sur la droite, pour aller contempler la vitrine Au plat d'étain, une boutique spécialisée dans les soldats de plomb et autres figurines de collection : de l'Antiquité jusqu'aux guerres du 20e s. en passant par la Révolution française, les maharadjahs, les pompiers ou les joueurs de foot. Revenu rue des Canettes, levez la tête devant le n° 18. Sur l'enseigne sculptée, vous verrez ces canettes dont la rue tire son nom. Au n° 12, jetez un coup d'œil à la boutique de Michal Negrin, sorte de boudoir à l'anglaise noyé sous les bijoux, les fleurs et les paillettes. Puis si vient l'heure de la pause, vous trouverez aux nos 10 et 6 deux restaurants susceptibles de plaire aux enfants : la Crêperie des Canettes *(voir le carnet d'adresses)* et La Crêpe rit du clown.

Tourner à gauche rue du Four (remarquer l'enseigne Au Mouton au n° 24), puis à droite rue Bonaparte.

Place Saint-Germain-des-Prés★★

Voici l'**église Saint-Germain des Prés★★** : comme elle paraît petite et modeste à côté de Saint-Sulpice, on dirait une église de village ! Pourtant, cinq rois y furent enterrés. Sa tour-clocher, symbole du quartier, fut commencée vers l'an 1000. Son aspect massif et ses solides contreforts rappellent qu'à cette époque souvent troublée le clocher devait aussi pouvoir servir de donjon !

Sur la gauche de la rue Bonaparte, regardez, le trottoir se soulève… avec un peu de chance, il jaillit même de l'eau. C'est la **fontaine L'Embâcle**. Offerte par le Québec, elle évoque la glace qui se brise quand arrive le printemps.

Un peu plus loin sur la gauche, boulevard St-Germain, la brasserie **Lipp** (au joli décor 1900 et 1925) ainsi que les cafés **Les Deux Magots** et **Le Flore** furent longtemps (et restent un peu) le grand lieu de rendez-vous des intellectuels parisiens. Deux librairies témoignent encore de la vie intellectuelle du quartier : La Hune (n° 170), dont le rayon design et le tout petit rayon jeunesse recèlent quelques ouvrages pour enfants rarement proposés ailleurs (albums des éditions du Rouergue ou coloriages prétextes à la découverte de dessinateurs, illustrateurs ou auteurs de BD…), et L'Écume des pages (n° 174) qui possède un rayon jeunesse plus classique mais nettement plus développé. Les deux restent ouvertes jusqu'à minuit en semaine et le dimanche toute la journée !

Dans le **square Félix-Desruelles** à l'ombre de l'église, vous trouverez tas de sable, jeux pour petits, fontaine et bancs. Vous pourrez contempler le chevet de l'église ainsi qu'un portique monumental en grès émaillé réalisé par la Manufacture

Ph. Gajic / MICHELIN

Terrasse du célèbre café de Flore.

de Sèvres pour l'Exposition universelle de 1900 : c'était l'époque de l'Art nouveau où l'on aimait tant représenter les feuilles et les fleurs. Mais que fait le jeune garçon sculpté sur la gauche ? (Il façonne un vase sur un tour de potier.)

Contourner l'église et prendre la rue de l'Abbaye sur la droite. Regardez toutes ces pierres sculptées dans le petit square. On dirait ?... Eh oui, ce sont les vestiges d'une ravissante chapelle du 13e s. Un peu plus loin, l'**ancien palais abbatial** (n° 5), un imposant bâtiment en pierre et brique construit au 16e s., contraste avec la petite maison peinte en rose tout au bout de la rue.

Tourner à gauche.

Rue de Furstemberg★

À deux pas de la frénésie du boulevard, cette petite rue paisible est l'une des plus charmantes de Paris avec sa place ombragée de paulownias et son réverbère à cinq branches. Elle fut créée en 1 700 par le cardinal de Fürstenberg, à l'emplacement de la cour du palais abbatial. Les immeubles qui la bordent abritaient au rez-de-chaussée les remises pour les calèches et les écuries des chevaux. Les domestiques logeaient à l'étage.

Les petits curieux iront voir le **musée Eugène-Delacroix** (*6 r. de Furstemberg*) aménagé dans l'atelier où l'artiste s'était installé quand il fut chargé de décorer la chapelle de Saint-Sulpice. *✆ 01 44 41 86 50 - www.musee-delacroix.fr - tlj sf mar. 9h30-17h (dernière entrée 30mn av. fermeture) - fermé 1er janv., 1er Mai et 25 déc. - 5 € (-18 ans gratuit), gratuit 1er dim. du mois et 14 Juil.*

Prendre à droite la rue Cardinale, une curieuse petite rue tournante qui a conservé ses vieilles maisons du 18e s. Puis tourner à gauche rue Bourbon-le-Château et encore à gauche dans la rue de Buci.

Rue de Buci

Importante artère de la rive gauche depuis des siècles, la rue de Buci reste toujours très animée. Au 18e s., elle était bordée de jeux de paume, stations de chaises à porteurs, corps de garde... Aujourd'hui, elle abrite un petit marché et surtout de nombreuses

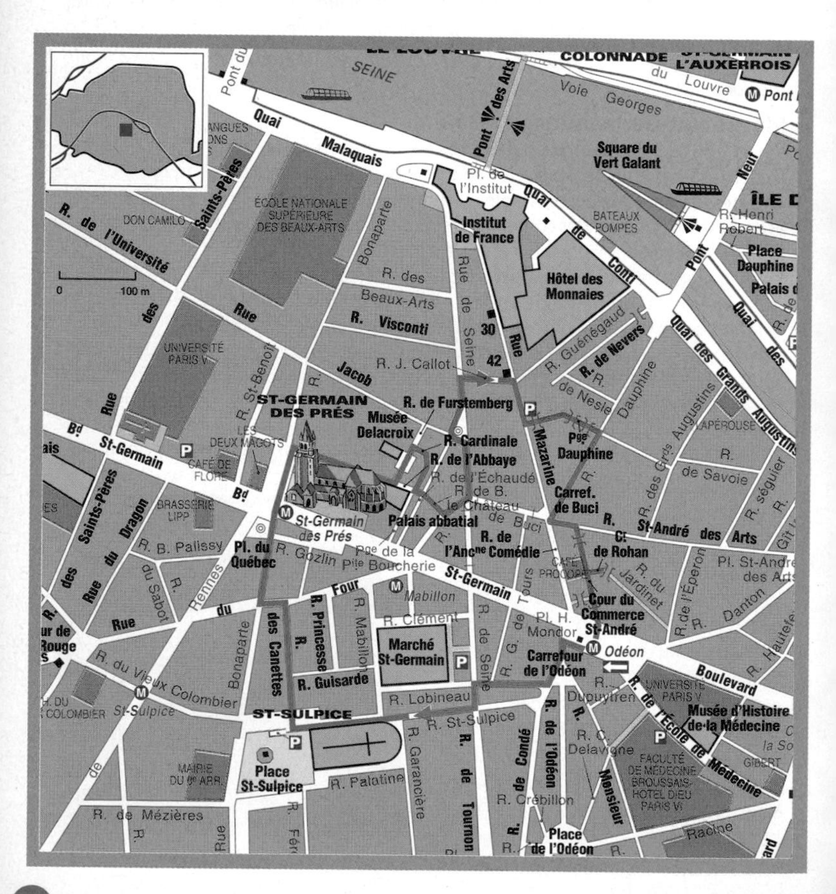

terrasses de cafés desquelles on peut observer l'animation. Le samedi après-midi, en particulier, on voit souvent là un incroyable explorateur qui débarque sur son deux-roues jaune avec son casque, ses cartes, son pistolet... et son humour. Un autre jour, ce sont des danseurs de « capoeira » brésiliens ou une chorale d'étudiants hollandais qui déclarent en chanson leur flamme à une jeune fille de passage rougissante... Mais le programme reste aléatoire. Le Café du Marché, situé au carrefour, est le meilleur poste d'observation. Le café Jade, tout près, n'est pas mal non plus... Entre les deux, il y a une vraie pâtisserie à l'ancienne, la **Bonbonnière de Buci** *(voir le carnet d'adresses)* qui vend ses glaces sur le trottoir.

Tourner dans la rue de Seine, puis à gauche dans la rue Jacob et à droite dans la rue de l'Échaudé. Au n° 6, la **galerie Pixi et Cie**, spécialisée dans les figurines en métal et jouets de collection, présente une vitrine entièrement dédiée au thème du Petit Prince de Saint-Exupéry.

Reprendre la rue de Seine à gauche puis tourner à droite rue Jacques-Callot. Vous voici au cœur du quartier des galeries d'art, qui ménagent parfois des surprises amusantes pour les enfants. Le bistrot qui fait le coin, La Palette, est une véritable institution de St-Germain-des-Prés avec son agréable terrasse ombragée et son décor intérieur de palettes et de tableaux. Il en a vu défiler des intellectuels, des artistes, des galeristes et des étudiants de l'école des Beaux-Arts voisine !
Juste à côté, remarquez cette étrange statue de femme découpée en tranches. Que voyez-vous autour d'elle ? Un violoncelle, un cadre, une palette, un livre... C'est la **Vénus des arts** (1992), copie d'une statue antique revue par le célèbre sculpteur français Arman, un artiste qui a beaucoup travaillé sur les accumulations et les fragmentations d'objets.

Au bout de la rue Jacques-Callot, tourner à droite rue Mazarine. Au n° 27, emprunter sur la gauche le passage Dauphine. Havre de calme, ce charmant passage pavé abrite des figuiers et un agréable salon de thé, **L'Heure gourmande** *(voir le carnet d'adresses).*

Tourner à droite rue Dauphine. Au n° 34 se trouve un merveilleux magasin de jouets en bois, l'un des plus anciens de Paris : **Le Monde en marche** *(voir le carnet d'adresses).*
La rue Dauphine débouche sur la **rue de l'Ancienne-Comédie** qui doit son nom au fait qu'au n° 14 se trouvait l'hôtel des Comédiens du Roy, le premier théâtre public de France. Fondé en 1689, il accueillit les premières représentations des pièces de Racine et de Molière.

Prendre la rue St-André-des-Arts puis, sur la droite, la cour du Commerce.

Cour du Commerce-Saint-André★

Dans ce paisible passage pavé se niche une charmante boutique de jouets, **Âge tendre et tête de bois**. Tout près, le restaurant-salon de thé **La Jacobine** rappelle par son nom et son décor que la cour du Commerce recèle de nombreux souvenirs de la Révolution française. Danton, qui habitait juste à côté, Robespierre et Marat se réunissaient au café **Le Procope**, le plus vieux café de Paris (fondé en 1686). Au n° 8 se trouvait l'imprimerie de *L'Ami du peuple*, journal de Marat, à l'emplacement de l'actuelle Maison de la Catalogne, dans laquelle on peut voir une **tour de l'enceinte de Philippe Auguste**. Et c'est aussi dans cette cour qu'en 1790 le docteur Guillotin essaya sur des moutons sa « machine à décapiter »... avec laquelle il espérait adoucir la mise à mort des condamnés. Ce n'était peut-être pas une bonne idée...
Sur la gauche s'ouvre la **cour de Rohan**. Au 15e s., elle faisait partie de l'hôtel des archevêques de Rouen (d'où son nom déformé de Rohan). Trois cours se succèdent. Dans la deuxième, on peut voir un bel hôtel de 1636 en pierre et brique et un « pas de mule ». Trouve-le : c'est un montoir en fer forgé qui servait aux dames, aux abbés et aux vieillards pour grimper sur leur monture. Dans la troisième, déniche le vieux puits avec sa poulie qui servait à remonter le seau.
Vous voilà revenu au point de départ, carrefour de l'Odéon, une place entourée de cinémas et où l'animation bat son plein de nuit comme de jour.

Un peu de rab ?

Square Gabriel-Pierné

Angle r. de Seine et r. Mazarine, à deux pas de l'Institut de France (Académie française). M° Pont-Neuf ou Odéon. Un petit jardin, mais intéressant avec son arbre au tronc impressionnant : un vénérable catalpa. Mais comment s'appellent ces arbres à feuilles sombres et vernissées adossés au treillage ? Des magnolias à grandes fleurs. Regarde bien les bancs : tous ne sont pas pareils. À quoi te font-ils penser ? À des livres ouverts, allusion à l'Académie française, toute proche.

Pont des Arts

M° Pont-Neuf ou Odéon. Réservé aux piétons, ce pont offre une **vue★★★** superbe : en aval, le Pont-Neuf et l'île de la Cité avec Notre-Dame ; en amont, le Louvre et le pont du Carrousel. Dès que le temps s'y prête, c'est un lieu très festif où coexistent musiciens, peintres, mimes et le soir des bandes d'amis qui étalent des nappes pour pique-niquer.
À la belle saison, vous aurez peut-être envie de prolonger les plaisirs du bord de l'eau en descendant prendre un verre sur la péniche La Balle au bond.

Revenir vers l'Institut et longer le quai de Conti pour accéder à l'Hôtel des Monnaies.

Hôtel des Monnaies et Médailles★ - Musée de la Monnaie

11 quai de Conti. M° Pont-Neuf ou Odéon. ✆ 01 40 46 55 35 - www.monnaiedeparis.fr - tlj sf lun. 11h-17h30, w.-end 12h-17h30 - fermé j. fériés - 8 € (-16 ans gratuit).
Intéressant et bien présenté, le musée permet de découvrir l'histoire de la monnaie en France depuis les Gaulois. Un excellent audiovisuel montre comment sont fabriquées les pièces actuelles.
Visite guidée des ateliers de fabrication des médailles : *✆ 01 40 46 55 35 - visite guidée (1h) merc. et vend. 14h15 sur réserv. - fermé lun., août et j. fériés - 3 €*
Chasse au trésor : *sam. 14h-16h - 4 €- sans réserv.* Muni d'un plan du musée, l'enfant doit découvrir le nom d'un personnage célèbre et son trésor.

Carnet d'adresses

PAUSE DÉJEUNER

⊖ Crêperie des Canettes-Pancake Square – *10 r. des Canettes - 6e arr. - M° Mabillon - ✆ 01 43 26 27 65 - fermé lun. soir et dim. - ⊭ - 6/14,50 €.* Une ambiance marine et un menu enfant à 8 € : galette jambon ou fromage ou œuf, crêpe bonbon et jus de pomme.

⊖ Bioz Sandwichs – *3 r. des Ciseaux - 6e arr. - M° St-Germain-des-Prés ou Mabillon - ✆ 01 53 10 81 11 - fermé dim. - ⊭ - 8/21 €.* Rare halte nature à St-Germain : sandwichs, salades, soupes et boissons à base de fruits et légumes issus de l'agriculture bio. C'est simple, peu cher et très bon. À savourer dans la petite salle ou dans le jardin situé à l'ombre de l'église.

⊖ Bar à Soupes et Quenelles – *5 r. Princesse - 6e arr. - M° Mabillon - ✆ 01 43 25 44 44 - fermé lun. soir et dim. - 10/15 €.* La maison Giraudet, fondée en 1910, perpétue la tradition des quenelles élaborées avec passion et savoir-faire. Près d'un siècle plus tard, sa nouvelle boutique au style très « tendance » propose également des soupes maison et quelques pâtisseries à déguster sur place. La vente à emporter est assurée au n° 16 de la rue Mabillon.

⊖ Cuisine de Bar – *8 r. du Cherche-Midi - 6e arr. - M° Sèvres-Babylone ou St-Sulpice - ✆ 01 45 48 45 69 - fermé dim. et lun. - 12,50/26 €.* Dans cette longue salle à manger au décor contemporain épuré, vous aurez le plaisir de choisir les ingrédients qui agrémenteront de délicieuses tartines tranchées dans le bon pain Poilâne. Un conseil de gourmand : gardez une petite place pour le fondant au chocolat !

PAUSE QUATRE-HEURES

L'Heure Gourmande – *22 passage Dauphine - 6e arr. - M° Odéon - ✆ 01 46 34 00 40 - fermé 1er mai.* C'est dans un charmant passage pavé, à l'abri des regards et du bruit, que se niche ce charmant petit salon de thé. Pâtisseries maison, plus appétissantes les unes que les autres, présentées sur une table dressée au milieu de la salle (décor assez cosy). Belle sélection de thés, goûteuses tartes salées et brunchs dominicaux.

La Bonbonnière de Buc – *12 r. de Buci - 6e arr. - M° Odéon - ✆ 01 43 26 97 13.* Tenue par une charmante famille, une vraie pâtisserie à l'ancienne, avec un petit salon de thé à l'étage. Palmiers, millefeuilles, éclairs ou tartes aux fruits aussi généreux que savoureux. Glace au nougat exquise avec gros morceaux de pistaches et fruits confits.

PAUSE ACHATS

Le Monde en marche – *34 r. Dauphine - 6e arr. - M° Odéon - ✆ 01 43 29 09 49 - www.le-monde-en-marche.com - tlj sf dim. 10h30-19h30 - fermé 3 sem. en août.* Spécialisé dans les jouets en bois depuis 1962, ce magasin propose aussi une excellente sélection de jouets originaux. Du doudou à la voiture de pompiers à pédales, des marionnettes au déguisement de chevalier en passant par les dînettes, les poupées de collection et les boîtes à musique. À Noël et à Pâques, superbes articles de déco allemands.

Jardin des Plantes 

L'encyclopédie de la nature

PLAN ATLAS MICHELIN N° 56 (P. 45, 57) ET N° 57 (P. 11), REPÈRES L15-17 – 5E ARR.

Le Jardin des Plantes, c'est un lieu où l'on collectionne : des êtres vivants au jardin et dans la ménagerie, et des espèces fossilisées, empaillées, séchées, épinglées... dans de gigantesques galeries et leurs réserves. En magasin, des millions d'animaux et de végétaux conservés et étiquetés ! Les petits curieux y trouveront les réponses à leurs questions sur la diversité du monde vivant et multiplieront leurs découvertes en passant des micro-organismes aux dinosaures ou aux cétacés. Ici, depuis toujours, pédagogie rime avec poésie : à l'ombre d'arbres centenaires et parmi des parterres fleuris, vous croiserez aussi les statues d'hommes de science qui écrivirent les plus passionnantes histoires naturelles. Tout près, les arènes de Lutèce et la mosquée de Paris vous entraîneront à découvrir d'autres richesses de notre patrimoine.

POINT DE DÉPART

En **métro** : ligne 4, station Place-Monge.
En **bus** : lignes 47 (arrêt Monge), 67 (arrêt Jussieu) et 89 (arrêt Cardinal-Lemoine-Monge).
À proximité, vous pourrez suivre la promenade au Quartier latin (2).

POUR LES PETITS MALINS

Attention, dans le Jardin des Plantes, chaque galerie est payante ; il n'existe pas de billet pour l'ensemble des expositions permanentes du Jardin, et les horaires font eux aussi dans la diversité.

LE CLOU DE LA VISITE

Dans la galerie de Paléontologie, le diplodocus, hôte le plus prestigieux du muséum.

Pour mieux comprendre

Ils sont fous, ces Romains ! – Les vestiges de l'époque gallo-romaine sont rares à Paris. Au temps où la ville s'appelait Lutèce, quelques villas, des thermes, un forum s'accrochaient sur les pentes de la montagne Sainte-Geneviève, et en contrebas, des arènes avaient été construites au 2e s. On y donnait des spectacles variés : joutes nautiques, luttes de gladiateurs, combats de fauves, comédies et drames. Larges de 132 m, elles pouvaient contenir au moins 10 000 spectateurs. Mais leur existence fut éphémère. Sous la menace d'une invasion barbare, les habitants de la cité se replièrent dans leur île et élevèrent des remparts avec les pierres qui se trouvaient à leur portée. Celles des arènes servirent en partie à ces travaux défensifs.
Ce qui en resta fut bientôt recouvert par la végétation. En 1869, la Compagnie des omnibus parisiens déblaya le terrain pour y faire son dépôt et retrouva quelques ruines, mais il fallut attendre 1883 pour que le site soit protégé et 1916 pour que les omnibus déménagent et que les lieux soient restaurés. Bien que les anciens moellons soient difficiles à repérer sous les pierres neuves, les arènes restent néanmoins l'ancêtre des monuments parisiens.

Un jardin royal – Tout près, s'étendant jusqu'à la Seine, le Jardin des Plantes actuel est une extension d'un premier jardin fondé en 1635 par le roi Louis XIII. Ce jardin était réservé à la culture des plantes médicinales. Ordonné comme une boutique d'apothicaire, il possédait près d'un millier d'espèces, selon le catalogue dressé par le premier intendant du jardin, Guy de la Brosse.
Au 18e s., le jardin est dirigé par Buffon. L'homme a tout étudié : les mathématiques, la physique, la géologie, la zoologie, la paléontologie, la biologie, l'anthropologie, la philosophie et le droit ! Aidé par des naturalistes, entre autres Daubenton et les frères Jussieu, il installe des serres, des pépinières et approvisionne les « galeries des curiosités » d'oiseaux, de minéraux, de fossiles, de plantes que lui expédient des explorateurs, des missionnaires et autres correspondants du monde entier. En 1793 naissent le Muséum national d'histoire naturelle et le Jardin des Plantes, avec pour mission l'enseignement public de l'histoire naturelle, l'avancement de l'agriculture,

du commerce et des arts. En 1794, Geoffroy Saint-Hilaire qui avait étudié et disséqué dromadaires, crocodiles et tortues du Nil au pied des Pyramides, lors de l'expédition de Bonaparte en Égypte, créa la ménagerie. L'arrivée d'une girafe, en 1826, fit sensation auprès des promeneurs !
Aujourd'hui, le jardin prend grand soin de ses arbres centenaires et de ses milliers de plantes classées par variétés, genres, familles. Çà et là, on croise les statues des scientifiques du 18e s et du 19e s. qui contribuèrent à la création des inestimables collections, lesquelles servirent à établir une classification du vivant, à comprendre son évolution, sa diversification et les disparitions d'espèces qui ne se limitent pas seulement aux dinosaures.

Une balade scientifique

Départ Mº Monge. 2h de promenade à pied. Prendre la sortie « Arènes de Lutèce ». Suivre la rue Monge à droite et entrer dans les arènes par la porte au nº 49.

Arènes de Lutèce

Chiens interdits. Un casque de gladiateur au-dessus du porche d'entrée et des têtes de lions en guise de poignées de porte donnent le ton, mais ces indices ne sont que des ajouts d'une restauration tardive. Franchissez la chicane pour entrer dans le vaste amphithéâtre qui servait de scène aux jeux de cirque. Oubliez les murs des faces arrière des immeubles de la rue Monge, ainsi que les pierres neuves des gradins. Imaginez l'ouverture des *carceres* (cages à animaux), l'entrée des fauves, les cris des Parisii (habitants de Lutèce) ou bien, un spectacle de théâtre sur la scène surélevée et creusée de neuf niches destinées à améliorer l'acoustique.

S. Sauvignier / MICHELIN

Les arènes de Lutèce, où les gladiateurs combattaient, du temps des Romains.

Juste derrière se trouve le **square Capitan**, du nom du médecin qui participa à la restauration des arènes pendant la Première Guerre mondiale. Un bel escalier en fer à cheval mène à une fontaine, une aire de jeux pour les enfants, et de beaux arbres (hêtre tortillard tout biscornu, comme son nom l'indique, et olivier de Bohême).
En sortant du square, la petite maison néo-gothique, aux fenêtres en ogive, au nº 5 de la rue des Arènes fut la demeure de Jean Paulhan (1884-1968), directeur de la *Nouvelle Revue française*, la célèbre revue littéraire des éditions Gallimard. Ces mots inscrits dans la pierre à l'entrée en plan incliné des arènes, rue de Navarre, sont de lui : « Passant, songe devant le premier monument de Paris que la ville du passé est aussi la cité de l'avenir et celle de tes espoirs. »

Descendre jusqu'à la rue Linné et prendre à droite jusqu'au croisement avec la rue Cuvier.

Fontaine de Cuvier

Juste en face de la plus ancienne entrée du Jardin des Plantes, la fontaine dédiée à Georges Cuvier (1769-1832) est un bestiaire où se côtoient pêle-mêle un crocodile, un phoque, un poisson, un lion, et autour des gargouilles, un homard, une étoile de mer, etc. Une borne de la mairie de Paris résume l'œuvre de Cuvier, naturaliste qui établit la loi de corrélation des formes et créa l'anatomie comparée et la paléontologie. Selon ses principes, dents, os, organes en disent long sur le physique et le mode de vie du propriétaire. Cuvier reconstitua ainsi quantité d'animaux disparus.

Jardin des Plantes★★

01 40 79 56 01 - ♿- avr.-sept. 7h30-20h, oct.-mars 7h30-19h30 - gratuit.
Chiens, vélo, ballons, pelouse interdits - aires de pique-nique, toilettes, manège, jeux pour enf., restauration, points d'informations aux entrées pl. Valhubert et r. Geoffroy-St-Hilaire, médiathèque. Visite en famille et activités pour les enfants : se renseigner au 01 40 79 54 79.

Le labyrinthe – Où mène le sentier en colimaçon qui grimpe sur la butte artificielle, à droite de l'entrée ? À un belvédère dont le fer provient des forges que Buffon avait créées à Montbard, sa ville natale. Ce kiosque du 18e s. est donc la première architecture parisienne en fer forgé ! Là-haut, vous fleurtez avec la cime de vieux arbres : micocoulier, pin laricio, chêne à gros fruits et cèdre du Liban planté par Bernard de Jussieu en 1734. En reprenant l'allée, vous trouverez sur la gauche les bâtiments de l'administration : un hôtel édifié à la fin du 18e s. et ses communs envahis par le lierre, puis un grand amphithéâtre de style néo-classique, datant de la Révolution et récemment restauré. Les célèbres Académiciens des sciences y donnaient leurs cours. Caressez au passage l'écorce rugueuse du pin de l'Himalaya planté en 1884 et découvrez à l'ombre d'un platane d'Orient de 1785 la statue de Bernardin de Saint-Pierre (1737-1814). Intendant du Jardin, il fut surtout un écrivain romantique et niait la science basée sur l'observation et l'expérimentation. Selon lui, si un melon a des côtes, c'est pour qu'il soit plus facile à manger en famille (comme ça, chacun a sa part) !

Un chalet de restauration et sa terrasse ouverte sur une aire de jeux précède l'entrée à la ménagerie, le plus ancien parc zoologique du monde.

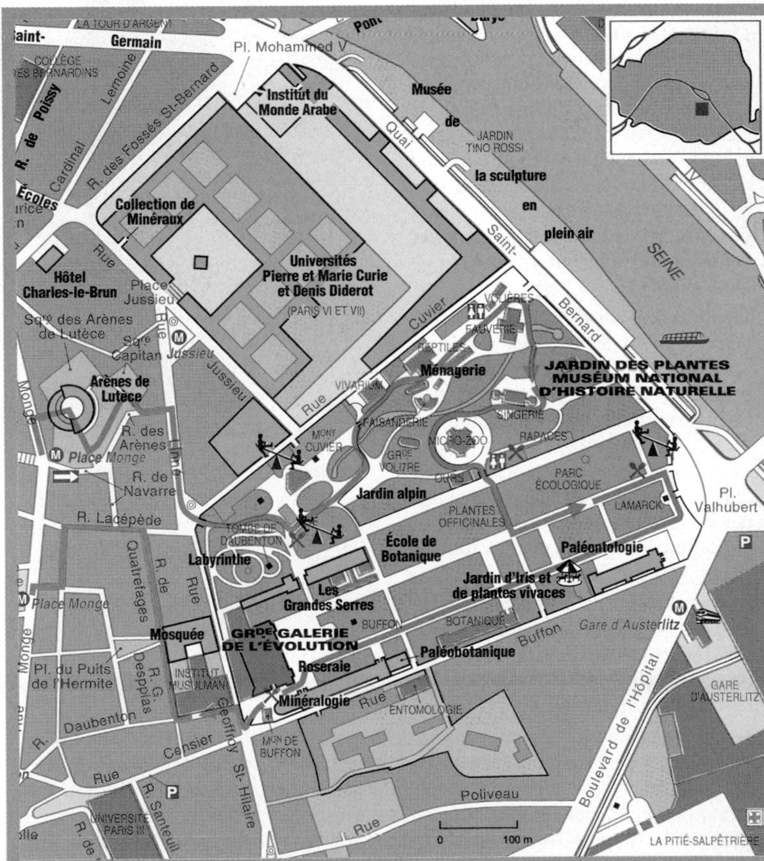

Ménagerie – *Chiens interdits. Plan de la ménagerie à demander à l'entrée, panneaux indicateurs un peu partout. 01 40 79 56 01- www.mnhn.fr - - 9h-18h, dim. et j. fériés 9h-18h30 - fermé 1er Mai - 7 € (enf. 5 €).*
Çà et là, des panneaux pédagogiques guident les enfants sur les familles d'animaux qu'ils rencontrent. Question à un Carambar : connais-tu dans la famille des chèvres et moutons avec ou sans barbiche, le goral, le takin et le bharal ?
Pénétrez dans la grande **volière**, construite en 1888, puis laissez-vous guider jusqu'à la petite ferme où pataugent de noirs porcinets.
À côté, dans le **vivarium** et la ménagerie des reptiles, vous découvrirez nombre d'animaux habituellement bien camouflés comme le phasme géant ou le caméléon, mais aussi le dragon de Cochinchine, le varan du Nil, les pythons et les boas... À la sortie, un panneau expliquant le prix de ces animaux et les soins qu'il faut leur apporter ôteront peut-être à vos bambins l'idée d'en adopter !
Vers le quai Saint-Bernard : la **fauverie**. Construite en 1937, elle est déserte, le temps d'une remise aux normes. Entrez dans la « salle à manger » pour voir les félins en pleine chasse... sculptés en bas relief !
Vagabondez dans les allées pour saluer des animaux étranges tels que le nocturne binturong qui s'est adapté, en captivité, à une vie diurne. Vous pourrez faire une pause tout près, à l'une des aires de pique-nique. Ensuite, trouvez la statue du chasseur à l'âge de pierre et non loin, la **singerie**.
Bien d'autres animaux ont leurs maisons : huttes de banchage, cabanons de bois ou pavillons de brique et de fer forgé classés au patrimoine de l'architecture !

Quittez la ménagerie au niveau du restaurant donnant sur l'allée de Jussieu, directement dans la partie des parterres et des allées de platanes.

École de botanique – *Interdit aux enfants non accompagnés. Entrée par l'allée de Jussieu ou l'allée des Becquerel. 01 40 79 56 01 - www.mnhr.fr - j- tlj sf w.-end 8h-11h, 13h30-17h. - fermé j. fériés - gratuit.*
De grands parterres de plantes permettent aux étudiants, horticulteurs et amateurs de botanique d'étudier les plantes arbustives et herbacées. Les végétaux (près de 4 000 espèces) sont groupés par familles et genres selon les classifications établies depuis le 18e s., ou par intérêt économique ou médicinal. Sous Louis XIII, les médecins prenaient ombrage de ce jardin planté de séneçons, capillaires ou véroniques censés mieux guérir les patients que leurs saignées !

Jardin alpin – *Entrée par l'école de botanique. 01 40 79 56 01 - www.mnhn.fr - avr.-sept. : 8h-16h30, sam. 13h30-18h, dim. 13h30-18h30 - 1 € (enf. 0,50 €).*
Ce jardin reproduit un site montagneux. Plus de 2 000 plantes originaires des Pyrénées, de Corse, du Maroc, de l'Amérique du Nord et de l'Himalaya y ont pris racines et se sont acclimatées. Il est vrai que les espèces montagnardes sont les championnes de la survie !

Promenez-vous dans l'allée de platanes ou parmi les parterres en direction de la Seine. Sur la gauche, en bordure du quai Saint-Bernard, les enfants pourront grimper au château de l'aire de jeux.

Dernier légume à la mode

En 1854, la courge de Siam, une cousine chinoise de nos citrouilles et potirons, servit de nourriture aux yacks qui furent expédiés de Chine, par bateau, au Muséum d'histoire naturelle. À l'arrivée, il restait encore quantité de ces gros fruits et leurs graines furent plantées au Jardin des Plantes. Leur culture facile donna aux naturalistes l'idée d'en planter des champs entiers pour le bétail français. Hélas, les éleveurs se méfièrent de cette curieuse nouveauté ! En 1922, le jardinier Charles Naudin se mit en tête de séduire les cuisinières en inventant une confiture aux cheveux d'ange (sorte de choucroute, ainsi baptisée à cause de la chair de la courge qui se désagrège en filaments à la cuisson). Pour en faire la promotion, il présenta sa recette au déjeuner amical de la Société nationale d'acclimatation. En vain ! Les ménagères préférant la courgette, la courge de Siam ne se trouve aujourd'hui que dans les potagers de quelques amateurs qui savent l'accommoder en gratin.

Statue de Lamarck – Devant l'entrée de la place Valhubert, Lamarck (1744-1829) trône sur son piédestal. Lisez l'épitaphe ! De son vivant, personne ne savait encore dans quel ordre de succession les êtres vivants étaient apparus sur Terre ni pourquoi certains avaient disparu. Cuvier soutenait que les espèces ne changeaient pas au cours des âges. Les plus anciennes avaient disparu à la suite de brutales catastrophes et avaient été remplacées par d'autres. Lamarck avançait une autre théorie. Selon lui, la girafe n'est pas apparue sur Terre, un beau jour, avec son long cou ; son arrière-arrière-grand-mère (et même plus) avait sans doute un petit cou, mais qui se serait allongé à force de brouter en hauteur. Au fil des millénaires, les espèces ont transmis héréditairement des caractères nouvellement acquis qui ont modifié et diversifié la faune et la flore. 20 ans après la mort de Lamarck, le naturaliste anglais Charles Darwin reprit cette idée d'évolution et en expliqua le mécanisme par la sélection naturelle (seuls les animaux les mieux adaptés à leur milieu résistent et s'adaptent). Mais quand, en 1871, Darwin plaça l'homme près du singe sur l'arbre du règne animal, ce fut l'indignation générale !

Prenez l'allée de platanes parallèle à la rue Buffon. Longez la **galerie de Paléontologie** *(voir « Et s'il pleut ? »)*, long bâtiment de brique orné de bas-reliefs (dressage de chevaux, attaque de crocodiles). On aperçoit par les hautes fenêtres les reptiles géants. Au manège Dodo, vos enfants chevaucheront des animaux disparus !

Jardin d'iris et de plantes vivaces – *✆ 01 40 79 56 01 - avr.-sept. : tlj sf w.-end 8h15-16h - fermé j. fériés - gratuit.*

Des compartiments sertis de brique et entourés d'allées, dans la tradition des jardins hollandais, servent d'écrin à une collection de plantes vivaces décoratives ainsi qu'à près de 150 variétés d'Iris. Un festival de couleurs à l'époque de leur floraison, en mai !

S. Sauvignier / MICHELIN

Iris et plantes aquatiques, pour prendre le frais au Jardin des Plantes.

Longez la galerie de Botanique, ouverte lors d'expositions temporaires. Après avoir dépassé une souche pétrifiée datant de l'ère tertaire (33 millions d'années), vous passerez devant les **galeries de Minéralogie et de Géologie** *(voir « Et s'il pleut ? »)*. Faites-y un tour, sinon, jetez un coup d'œil à l'entrée pour les fresques de Briard représentant des explorateurs sur la banquise.

Roseraie – Le long de la galerie de Minéralogie, la roseraie embaume : 300 espèces et variétés y sont réunies. Au bout de l'allée, un autre arbre vétéran finit tranquillement ses jours.

Le grand bâtiment qui s'élève dans la perspective centrale est consacré à la zoologie et abrite depuis 1964 la nouvelle **Grande Galerie de l'Évolution** *(voir « Et s'il pleut ? »)*. Saluez Buffon et admirez les grandes serres construites entre 1830-1833. Momentanément fermées, vous ne pourrez pénétrer dans l'atmosphère moite de la serre tropicale (bananiers, pandanus, orchidées…) ni dans l'air chaud et sec de la serre mexicaine (cactées, agaves, plantes de Madagascar…).

Dirigez-vous vers la sortie située dans l'axe des grandes galeries pour découvrir encore un charmant petit jardin dédié aux plantes à bulbes. On se croirait à la campagne !

Prendre la sortie située à gauche de la Grande Galerie de l'Évolution. Suivre la rue Geoffroy-Saint-Hilaire à gauche et tourner de suite à gauche dans la rue Daubenton, puis à droite dans la rue Georges-Desplas.

Mosquée de Paris★

✆ 01 45 35 97 33 - www.mosquee-de-paris.net - tlj sf vend. 9h-12h, 14h-18h ; possibilité de visite guidée (30mn) - fermé j. de fêtes musulmanes - 3 €

La grande mosquée, construite entre 1922 et 1926 en souvenir des soldats musulmans morts pendant la Première Guerre mondiale, est le lieu vivant de tous les musulmans de la capitale qui viennent s'y marier, prier, écouter le sermon du vendredi, en français et en arabe, ou encore se détendre au hammam. On se croirait en pays musulman, mais on n'entend cependant pas le chant d'appel à la prière (cinq fois par jour selon les préceptes de l'islam) lancé par le muezzin du haut du joli minaret ciselé de sculptures.

Rentrez dans le café maure décoré de faïences colorées. Dans le patio, vous pourrez boire un thé à la menthe ou déguster de succulentes pâtisseries orientales. Ne vous étonnez pas si les serveurs vous appellent « la gazelle », c'est en effet un joli petit nom couramment donné aux femmes et aux filles dans les pays du Magreb ! Le restaurant à l'intérieur assure aussi un total dépaysement : on y déguste de brûlants tajines et de royaux couscous…

L'ambiance est différente dans la mosquée. On ne peut y entrer légèrement vêtu car c'est avant tout un lieu de prière. Vous pourrez voir la bibliothèque et ses beaux exemplaires du Coran, vous promener dans la cour intérieure et les patios attenants, passer devant la salle des prières mais sans y entrer si vous n'êtes pas musulman, de même, dans les salles d'ablutions, au sous-sol.
Vous serez avant tout émerveillé devant le raffinement de l'art islamique. Ici, un mélange de plusieurs régions : toits de tuiles vernissées vertes, plafonds en bois de cèdre du Liban, lourdes portes cloutées, mosaïques aux murs, dans le style hispano-mauresque (rosaces et frises comportant des versets du Coran), blanches dentelles de stuc, jardins de roses et vasques.
Le jardin est d'ailleurs le clou de la visite, un véritable paradis : on entend le murmure de l'eau coulant des fontaines dans les petits canaux, le pépiement des oiseaux, on respire le doux effluve des roses... rien que du bonheur, qui reste cependant fugace car la visite est déjà terminée... Ce n'est pas grave, vous y reviendrez une prochaine fois !

En sortant, prendre la rue de Quatrefages à droite, puis tourner à gauche dans la rue Lacépède.

Au n° 8, jetez un coup d'œil dans la cour pour découvrir un bel hôtel particulier puis rejoignez la place Monge, animée les jours de marché. En face de la bouche de métro, les casernes de la garde républicaine datant de 1840.

Et s'il pleut ?

Grande Galerie de l'Évolution★★★

Dans le Jardin des Plantes. ✆ 01 40 79 54 79 - www.mnhn.fr - ♿ - tlj sf mar. 10h-18h - fermé 1er Mai - 8 € (enf. 6 €).
À l'entrée, consultez les informations sur la maquette de la galerie qui présente les trois niveaux de visite. Regardez et écoutez le film de présentation : la vie est apparue dans les océans il y a 4 milliards d'années ; à partir des premières cellules, elle a engendré des méduses, des ammonites, les premières plantes sur la terre, puis des amphibiens qui vont conquérir la terre ferme... C'est parti !
Tout au long de vos découvertes, des fiches répondent aux questions les plus variées : comment se nourrir sans lumière ? comment survit l'ours dans l'Arctique ? Appuyez sur des grains de sable grossis 800 fois pour prendre la taille des animaux qui vivent dans les interstices du sable au fond des mers, sautez à pieds joints dans une flaque où se tapissent de curieux poissons plats, touchez les parties du corps de la libellule pour savoir pourquoi elle est insecte, recherchez les jeunes et les adultes dans de petits élevages, accompagnez les animaux empaillés qui marchent en procession...
Amusez-vous à découvrir la diversité du vivant des grandes profondeurs au littoral, des pôles aux tropiques, de la savane aux forêts, et tous ces liens de parenté plus ou moins lointains entre les espèces, l'homme y compris, dont l'action est si grande qu'il peut influencer le cours de l'évolution. Enfin, si vous avez encore du souffle, ne

D. Pazery / MICHELIN

Dans la Grande Galerie de l'Évolution, on en voit défiler des animaux !

manquez pas la **salle des espèces menacées ou disparues**★★ (2e étage) : c'est en effet là que vous pourrez voir le fameux dodo dont vous avez sûrement fait la connaissance dans le dessin animé *L'Âge de glace*.

Galerie d'Anatomie comparée et de Paléontologie

2 r. Buffon. Dans le Jardin des Plantes. ✆ 01 40 79 56 01 - www.mnhn.fr - avr.-sept. : 10h-17h, w.-end 10h-18h ; oct.-mars : 10h-17h - fermé mar. et 1er Mai - 6 € (enf. 4 €).
✆ 01 40 79 54 79 - visite guidée (1h-1h30) en famille sam. 15h (sf juil.-août) - réserv. conseillée - RV devant les caisses - 4 €/1h, 6 €/1h30 en plus du droit d'entrée tarif réduit.
Précipitez-vous pour visiter cette galerie, car, dans un proche avenir, elle fermera ses portes le temps d'une rénovation. Malgré l'indispensable ménage à faire dans cette accumulation de squelettes, la nouvelle muséographie effacera forcément une grande partie du charme de cette galerie inaugurée en 1898 !
Au rez-de-chaussée, un homme écorché en plâtre pointe le ciel du doigt, entraînant derrière lui d'innombrables squelettes de vertébrés, petite sélection de 50 vitrines et quelque 400 spécimens ! On se sent petit comme Jonas devant cette baleine échouée sur une côte d'Afrique du Sud : en pièces détachées pour son transport dans des barriques, elle affronta la tempête pour être remontée au Muséum en 1822, sous l'œil de Cuvier, grand spécialiste du jeu de puzzle. Âmes sensibles, évitez de regarder les viscères de vertébrés conservés dans des bocaux (vitrines latérales) ; des animations sur écran expliquent aux enfants la relation entre le squelette et l'adaptation de l'animal à son milieu.
Le premier étage abrite quantité d'animaux disparus, entre autres les fameux dinosaures, et un énorme glyptodon, proche du tatou actuel, qui a disparu il y a quelques milliers d'années seulement.

Galeries de Minéralogie et de Géologie★

Dans le Jardin des Plantes. ✆ 01 40 79 56 01 - www.mnhn.fr - avr.-sept. 10h-17h, w.-end 10h-18h ; oct.-mars 10h-17h - fermé mar. et 1er Mai - 6 € (enf. 4 €).
✆ 01 40 79 54 79 - visite guidée (1h-1h30) en famille sam. 15h (sf juil.-août) - réserv. conseillée - RV devant les caisses - 4 €/1h, 6 €/1h30 en plus du droit d'entrée tarif réduit.
Vous découvrirez une collection unique de cristaux géants du Brésil, et une formidable présentation de minéraux et de roches du monde entier : quartz aux formes parfaites, vieux de 400 à 500 millions d'années, énormes pépites d'or, béryl d'une transparence verte absolue, calcites et autres merveilles créés dans les entrailles de la Terre.
Le sous-sol présente aussi son trésor (objets d'art et joyaux), comme le miroir divinatoire en obsidienne de l'Inca Montezuma II. Le « Magasin du droguier du roy » sous Louis XIV rappelle qu'à l'époque on croyait pouvoir soigner par les pierres. La science ayant avancé, les vertus des pierres sont utilisées pour d'autres applications. Ainsi, le quartz sert à fabriquer les lentilles d'appareils optiques de grande précision et rentre aussi dans la fabrication des sonars sous-marins.

Institut du Monde arabe★

1 r. des Fossés-St-Bernard. Mo Jussieu ou Cardinal-Lemoine. ✆ 01 40 51 38 38 - www.imarabe.org - ♿ - tlj sf lun. 10h-18h (dernière entrée 30mn av. fermeture) - 5 €
Tout de verre et d'aluminium, le bâtiment réalisé par l'architecte Jean Nouvel est coupé en partie par une faille cachant une cour intérieure en marbre translucide et franchissable par une passerelle. Les immeubles de l'île St-Louis se reflètent dans la partie haute de la façade Nord, tandis qu'au Sud la lumière joue avec les 240 panneaux géométriques, qui s'ouvrent ou se ferment selon la luminosité et rappellent les moucharabiehs. À l'Ouest, la tour cylindrique des Livres évoque le minaret de la mosquée de Samarra. Ne pas manquer la **vue**★★ de la terrasse de l'Institut : chevet de Notre-Dame, île St-Louis, quartier de la Bastille…
Sur les trois étages du musée, la civilisation arabe conte son histoire depuis la préhistoire jusqu'aux divers courants artistiques des années 1950. Les salles historiques sont complétées par des panneaux thématiques sur la calligraphie, les tissus et tapis. L'art et les techniques de l'Espagne à l'Inde du 9e au 19e s. complètent ces lieux. Enluminures, céramiques, monnaies, coffrets en bois incrustés, bijoux, tous les objets sont mis en valeur par un bel éclairage.

Collection de minéraux★

Université Pierre-et-Marie-Curie, 34 r. Jussieu. Mo Jussieu. ✆ 01 44 27 52 88 - www.lmcp.jussieu.fr - ♿ - tlj sf mar. 13h-18h - fermé 1er janv., Pâques, 1er Mai, 14 Juil., 1er et 11 Nov. et 25 déc. - 4,50 € (enf. 2 € -10 ans gratuit).
Vous entrez dans une mine : le ton est donné. Pénétrez ensuite dans une grande salle : c'est alors une éblouissante profusion de pierres fines multicolores et de cristaux de roches qui s'offre à vos yeux.

Un peu de rab ?

Square Tino-Rossi

Quai St-Bernard. M° Jussieu ou Cardinal-Lemoine. Jeux pour enf., pelouse libre, piste de roller, terrain de jeu de boules, piste cyclable, chiens autorisés, toilettes publiques.
Sur toute la longueur du quai St-Bernard en bordure de Seine, un emplacement verdoyant a été aménagé pour accueillir le **musée de la Sculpture en plein air**. Œuvres de Brancusi, Stahly, Zadkine, César, Rougemont, etc. Une excellente occasion de se familiariser avec l'art contemporain tout en gambadant dans l'herbe.

Carnet d'adresses

PAUSE DÉJEUNER

Café Littéraire – *1 r. des Fossés-St-Bernard, à l'Institut du Monde arabe (rez-de-chaussée) - 5e arr. - M° Cardinal-Lemoine ou Jussieu - ✆ 01 40 51 34 69 - jf.bouquillon@sodexho-prestige.fr - fermé le soir et lun. - réserv. conseillée - 19/23 €.* Ce restaurant agrémenté de banquettes mauresques propose des salades, un plat du jour et un buffet de pâtisseries orientales. C'est simple et peu onéreux. Salon de thé, à la menthe bien sûr, l'après-midi. Pour les plus fortunés, montez au Ziryab, carte plus étoffée et vue mémorable.

Restaurant de la Mosquée de Paris – *39 r. Geoffroy-St-Hilaire - 5e arr. - M° Place-Monge - ✆ 01 43 31 38 20 - ⊭ - 12/30 €.* Couscous, tagines, côtes d'agneau grillées, salades marocaines... on s'y croirait ! Pour l'après-midi, choisissez plutôt le salon de thé, pour déguster une pâtisserie orientale en sirotant un thé à la menthe.

Au Piano Muet – *48 r. Mouffetard - 5e arr. - M° Place-Monge - ✆ 01 43 31 45 15 - fermé le midi sf w.-end - 16/25 €.* Idéal pour les grands froids, une halte rassasiante qui propose, en plus de ses spécialités de raclettes et de fondues, des petits plats traditionnels. Le décor - poutres et pierres apparentes - est chaleureux et l'ambiance conviviale.

PAUSE QUATRE-HEURES

Kayser – *8 r. Monge - 6e arr. - M° Maubert-Mutualité - ✆ 01 44 07 01 42.* La réputation de « l'empire » Kayser ne cesse de gagner du terrain. On vient de loin pour acheter les pâtisseries, la baguette Monge, conçue avec un levain naturel liquide, le pain « bio » considéré par les amateurs comme l'un des meilleurs de Paris. Éric Kayser emploie un florilège de farines et de produits triés sur le volet, soucieux qu'il est de perpétuer le savoir-faire de ses ancêtres et d'affiner ses propres créations.

Octave – *138 r. Mouffetard - 5e arr. - M° Censier-Daubenton - ✆ 01 45 35 20 56.* La gorge sèche, vous achevez de descendre la rue Mouffetard sous un soleil de plomb et tombez en arrêt devant une aguichante carte... 22 crèmes glacées, 25 sorbets, tous conçus sans colorants, stabilisateurs ni conservateurs : vous êtes devant la vitrine d'Octave, un glacier toulousain qui met un point d'honneur à confectionner ses délices à partir de produits naturels, en provenance directe des régions de culture et en respectant les saisons (les parfums proposés varient en fonction de la disponibilité des fruits).

PAUSE ACHATS

Librairie du Muséum – *Jardin des Plantes - 5e arr. - M° Gare-d'Austerlitz - ✆ 01 43 36 30 24 - 11h-12h45, 13h15-18h30, dim. et j. fériés 11h15-12h30, 13h15-19h.* La maison où habitèrent Lamarck et buffon abrite la librairie du musée. On y trouve évidemment toute la nature ressemblée dans des livres pour adultes et enfants et de jolies cartes postales. Et, bien sûr, des dinosaures en plastique.

Montparnasse 

Art et balade sur le mont des muses

ATLAS MICHELIN PARIS N° 56 (P. 55) ET N° 57 (P. 44-45), REPÈRES L11, M11-12 – 14E ET 15E ARR.

Une tour qui domine tout Paris, un jardin suspendu au-dessus d'une gare, un centre commercial et plein de cinémas... et puis, dans les petites rues alentour, des crêperies comme en Bretagne et des ateliers d'artistes nichés dans des jardins fleuris. La balade vous entraîne à la découverte de ces deux univers contrastés : un environnement résolument moderne et des îlots de tradition, de bohème et de verdure insoupçonnés.

POINT DE DÉPART

En **métro** : lignes 4, 6, 11 et 12, station Montparnasse-Bienvenüe.
En **bus** : lignes 28, 58, 82, 89, 91, 92, 94, 95, 96, arrêt Gare-Montparnasse ou Place-du-18-Juin-1940/rue-de-l'Arrivée.
À proximité, vous pouvez suivre la promenade au Luxembourg (24) pour aller visiter le délicieux musée-atelier Zadkine.

POUR LES PETITS MALINS

Le moment idéal pour cette promenade, c'est le dimanche matin. Vous éviterez la foule et vous pourrez en profiter pour faire un tour au marché de la Création où artistes et artisans d'art présentent leurs œuvres entre 10h et 19h.
Pensez à vous munir d'un gilet car la bise peut souffler sur le parvis de la gare et sur la terrasse de la tour Montparnasse.

LE CLOU DE LA VISITE

Les jardins secrets et les impressionnantes sculptures du musée Bourdelle.
La vue panoramique du haut de la tour Montparnasse.
Les animations pour enfants de la fondation Cartier.

Pour mieux comprendre

Le mont des muses – Au 17e s., des étudiants aiment venir réciter des vers sur cette petite colline proche du quartier Latin. Pris dans l'exaltation, ils donnent à ce lieu sauvage le nom de « mont Parnasse », en référence au mont sacré de Grèce où résident Apollon et ses muses. Au siècle suivant, la colline est aplanie, mais le boulevard qui y est percé en conserve le nom.

Polka, cancan et chahut – À partir de la Révolution, cafés et cabarets se multiplient en lisière de la capitale, du côté de ce Montparnasse : les fêtards se retrouvent à l'Élysée-Montparnasse, au bal de l'Arc-en-Ciel, à la Grande Chaumière. De là, la polka, le cancan et le chahut partent à la conquête de Paris.

L'âge d'or de la bohème – Dès la fin du 19e s., Montparnasse attire artistes, poètes et écrivains d'avant-garde par son charme campagnard, ses petites bicoques facilement transformables en ateliers, ses bals et ses cabarets où la danse et le vin vous réchauffent le cœur quand la vie se fait rude. Mais c'est surtout dans les années 1910-1930 qu'affluent des artistes et intellectuels venus du monde entier. Dans les cafés du boulevard, où l'on boit parfois sec mais où l'on discute encore davantage, se côtoient des peintres et des sculpteurs qui deviendront célèbres comme Picasso, Chagall, Modigliani, Bourdelle ou Zadkine, des poètes tels que Blaise Cendrars ou André Breton, et des musiciens qui ont pour nom Stravinsky ou Satie. On y croise même des exilés politiques russes : Lénine et Trotski. Le carrefour Vavin devient le « nombril du monde ». Il est de bon ton de s'y faire remarquer par des excès en tous genres : voitures « coupés » de luxe, jazz-bands, tenues vestimentaires provocantes... On rencontre là Hemingway, Aragon, Cocteau, Braque...

La modernité – Après la Seconde Guerre mondiale, artistes et écrivains continuent à fréquenter le quartier. Mais les Années folles sont finies. La foule cosmopolite envahit les terrasses des grandes brasseries. Les bourgeois s'installent dans les anciens ateliers. À partir des années 1960, l'urbanisme moderne impose peu à peu sa loi. L'inauguration de la tour Montparnasse, le premier gratte-ciel parisien, sonne l'heure de la modernité triomphante des années 1970.

La bohème et la modernité

Départ Mº Montparnasse-Bienvenüe. 2h de promenade. Prendre la sortie 2, « Place Bienvenüe ».

Débutez votre promenade à la **station de métro Montparnasse-Bienvenüe**, nommée ainsi en souvenir du « père du métro », l'ingénieur breton Fulgence Bienvenüe (1852-1936). Essayez d'imaginer l'excitation de la foule lors de l'inauguration, en 1910, du métropolitain Nord-Sud. L'ouverture de la ligne nº 12, entre Montmartre et Montparnasse, aurait, dit-on, favorisé l'« émigration » des artistes de la rive droite vers la rive gauche. Trois trottoirs roulants, les plus longs du métro parisien (185 m chacun), desservent les interminables couloirs de correspondance de cette station. Celui du milieu, inauguré en 2002 et baptisé *Gateway*, va trois fois plus vite qu'un tapis roulant classique (attention aux enfants et à bien garder l'équilibre dans les zones d'accélération et de décélération).

Sur la place Bienvenüe, tourner le dos à la tour Montparnasse et prendre l'avenue du Maine pour gagner la rue Antoine-Bourdelle, la première à gauche.

Musée Bourdelle★★

18 r. Antoine-Bourdelle. ☏ 01 49 54 73 73 - www.paris.fr/musees/bourdelle - ♿ - tlj sf lun. 10h-18h - fermé j. fériés - gratuit.

Activités en famille – *voir « Maman j'sais pas quoi faire », Ateliers des Musées.*

C'est un musée plein de charme, entouré de jardins dont la douceur contraste avec la force des œuvres monumentales d'Antoine Bourdelle (1861-1929). Vous y découvrirez les sculptures de cet artiste qui collabora un temps avec Rodin, mais aussi la maison et l'atelier dans lequel il vécut et travailla pendant près d'un demi-siècle. Avant d'entrer dans le musée, prenez le temps de vous promener dans le **jardin** pour découvrir les bronzes qui semblent jaillir de la végétation. Commencez la visite par le grand hall monumental, sur la gauche. Cet édifice construit en 1959 abrite en particulier l'**Héraclès archer★★** qui rendit Bourdelle célèbre, *Le Fruit*, ravissant nu féminin, et le **Centaure mourant★★**. Vous y verrez aussi les plâtres des **reliefs du théâtre des Champs-Élysées★** représentant Apollon et les neuf muses. En sortant du grand hall, prenez tout droit vers l'atelier de l'artiste..., mais avant d'y entrer, contournez-le pour découvrir le **jardin intérieur**. La vue extérieure de l'**atelier**, tout de bois et de verrières, au milieu des fleurs, plantes et sculptures, est pleine de charme. À l'intérieur, rien n'a bougé depuis ce début du 19e s. où Bourdelle y travaillait.

Et maintenant qui saura repérer le plus grand nombre d'animaux parmi les sculptures du jardin ? En effet, Bourdelle adorait les animaux. Lors d'un séjour à la montagne, il adopta même un bélier... mais dut l'abandonner lors de son retour à la ville. Il se le reprocha toujours. Sur son lit de mort, il se souvenait encore du regard que l'animal lui avait lancé au moment de son départ... Dans la seconde série d'ateliers, ne manquez pas une série de **portraits de Beethoven** d'une expressivité extraordinaire : « Beethoven aux grands cheveux », « Beethoven pensif », « Beethoven pathétique »...

En sortant du musée, revenir sur ses pas et traverser l'avenue du Maine.

Chemin du Montparnasse★

21 av. du Maine, face à la rue A.-Bourdelle.

Cette adorable allée pavée est bordée d'ateliers où vécurent et travaillèrent de nombreux artistes du début du 20e s. Aujourd'hui, ils sont encore occupés par des peintres, sculpteurs ou designers. Pendant la Première Guerre mondiale, la peintre russe Marie Vassilieff avait ouvert dans l'un de ces ateliers une cantine pour les artistes désargentés. Picasso, Braque, Modigliani, Cocteau, Matisse et Zadkine l'ont fréquentée, qu'ils fussent ou non dans le besoin, tant l'ambiance y était chaleureuse. Il y eut là des repas mémo-

Quiz mythologique

1 - Que vise Héraclès (Hercule) avec son arc ?
2 - Qu'est-ce qu'un centaure ?
3 - Qui sont Apollon et les muses ?

Réponses : 1 - Les oiseaux du lac Stymphale devenus un fléau pour les habitants de la région. C'est l'un des 12 travaux qu'Héraclès doit accomplir pour se purifier d'avoir tué sa femme et ses enfants dans un accès de folie.
2 - Les centaures sont des êtres fabuleux mi-homme mi-cheval. La plupart sont des créatures sauvages et mortelles. Seul, l'un d'eux, Chiron est bon, sage et immortel. Mais un jour Héraclès le blesse par accident. La blessure est incurable. Zeus permet alors à Chiron de mourir plutôt que de vivre dans la souffrance.
3 - Lorsqu'il prend sa lyre, Apollon est le dieu de la Musique, des Arts et de la Poésie. Les neuf muses qui forment son cortège sont des déesses. Chacune préside à un art : Histoire, Poésie, Tragédie, Comédie, Musique, Danse, Chœur lyrique, Épopée et Astronomie.

Depuis le cimetière du Montparnasse, vue immanquable sur la tour…

rables. Cet atelier abrite désormais le petit **musée du Montparnasse.** Les plus curieux y entreront pour avoir un aperçu des œuvres et de la vie de ces artistes qui animèrent les belles années de Montparnasse. *℘ 01 42 22 91 96 - www.museedumontparnasse.net - tlj sf lun. 12h30-19h - fermé 1er Mai et 14 Juil. - 5 € (-12 ans gratuit).*

Quittez ce havre de verdure et de paix… et levez le nez : au-dessus de vous la fière tour Montparnasse trône au cœur du quartier.

Remonter l'avenue du Maine, monter les escaliers : vous voilà sur la place Raoul-Dautry, sur laquelle donnent la tour et la gare Montparnasse.

Tour Montparnasse★★

Entrée : côté rue de l'Arrivée. ℘ 01 45 38 52 56 - www.tourmontparnasse56.com - avr.-sept. : lun.-jeu. et dim. 9h30-23h30, vend., sam. et veilles de j. fériés 9h30-23h ; oct.-mars : lun.-jeu. et dim. 9h30-22h30, vend.-sam. et veilles de j. fériés 9h30-23h (dernière montée 30 mn av. fermeture) - 8,50 € (-14 ans 5,80 €). Une brochure (2 €) raconte l'histoire de la tour et présente les différents monuments visibles d'en haut.

Le projet de l'ensemble Maine-Montparnasse fut lancé par Raoul Dautry (celui qui a donné son nom à la place) dès 1934. Mais il ne fut mis en œuvre qu'à partir de 1958. La tour est achevée en septembre 1973. C'est le premier gratte-ciel de Paris ! Certains Parisiens hurlent à l'hérésie, d'autres s'extasient. Aujourd'hui, sa haute silhouette oblongue qui culmine à 210 m de haut fait partie du paysage. La belle compte 59 étages et pèse 120 000 t.

Depuis la terrasse du 59e étage, on jouit d'un **panorama★★★** extraordinaire : par temps clair, la vue porte jusqu'à 40 km, à 360° à la ronde. Le bar panoramique et climatisé du 56e étage permet aussi d'admirer la vue à l'abri des intempéries et du vertige !

Sortir de la tour par l'autre côté et traverser la place.

Sur la **place Raoul-Dautry**, qui s'étend entre la tour et la gare, se trouve le **manège ancien** de la maison Campion, fait de bois et de cuivre, qui fonctionne tous les jours de l'année. En hiver, la Mairie de Paris installe aussi une **patinoire**. Les amoureux de spectacles pourront même acheter des places à moitié prix pour les représentations du jour au **kiosque-théâtre**. C'est peut-être l'occasion de finir la journée dans l'un des nombreux théâtres du quartier, comme le Lucernaire *(53 r. Notre-Dame-des-Champs)* qui présente régulièrement des spectacles familiaux tel *Le Petit Prince*.

Jardin Atlantique★

Accès par la gare (escalier sur la gauche du quai n° 1), par les ascenseurs extérieurs bd de Vaugirard et r. du Cdt-Mouchotte, ou encore par la pl. des Cinq-Martyrs-du-Lycée-Buffon. Jeux pour enf., ping-pong. Dominant les rues environnantes de 7 à 18 m, suspendu au-dessus de la gare et des rails, difficile d'accès car ses entrées sont mal indiquées et peu avenantes, le jardin Atlantique a tout d'un jardin secret. Il est d'ailleurs peu fréquenté, ce qui fait son charme, mais aussi pas toujours bien fréquenté ce qui peut faire son désagrément… Le week-end, quand le Luxembourg voisin est bondé, l'aire de jeux du jardin Atlantique reste un havre de tranquillité. La bonne idée, c'est peut-être d'en profiter pour y aller, non

pas seul, mais avec des amis. C'est un jardin impressionnant qui donne un avant-goût d'Océan. Ses 3,5 ha de verdure ont été conçus pour donner le sentiment d'un paquebot au milieu de l'Atlantique, avec des passerelles en bois, des ondulations au sol qui suggèrent les vagues, des plantes bleues et blanches comme la mer et le ciel.
Au centre du jardin, la fontaine de l'**île des Hespérides** constitue un bon point de repère. Consacrée au ciel, elle est constituée d'un pluviomètre, d'une girouette, et d'un anémomètre géants. Si la journée est ensoleillée, un immense miroir suspendu capte les rayons solaires pour éclairer le bassin des Miroitements. Autour de cette fontaine, de vastes pelouses permettent de se reposer. Sur les côtés, les passerelles en bois offrent une agréable promenade au son de l'eau qui coule. Des plaques indiquent le nom des nombreuses espèces d'arbres plantées dans le jardin. Reste à dénicher l'**aire de jeux**, elle aussi mal indiquée. Depuis la fontaine, prenez l'allée de la Deuxième-DB vers la sortie de la place des Cinq-Martyrs-du-Lycée-Buffon. Au bout de l'allée, à gauche, juste avant la sortie, vous verrez une grande aire de jeux sur le thème de l'Océan avec des bateaux à grimper, des mouettes, des dauphins et des otaries sur ressort.
Sortir par la gare Montparnasse, sur la place Raoul-Dautry. Voilà maintenant venue, sans doute, l'heure de la crêpe bretonne ! Car Montparnasse n'est pas seulement le

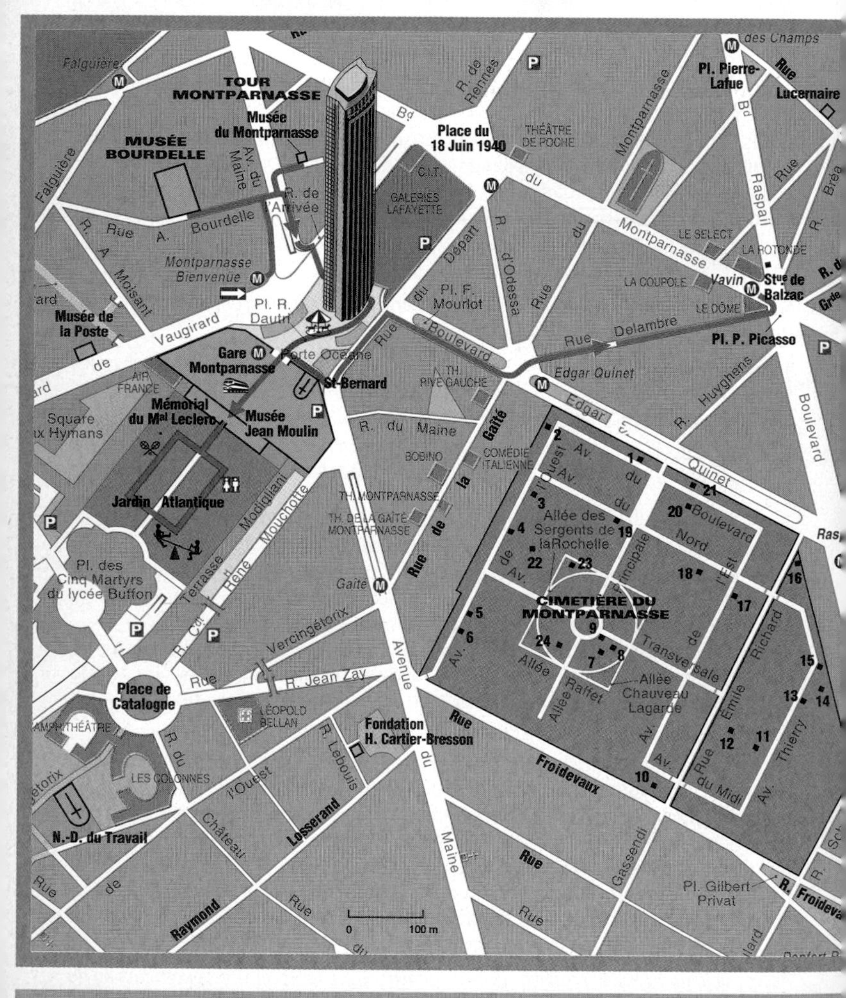

Cimetière du Montparnasse

1- J.-P. Sartre
2- Soutine
3- Baudelaire (tombe Aupick)
4- H. Laurens
5- Tristan Tzara
6- Zadkine
7- Jussieu
8- Rude
9- Serge Gainsbourg
10- Henri Poincaré
11- César Franck
12- Guy de Maupassant
13- Bartholdi
14- Kessel
15- André Citroën
16- Le Baiser, par Brancusi
17- Sainte-Beuve
18- Saint-Saëns

quartier des artistes, mais il est aussi celui des Bretons, nombreux à s'être installés dans le coin après avoir débarqué à Paris à la gare Montparnasse. Certains ne sont pas allés bien loin et ont ouvert des crêperies rue d'Odessa et rue du Montparnasse, deux rues adjacentes. Les meilleures, de l'avis des gourmets du quartier, sont la Crêperie de Josselin et sa voisine Le Petit Josselin *(voir le Carnet d'adresses)*. Pour les rejoindre, traversez la rue du Départ et prenez le boulevard Edgar-Quinet. Sur ce boulevard, tous les dimanches de 10h à 19h, se tient le **Marché parisien de la Création**. Plus d'une centaine de peintres, sculpteurs, photographes, graveurs, céramistes ou bijoutiers exposent et vendent leurs œuvres dans une ambiance chaleureuse et colorée.
Après avoir repris du cœur au ventre, vous pourrez descendre la rue Delambre jusqu'au **carrefour Vavin** (place Pablo-Picasso) qui, à la grande époque de la bohème à Montparnasse, passait pour le « nombril du monde ». Aux terrasses de la **Coupole**, du **Dôme**, de la **Rotonde** ou du **Select**, ces grands cafés qui se font face, on croisait alors Picasso, Chagall, Aragon, Sartre, Cocteau et Hemingway. Les artistes y passaient des heures à refaire le monde. Et il n'était pas rare que les patrons de ces cafés se contentent d'un dessin ou d'un croquis griffonné à la hâte sur un coin de table pour régler les consommations…
La balade est maintenant terminée. Vous pouvez reprendre le métro à la station Vavin. À moins que vous ne préfériez pousser la porte de la **Coupole** pour aller voir son décor des années 1930 avec ses piliers peints par différents artistes de l'époque. Sinon, vous pouvez aussi faire un tour dans les rues Vavin et Bréa voisines qui, après avoir abrité des magasins de fournitures pour artistes, regorgent aujourd'hui de jolies boutiques de jeux et de vêtements pour enfants *(voir le Carnet d'adresses)*.

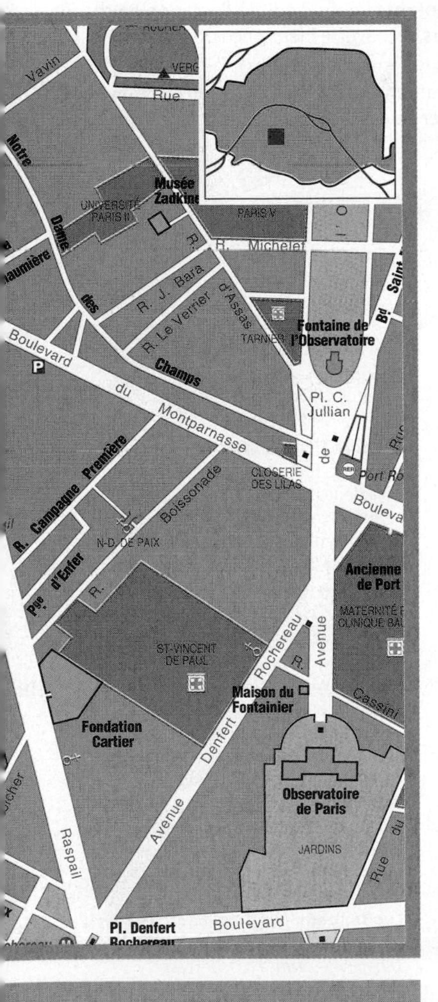

Et s'il pleut ?

Musée de la Poste★

34 bd de Vaugirard (sur le côté droit de la gare Montparnasse). ✆ 01 42 79 24 24 - www.museedelaposte.fr - tlj sf dim. 10h-18h - fermé j. fériés - 5 € (-18 ans gratuit).

Un livret pour enfants en vente à l'accueil, intitulé *Voyage dans le temps avec le postillon Augustin,* raconte de façon ludique l'histoire de la Poste et entraîne le jeune public dans une attrayante visite du musée. L'évolution de la Poste du messager à cheval à l'e-mail, en passant par l'Aéropostale, est présentée de façon très vivante. Anciennes boîtes aux lettres de différents pays, vieux comptoir des PTT, costumes de facteurs, maquettes d'avions postaux, reconstitution grandeur nature d'une voiture postale…, la riche collection du musée amusera les enfants. La seconde partie du musée consacrée aux timbres plaira surtout aux petits philatélistes. Mais tous apprécieront de voir comment est fabriqué un timbre.

Un peu de rab ?

Ateliers d'artistes

M° Vavin. Au-delà du carrefour Vavin, au n° **31 rue Campagne-Première**, vous verrez un magnifique ensemble d'ateliers d'artistes à la façade en grès flammé. Le photographe Man Ray y habita avec sa compagne Kiki, qui servit de modèle à de très nombreux artistes de l'époque. Juste après s'ouvre le **passage d'Enfer**, une ancienne cité-ouvrière, aux airs de décor de théâtre, bordée de logements-ateliers.

Cimetière du Montparnasse

Entrée bd Edgar-Quinet. M° Raspail ou Edgar-Quinet. C'est ici que reposent de nombreux artistes et écrivains : Baudelaire, Maupassant, Bourdelle, Jean-Paul Sartre et Simone de Beauvoir, Gainsbourg… et bien d'autres.

Fondation Cartier

261 bd Raspail. M° Raspail. ✆ 01 42 18 56 67 - www.fondation.cartier.fr - ♿ - tlj sf lun. 12h-20h - fermé 1er janv. et 25 déc. - 6,50 € (-10 ans gratuit).
Sorte de palais de verre, ce bâtiment construit par Jean Nouvel en 1994 offre un bel exemple d'architecture contemporaine. Ses parois reflètent les nuages, sa transparence laisse voir le jardin. Remarquez aussi le grand cèdre… c'est sans doute le dernier survivant des 23 cèdres du Liban que Chateaubriand planta à cet endroit, comme il le raconte dans ses *Mémoires d'outre-tombe*. Créée par le bijoutier Cartier, cette fondation expose des artistes vivants dans tous les domaines de la création. Ces expositions *(demandez le programme)* présentent souvent un aspect ludique comme celle organisée en 2004 sur Jean-Paul Gaultier, intitulée « Pain couture », avec son décor de boulangerie folle et ses robes en pain. Un **journal des enfants** (gratuit) édité à l'occasion de chaque exposition permet de suivre un parcours découverte bien conçu pour eux.

Activités pour les enfants (accompagnés par des adultes). – *✆ 01 42 18 56 67 - réserv. obligatoire - 4,50 € (-10 ans gratuit).* Durant les expositions, le mercredi à 15h, les enfants sont invités à participer à des **ateliers**, des **visites-contes** ou des **rencontres avec les artistes**.

Carnet d'adresses

PAUSE DÉJEUNER

Crêperie Le Petit Josselin – *20 r. d'Odessa - 14e arr. - M° Edgar-Quinet - ✆ 01 43 22 91 81 - fermé août et dim. - 9/15 €.* Près de la gare Montparnasse, où arrivèrent et restèrent une partie des Bretons de la capitale, les crêperies ont fleuri… Celle-ci fait figure de petite ambassade de la Bretagne et les crêpes se préparent sous vos yeux, comme là-bas. Aux murs, tableaux en bois sculpté et faïences de Quimper.

Max Poilâne – *29 r. de l'Ouest - 14e arr. - M° Gaîté - ✆ 01 43 27 24 91 - 10h-19h - fermé sam. et dim. - 9/16 €* Cette grande boulangerie abrite un petit espace de restauration pour le déjeuner et un salon de thé pour l'après-midi. Sandwiches variés et croque-monsieur élaborés avec du pain Poilâne, salades composées et savoureuses pâtisseries maison sont servis dans un plaisant décor d'esprit « rétro ».

Les Petites Sorcières – *12 r. Liancourt - 14e arr. - M° Denfert-Rochereau - ✆ 01 43 21 95 68 - 24/30 €.* La salle à manger est égayée d'une amusante collection de petites sorcières qui se balancent au plafond ou se dissimulent dans le moindre recoin. La patronne assure un accueil et un service attentionnés, la clientèle d'habitués entretient une ambiance conviviale, la cuisine traditionnelle familiale est mitonnée avec de bons produits du terroir (la viande vient tout droit de Laguiole, et le poisson de Carantec) et les prix ne s'envolent pas : autant de bonnes raisons pour fréquenter l'adresse assidûment… et pas seulement pour fêter Halloween !

PAUSE QUATRE-HEURES

À la Duchesse Anne – *5 pl. du 18-Juin-1940 - 6e arr. - M° Montparnasse - ✆ 01 45 48 97 21 -8h-20h - fermé dim. et j. fériés.* Salon de thé idéal pour faire une pause au pied de la tour Montparnasse. À emporter ou à déguster sur place, sandwiches, tartes salées, plat du jour, pâtisserie ou glaces combleront toutes les faims. Charmant décor bon chic, bon genre

Jean-Paul Hévin – *3 r. Vavin - 6e arr. - M° Vavin ou N.-D.-des-Champs - ✆ 01 43 54 09 85 - www.jphevin.com - tlj sf dim. 10h-19h - fermé 3 sem. en août et j. fériés.* Consacré Meilleur Ouvrier de France en 1986, cet artisan chocolatier propose dans sa boutique une vaste gamme de savoureux produits à base de fèves de cacao (tablettes, truffes, boîtes gourmandes, etc.), mais aussi de délicieux macarons, des caramels et des pâtes de fruits.

PAUSE ACHATS

Les Bonbons – *6 r. Bréa - 6e arr. - M° Vavin - ✆ 01 43 26 21 15 - tlj sf dim. 10h30-13h30, 14h-19h45 - fermé août.* Cette miniboutique à la façade rose… bonbon déborde de boîtes et de bocaux transparents conservant une multitude de bonbons cuits ou acidulés, ainsi que des chocolats, des amandes et autres délicieuses saveurs sucrées. Pour offrir ou pour vous faire plaisir !

Montsouris

6

Architecture et verdure

ATLAS MICHELIN PARIS Nº 56 (P. 67-69) ET Nº 57 (P. 48-49), REPÈRES R-S12-14 – 14ᴱ ARR.

À la Cité internationale universitaire, le monde est à notre porte ! Quelque 5 500 étudiants de plus de 120 nationalités s'y croisent et sont hébergés dans des maisons de tout style. On passe ainsi devant un château néo-Louis XIII, un collège très british, un pavillon oriental ou des bâtiments à l'avant-garde des années 1930. Juste en face, les allées du parc Montsouris descendent vers un lac fréquenté par les mouettes, les canards et les poules d'eau. Tout près, les ruelles, jadis habitées par de nombreux artistes, ajoutent au quartier cosmopolite et verdoyant une note intimiste et nostalgique ! Ni le périphérique ni la ligne du RER, qui traverse le parc Montsouris, ne gâchent cette promenade dépaysante. Une averse ? Guignol est là, le temps qu'elle passe…

POINT DE DÉPART

En **RER** : ligne B, gare Cité-Universitaire.
En **bus** : lignes PC et 21, arrêt Cité-Universitaire ; 67 (arrêt Amiral-Mouchez).

POUR LES PETITS MALINS

De bonnes chaussures de marche sont indispensable pour tenir les distances !
À la Cité U et dans les ruelles en bordure du parc, pensez aux habitants et montrez-vous discrets.
Emportez une photocopie d'une carte du monde ou un atlas de poche pour situer les différentes nations représentées par les maisons de la Cité Universitaire.

LE CLOU DE LA VISITE

Pour les enfants, la promenade à la Cité U peut se mener comme un jeu de piste permettant de découvrir un répertoire architectural varié. Si le soleil est au rendez-vous, n'hésitez pas à pique-niquer à l'ombre des arbres, à l'Est de la grande pelouse de la Cité, ou au parc Montsouris !

Pour mieux comprendre

Montsouris ! – Mais d'où vient ce nom ? Était-ce le « mont des souris » ? Ou une déformation de « ma souris » ? En fait, le mot dériverait de « moque souris », nom donné à l'un des moulins implantés sur ces terrains si pauvres que même les petits rongeurs n'y trouvaient rien à manger !
Ce quartier était célèbre au 18ᵉ s. pour les pierres de taille extraites du sous-sol. Le dédale souterrain laissé par les carrières ne favorisa pas la construction, jusqu'à ce que Napoléon III décide de transformer les lieux abandonnés et insalubres en un nouveau poumon vert au Sud de Paris, en réplique à celui des Buttes-Chaumont.
L'architecte Alphand, collaborateur du baron Haussmann et directeur du service des Promenades et des Plantations, aménagea quinze ha de parc à l'anglaise, inauguré en 1878. Il lui fallut tenir compte du relief accidenté mais aussi des deux lignes de chemin de fer qui s'y croisaient (la ligne de Sceaux et la Petite Ceinture). Le parc garde cette cicatrice transversale aujourd'hui empruntée par le RER, mais celle-ci ayant été aménagée dans des tranchées bordées de grands arbres reste très discrète.
Comme dans les autres parcs haussmanniens, l'artifice règne à Montsouris : faux rochers, fausse grotte, rambardes de ciment imitant le bois, et lac artificiel. Mais l'agencement des pelouses et des bosquets en terrain pentu a permi d'alterner vues masquées et perspectives, donnant au parc son cachet unique.
Jadis, sur les hauteurs du parc, s'élevait le Bardo, une réplique du palais du Bey de Tunis qui avait été dressé au Champ de Mars lors de l'Exposition universelle de 1867. Transplanté au parc Montsouris, il abrita le service météorologique et devint un observatoire. En 1991, un incendie réduisit le bâtiment en cendres. Du parc à la Cité internationale universitaire, il n'y a qu'un pas, à saute-mouton sur deux disques de métal scellés dans le sol mais hélas, difficiles à repérer. Ils matérialisent une ligne imaginaire qui traverse

Paris du Sud au Nord, du parc Montsouris à l'avenue de la Porte-Montmartre et se prolonge sur la carte deFrance de Perpignan à Dunkerque. C'est le **méridien de Paris**. Bon nombre des 135 plaques qui balisent son tracé ont disparu aujourd'hui. Ce monument « virtuel » avait été installé en hommage à l'astronome et physicien François Arago qui, en 1806, avait été chargé de prolonger cette méridienne jusqu'aux îles Baléares.

La création de la Cité internationale universitaire – Elle remonte au lendemain de la Première Guerre mondiale qui avait décimé la population et particulièrement la jeune classe d'âge étudiante. L'idée et sa mise en œuvre sont dues à Paul Appell, recteur des universités de Paris, à l'industriel et mécène français Deutsch de la Meurthe et au ministre de l'éducation publique André Honnorat. Pour rapprocher les étudiants de toute nationalité, une véritable ville fut bâtie entre 1923 et 1960, sur les 34 ha laissés libres par la destruction des fortifications en 1919. Les différents pays aujourd'hui représentés contribuèrent à son financement.
La cité n'abrite aucun lieu d'enseignement, mais sert à héberger les étudiants désargentés ou méritants, mettant aussi à leur disposition des lieux réservés aux activités sportives et culturelles.
Sur le plan architectural, la cité-jardin est une véritable exposition en plein air. Chaque gouvernement ou fondation a choisi librement un style rappelant l'atmosphère de son pays ou, au contraire, une conception résolument moderne. Ainsi, le logement des étudiants suisses n'est pas un chalet mais un bâtiment construit par Le Corbusier, architecte d'origine suisse ; les étudiants issus de la communauté arménienne, dispersée au lendemain de la Première Guerre mondiale, habitent une maison (1930) ornée de frises à entrelacs floraux rappelant le décor de prestigieux monastères d'Arménie et de Turquie ; la maison de Cuba fondée en 1933 par la propriétaire d'importantes plantations de canne à sucre est habillée à l'intérieur d'un décor colonial en acajou rappelant les luxueuses maisons de La Havane.
Aujourd'hui, la plupart des entrées de ces bâtiments sont pourvues de digicode et il n'est pas recommandé d'y entrer pour jouer les touristes ; l'intérêt de la promenade se situe de toute façon à l'extérieur, pour le caractère insolite des différents pavillons. Néanmoins, depuis 1996, la cité participe aux Journées du patrimoine.

Le méridien d'origine a changé

Sur la terre, tout point géographique se repère par sa latitude et sa longitude. Pendant longtemps, ce fut le méridien de Paris qui servit de repère aux marins, géographes et voyageurs. Depuis 1669, de nombreux savants s'étaient employés à fixer son tracé, notamment Cassini, Delambre, Méchain et Arago. En 1884, alors que les Anglais dominaient toutes les mers du monde, une convention internationale décida d'adopter le méridien de Greenwich comme méridien d'origine. Aujourd'hui, le méridien de Paris est à 2° 20′ 17″ à l'Est de Greenwich.

Le jardin du monde

Départ RER Cité-Universitaire. 2h30 de promenade. À la sortie de la gare du RER, traverser le boulevard Jourdan aujourd'hui en pleins travaux d'installation d'une ligne de tramway qui reliera en 2006 le pont de Garigliano à la porte d'Ivry. L'entrée principale de la Cité universitaire est juste en face.

Cité internationale universitaire★

✆ 01 44 88 18 70 - www.ciup.fr - 8h-21h - possibilité de visite guidée (2h) 1er dim. du mois 15h - RV au Collège néerlandais - 57 bd Jourdan - 14e arr. - 8 €
Un guide de visite est vendu à l'accueil. Des panneaux signalent clairement les bâtiments et expliquent leur histoire et leur architecture.
Vélos, skates, rollers limités aux voies goudronnées, chiens en laisse admis sous réserve d'autorisation et uniquement dans les allées. Pique-niques de -20 pers. autorisés sous réserve de respecter la propreté des lieux. Jeux de ballons interdits sur la grande pelouse, dans la cour d'honneur et près des bâtiments.
Traversez le porche à arcades puis la cour d'honneur ornée d'un jardin à la française aux arabesques de buis pour accéder en face à la maison internationale.
Ce château néo-Louis XIII, édifié en 1935 grâce à une donation de John D. Rockefeller junior est ouvert à tous les étudiants. Il abrite une banque, une bibliothèque, deux salles de spectacle, un salon de réception, une salle de sport, une piscine et le café-brasserie La terrasse qui, aux beaux jours, installe tables et parasols sur l'esplanade donnant sur la pelouse centrale. C'est l'occasion de prendre un verre, face au soleil et aux quatre anges qui soutiennent le clocher de la cathédrale du Sacré-Cœur de

Gentilly. Cette église, construite en 1936 pour servir de chapelle aux étudiants, est aujourd'hui reliée à la Cité par une passerelle enjambant le périphérique (au fond de la pelouse centrale).

Prendre l'avenue Rockefeller à droite.

Comme un collège anglais – La **fondation Deutsch-de-la-Meurthe** (1925), composée de six pavillons de brique au style néo-médiéval, ordonnés autour d'un pavillon central avec haut beffroi, est la première construction de la cité. On se croirait dans l'univers de Harry Potter ! Pasteur, Pierre et Marie Curie, Poincaré ont occupé les lieux.

Au bout de l'avenue Rockfeller, franchir une grille noire, traverser l'avenue David-Weill, puis passer une autre grille identique pour rejoindre la partie Ouest de la Cité.

Traditions et modernisme – Sur la droite, la résidence Lucien-Paye, ancien pavillon des territoires d'outre-mer, est l'œuvre d'Albert Laprade, architecte du musée des Arts d'Afrique et d'Océanie. Les bas-reliefs de la façade évoquent les anciennes colonies françaises dans un style qui se veut africain. Repérez les marchandes de fruits exotiques, les pêcheurs en pirogues, la faune : lions, buffles, éléphants et même des sirènes légendaires !

En face, impossible de se tromper : la maison aux frises géométriques bleu et jaune se pare d'un fronton à colonnes à l'image des temples hellénistiques.

Un peu plus loin, la maison des Provinces de France forme un vaste U en briques rouges et blanches et en impose avec ses emblèmes héraldiques. Elle fut conçue pour recevoir les étudiants alsaciens redevenus français en 1918, mais beaucoup de villes ou de départements français contribuèrent par la suite à son financement pour accueillir les étudiants des pays francophones ou francophiles.

Au fond de l'allée centrale à droite, le **Pavillon néerlandais**, inauguré en 1928, est au contraire un assemblage de formes géométriques avec des façades nues et des toits plats. Il représente un modèle du courant moderne international. À l'intérieur, un patio agrémenté

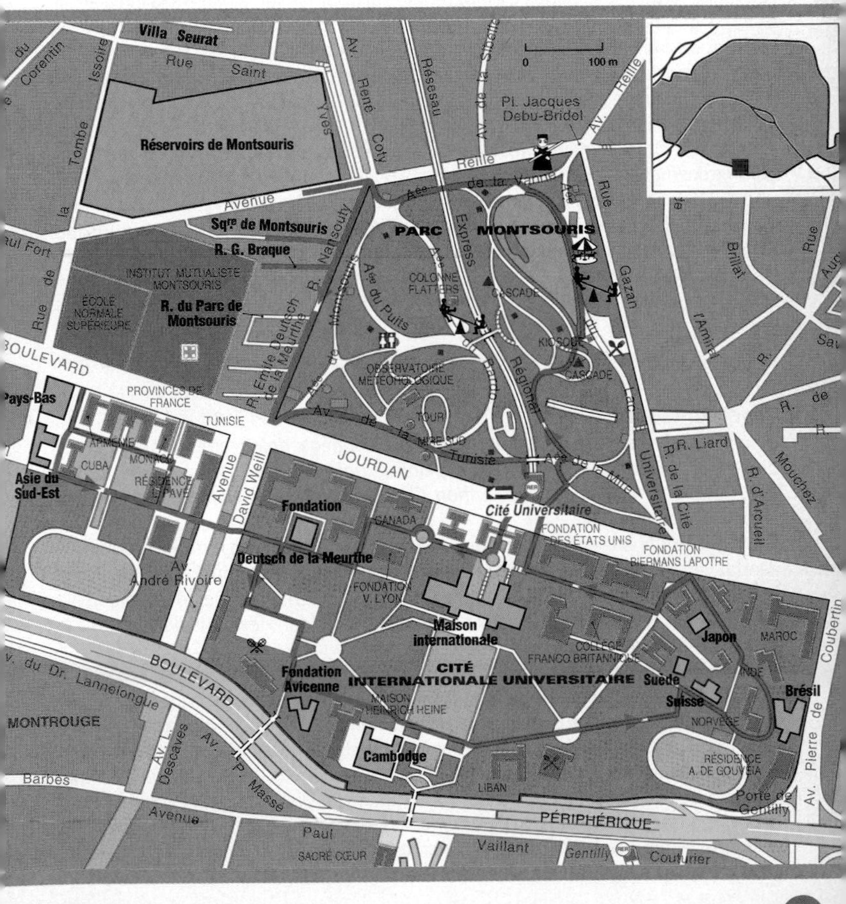

d'une pièce d'eau et entouré de hautes baies vitrées diffuse la lumière dans les différentes salles communes aux étudiants.
À gauche, la **Maison des étudiants d'Indochine** est gardée par un dragon de pierre ; ses toits superposés sont festonnés de tuiles vernissées.

Regagner le centre de la Cité en longeant les tennis.

D'autres maisons chargées d'histoire... – Le long du périphérique, la **Maison Avicenne**, soutenue par de hauts piliers métalliques et ornée d'un escalier extérieur en double spirale inversée, est l'ancienne maison de l'Iran et la dernière de la Cité. Inaugurée en 1969 puis abandonnée par le gouvernement de ce pays, elle a été reprise par la cité depuis 1972 sous le nom d'Avicenne, médecin et philosophe arabo-islamique d'origine iranienne.

H. Champollion / MICHELIN

Devinez à quel pays appartient cette maison de la Cité universitaire.

Tout près, les étudiants cambodgiens ont retrouvé leur maison qui avait fermé en 1973. En raison des conflits, elle resta inoccupée durant 30 ans et vient d'être restaurée. On peut toujours voir de part et d'autre du large perron deux grands singes bienveillants ainsi que de féroces félins aux angles du bâtiment !

Traverser la pelouse centrale et franchir, mine de rien, le méridien de Paris. Prendre l'allée à l'oblique, à travers un bosquet, en direction du boulevard Jourdan.

Tout à l'Est de la Cité – Cap sur la Suisse et la **maison du Corbusier** classée monument historique. Construite en 1932, elle est la première des habitations réalisées par l'architecte qui applique là ses principes fondamentaux : une maison-bloc comme une boîte fermée, des pilotis qui libèrent le sol pour laisser la place à la circulation et à la végétation, une façade en « rideaux », des planchers permettant de poser les cloisons où l'on veut, des fenêtres en longueur et un toit-terrasse.
Passez devant le « colegio de España », évocation du palais de Monterrey à Salamanque ou de l'Escurial, puis devant la maison bleu et blanc des étudiants suédois qui rappelle l'architecture des gentilhommières du 18e s.
Vous repérerez facilement la **Maison du Japon** à ses toits superposés qui s'évasent comme des manches. À l'intérieur, le peintre Foujita a représenté la première rencontre entre les Européens et les Japonais, à Nagasaki, en 1543.
Vers la gauche, vous retrouverez l'entrée principale de la Cité, et découvrirez au passage d'autres styles d'architecture, notamment les bâtiments de brique rouge du collège franco-britannique. Vous n'avez pas vu tous les pays du monde ? Sachez que les bâtiments qui portent les noms des pays fondateurs accueillent 30 % de résidents d'autres nationalités qui n'ont pas la chance d'avoir leur maison.

Traverser le boulevard Jourdan et entrer dans le parc Montsouris à droite de la gare du RER.

Parc Montsouris★

♿ *(prêts de fauteuils roulants). Jeux pour enf., manège, balançoires, marionnettes, prom. à dos de poney, ballons, vélos et pelouses autorisés, piste de roller, ping-pong, location de chaises longues, restauration. Chiens admis si tenus en laisse et seulement dans les allées.*

Tournez à droite au second carrefour d'allées pour longer la voie du RER, puis descendez vers la cascade qui jaillit d'une grotte et alimente le lac. Pour la petite histoire, le lac s'était entièrement vidé le jour de l'inauguration en présence de Napoléon III ! Ce n'était pas une blague : les eaux s'étaient écoulées dans les puits de carrière à la suite de l'effondrement des fondations !
Au kiosque à musique, longez l'allée du lac bordée par des espaces de jeux (de 2 à 11 ans, avec signalétiques indiquant l'âge auquel il est conseillé de laisser ou non ses enfants jouer à Tarzan). À côté, le potager entretenu par les élèves de l'école primaire du quartier, puis les balançoires et le manège aux chevaux de bois, réplique en résine de ceux qu'avait réalisés le sculpteur Bailleul, dans les années 1930. Au chalet-crêperie, vous pourrez déjeuner en plein air en contemplant les oiseaux sauvages qui nichent dans l'île du lac ou les arbres du parc (1 400 essences). Guignol vous attend tout près pour une représentation : *Cadet Rousselle*, *La Belle au bois dormant*, *L'Auberge du père Lustucru* ou autres grands classiques.

En remontant par l'allée de la Vanne en bordure de l'avenue Reille, vous passerez sous la voie du RER puis déboucherez sur une des trois vastes pelouses du parc.

Juste en face, sortir du parc pour prendre l'avenue Reille à gauche.

Réservoirs de Montsouris

Au coin de l'avenue Reille et de la rue Nansouty, vous apercevrez un gros monticule recouvert de gazon. Il s'agit des immenses réservoirs de Montsouris, une des sept réserves d'eau potable de la capitale. L'eau de source provenant de nombreuses rivières alimente toute la rive gauche de Paris. Les truites en aquarium, qui servaient autrefois de témoins pour la pureté de l'eau, ont gardé leur place.
Les verrières des pavillons, appelées « regards », servent à surveiller les eaux. On peut aussi apercevoir ces réservoirs (qui ne se visitent pas) au bout de la rue du square Montsouris qui débouche sur l'avenue Reille.

Prendre la rue Nansouty, puis tourner dans la première rue à droite.

Petit coin de paradis en bordure du parc

Une petite rue pavée qui monte et qui serpente, des maisons resserrées bâties à partir des années 1923, des façaces qui croulent sous la verdure..., la **rue du Square-Montsouris** fut habitée par des artistes et des amoureux des beaux-arts et de la littérature.
Au n° 3, le peintre Foujita donna entre 1926 et 1929 des fêtes où l'on pouvait rencontrer les artistes en vogue à l'époque.
Tout en vous promenant, regardez les détails d'architecture : mosaïque au n° 4, colombages au n° 6, mosaïque de fleurs, bleue et or au n° 27, minuscule manoir avec vitraux et colombages au n° 40, glycine et vigne vierge envahissantes au n° 46...
Enfin, au n° 53 de l'avenue Reille, la **maison-atelier Ozenfant★** a été construite par Le Corbusier en 1923 pour Amédée Ozenfant, qui était à la fois modiste, peintre et dessinateur de carrosseries chez Hispano-Suiza. Son toit-usine, en dents de scie, a été remplacé en 1946 par un toit en terrasse.
L'allée suivante, la **rue Georges-Braque**, est une impasse rebaptisée en 1976 du nom du peintre Georges Braque qui y avait fait construire sa villa (n° 6). On y voit des architectures imprégnées du mouvement cubiste (des formes très carrées ou géométrqiues) et qui se distinguent par leurs vastes volumes et les immenses verrières des parties ateliers (les artistes ont besoin de beaucoup de lumière pour pouvoir peindre). Le peintre André Derain emménagea lui aussi dans cette rue (n° 5), en 1928.

Remonter la rue Émile-Deutsch-de-la-Meurthe jusqu'au coin avec le boulevard Jourdan pour entrer à nouveau dans le parc.

Suivez l'avenue de la Tunisie, passez devant l'Observatoire météorologique (1947) et la Mire. Cette colonne haute de 5 m, percée au sommet, est un repère que l'on vise de loin pour prendre une direction en ligne droite. Le méridien passe tout à côté. Descendez par l'allée du Bardo, sur votre gauche, vers le jardin d'enfants ou bien continuez tout droit pour passer sous la voie du RER et retrouver la gare.

G. Targat / MICHELIN

Une journée d'automne, sous les grands arbres du parc Montsouris.

Carnet d'adresses

PAUSE DÉJEUNER

⊖ **Le Bistrot Montsouris** – *27 av. Reille - 14e arr. - M° Cité-Universitaire - ✆ 01 45 89 17 05 - fermé dim. soir et lun. - 25/35 €.* Une vraie cuisine bistrot servie sur des nappes à carreaux dans un décor d'une autre époque. L'accueil est chaleureux. À ne pas manquer : la salade de lentilles aux pommes fruits, les œufs en meurette, l'andouillette au mâcon-fuissé.

PAUSE QUATRE-HEURES

La Bonbonnière – *Parc Montsouris (angle av. Reille et r. Gazan) - 14e arr. - avr.-sept. ; reste de l'année merc., w.-end, vac. scol. et j. fériés.* Dans ce kiosque du parc Montsouris, vous trouverez des crêpes sucrées et salées.

La Ferme de la Métairie – *Parc Montsouris - 14e arr. (marchand ambulant à l'angle av. Reille et r. Nansouty).* Sorbets biologiques tout droit venus de la Sarthe vous attendent…

Le Palais d'Or – *71 r. de la Tombe-Issoire - 14e arr. - M° Alésia - ✆ 01 43 27 66 26.* Cette petite pâtisserie de quartier ne paie pas de mine : le décor, un brin suranné, n'a rien de luxueux. Les gourmands, à vrai dire, ne viennent pas ici pour admirer le cadre, mais pour acheter l'une des divines pâtisseries exposées. Et sur ce point-là, ils ne seront jamais déçus ! Les viennoiseries classiques telles que pains au chocolat ou croissants fondent dans la bouche, tandis que les millefeuilles et autres gourmandises plus recherchées constituent de véritables régals. Alors si vous êtes dans les parages, de grâce, arrêtez-vous !

Tuileries-Rivoli

Un musée en plein air

ATLAS MICHELIN PARIS N° 56 (P. 31-32) ET N° 57 (P. 2), REPÈRES H12-13, G11-12 – 1ER ARR.

Le jardin des Tuileries, entouré de terrasses hautes, est un vaste rectangle bien dessiné, entre le musée du Louvre et la place de la Concorde, tout près de la Seine et du musée d'Orsay. L'ancien domaine façonné par les rois et Le Nôtre est peuplé de nombreuses sculptures du 17e s. à nos jours, agrémenté de bassins, de salons de verdure et de restaurants installés à l'ombre de grands arbres, comme au temps des buvettes de jadis. Premier jardin de la capitale ouvert au public, il est tout à la fois un terrain de jeux pour les enfants, un décor pour les artistes et un coin de repos en plein cœur de Paris. Les arcades de la rue de Rivoli conduisent à la place du Marché-Saint-Honoré aux nombreuses terrasses, et à la place Vendôme, magnifique espace clos bordé de façades du 17e s.

POINT DE DÉPART

En **métro** : lignes 1, 8 et 12, station Concorde.
En **bus** : lignes 24, 42, 72, 73, 84, 94 et Balabus, arrêt Concorde.
À proximité, vous pouvez suivre la promenade aux Champs-Élysées (11).

POUR LES PETITS MALINS

Faites-vous photographier comme une figure vivante en posant devant l'une des nombreuses statues de pierre disséminées dans les jardins des Tuileries et du Carrousel et en imitant leurs attitudes.
Le jardin des Tuileries constitue une excellente pause déjeuner ou goûter après la visite du musée du Louvre (31) ou du musée d'Orsay (32) – une passerelle enjambant la Seine relie le musée au jardin.
Chaque année, du 21 juin au 25 août, une fête foraine s'installe dans le jardin des Tuileries, sur la terrasse des Feuillants. Sa grande roue la signale de loin.

LE CLOU DE LA VISITE

L'obélisque de la Concorde, qui marque de son ombre depuis septembre 1999 l'heure internationale : la place est ainsi devenue le plus grand cadran solaire du monde !

Pour mieux comprendre

Dès le 13e s., le lieu-dit des Tuileries est occupé par des fabricants de tuiles et de briques qui utilisent la terre argileuse des rives de la Seine. François Ier puis les souverains qui lui succèdent acquièrent peu à peu ce terrain et ses alentours pour en faire un vaste domaine royal.
Catherine de Médicis y fait bâtir un château, trouvant le Louvre trop petit et trop inconfortable pour elle et pour sa suite. Mais les travaux traînent, sont interrompus, repris par Henri IV, Mazarin, Colbert et ne s'achèvent qu'en 1608 avec la construction de la Grande Galerie qui réunit les Tuileries au Louvre. Dès le début du chantier, Catherine de Médicis fait planter un jardin sur le terrain des Tuileries, selon la mode italienne. Les allées qui se coupent à angle droit forment un damier de parterres : rectangles de gazons bordés de buis, quinconces d'ormes, vergers, potagers et, çà et là, un labyrinthe, une volière, des sculptures, des bancs de pierre, des pavillons de bois. Bernard Palissy y installe ses ateliers pour modeler l'argile, cette glaise utile pour la cuisson de figurines : grenouilles, lézards, vipères, tortues ornent une grotte.
À partir de 1661, le jardinier André Le Nôtre métamorphose les lieux en dessinant un parc à la française. Il construit la terrasse du Bord-de-l'Eau qui longe la Seine, et, à l'opposé, celle des Feuillants. À l'Ouest, les rampes de ces deux terrasses se courbent en fer à cheval et marquent la limite avec la campagne, alors seulement trouée d'une allée qui deviendra les Champs-Élysées.
Mais Louis XIV délaisse ce décor royal pour s'installer à Versailles en 1671, lui qui pourtant, en 1652, avait fait son entrée dans Paris, vêtu à la romaine et entouré de princes et de seigneurs de la cour en donnant aux Tuileries un grand carrousel en l'honneur de la naissance de son fils, le Dauphin.

Si les statues des lieux pouvaient parler, elles raconteraient les nombreux évènements historiques qui se sont déroulés là. Après sa fuite à Varennes, Louis XVI revient contraint et forcé aux Tuileries pour y faire ses derniers pas, en 1792, avant d'être jugé, emprisonné au Temple et guillotiné sur la place de la Concorde.
Du temps de Napoléon Ier, le quartier subit encore des transformations. La place du Carrousel s'orne d'un arc de triomphe (1809) et la place Vendôme d'une haute colonne (1810), deux monuments à la gloire des victoires des armées napoléoniennes. Enfin, à partir de 1802, la rue de Rivoli est percée pour faciliter la circulation vers les Champs-Élysées.
Les statues pourraient aussi raconter les somptueuses réceptions du temps de Napoléon III, l'incendie des Tuileries par les communards en 1871 et la démolition des ruines en 1882, puis la restauration du parc commencée en 1991 dans le cadre du chantier du Grand Louvre.
La place de la Concorde, édifiée sous Louis XV, conserve elle aussi de nombreuses traces de l'Histoire de France pour le promeneur d'aujourd'hui.

Entre la Concorde et le Louvre

Départ Mº Concorde. 2h de promenade. Sortir du métro vers le Jeu de paume. Prendre l'escalier sous le lion de Giueseppe Franchi (16e s.) menant à la terrasse occidentale du jardin des Tuileries surplombant la place de la Concorde.

Place de la Concorde★★★

De la terrasse Ouest du jardin des Tuileries, vous pouvez embrasser du regard toute la place. Si elle fut aménagée au temps de Louis XV, son aspect d'aujourd'hui remonte au règne de Louis-Philippe (1830-1848). L'architecte Jacob Hittorf l'orna alors de colonnades, de candélabres et des deux fontaines du terre-plein central, inspirées de celles de la place Saint-Pierre de Rome. Leurs vasques s'appuient sur des statues dorées symbolisant les fleuves, les océans, la pêche et la navigation. Des sirènes dorées sortent de l'eau du bassin en jouant avec des tritons.
Le roi fit également ériger l'**obélisque**★ au centre de la place (dont le petit capuchon doré ne date que de 1998). Seul un monument, vieux d'environ 33 siècles, pouvait, pensait-on, dans un esprit de concorde, effacer le souvenir de la guillotine installée sur la place du temps de la Révolution (c'est ici que Louis XVI fut décapité...). L'obélisque (220 t et 23 m de haut) marquait, avec son jumeau qui est resté en Égypte, l'entrée du temple d'Amon, à Louqsor, au temps de Ramsès II. Méhemet-Ali, vice-roi d'Égypte, avait offert à la France l'une de ces deux aiguilles de granit. Son abattage, son transport sur un bateau spécialement aménagé, le *Louxor* (on peut en voir la maquette au musée de la Marine), et son érection en 1836, grâce à des engins de levage nouveaux, furent considérés à l'époque comme un exploit digne d'être commémoré sur le socle de la colonne. Les hiéroglyphes sur les quatre faces de l'obélisque racontent l'histoire du pharaon. Lorsqu'en 1976, sa momie vint se faire soigner au musée de l'Homme, celle-ci fit le tour de la place, sous l'escorte de la Garde républicaine !

Leçon de géographie

Sur la place de la Concorde, sauras-tu reconnaître les statues (des grandes dames) qui représentent huit villes de France ? À vos marques, partez !
Il faut retrouver Lille, Strasbourg, Lyon, Marseille, Bordeaux, Nantes, Brest et Rouen !

Au bout de la place, à l'entrée des Champs-Élysées, des chevaux sauvages caracolent à qui mieux mieux ! Il s'agit d'une copie des chevaux de Marly sculptés au 18e s. Les originaux sont conservés au Louvre, à l'abri de la pollution.
Tout cet ensemble s'inscrit dans un décor plus ancien édifié à la fin du 18e s. par l'architecte Gabriel. Deux palais aux façades à colonnades bordent la place au Nord. Celui qui se situe entre la rue Royale et la rue Boissy-d'Anglas abrite depuis 1907 l'**hôtel Crillon**★★. Au centre de son somptueux salon, on peut voir un chef-d'œuvre de la cristallerie Baccarat : la réplique d'un éléphant servant de cave à liqueurs, commandé lors de l'Exposition universelle de 1878 par un maharadjah pour les fêtes de l'éléphant en Inde.
L'autre palais, l'**hôtel de la Marine**★★, entre la rue Royale et la rue Saint-Florentin, est occupé par le ministère de la Marine, mais du temps de Louis XVI, la reine Marie-Antoinette y avait son appartement pour des visites incognito à Paris.

Les Tuileries★, un parc à la française

L'aire de jeux, près du poste de l'agent d'accueil et de surveillance, côté Rivoli, entre les deux points de restauration, est la seule activité gratuite. En face, promenade à dos d'âne et de poney. Trampoline, manège de chevaux en bois, côté terrasse des Feuillants à hauteur de la rue Cambon. Location de voiliers sur le bassin rond, côté Louvre. Toilettes gratuites pour les enfants, à côté de la grille d'entrée côté Concorde et au niveau du métro Tuileries. Chiens admis uniquement sur les terrasses extérieures.

Les terrasses au-dessus de l'entée du jardin sont occupées par l'Orangerie *(terrasse du Bord-de-l'Eau)*, bâtiment où l'on protégeait les orangers du roi des rigueurs de l'hiver, et à l'opposé le Jeu de paume *(terrasse des Feuillants)*. Son nom rappelle qu'on y jouait autrefois un jeu de balle, ancêtre du tennis.

Entre ces deux bâtiments commence la découverte des sculptures du jardin avec les œuvres de Rodin : *La Grande Ombre*, *La Méditation*, *Ève*. *Le Bal costumé* (1973) est un bonhomme tricolore imaginé par Jean Dubuffet : où sont la tête, les bras, les jambes ? à vous de deviner !

Au pied de l'escalier en fer à cheval, le grand bassin octogonal est entouré de statues symbolisant les saisons. Il marque le début de l'allée centrale menant au Grand Couvert, la zone boisée du jardin. Les 2 670 arbres sont surtout des marronniers (venez en automne ramasser des marrons pour en faire des bonhommes à l'aide d'alumettes), des érables, des charmes, des tilleuls (qu'ils sentent bon au début de l'été !), des platanes mais aussi quelques essences rares, notamment des mûriers rappelant ceux qui furent cultivés sous Henri IV (aux extrémités de la terrasse des Feuillants).

Aux croisements de l'allée centrale, des cafés et restaurants, héritiers des buvettes d'antan, permettent une halte agréable non loin des deux « coureurs » (de pierre bien sûr !) qui se poursuivent au milieu des iris d'eau.

Dans cette partie du parc se concentrent la plupart des activités pour enfants ainsi que de nombreuses statues contemporaines, tel l'étonnant *Arbre des voyelles*, de Penone Giuseppe : un bronze foudroyé, déraciné, réalisé juste avant la tempête de 1999 ! Il gît du côté de la terrasse du Bord-de-l'Eau, au niveau du passage souterrain menant à la passerelle Solférino qui permet de rejoindre la rive gauche et le musée d'Orsay.

Vers le Louvre, les grands parterres recréés dans l'esprit de Le Nôtre s'ordonnent autour du grand bassin rond où les enfants viennent faire voguer des petits bateaux depuis des générations. Devant, une terrasse haute sépare les Tuileries des jardins

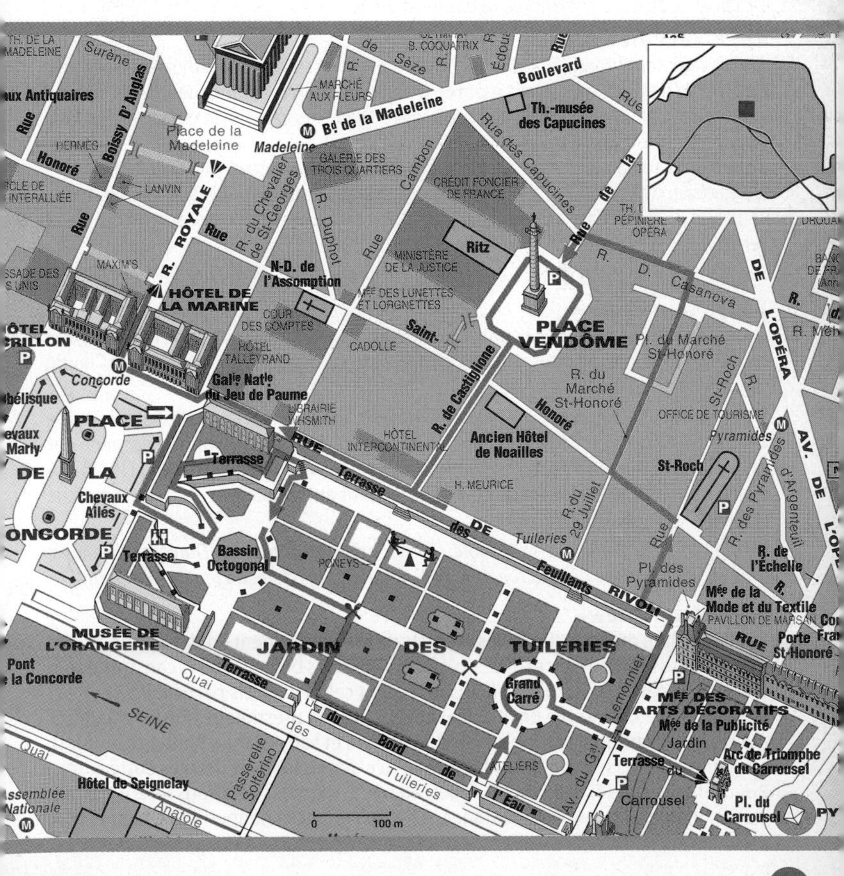

H. Le Gac / MICHELIN

Aux beaux jours, les Tuileries prennent un air de fête !

du Carrousel, autre petit musée à ciel ouvert qui abrite les sculptures d'Aristide Maillol (1861-1944) et qui ont pour noms : *La Rivière*, *La Nuit*, *La Méditation*, *La Baigneuse drapée*...
De là, vous pouvez voir l'**arc de triomphe du Carrousel★** surmonté d'un char, entrée triomphale du palais des Tuileries de jadis, voulue par l'empereur Napoléon. En arrière-plan, la cour du Louvre ouvre un espace minéral autour de la pyramide de verre menant à l'un des plus grands musées du monde.

De l'avenue du Gén.-Lemonnier, rejoindre la rue de Rivoli.

Place des Pyramides

Sur la place des Pyramides, dont le nom évoque la victoire remportée par Bonaparte en Égypte (1798), trône la **statue dorée de Jeanne-d'Arc**. Jeanne fut en effet blessée tout près d'ici, rue St-Honoré, le 8 septembre 1429, lors de la lutte contre les Anglais qui avaient pris Paris.
Sous les arcades, au n° 2, l'hôtel Regina conserve son décor 1900 et, dans le hall d'entrée, un petit panneau d'horloges indique les différentes heures dans les grandes capitales, de New York à Pékin. Pratique pour connaître l'heure à l'autre bout de la terre !

Prendre la rue de Rivoli vers la Concorde avant de tourner à droite, rue St-Roch.

Église Saint-Roch★

La rue Saint-Roch conduit à l'église du même nom, véritable musée de l'art religieux des 18e et 19e s. où l'on peut admirer le célèbre *Godefroy de Bouillon* peint par Claude Vignon (vers 1620).

En sortant de l'église, suivre à droite la rue St-Honoré, puis tourner à droite dans la rue du Marché-St-Honoré. Elle débouche sur la place du Marché-St-Honoré, occupée par un immeuble de verre et sa galerie marchande, œuvre de Ricardo Bofill (1997). Il y avait là autrefois une caserne de pompiers, et, plus anciennement encore, un marché démoli à la fin des années 1950.

Au bout de la rue du Marché-St-Honoré, tourner à gauche dans la rue Danielle-Casanova, puis encore à gauche dans la rue de la Paix, la rue la plus chère au jeu du Monopoly !

Place Vendôme★★

C'est une place octogonale. Dalles et pavés de granit dessinent un damier tandis que des bornes délimitent des espaces-piétons. Toutes les belles façades construites à la fin du 17e s. par Jules Hardouin-Mansart étaient celles d'hôtels particuliers.
Le Ritz, au n° 15, conserve un mobilier Louis XVI aussi prestigieux que les célébrités qui réservent leur suite dans ce palace (Madonna et Lady Diana y sont descendues). De grands joailliers se sont installés sur la place depuis le siècle dernier. Entre autres, Boucheron, au n° 26, Van Cleef & Arpels au n° 22 –dont les créations furent portées par de grandes dames comme Marlène Dietrich ou Jacky Kennedy– ou bien encore Chaumet, au n° 12...

En faisant le tour de cette place très chic, vous pourrez découvrir de somptueux bijoux ou plus simplement les dernières collections de la marque Swatch qui a rejoint les grands noms !

Après avoir fait le tour de la place, prendre la rue de Castiglione qui rejoint la rue de Rivoli, que l'on prend à gauche.

De retour rue de Rivoli, baissez le nez pour voir s'inscrire sur le sol de mosaïque le nom des boutiques de luxe, d'hôtels ou de salons de thé.

Au n° 228, l'**hôtel Meurice** est une adresse très sélecte pour savourer un goûter dans le cadre raffiné de son salon d'hiver. Le palace a servi de décor à de nombreux films, notamment à un long métrage de Claude Lelouch, dans lequel un client de l'hôtel invitait deux clochards dans sa suite... Mais il n'y a vraiment qu'au cinéma que des choses pareilles arrivent !

Qui trône en haut de la colonne ?

La place Vendôme fut d'abord une place royale, édifiée pour accueillir la statue équestre de Louis XIV. Pendant la Révolution, celle-ci fut renversée puis remplacée sous l'Empire par une **colonne** de bronze, ornée d'une spirale de bas-reliefs illustrant les actions militaires de la Grande Armée et surmontée d'un Napoléon habillé en César. Avec le retour de la royauté en 1815, l'empereur fut remplacé par une grande fleur de lys, puis Napoléon retrouva sa place au sommet de la colonne, cette fois-ci vêtu en redingote de caporal. Cette statue, transférée dans la cour des Invalides, fut à nouveau remplacée sous Napoléon III par l'empereur en toge romaine !

Juste à côté, au n° 226, chez Angelina, si vous avez un petit creux ou par pure gourmandise, vous pourrez déguster d'excellents macarons.

Revenez sur vos pas pour emprunter la rue de Rivoli jusqu'à la Concorde.

Rue de Rivoli★

Le nom évoque une victoire remportée par Bonaparte contre les Autrichiens, en 1797, à Rivoli (Italie). La rue fut percée sur l'emplacement de jardins de couvents, notamment celui des Feuillants. On s'y promène à l'abri des intempéries, c'est très pratique quand il pleut ou qu'il y a trop de soleil !

Avant de regagner la station Concorde, faites un petit détour jusqu'au début de la rue Royale et tournez la tête à droite puis à gauche vers les deux temples à colonnades qui se font face : l'église de la Madeleine sur la rive droite et l'Assemblée nationale sur la rive gauche.

Rue Royale, vous découvrirez aussi, sur le mur du n° 1, une photocopie de l'avis affiché en 1914 (aujourd'hui protégé sous une vitrine) qui informait la population de la mobilisation générale : le premier grand conflit du 20e s éclatait.

Un peu de rab ?

Église de la Madeleine★★

Au bout de la r. Royale.

Louis XV posa la première pierre de cette église qui ne fut achevée que 88 ans plus tard, en 1842. À l'intérieur, les marbres colorés et l'or forment un cadre majestueux pour des messes solennelles, de grands mariages ou des enterrements de personnalités.

La **place de la Madeleine**, animée par un marché aux fleurs datant de 1834, est le lieu d'élection de l'épicerie fine avec les maisons Hédiard et Fauchon (regardez les vitrines, elles sont toujours très belles). Ne manquez pas de faire un tour à gauche de l'église dans les toilettes publiques souterraines : réalisées en 1905 dans le style Art nouveau, ce sont les plus belles de la capitale.

S. Sauvignier / MICHELIN

La place de la Madeleine est celle des gourmets (boutique Hédiard).

Et s'il pleut ?

Musée de l'Orangerie★★

Dans le jardin des Tuileries. Réouverture prévue le 2 mai 2006.

L'Orangerie abrite la fameuse série des *Nymphéas*★★★ de Claude Monet, et une riche collection de tableaux impressionnistes et post-impressionnistes (Cézanne, Renoir, le Douanier Rousseau, Matisse, Modigliani, Marie Laurencin...).

Galerie nationale du Jeu de paume

Dans le jardin des Tuileries. ✆ 01 47 03 12 50 - www.jeudepaume.org - ♿ - tlj sf lun. 12h-19h, mar. 12h-21h, w.-end 10h-19h - fermé 1er janv., 1er Mai, 14 Juil. mat. et 25 déc. - 6 €

Cette galerie accueille une nouvelle structure ayant pour vocation la diffusion de la photographie et de l'image du 19e au 21e s., ainsi que les disciplines et pratiques récentes (vidéo, multimédia...).

Musée de la Mode et du Textile★

107 r. de Rivoli. Mº Palais-Royal ou Tuileries. ✆ 01 44 55 57 50 - ♿ - tlj sf lun. 11h-18h, w.-end 10h-18h - fermé 1er janv., 1er Mai et 25 déc. - 5,40€ billet combiné avec les musées des Arts décoratifs et de la Publicité.

Le musée réunit de nombreux tissus, 1 500 vêtements du 16e au 20e s., 9 000 tenues complètes et plus de 30 000 pièces et accessoires. Les vêtements, trop fragiles pour rester exposés longtemps à la lumière, sont présentés lors d'expositions thématiques renouvelées tous les quatre mois. Elles illustrent la mode depuis les tenues bourgeoises et les élégants modèles du 18e s. jusqu'aux années 1960 et 1970 (minijupes, motifs géométriques...), sans oublier le new-look de Christian Dior de l'après-guerre (buste saillant et taille étranglée), les robes fourreaux des années 1930, l'allure garçonne des années 1920...

Évolution de l'habillement, notamment à partir de 1900 : les tricycles et les automobiles exigent de nouvelles tenues ! Les femmes abandonnent le corset bien serré, qui comprime la taille, et les jupons gonflants pour adopter des tenues plus légères... mais les chapeaux deviennent immenses !

En 1920, les soldats qui rentrent de guerre ne reconnaissent plus leurs femmes : elles ont les cheveux courts, à la garçonne, leurs robes sont de plus en plus courtes. Les nouveaux noms de la haute couture sont Chanel, Patou ou Sciaparelli... Ah ! la mode !

Faites un saut à la boutique-librairie qui propose des accessoires et des bijoux édités par Artcodif ainsi que les publications dans le domaine de la mode.

Musée des Arts décoratifs★★

107 r. de Rivoli. Mº Palais-Royal ou Tuileries. ✆ 01 44 55 57 50 - ♿ - mêmes conditions de visite que le musée de la Mode et du Textile, et le musée de la Publicité. Seules les collections Moyen Âge et Renaissance sont ouvertes. Celles des 17e, 18e, 19e et 20e s. sont fermées pour cause de travaux, réouverture en mai 2006 - 6 € billet combiné avec les musées de la Mode et du Textile, et de la Publicité.

Le musée en rénovation ouvrira de nouveaux espaces de présentation pour ses collections comprenant notamment les jouets anciens. Pour l'instant, seules sont accessibles les sections du Moyen Âge et de la Renaissance. De magnifiques tapisseries illustrent la vie de l'époque, les vendanges, les festins à la cour du seigneur ou les qualités et les défauts personnifiés, ayant pour nom : Joliesse, Appétit, Friandise ou Fol Amour... Une salle reconstitue la chambre d'un seigneur.

Musée de la Publicité

107 r. de Rivoli. Mº Palais-Royal ou Tuileries. ✆ 01 44 55 57 50 - ♿ - mêmes conditions de visite que le musée de la Mode et du Textile, et des Arts décoratifs.

100 000 affiches dont les plus anciennes datent du 18e s., des milliers de films, de spots, de jingles font l'objet d'expositions temporaires thématiques dans une ambiance de métal et de lumière très moderne. 12 consoles informatiques permettent l'accès aux archives : on peut y découvrir les lutins de Kodak ou les bulles de Perrier... et se familiariser avec les racines de la culture pub.

À quoi jouaient les enfants en 1900 ?

Des poupées de porcelaine, des chevaux de bois à bascule, des trains mécaniques, des bateaux à voiles, des soldats de plomb, des trottinettes, des puzzles, des dînettes, des robots, des cerfs-volants, des patins à roulettes ou des consoles vidéo ? Pour vérifier les réponses, rendez-vous au département des jouets !

Carnet d'adresses

Voir également le carnet d'adresses du Louvre (31).

PAUSE DÉJEUNER

La Terrasse de Pomone – *Jardin des Tuileries - 1er arr. - M° Tuileries ou Concorde - 01 42 61 22 14 - horaires du jardin : été 9h-20h30 ; hiver : 9h30-19h - fermeture anticipée si mauvais temps – 7/17 €.* Idéalement située au cœur des Tuileries, cette Terrasse offre une jolie vue sur l'arc de triomphe du Carroussel. Les tables en teck sont dressées auprès d'un petit plan d'eau, à l'ombre de platanes centenaires. Sandwichs, salades composées, tartes salées ou sucrées, galettes de blé noir, coupes de glace, etc.

Chalet de Diane – *Allée de Diane, jardin des Tuileries - 1er arr. - M° Tuileries ou Concorde - 01 42 96 81 12 - à la fermeture du parc, s'annoncer à la grille du parc côté Concorde - été : 7h-23h ; hiver : 7h30-19h30.* L'un des quatre kiosques du jardin des Tuileries emprunte son nom à une déesse romaine. Sa plaisante terrasse en partie ombragée mérite qu'on s'y arrête prendre un rafraîchissement ou mordre dans un sandwich. En été, nocturne jusqu'à 23 heures. Paris libéré... des nuisances sonores !

En Passant par la Lorraine – *2-4 r. de l'Échelle, et 182 r. de Rivoli - 1er arr. - M° Pyramide - 01 42 60 30 96 - fermé 25 déc. et 1er janv. – 9/16 €.* Les produits lorrains sont les vedettes de cette boutique décorée avec le bois blanc des Vosges. Vincent Ferry vend sa production personnelle et celle de petites entreprises de sa région : tourtes, pâtés, tartes et eaux-de-vie à la mirabelle, terrines campagnardes à la groseille, vins gris, bières, confitures, madeleines de Commercy, nonnettes et macarons de Nancy. Dégustation possible sur place.

PAUSE QUATRE-HEURES

Häagen-Dazs Café – *198 r. de Rivoli - 1er arr. - M° Tuileries - 01 42 60 53 66 - 12h-23h - fermé 25 déc.* Sous les arcades de la rue de Rivoli, l'une des boutiques parisiennes du célèbre glacier. Quelques tables en salle (climatisée) pour une dégustation sur place, mais c'est la vente à emporter qui prime ici. Sorbets traditionnels, crèmes glacées aux saveurs originales ou boissons chaudes... chacun y trouve son compte.

PAUSE ACHATS

Magasin Sennelier – *3 quai Voltaire - 7e arr. - M° Louvre - 01 42 60 72 15 - www.magasinsennelier.com - tlj sf lun. mat. et dim. 10h-12h45, 14h-18h30 - fermé j. fériés.* Derrière une façade plutôt discrète se cache cette boutique spécialisée dans le matériel pour les Beaux-Arts. Du sol au plafond, les vieilles étagères en bois regorgent de toiles, papiers, tubes de couleurs, pinceaux, crayons, fusains, etc. Les artistes en herbe ou confirmés y trouveront forcément leur bonheur.

Les Invalides

Plongée dans l'histoire militaire

ATLAS MICHELIN PARIS N° 56 (P. 30 ET 42) ET N° 57 (P. 19), REPÈRES H10, J10 – 7E ARR.

En admirant depuis la Seine la longue façade de l'hôtel des Invalides, puis en vous promenant à travers le quadrillage du vaste ensemble architectural fondé par Louis XIV jusqu'à l'église du Dôme et le tombeau de Napoléon 1er, vous découvrirez tout à la fois une ville en plein cœur de Paris et un panthéon des gloires militaires. Tout en maintenant sa fonction hospitalière pour les soldats blessés des dernières guerres, l'hôtel a transformé une partie de son site pour retracer le développement de la France à travers le fait militaire. L'art, les sciences et techniques militaires, l'histoire de la vie des soldats sont au rendez-vous de cette visite qui peut se prolonger jusqu'à l'hôtel de Biron dans l'univers du grand sculpteur Auguste Rodin.

POINT DE DÉPART

En **métro** : lignes 8 et 13, station Invalides.
En **RER** : ligne C, gare Invalides.
En **bus** : lignes 28, 49 et 69, arrêt Invalides-La Tour-Maubourg, 69 et 93, arrêt Invalides, 83 et 63, arrêt Gare-des-Invalides.
À proximité, vous pouvez découvrir les promenades aux Tuileries (7), à Alma (9), au Trocadéro (10), aux Champs-Élysées (11), ou visiter le musée d'Orsay (32).

POUR LES PETITS MALINS

N'oubliez pas de prendre un casse-croûte car il y a peu de boutiques tout près des Invalides.
Promenade pratique quand il pleut car on peut facilement se mettre à l'abri à l'intérieur des Invalides.
L'hôtel des Invalides réunit trois musées : Armée, Plans-Reliefs et ordre de la Libération. Le billet, cumulatif pour ces trois musées, vaut également pour l'église du Dôme et le tombeau de Napoléon, et ce pendant toute la journée ; les sorties provisoires sont donc autorisées.

LE CLOU DE LA VISITE

Le tombeau de Napoléon : mausolée à la gloire de Napoléon, perpétuant le culte à l'empereur et l'épopée napoléonienne.

Pour mieux comprendre

Jusqu'au règne de Louis XIV, les soldats à la retraite, théoriquement pris en charge par les couvents hospitaliers, ne bénéficient en réalité d'aucune ressource. En 1670, reprenant une idée d'Henri IV, le roi fonde à leur intention l'hôtel des Invalides, qui sera complètement achevé en 1706.
En 1793, l'église est transformée en temple de Mars, puis elle devient nécropole militaire et reçoit également les trophées des campagnes impériales. En 1840, les cendres de **Napoléon Ier** sont provisoirement transférées dans la chapelle du Dôme ; ce n'est qu'en 1861 que son tombeau est édifié dans la crypte. Au début du 20e s., l'hôtel retrouve sa vocation initiale : soigner les grands blessés dans un ensemble hospitalier rénové et humanisé.

La traversée des Invalides

Départ Mo Invalides. 2h de promenade. Prendre la sortie « Esplanade des Invalides ».

Esplanade des Invalides

Depuis les abords de la Seine et dans l'axe du pont Alexandre-III, vous pourrez apprécier, grâce à la perspective offerte par l'esplanade, la **façade**★★ de l'hôtel des Invalides, longue de 195 m, et le dôme doré de Jules Hardouin-Mansart.
Des allées de tilleuls longent six parterres de gazon : idéal pour se promener, faire la sieste ou jouer au foot (attention, cependant, aux crottes de chien…).

Hôtel des Invalides★★★

En franchissant les fossés secs, remarquez, de part et d'autre de la grille d'entrée, gravés dans la pierre, les emblèmes de la monarchie et du roi Louis XIV qui fonda l'hôtel : fleurs de lys et visage auréolé de rayons solaires. Une batterie de canons souligne l'aspect militaire des lieux et les buis taillés semblent disposés comme des pions sur l'échiquier d'un champ de bataille ! En haut de la façade, la toiture est ornée de lucarnes en forme d'armures dont les heaumes sont tantôt relevés, tantôt abaissés. Deux statues assises sculptées par Guillaume Coustou gardent l'entrée en forme d'arc de triomphe : Mars, le dieu de la Guerre, accompagné d'un loup, symbole de la force brutale des combats et Minerve, la déesse de la Sagesse, avec à ses pieds une chouette qui représente l'art de la guerre (lorsque celle-ci est menée avec clairvoyance !). Au-dessus, dans un demi-cercle, Louis XIV à cheval, vêtu comme un empereur romain, chevauche entre la Justice et la Prudence.

Rébus

Une des lucarnes de la cour d'honneur semble représenter un loup qui observe la cour tout en serrant dans ses pattes un œil de bœuf.
S'il est difficile de le repérer, lui voit tout. On dit que ce « Loup voit » est un rébus de pierre, clin d'œil à l'attachement de Louvois, ministre de la Guerre à qui Louis XIV avait confié le projet de l'hôtel des Invalides.

Passez entre les colonnes ioniques du vestibule pour prendre votre ticket d'entrée donnant accès aux musées et au tombeau.

Cour d'honneur★★

Longue de 102 m et large de 64 m, elle est jalonnée de galeries d'arcades sur deux étages permettant de circuler à l'abri de la pluie. La toiture est bordée de lucarnes sculptées de trophées d'armes. Des chevaux écrasant des captifs ornent les pavillons d'angle. Le ton est donné : vous voici dans le temple de l'art de la guerre ! Des cadrans solaires, gravés sur la façade donnant au Sud, rythmaient jadis la vie des pensionnaires de l'hôtel, laquelle était régie par une discipline aussi stricte que l'ordonnance de cette cour dont l'aspect fait un peu penser au cloître d'un couvent ! Les bâtiments de part et d'autre de la cour, qui abritent aujourd'hui le musée de l'Armée, servaient de réfectoire, de chambrées, ainsi que d'ateliers pour les pensionnaires ; en effet, sous Louis XIV, les invalides de guerre réalisaient des enluminures et des tapisseries magnifiques ou confectionnaient des uniformes et des chaussures pour les soldats.
C'est dans cette cour que Napoléon Ier remit les premières croix de la Légion d'honneur, le 15 juillet 1804, décorant notamment Parmentier, le promoteur de la pomme de terre, ou Louis David, le peintre qui immortalisa le sacre de l'Empereur (toile conservée au Louvre). Regardez au fond de la cour, en haut de l'entrée de l'église St-Louis : c'est le « Petit Caporal », surnom donné à Napoléon avant qu'il ne devienne empereur.

Sur les traces de Napoléon, en rollers devant les Invalides !

Vers les galeries de la Cour d'honneur

Depuis la Cour d'honneur, s'engager dans l'un des escaliers d'angle.
De part et d'autre des escaliers, deux véhicules évoquent la Première Guerre mondiale. Côté Est, un vieux taxi de la Marne, exemplaire des taxis parisiens réquisitionnés en 1914 par le général Gallieni pour transporter le plus rapidement possible des soldats en renfort sur le front. Côté Ouest, l'ancêtre des chars, le premier modèle utilisé lors de cette même guerre À l'étage, sous les arcades, vous pouvez faire la même promenade que les pensionnaires des Invalides lorsqu'ils ne travaillaient pas dans les ateliers. Dans l'angle Nord-Ouest, cherchez les graffitis représentant des souliers : ils témoignent

de l'une des activités des invalides. Les canons exposés proviennent des anciennes collections constituées sous la Convention, soucieuse de sauvegarder les plus beaux spécimens d'armement. Ces trophées sont aussi des témoignages de l'art du fondeur, du forgeron et du mécanicien qui fabriquèrent ces pièces à l'unité. On peut lire sur chaque canon le prénom qui leur a été attribué pour leur baptême du feu, prénom évocateur en général de la brutalité des combats ou de la peur que ces bouches à feu devaient inspirer : le Fléau, l'Hostile, le Briseur, le Martial, l'Hercule, l'Ardent…

Église Saint-Louis-des-Invalides★

On y servait une messe quotidienne pour les pensionnaires de l'hôtel, et on y célèbre encore aujourd'hui la messe anniversaire de la mort de Napoléon, le 5 mai. Le buffet d'orgues joua le *Requiem* de Mozart pour accompagner, le 15 décembre 1840, le retour des cendres de Napoléon, lors d'une mise en scène triomphale. La voûte de la nef est décorée de drapeaux et d'étendards pris à l'ennemi lors des conflits où la France a été engagée. La chapelle royale à coupole qui complétait cette église était séparée par de grands rideaux, mais, en 1851, l'incendie de ces rideaux par des cierges conduisit à leur remplacement par la verrière actuelle, coupant l'église en deux parties : l'église Saint-Louis et celle du Dôme.

En sortant de l'église St-Louis, prendre le corridor de droite ou de gauche pour se diriger vers l'église du Dôme.

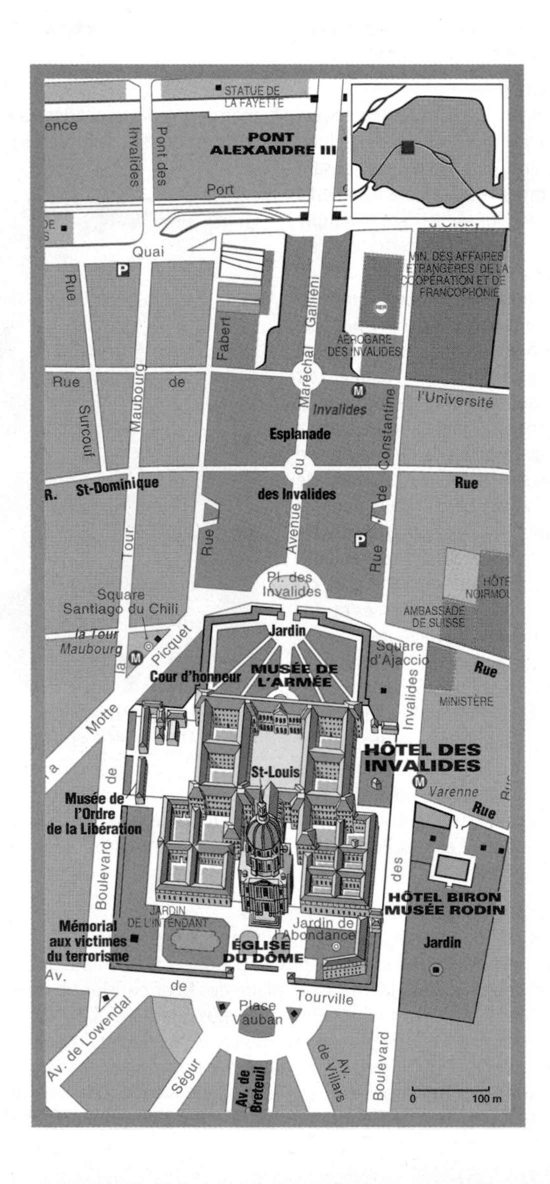

Église du Dôme★★★

☏ 01 44 42 38 77 - www.invalides.org - avr. et sept. : 10h-18h, dim. et j. fériés 10h-18h30 ; oct.-mars : 10h-17h, dim. et j. fériés 10h-17h30 (dernière entrée 15mn av. fermeture) - fermé 1er lun. du mois, 1er janv., 1er Mai, 1er nov. et 25 déc. - 7,50 €(-18 ans gratuit).

En 1835, le roi Louis-Philippe échappa de justesse à un attentat boulevard du Temple, mais le maréchal qui l'accompagnait ainsi que des badauds furent tués. Pour rendre hommage aux vingt et une victimes, Louis-Philippe fit aménager dans l'église du Dôme une crypte qui en accueillit quatorze. C'est dans cette même crypte que fut installé le tombeau de Napoléon, un somptueux sarcophage sculpté dans du quartzite aventuriné, un bloc de pierre de couleur pourpre. Il provient de Finlande et fut choisi après de nombreuses recherches pour trouver la pierre la plus dure réservée aux empereurs depuis l'Antiquité. Cette enveloppe extérieure contient cinq cercueils, emboîtés les uns dans les autres comme des poupées russes. En juin 1940, Hitler, en visite à Paris, s'intéressa aux Invalides et décida de faire transférer le cercueil de Napoléon II, surnommé l'Aiglon et inhumé à Vienne, près de son père. Pour le bicentenaire de la naissance de l'Empereur, le 15 août 1969, le cercueil de l'Aiglon, initialement installé dans une des chapelles du rez-de-chaussée, fut descendu dans la crypte.

Dans l'église, le regard se porte sur trois niveaux : en hauteur, la double coupole avec son décor peint et sculpté ; à hauteur d'homme, le chœur et son autel surmonté du baldaquin de marbre noir (œuvre de Louis Visconti) et entouré de six chapelles ; en contrebas, l'excavation qui fut aménagée pour recevoir le tombeau de l'Empereur. Ce dernier est entouré de douze Victoires en marbre adossées à des piliers. Elles tiennent dans leurs mains des couronnes de lauriers et des palmes évoquant les campagnes victorieuses de l'Empereur dont les noms inscrits au sol permettent de réviser une tranche de l'histoire militaire française : Rivoli, les Pyramides, Marengo, Austerlitz, Iéna, Wagram... Ces noms vous rappellent-ils quelque chose ? Ils ont été utilisés pour baptiser divers lieux ou artères de la capitale (avenue de Wagram, gare d'Austerlitz, rue de Rivoli...).

Rejoindre le jardin à droite en sortant de l'église du Dôme.

Jardin de l'Intendant

En sortant de l'église, du côté de la place Vauban, vous longerez d'autres bâtiments longs et bas qui ne se visitent pas : ils sont occupés par l'Institution nationale des Invalides, avec une partie hospitalière et une partie maison de retraite pour les anciens combattants. À l'Ouest, le jardin de l'Intendant, agrémenté de plates-bandes fleuries aux beaux jours, offre une réelle détente. Au fond du jardin, un monument-fontaine émouvant de simplicité, *la Parole portée*, est élevé aux victimes des attentats ; ces derniers sont accueillis aujourd'hui dans l'hôtel des Invalides au même titre que les invalides de guerre. Faites quelques pas sur l'avenue de Breteuil pour prendre du recul : le dôme qui a fait plusieurs fois l'objet de restauration fut à nouveau redoré en 1988-1989, une opération qui nécessita l'application de 550 000 feuilles d'or, soit 12,65 kg de ce métal précieux !

Rejoindre le métro Varenne à droite des Invalides, sur le boulevard des Invalides.

Et s'il pleut ?

Musée de l'Armée★★★

☏ 01 44 42 38 77 - www.invalides.org - ♿ - avr.-sept. : 10h-18h, dim. et j. fériés 10h-18h30 ; oct.-mars : 10h-17h, dim. et j. fériés 10h-17h30 (dernière entrée 15mn av. fermeture) - fermé 1er lun. du mois, 1er janv., 1er Mai, 1er nov. et 25 déc. - 7,50 €(-18 ans gratuit).

Jusqu'en 2008, des travaux de rénovation risquent d'affecter la visite du musée ; l'ouverture des salles se fera au fur et à mesure des travaux.

L'histoire du musée de l'Armée remonte à 1896 : le Président de la République Félix Faure décide alors que les drapeaux, les uniformes, les souvenirs militaires de notre patrimoine seront regroupés au sein d'un musée. Dans l'aile Ouest, le musée a

Tripelon-Jarry / Musée de l'Armée

Armure d'époque Louis XIII, pour s'imaginer chevalier, le temps d'une visite au musée de l'Armée.

Le quiz du champ de bataille

Sauras-tu attribuer une époque à chacun de ces mots désignant un costume ou une partie de l'équipement du soldat ?
1 - **Le haubert** : a - Grèce antique ; b - Moyen Âge ; c - époque napoléonienne.
2 - **La salade** : a - Moyen Âge et Renaissance ; b - sous Louis XIV ; c - sous Napoléon III.
3 - **La grenade :** a - 17e s. ; b - Première Guerre mondiale ; c - Seconde Guerre mondiale.
4 - **Le pantalon rouge garance de l'infanterie** : a - Renaissance ; b - 19e s. ; c - 20e s.
5 - **Le tonnelet de la cantinière** : a - Moyen Âge ; b - du 17e s. à 1914 ; c - de 1914 à 1945.
Réponses :
1 - b : Le haubert ou cotte de mailles est un véritable tissu de fer où chaque maillon est entrelacé avec ses voisins. Cette tunique à capuchon est apparue au Moyen Âge.
2 - a : La salade est un casque profond et arrondi à visière courte et à couvre-nuque porté par les cavaliers des 15e et 16e s.
3 - a : La grenade est une arme nouvelle de la fin du 17e s. Ce projectile chargé d'explosif est lancé par un soldat spécialisé : le grenadier.
4 - b : La garance est une plante des régions chaudes dont la racine fournit une matière colorante rouge. Les combattants à pied, chasseurs ou lanciers, sont habillés de pantalons rouges à partir de 1815. Il faut attendre la Première Guerre mondiale pour que l'infanterie française soit habillée de « bleu horizon », une couleur moins voyante.
5 - b : La cantinière suivait les régiments en campagne jusque sur le front ; elle vendait aux soldats des vivres et du vin et dut porter un uniforme fantaisiste au fil des guerres, jusqu'en 1914 où elle disparut.

installé au rez-de-chaussée les **armes et armures**, depuis l'époque médiévale jusqu'aux années 1650, et, dans les étages, l'histoire militaire de la France de 1871 à 1939. L'aile Est abrite les collections couvrant la période de 1650 à la guerre de 1870-1871.
Les plus jeunes seront surtout fascinés par les armures de guerre ou de tournoi au temps de la chevalerie, les épées ou les heaumes, tel celui qui figure un griffon, sorte d'animal légendaire à tête d'oiseau de proie, forgé dans les années 1540 et qui marque la fin d'une longue époque féodale.
La présentation de la **Seconde Guerre mondiale** *(côté Ouest ; commencer par le 3e étage)* a fait l'objet d'une nouvelle mise en scène qui peut intéresser les enfants dès l'âge de 12 ans, bien que certaines salles consacrées aux camps de concentration soient soumises à la libre appréciation des parents. Beaucoup d'émotions à travers le témoignage d'objets (veste de cuir du colonel de Gaulle en 1940), d'armes, de maquettes, de films vidéo et de photos mettant particulièrement bien en valeur l'action de chacun dans ce conflit mondial.

Musée des Plans-Reliefs★★

4e étage, côté Ouest. ✆ 01 45 51 92 45 - ♿ - avr.-oct. : 10h-18h ; nov.-mars : 10h-17h - fermé 1er lun. du mois, 1er janv., 1er Mai, 1er nov. et 25 déc. - 7 € (-18 ans gratuit).
Le musée propose un petit guide avec des devinettes.
Les maquettes des villes fortifiées du temps de Louis XIV se découvrent sous les combles des Invalides, dans une atmosphère de pénombre indispensable à leur bonne conservation. Ces plans construits à l'échelle 1/600, soit 600 fois plus petits que les distances réelles (imaginez votre maison réduite ainsi !) permettaient de mieux comprendre la structure des places fortes, afin d'améliorer les stratégies de défense ou d'attaque d'un territoire. Sans l'aide des images satellites qui, de nos jours, restituent chaque détail d'un territoire, les ingénieurs de l'époque figuraient en vues aériennes, à l'aide de simples petites planches de bois, de papier mâché, de fils de fer et de soie, un terrain dans ses moindres particularités : colline, vallée, rivière, champs, ruelles et maisons… Tout figure sur ces outils cartographiques en relief !
Devant chaque vitrine, des photos aériennes permettent de mesurer l'extension de l'occupation humaine. Si le Mont-Saint-Michel semble ne pas avoir trop changé, Saint-Tropez, en revanche, ne ressemble plus du tout à l'ancien petit village logé au pied de sa forteresse. Des vitrines expliquant les étapes de l'attaque d'une ville fortifiée, de l'encerclement à l'assaut final, d'après un traité écrit par Vauban, complètent la visite.

Musée de l'Ordre de la Libération★

Pavillon Robert-de-Cotte. 51 bis bd de La Tour-Maubourg ou par le musée de l'Armée (côté Ouest, corridor de Nîmes). ✆ 01 47 05 04 10 - www.ordredelaliberation.fr - avr.-sept. : 10h-18h (dim. et j. fériés 18h30) ; oct.-mars : 10h-17h (dim. et j. fériés 17h30) - fermé 1er lun. du mois, 1er janv., 1er Mai, 17 et 18 juin, 1er nov. et 25 déc. - 7 € (enf. gratuit).

Le musée est consacré à l'ordre de la Libération créé en 1940 par le général de Gaulle pour « récompenser les personnes ou les collectivités qui se sont signalées de manière exceptionnelle dans l'œuvre de la libération de la France et de son empire ». Pour les enfants, l'intérêt de cette partie des Invalides se situe dans le corridor donnant accès au musée. Il présente une collection de figurines « hautes comme trois pommes », constituée en 1888 par le baron Fernand Vidal. Depuis les Grecs, 1 200 ans av. J.-C., jusqu'aux Français du premier Empire, voici l'histoire des uniformes mise à la portée des plus jeunes.

Un peu de rab ?

Musée Rodin★★

M° Varenne. 77 r. de Varenne - entrée possible dans les jardins sans visiter le musée Rodin - avr.-sept. : 9h30-18h45 ; oct.-mars : 9h30-17h - 1 € (-18 ans gratuit). Musée : ✆ 01 44 18 61 24 - avr.-sept. : tlj sf lun. 9h30-17h45 ; oct.-mars : tlj sf lun. 9h30-16h45 (dernière entrée 30mn av. fermeture) - fermé 1er janv., 1er Mai et 25 déc. - 5 € (gratuit 1er dim. du mois).

Avant d'entrer dans le musée, la promenade dans les **jardins** de l'**hôtel Biron**, du 18e s., est une bonne occasion de découvrir les sculptures d'Auguste Rodin (1840-1917), notamment *Le Penseur, Les Bourgeois de Calais ou La Porte de l'Enfer.* Une halte à la cafétéria du musée, qui sort ses tables dès les beaux jours dans l'allée côté boulevard des Invalides, vous permettra de déguster une glace à l'ombre de grands arbres, devant *Le Penseur* maître des lieux. Outre les grandes œuvres du jardin, le **musée** présente près de 500 sculptures de Rodin. Parmi elles, voici celle de *L'homme qui marche*, sans bras ni tête pour ne privilégier que le dynamisme du mouvement (salle d'entrée), la *Jeune Fille au chapeau fleuri*, tout en douceur (salle 1) et *La Cathédrale* composée de deux mains droites pour éviter l'opposition des mêmes doigts. À l'étage, vous trouverez la *Danaïde* (salle 10) à peine sortie de son bloc de marbre, et des études

Carnet d'adresses

PAUSE DÉJEUNER

Les Jardins de Varenne du musée Rodin – *77 r. de Varenne - 7e arr. - M° Varenne - ✆ 01 45 50 42 34 - fermé le soir et lun. - 9/17 €.* Dans ce beau jardin se cache un pavillon où visiteurs et habitués en quête d'un petit en-cas se retrouvent sous les arbres de sa délicieuse terrasse. Simples salades, assiettes composées et sandwiches. Un petit bonheur...

Millet Traiteur – *103 r. St-Dominique - 7e arr. - M° École-Militaire - ✆ 01 45 51 49 80 - 9h-19h, dim. 8h-13h - à partir de 11 €* . Cette adresse se signale par une vitrine recouverte d'autocollants et de coupures de presse. Que vantent-elles ? Mais les pâtés en croûte, pardi ! Depuis plus de 40 ans, cette maison en a fait sa spécialité, élargissant sa palette aux tourtes, croustades ou encore petits plaisirs sucrés comme le Saint-Marc. À déguster sur place ou à emporter. Accueil et service enjoués.

Lallement – *37 av. Duquesne - 7e arr. - M° St-François-Xavier - ✆ 01 47 05 03 87 - à partir de 12 €.* Aux beaux jours, la terrasse de cette boulangerie affiche complet ! Cols blancs, riverains et simples promeneurs dégustent au soleil les produits maison, qu'il s'agisse des pains aux noix et aux raisins, des sandwiches, des tartes sucrées ou de spécialités comme le fraisier, les macarons (le Deauvillais au chocolat vous tentera, c'est sûr) ou encore les sorbets en été. Les baguettes Rétrodor, croustillantes à souhait, se vendent... comme des petits pains !

PAUSE QUATRE-HEURES

Le Bac à Glaces – *109 r. du Bac - 7e arr. - M° Rue-du-Bac - ✆ 01 45 48 87 65 - tlj sf dim. 12h-19h - fermé j. fériés.* Le Bac à Glaces propose 36 parfums de glaces et sorbets, fabriqués à partir de produits naturels et garantis sans colorants chimiques. Sorbet chocolat, glace caramel aux morceaux de nougatine ou encore sorbet citron-basilic, tout est délicieux. On se régale aussi avec les pâtisseries, crêpes et galettes de sarrasin.

Poujauran – *20 r. Jean-Nicot - 7e arr. - M° Latour-Maubourg - ✆ 01 47 05 80 88 - mar.-sam. 8h-20h30 - fermé août.* Le décor de cette boulangerie de style 1900 n'a rien perdu de sa superbe : murs de céramiques, plafond peint, comptoir de marbre… Étagères et petites panières sont garnies de pains au levain aux noix, aux olives, aux anchois. Côté pâtisserie, cannelé, gâteau basque et fondante tarte aux pommes parfumée à la cannelle. Un régal !

PAUSE ACHATS

Michel Chaudun – *149 r. de l'Université - 7e arr. - M° Invalides - ✆ 01 47 53 74 40 - lun. 10h-18h, mar.-sam. 9h15-19h - fermé j. fériés.* Les étonnantes créations à base de chocolat présentées chez cet artisan-chocolatier démontrent tout son talent. Découvrez, entre autres, le Colomb (éclats de fève au cacao), le Sarawak (pâte de truffe aux cinq poivres), le Mérida (pâte de truffe à la fleur d'oranger) ou le Pavé de la rue de l'Université (pâte de truffe noire).

de mouvements de danse (salle 15), petites sculptures qui résument à elles seules comment Rodin chercha toute sa vie à communiquer la vie à la matière qu'il modelait et à capter le mouvement. Rodin avait pour élève et compagne Camille Claudel, dont on découvre les émouvantes sculptures : *La Valse* où un couple tournoie dans l'espace ; *Les Causeuses*, quatre minuscules silhouettes se chuchotant des confidences ; *La Vague* et *La Petite Châtelaine* (salle 6).

Rue de Babylone

M° St-François-Xavier. Au n° 57, le cinéma **La Pagode** abrite deux jolies salles de cinéma, un salon de thé et un petit jardin. Le bâtiment de style chinois, édifié en 1895, témoigne de la mode de l'époque pour l'Extrême-Orient. Il fut construit, dit-on, pour l'épouse du directeur du Bon Marché, qui se déguisait en impératrice chinoise pour recevoir ses amis lors de somptueuses soirées.

Le **jardin Catherine-Labouré**, avec ses bacs à sable et son aire de jeux de ballon, occupe l'emplacement du verger-potager d'un couvent de religieuses : on y voit encore des pommiers, des melons et des tomates ! Sa tonnelle recouverte de vigne vierge est très agréable quand le soleil tape et ses pelouses sont toutes autorisées.

Alma

9

Luxe, prestige et haute couture

ATLAS MICHELIN PARIS N° 56 (P. 29-30) ET N° 57 (P. 59), REPÈRES G8-H8-G9 – 8^E ET 16^E ARR.

Si vous aimez la mode, l'art et les belles avenues, le quartier de l'Alma vous offre une flânerie devant les somptueuses vitrines de l'avenue Montaigne ou les expositions du musée d'Art moderne de la Ville de Paris et du musée de la Mode. La Seine, visible du haut des petites ruelles qui descendent de l'avenue du Président-Wilson, vous accompagne durant cette promenade qui conduit aussi dans les entrailles de la capitale où se cache l'univers insolite des égouts. Entre les eaux usées de la ville et les parfums des célèbres couturiers, il n'y a qu'un pont à franchir !

POINT DE DÉPART

En **métro** : ligne 9, station Iéna.
En **bus** : lignes 32, 63 et 82, arrêt Iéna.
À proximité, vous pouvez suivre la promenade au Trocadéro (10) et visiter le musée Guimet (33).

POUR LES PETITS MALINS

Les jeunes skateurs trouveront leur terrain de jeux en contrebas des terrasses du palais de Tokyo.
Un vêtement chaud est recommandé pour la visite des égouts. Évitez de vous y rendre après un gros orage : le plan d'eau peut alors monter subitement.
Les stylistes en herbe emporteront un bloc de papier et un crayon pour esquisser des croquis de vêtements inspirés de ceux des vitrines de l'avenue Montaigne.

LE CLOU DE LA VISITE

Les 150 m de canalisations des égouts parisiens : une visite insolite menée par les égoutiers pour découvrir les secrets d'une grande ville.

Pour mieux comprendre

La plupart des rues du quartier sont tracées sous le second Empire et sont encore peu construites à la fin du 19e s. La place de l'Alma accueille alors un hippodrome pouvant contenir 10 000 spectateurs ; l'avenue Montaigne est un lieu à la fois chic et populaire.

À cette époque, l'artère s'appelle l'allée des Veuves car elle est un but de promenade pour les dames vêtues de noir qui respectent le temps du deuil en se retirant de la vie mondaine. Jusqu'en 1870, l'avenue attire aussi le Tout-Paris qui vient danser au bal Mabille. L'orchestre joue des airs de polka, dans un jardin éclairé de becs de gaz.

Le pont de l'Alma est en pierre. Trop étroit pour la circulation, il est détruit et remplacé en 1974 par un pont métallique à une seule pile, mais il garde son nom d'origine qui rappelle la victoire des troupes françaises et anglaises contre les Russes, à Alma, en 1854, lors de la guerre de Crimée.

Les premiers Bateaux-Mouche, ancêtres des énormes mastodontes amarrés au pont de l'Alma, datent de l'Exposition universelle de 1867 ; c'est à cette occasion que deux compagnies ont l'autorisation de s'implanter à Paris pour servir

S. Sauvignier / MICHELIN

Le Zouave du pont de l'Alma surveille la montée des eaux de la Seine.

de coches d'eau aux Parisiens. Leurs bateaux sont construits dans le quartier Mouche à Lyon, et ce nom leur est resté. Soixante-dix ans plus tard, une autre exposition universelle laisse son empreinte dans le quartier, mais dans un style plus moderne : pour construire les palais de New-York et de Tokyo, en 1937, les architectes doivent niveler la différence de 12 m entre le quai de la Seine et l'avenue du Président-Wilson.

De Iéna à Alma

Départ M° Iéna. Promenade de 2h. Prendre la sortie sur l'avenue du Président-Wilson.

Place d'Iéna

Le nom de la place évoque la défaite des Prussiens battus à Iéna en 1806 par les armées napoléoniennes. Le bel hôtel particulier néo-classique construit en 1906 par le banquier Alfred Heidelbach est devenu le musée Guimet en 1889 *(voir sa description au chapitre 33)*. Il abrite l'une des plus belles collections européennes d'art de l'Asie, de l'Inde à la Chine et au Japon.

Descendre l'avenue du Président-Wilson sur le trottoir de droite.

Rue de la Manutention

Juste avant le palais de Tokyo, la rue de la Manutention descend vers la Seine par des escaliers bordés de lampadaires, le long de hautes murailles. Avec la tour Eiffel visible au-dessus des toits, l'endroit fait penser à un décor de cinéma !
La voie bordait jadis les entrepôts de l'intendance militaire, d'où son nom. Elle débouche sur le quai de New-York et, par un passage souterrain, à la passerelle Debilly, construite en 1900 pour permettre aux visiteurs de l'Exposition universelle d'aller facilement d'une rive à l'autre.
Contre les soubassements du palais de Tokyo, les petites parcelles du « Jardin aux habitants » ajoutent une note insolite. Créé sur un terrain vague, il fait partie des jardins partagés qui fleurissent dans le cadre du programme Main Verte de Paris destiné à favoriser des rencontres conviviales entre les habitants d'un quartier et à développer une présence végétale dans la ville.

Remonter vers l'avenue du Président-Wilson en traversant le palais de Tokyo.

Palais de Tokyo

Ce palais d'allure antique, édifié pour l'Exposition universelle de 1937, porte le nom du quai qu'il surplombait. La haute colonnade de pierre blanche qui réunit les deux ailes forme un majestueux portique livrant passage à un patio central qui, l'été, se transforme en terrasse de café où il est agréable de prendre un verre, face à la Seine et au port Debilly sur la rive opposée. Les péniches viennent livrer là le sable alimentant les bétonnières d'une ville toujours en chantier.
En contrebas, la vaste pièce d'eau du palais sert de terrain de jeux aux skateurs qui ne prêtent guère attention à *La France*, une immense statue du sculpteur Antoine Bourdelle. L'aile Est du palais abrite le musée d'Art moderne de la Ville de Paris qui réunit de nombreuses œuvres du 20e s. *(voir description dans « Et s'il pleut ? »)*. L'aile Ouest est le site de l'ARC, dédié aux développements les plus récents de l'art.

Traverser l'avenue du Président-Wilson pour rejoindre le trottoir opposé.

Palais Galliera

En face du palais de Tokyo, le square Brignolles-Galliera (en cours de réhabilitation) est le jardin d'un palais élevé au 19e s. mais dans un style Renaissance italienne ! Son pavillon central flanqué de deux ailes à colonnades formant portiques a été construit entre 1878 et 1894 pour présenter les collections de costumes de la duchesse de Galliera. Aujourd'hui, il abrite le musée de la Mode de la Ville de Paris.

Traverser le square pour ressortir rue de Galliera pour rejoindre à droite l'avenue du Président-Wilson que l'on reprend par le trottoir de droite, côté Seine.
Avec leur entrée-passerelle, les immeubles aux nos 7 et 9 de l'avenue du Président-Wilson sont comme des paquebots amarrés au quai de la Seine !

Place de l'Alma

Le dénivelé de l'avenue du Président-Wilson disparaît place d'Iéna. À l'angle de l'avenue de New-York, **la flamme de la Liberté** rappelle l'amitié franco-américaine. Cette sculpture en Bakélite dorée est la réplique grandeur nature de la flamme que brandit la statue de la Liberté dans l'avant-port de New York. Ce monument national américain fut construit à Paris en 1884, d'après un modèle sculpté par Frédéric Bartholdi et dont on peut d'ailleurs voir la réplique dans l'île au bout de l'allée des Cygnes, près du pont de Grenelle : cette Liberté éclairant le monde est cependant seize fois plus petite que la statue américaine.

À New York, le colosse fut entièrement rénové à l'occasion du centenaire de son érection en 1986 et, pour fêter l'évènement, les Américains voulurent à leur tour offrir un cadeau aux Français : il s'agit de cette flamme brillante, qui, depuis l'accident tragique de la princesse de Galles, Diana Spencer (31 août 1997), survenu sous le pont de l'Alma, est devenue un lieu de pèlerinage pour ses nombreux admirateurs.

Traverser le pont de l'Alma pour rejoindre l'angle avec le quai d'Orsay.

Un gadget ?

Qui sait d'où vient le mot « gadget » ? **Réponse** : la statue de la Liberté a été construite dans les ateliers de fonderie et de chaudronnerie Gaget, Gauthier et Cie, situés près du parc Monceau. Pour expédier cette immense statue à New York, il fallut la démonter et la transporter par bateau dans 241 caisses. Son inauguration à New York fut, pour M. Gaget, l'occasion de faire sa publicité. Il fit faire de nombreuses reproductions en miniatures de la statue qu'il distribua à toutes les personnalités présentes. Entre eux, les invités se demandaient : « Avez-vous reçu votre Gaget ? » qui, prononcé à l'américaine, donnait « gadget ».

Zouave de l'Alma

Depuis la rive gauche, juste devant l'entrée du musée des Égouts (voir description dans « Et s'il pleut ? »), on peut apercevoir le Zouave adossé au pilier du pont de l'Alma. Il est le seul parmi les quatre soldats qui ornaient l'ancien pont de pierre à avoir retrouvé sa place. Lui, un grenadier, un chasseur et un artilleur représentaient les quatre armées qui participèrent à la bataille de l'Alma (première victoire de la guerre de Crimée, remportée en 1854 et durant laquelle les zouaves, soldats d'un corps d'infanterie français d'Afrique, se couvrirent de gloire).

Ce zouave servit longtemps d'échelle aux Parisiens pour mesurer la hauteur des eaux de la Seine. Lorsqu'il avait les pieds dans l'eau, c'était l'état d'alerte : la crue n'était pas loin, disait-on. En 1910, après une montée des eaux de 8,62 m, le Zouave fut immergé jusqu'aux épaules, et en 1999-2000, la Seine vint lui tremper les genoux. On voit bien que, contrairement à ce que disent les parents, faire le zouave est parfois utile !

Rejoindre la place de l'Alma et prendre sur la droite l'avenue Montaigne.

Avenue Montaigne

Bordée de contre-allées ombragées, d'immeubles luxueux et d'élégantes boutiques, l'avenue Montaigne attire les touristes les plus chics !

Au n° 15, la façade blanche rehaussée d'or du **théâtre des Champs-Élysées** rappelle cette époque de l'entre-deux guerres où le public parisien applaudissait Igor

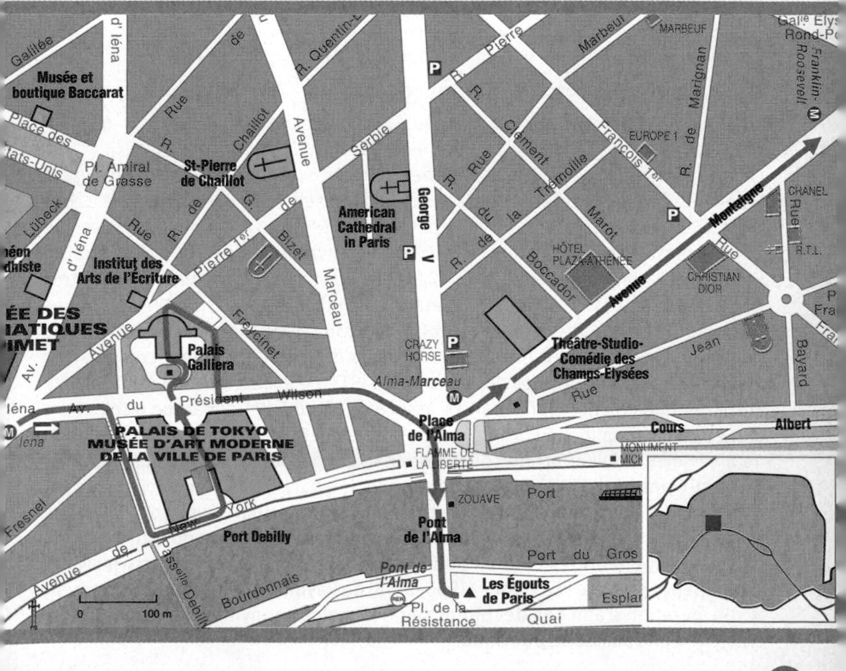

Stravinsky, Serge de Diaghilev et Vaslav Nijinsky, des artistes russes alors très à la mode. Construit en 1912, il continue de programmer des spectacles de théâtre et de musique de grande qualité.
Au n° 25, l'**hôtel Plaza Athénée** est un des palaces privilégiés des princes, ambassadeurs ou richissimes étrangers. Placez-vous en embuscade : vous aurez peut-être la chance d'apercevoir votre idole. À l'intérieur, derrière le bar du restaurant, un grand panneau sur le thème de Diane chasseresse rappelle les bas-reliefs de laque sur métal des salons du paquebot *Normandie* qui navigua de 1935 à1939.
Ensuite, l'avenue est comme un collier de perles aux noms évocateurs : Ungaro, Valentino, Prada, Regina Rubens, Vuitton, Nina Ricci, Dior, Inès de la Fressange…
Les clientes pour qui le luxe commence au berceau peuvent même faire leur shopping pour leurs bambins chez Bonpoint ou Baby Dior.
Au carrefour avec la rue François-Ier, Caron aligne des amphores en cristal de Baccarat qui conservent des parfums ou des eaux de toilette célèbres, réédités depuis leur création dans l'entre-deux guerres. Chaque client vient choisir la taille de son flacon qui est ensuite rempli directement à l'urne !

Les intrusions

Le musée d'Art moderne ferme ses portes en 2004, le temps d'une rénovation. Ces travaux permettent à certaines œuvres de s'échapper hors des murs du musée. Ainsi, la gigantesque araignée d'acier (338 x 643 x 469 cm) de Louise Bourgeois prend ses quartiers à la galerie de l'Évolution du Muséum d'histoire naturelle. Ces « Intrusions » installées dans divers lieux de la capitale sont l'occasion de regarder des œuvres sous un œil neuf, hors les murs d'un musée !

À l'angle de la rue François-1er, au n° 22, le chocolatier Fouquet décline depuis 150 ans la gourmandise sous toutes les formes. La quatrième génération de la famille garde les secrets de fabrication de ses chocolats fins, appréciés par les plus grands amateurs. Enfin, au n° 40, le double C entrelacé honore toujours le talent de Coco Chanel, l'une des figures les plus marquantes de la haute couture.
Le déploiement du luxe continue jusqu'au rond-point des Champs-Elysées avec Dupont, célèbre fabricant de briquets et de stylos, ou **Artcurial** qui occupe l'ancien hôtel Léhon. Le constructeur en aéronautique et député Marcel Dassault éditait là dans les années 1960 *Jours de France*, un hebdomadaire où la mode était à l'honneur et dans lequel l'illustrateur Kiraz brossait avec humour le tableau d'une Parisienne futile, séduisante et moderne, avec ses longues jambes qui rentraient à peine dans sa mini Austin ! Aujourd'hui, on y vend les œuvres d'art d'artistes contemporains, rééditées en nombre limité. Vous quitterez ce périmètre doré, sur le rond-point, à la station de métro Franklin-D.-Roosevelt.

Et s'il pleut ?

Musée d'Art moderne de la Ville de Paris★★

Dans une des deux ailes du palais de Tokyo. 11 av. du Prés.-Wilson. M° Iéna. ✆ 01 53 67 40 00 - www.mam.paris.fr - ♿ - tlj sf lun. 10h-18h - fermé j. fériés - gratuit.
Le voyage dans l'art du 20e s. reste une aventure exceptionnelle pour un regard jeune. Ces œuvres modernes sont dans un « musée ». Ce mot vient de la Grèce antique où les déesses des Arts s'appelaient les Muses. Le temple des Muses du 20e s. abrite les principaux courants qui vont du fauvisme (Matisse, Derain, Vlaminck, Rouault) au cubisme (Picasso, Braque, Delaunay), dadaïsme, surréalisme et autres peintres de l'entre-deux-guerres (Fautrier, Modigliani, Chagall, Soutine, quelques Nabis) jusqu'aux mouvements foisonnants depuis 1945 (Soulages, César…). De nombreuses œuvres sont proches de l'univers des enfants, par leur couleur, leur matière, leur rythme. *L'Équipe de Cardiff* (1912-1913) de Robert Delaunay, qui balance entre semi-abstraction et figuration, associe à la tour Eiffel la marque publicitaire d'une firme aéronautique comme symbole de modernité. *La Danse de Paris*★ (1932) de Matisse introduit à l'art du collage des papiers découpés. *La Vénus bleue* (1962) de Klein, peinte de la couleur monochrome choisie par l'artiste, renouvelle le regard que l'on peut porter sur un sujet traité depuis la préhistoire. Avec Lucio Fontana (1899-1968) qui invente le trou dans la toile pour ouvrir l'espace du tableau à une troisième dimension, les enfants pourront revivre mentalement un acte incisif et sans repentir possible ! *La Gitane* (1960-1968) de Raymond Hains montre comment la récupération d'affiches déchirées par des mains anonymes peut aboutir à la création d'une palissade poétique.

Palais de Tokyo-Site de création contemporaine

13 av. du Prés.-Wilson. M° Iéna. ☏ 01 47 23 38 86 - tlj sf lun. 12h/24 (dernière entrée 30mn av. fermeture) - fermé 1er janv., 1er Mai et 25 déc. - 6 € (gratuit 1er dim. du mois).

Depuis fin 2001, ce site de création contemporaine propose tout au long de l'année des expositions et manifestations culturelles pluridisciplinaires (arts plastiques, design, mode, littérature, musique, danse, cinéma, etc.).

Une librairie, une cafétéria au sol décoré de grosses fleurs, un restaurant aux chaises repeintes par des artistes et d'étonnantes toilettes en mezzanine occupent le vaste hall d'entrée de ce lieu branché : à visiter sans préjugés.

H. Deguine / MICHELIN

Grimpette des plus esthétiques sur un bas-relief du palais de Tokyo.

Musée des Égouts

Angle du quai d'Orsay-pont de l'Alma. M° Alma-Marceau ou RER Pont-de-l'Alma. ☏ 01 53 68 27 81 - ♿ - mai-sept. : 11h-17h ; oct.-avr. : 11h-16h (dernière entrée 1h av. fermeture) - fermé jeu.-vend., 3 sem. en janv., 1er janv. et 25 déc. - 3,80 €

La descente dans le sous-sol parisien peut chatouiller les nez les plus délicats, mais la plupart des visiteurs finissent par supporter l'odeur de ces lieux confinés, somme toute peu gênante en regard des relents qui devaient empester les rues du Paris de jadis, lorsque les détritus étaient déversés directement dans les ruisseaux à ciel ouvert !

Les égoutiers vous feront découvrir dans ces galeries un ancien tronçon du collecteur qui allait de la Concorde à l'Alma, des canalisations, un bateau-vanne conçu pour naviguer dans les grands collecteurs afin de les nettoyer, une mitrailleuse (sorte de chasse-d'eau mobile), un bassin servant à piéger et extraire toutes les particules solides des eaux usées, et enfin un égout élémentaire qui reçoit les eaux usées domestiques et les eaux pluviales. La visite se poursuit par une exposition présentant le cycle de l'eau à Paris et son histoire, un spectacle audiovisuel et une salle des techniques du futur. Cette partie intéressera les plus grands, sensibilisés aux problèmes de l'eau. On remonte à l'air libre, rassurés par tous les efforts entrepris pour gérer la collecte et l'acheminement vers les stations d'épuration de 1 300 000 m³ d'eau chaque jour.

Musée de la Mode de la Ville de Paris

10 av. Pierre-Ier-de-Serbie. M° Iéna. ☏ 01 56 52 86 00 - en période d'exposition temporaire : tlj sf lun. 10h-18h - fermé certains j. fériés - tarif selon exposition (-14 ans gratuit) - audioguide (français-anglais), compris dans le billet d'entrée, disponible à l'accueil.

Son fonds s'est enrichi au fil des donations et conserve de nombreux vêtements, du 18e s. à nos jours : caracos, robes à la française, garde-robes de personnalités, tenues de mariée que des familles ont conservées avec le plus grand soin, costumes vendus au Bon Marché au 19e s., ou vêtements offerts par des grands couturiers ou de riches clientes. Aujourd'hui, ce fonds donne lieu à des expositions temporaires, avec des

Qui était Coco Chanel ?

Gabrielle Chanel (1883-1971), surnommée Coco, est devenue une légende, mais, de son temps, elle était d'abord une femme d'avant-garde, sportive, et amie de nombreux écrivains, musiciens et poètes de sa génération. Elle a su imposer des modèles féminins simples qui lui ont valu un succès universel : le pantalon pour le soir, et pour le jour, un tailleur souple en lainage gansé, des escarpins bas et bicolore, adaptés à la marche, un chemisier à boutons de manchette, un sac matelassé dont la bandoulière est une chaîne dorée. Elle est l'une des premières à associer couture et parfum, en lançant le fameux « n° 5 ». Ciseaux en main, elle a toujours veillé à ce que l'envers soit aussi parfait que l'endroit. En 1965, elle condamna la minijupe, parce que, disait-elle, l'articulation du genou n'est pas esthétique... Pour créer ses robes, ses bijoux, ses chapeaux, elle s'est souvent inspirée des œuvres d'art des civilisations antiques, égyptiennes ou asiatiques. Le couturier Karl Lagerfeld a repris depuis 1984 la direction artistique de la Maison Chanel.

thèmes toujours originaux tels que : « L'enfant, fashion victim ? » Pas plus aujourd'hui qu'hier, comme l'a montré en 2001 cette exposition ! Depuis 1987, le musée a ouvert un département de création contemporaine consacré au prêt-à-porter apparu à la fin des années 1960 avec l'émergence de nombreux créateurs de mode.

Musée Baccarat

11 pl. des États-Unis. M° Boissière ou Iéna. Bus : 22, 30, 32, 82 et 63. ♿ - tlj sf mar. et dim. 10h-18h30 (dernière entrée 30mn av. fermeture) - fermé j. fériés - 7 € (enf. 3,50 €).

Rien n'est froid au pays du cristal ! D'ailleurs, le feu préside, avec l'air et l'eau, à l'alchimie qui transforme les composés de la terre en verres, carafes, lustres d'une pureté absolue.

Bienvenue, donc, au pays de la magie, dans cet hôtel particulier qui fut, à partir de 1920, le royaume de Marie-Laure de Noailles. Au 1er étage, la salle de bal aux boiseries rococo du 18e s. et au plafond peint résonne encore des fêtes données par la vicomtesse.

Les lieux présentent aujourd'hui les collections légendaires de la cristallerie Baccarat qui, depuis 240 ans, perpétue le savoir-faire de maîtres-cristalliers et le sens artistique de grands créateurs. Les salons du 1er étage exposent dans des vitrines thématiques des pièces rares créées par Baccarat pour des princes, des rois, des milliardaires ou pour les grandes Expositions universelles. On remarque l'évolution des styles en même temps qu'on voyage aux portes de l'Orient en admirant des pièces aux sources d'inspiration variées : verre à fleur de lotus, vase poisson rouge, vase éléphant, lampe émaillée bleue au décor de temple chinois doré...

Le cristal se prête au raffinement le plus extrême et le plus extravagant. Les enfants rêveront sûrement de s'asseoir sur la chaise de cristal exposée dans l'espace « Folie des Grandeurs » du vestibule : elle est la réplique de celles que les maharadjahs du 19e s. ont fait transporter à dos d'éléphant, à travers l'Inde, avec des lustres et tout un mobilier en cristal. Une autre chaise gigantesque, créée par Philippe Starck, donne l'impression que l'on pénètre dans l'univers d'*Alice au pays des merveilles*.

Carnet d'adresses

Voir également le carnet d'adresses du musée Guimet (33).

PAUSE DÉJEUNER

Sancerre – *22 av. Rapp - 7e arr. - M° Pont-de-l'Alma - ☎ 01 45 51 75 91 - fermé août, sam. soir et dim. - 15/30 €.* Véritable ambassade du village de Sancerre, cette maison à l'atmosphère campagnarde propose de solides casse-croûte dès 8h du matin avec terrines, omelettes, andouillettes cuites au sancerre, crottins de Chavignol et tartes maison. Le tout arrosé d'un verre du cru, bien sûr !

Noura – *29 av. Marceau - 16e arr. - M° Alma-Marceau - ☎ 01 47 23 02 20 - 9h-24h - à partir de 13 €.* Le traiteur libanais le plus réputé de Paris. Taboulé au persil, homos, moutabbal d'aubergines, grillades, baklawas et autres savoureuses spécialités y sont toujours joliment présentés.

Aux Marches du Palais – *5 r. de la Manutention - 16e arr. - M° Iéna - ☎ 01 47 23 52 80 - fermé dim. - réserv. conseillée - 18/30 €.* Dans la tranquille petite rue de la Manutention, un restaurant au mobilier « style bistrot » authentique... Cuisine traditionnelle (spécialité bœuf bourguignon).

PAUSE QUATRE-HEURES

Les 2 Abeilles – *189 r. de l'Université - 7e arr. - M° Pont-de-l'Alma - ☎ 01 45 55 64 04 - tlj sf dim. 9h30-19h.* Tapisserie à fleurs, vieux meubles de famille, tomettes et vaisselle un peu rococo : le décor de ce salon de thé possède le charme désuet des maisons de nos grands-mères et séduit aussi bien la clientèle chic du quartier que la jeunesse « branchée ». Salades composées, tartes salées ou omelettes à midi ; pâtisseries maison, gâteaux au chocolat et brioches à l'heure du thé...

La Cour Jardin – *25 av. Montaigne - 8e arr. - M° Alma-Marceau - ☎ 01 53 67 66 02 - reservation@plaza-athenee-paris.com - 75/95 €.* À la belle saison, l'ouverture de cette charmante et verdoyante terrasse enchâssée au cœur du Plaza Athénée, célèbre palace de l'avenue Montaigne, est un événement pour les amoureux de petits coins de paradis. Pour une petite pause thé accompagnée d'une pâtisserie.

Trocadéro et tour Eiffel 10

L'âge d'or des Expositions universelles

ATLAS MICHELIN N° 56 (P. 29 ET 41) ET N° 57 (P. 16-17 ET 61) : H6-7, J7-9 – 7E ET 16E ARR.

Depuis l'esplanade qui domine les jardins du Trocadéro, la vue s'ouvre largement sur le méandre de la Seine, la tour Eiffel et le Champ-de-Mars. Le tableau s'inverse depuis le Mur de la Paix, devant l'École militaire : le point convergent de la perspective devient le palais de Chaillot et les arches de la tour en sont le cadre. Là-haut, sur les flancs de la colline, les jeux d'eau et les évolutions acrobatiques des skateurs ; en bas, un parc à la française doublé sur les côtés d'allées cavalières et de jardins à l'anglaise orné d'arbres vénérables. Au milieu, la tour Eiffel, vigie de la capitale, rappelle l'époque des grandes Expositions universelles qui se déroulèrent en grande partie sur ces lieux.

POINT DE DÉPART

En **métro** : lignes 6 et 9, station Trocadéro.
En **bus** : lignes 22, 30, 32 et 63, arrêt Trocadéro.
À proximité, vous pouvez suivre les balades des Invalides (8) et de l'Alma (9), visiter le musée Guimet (33).

POUR LES PETITS MALINS

En toute saison, la queue pour monter en ascenseur à la tour Eiffel peut vous dissuader... Si vous êtes courageux, vous pouvez toujours y monter à pied !
Les skateurs profiteront des pentes de Chaillot pour slalomer en toute liberté.
Un appareil photo s'impose : prenez la pose sur la grande terrasse du palais de Chaillot, avec la tour Eiffel en arrière-plan.

LE CLOU DE LA VISITE

La nuit, le spectacle féerique des monuments illuminés.
La tour Eiffel reste, malgré ses 115 ans et ses innombrables reproductions, de toutes les tailles et de tous les goûts, largement plébiscitée par les enfants.

Pour mieux comprendre

La colline de Chaillot n'était occupée que par des maisons de plaisance et un couvent quand Napoléon décida d'y bâtir pour son fils le plus vaste palais du monde. La chute de l'Empereur annula le projet, mais la colline se coiffa d'autres palais, édifiés à l'occasion des Expositions universelles.

Six grandes foires internationales furent organisées dans la capitale, sur les deux rives de la Seine, entre 1855 et 1937. De nombreux visiteurs venaient admirer les inventions, les nouvelles créations, faire du commerce, se divertir, et chaque nation concourait pour emporter les premiers prix, dans tous les domaines. Il y avait même un prix pour la plus grosse citrouille !

Pour l'Exposition universelle de 1867, Napoléon III fit construire un vaste palais de l'Industrie sur le Champ-de-Mars, et la colline de Chaillot fut nivelée pour recevoir des exemples d'architecture typiques des 41 pays exposants. La capitale se transforma alors en un village cosmopolite : un cottage anglais côtoyait une isba russe, un pavillon chinois, un temple égyptien, un chalet suisse, un hammam turc, un palais tunisien, etc.

Les Bateaux-Mouche firent leur apparition : ils transportaient les visiteurs d'une rive à l'autre. Le Grand Prix revint cette année-là à Baccarat, pour une fontaine de cristal de plus de 7 m de haut.

H. Le Gac / MICHELIN

Mais, elle est toute tordue cette tour Eiffel !

Pour l'Exposition de 1878, l'architecte Davioud construisit sur la colline de Chaillot un édifice hispano-mauresque, avec une rotonde centrale surmontée de deux minarets et de bâtiments latéraux à colonnades. Dans les jardins du Trocadéro, un énorme marteau-pilon à vapeur, construit par les usines Schneider, fit sensation. Sous ses coups d'enfer sortirent des canons, des vaisseaux blindés, des rails de chemin de fer.
En 1889, la foule se pressa une fois encore sur le Champ-de-Mars. L'exposition célébrait cette fois-ci l'anniversaire de la Révolution française et le triomphe du fer. Le clou de la visite fut la tour Eiffel, assemblée en un temps record selon le principe du jeu de Meccano. Munis de leur billet tricolore, les visiteurs les plus courageux firent l'ascension par les marches : du sommet, ils pouvaient contempler la galerie des Machines, un vaisseau de fer et de verre, ou bien les tentes sahariennes, les huttes africaines, les pagodes du Tonkin (Indochine)...
Pour l'Exposition des Arts et Techniques de 1937, l'ancien palais du Trocadéro fut rasé. Sur ses fondations, on construisit l'actuel palais de Chaillot. Cette fois-ci, l'évènement international se déroula dans un climat plus tendu. *Guernica* (1937), la toile de Picasso, exposée dans le pavillon espagnol, rappelait les souffrances de son peuple : la guerre civile venait d'éclater en Espagne.

À l'assaut de la « dame de fer »

Départ M° Trocadéro. 2h de promenade. Prendre la sortie Palais de Chaillot.

Le Trocadéro : un fort, une place

En 1823, les troupes françaises, chargées de rétablir le roi d'Espagne Ferdinand VII sur son trône, durent prendre le fort Trocadéro, un redoutable bastion situé près de

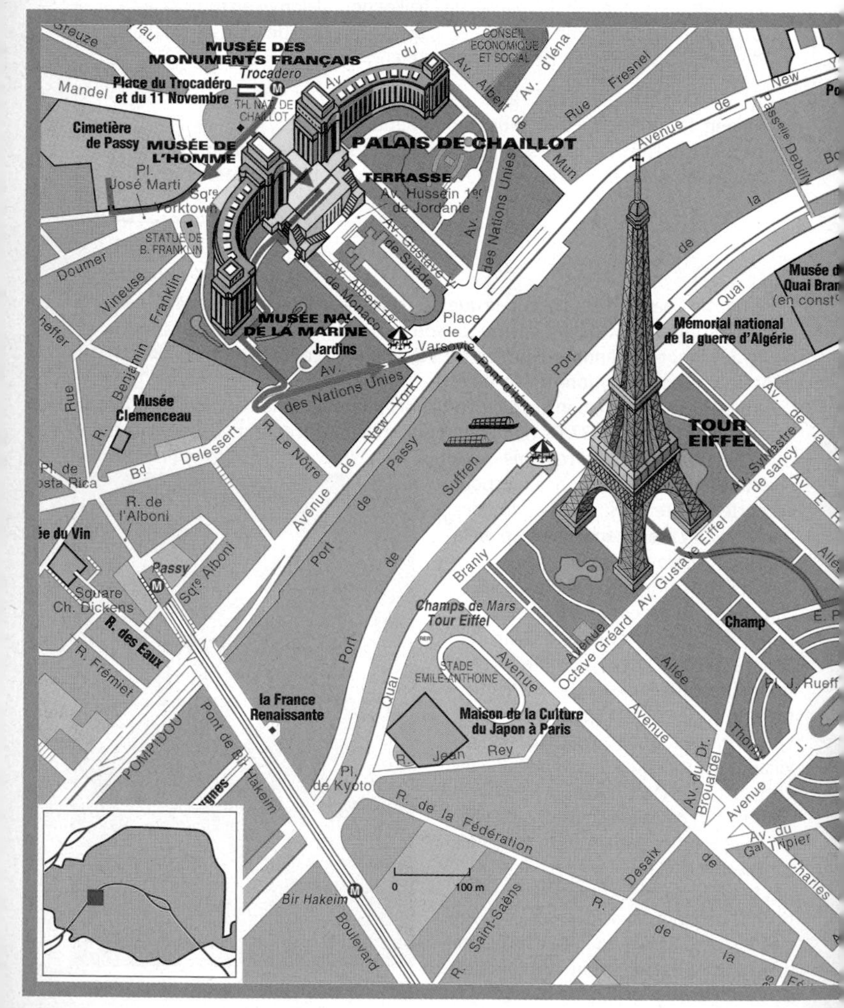

Cadix. L'armée creusa deux tranchées durant cinq jours et cinq nuits afin de s'abriter des tirs ennemis avant l'assaut final. Peu après cette victoire, un fort en carton-pâte fut édifié sur la place parisienne, qui adopta son nom actuel en 1877. Au centre de la place s'élève la statue équestre du maréchal Foch, qui s'illustra lors de la bataille de la Marne, durant la Première Guerre mondiale.

Depuis la place, prendre la rue du Commandant-Schlœsing, pour entrer dans le cimetière de Passy, au nº 2.

Cimetière de Passy

Ce cimetière surplombe la place du Trocadéro et forme un balcon de verdure d'où la vue s'étend jusqu'au dôme des Invalides. Des sépultures émouvantes ou extravagantes ont été édifiées pour d'illustres personnes (les peintres Édouard Manet, Berthe Morisot ; Benjamin Delessert qui avait établi une fabrique de sucre de betteraves à Passy ; l'acteur Fernandel). Pour les repérer dans ces allées sans nom, il faut s'aider du plan, à l'entrée du cimetière. Les aviateurs Maurice Bellonte et Dieudonné Costes qui réussirent les premières liaisons Paris-New York sont réunis là. La tombe du premier est décorée d'un homme ailé, sur celle du second figurent deux hémisphères retraçant les premières liaisons intercontinentales.

Regagner la place du Trocadéro et le parvis du palais de Chaillot.

Palais de Chaillot★★

Ce palais tout de blanc vêtu (du calcaire doré) est un exemple du style élaboré à la fin des années 1930. Les deux pavillons de tête qui dominent la place portent sur les deux faces des inscriptions en lettres d'or composées par Paul Valéry. À lire et à méditer !

Au centre, le Parvis des libertés et des droits de l'homme, décoré sur les côtés d'une haie de gracieuses statues en bronze doré, mène à une vaste **terrasse★★★** avec vue imprenable sur la tour Eiffel et le Champ-de-Mars (photo à prendre !).

Deux colosses, Apollon et Hercule, montent la garde devant les pavillons dont les ailes courbes se développent sur 195 m de long.

Au bas des grands escaliers, les neuf hautes baies d'une immense salle de spectacle (jadis le TNP dirigé de 1951 à 1963 par Jean Vilar, créateur du festival d'Avignon) servent de décor aux acrobaties des skateurs.

Plus bas, l'énorme tête dorée du Taureau de Jouve et les Chevaux de Guyot surplombent une série de bassins en cascade. 20 canons à eau forment 56 gerbes qui finissent leur course dans 8 escaliers d'eau jusqu'à la place de Varsovie.

Jardins du Trocadéro★★★

Manèges de part et d'autre des bassins et, à droite, square avec toboggan et bac à sable, toilettes publiques.

De part et d'autre du bassin, deux jardins à l'anglaise descendent jusqu'au pont d'Iéna. Les allées sont bordées d'arbres splendides comme le tulipier de Virginie, le noyer du Caucase, le noisetier de Byzance ou le chêne rouge d'Amérique. Les espèces les plus remarquables sont identifiées. Côté Passy, les allées longent ou traversent une petite rivière artificielle. À l'angle de la rue Le Tasse, des jardins en rocaille s'inscrivent dans les affleurements rocheux, en couches superposées, de l'ancienne carrière de calcaire de la colline de Chaillot.

Rejoindre la rive gauche par le pont d'Iéna jusqu'à la tour Eiffel. Au débouché du pont se trouve un manège.

Tour Eiffel★★★

✆ 01 44 11 23 23 - www.tour-eiffel.fr - ascenseurs et escaliers - de mi-juin à fin août : 9h-0h ; de déb. janv. à mi-juin et sept.-déc. : 9h30-23h - 4,10 € 1er étage, 7,50 € 2e étage, 10,70 € 3e étage ; 3,80 € (escaliers 1er et 2e étages uniquement).

En été, le meilleur moment pour profiter de la vue se situe lors de l'éclaircie qui suit une bonne averse. Toutefois, on ne choisit pas toujours le jour de sa visite. Comme ladite tour est le monument le plus visité de la capitale (6 millions de visiteurs par an), mieux vaut s'y prendre tôt le matin, ou en fin de soirée, ce qui sera l'occasion d'admirer la demoiselle dans sa robe scintillante. Des ampoules à éclat fonctionnent les dix premières minutes de chaque heure, de la nuit tombée jusqu'à 1h en hiver et 2h en été.

Mais tout d'abord, à tout seigneur tout honneur, allez saluer M. Eiffel. Son buste se trouve sous le pilier Nord. Au rez-de-chaussée, la machinerie d'un ascenseur de 1899, toute d'orange vêtue, peut être visitée lorsque l'ascenseur correspondant du pilier Est ou Ouest fonctionne. Les noms des plus grands scientifiques du 19e s. ont été gravés juste au-dessus des arches de la tour. On peut lire : Ampère, Cuvier, Laplace... Une occasion de passer en revue les découvertes qui ont marqué ce siècle.

La tour Eiffel devait disparaître après l'Exposition universelle de 1889 mais son utilité eut raison de sa démolition : en 1898, un bureau du service météorologique y fut installé ; en 1922, elle retransmit les premières émissions radiophoniques et en 1925 les premières émission télévisées.

Pour accéder au sommet, deux solutions. La première consiste à monter par les escaliers (attention aux crampes et au vertige) : 1 652 marches, mais quel spectacle ! C'est en fait un moyen unique de découvrir l'architecture, si belle, de la tour et, progressivement, la vue sur le Champ-de-Mars, les immeubles environnants, les toits de Paris et, apothéose, l'ensemble du site et ses environs. L'ascension à pied ne peut se faire que jusqu'au 2e étage. Les ascenseurs sont bien sûr l'autre moyen et là, en changeant au 2e étage, on atteint sans fatigue les 300 m de hauteur.

Au 1er étage, un **petit musée**, complété par une projection (20mn), retrace l'histoire de la tour, sa construction, le fonctionnement de l'ancien ascenseur hydraulique et celui des ascenseurs actuels. Restaurant, brasseries, boutiques animent le 2e étage. Au 3e étage, le **panorama★★★** s'étend sur 67 km au maximum, mais l'événement reste rare. Par une fenêtre, on peut voir le bureau qu'Eiffel s'était fait aménager.

À chaque étage, des tables panoramiques permettent de se situer.

Suivre les grandes allées du Champ-de-Mars vers l'École militaire.

Calcul mental

1 - Combien mesure la tour Eiffel sachant qu'au 1er étage, elle atteint 57 m, au 2e, 115 m, au 3e, 276 m et qu'il faut encore ajouter 48 m de hauteur pour l'antenne de télévision qui trône tout en haut ?

Réponse : 324 m, plus ou moins, car sa hauteur peut varier de 15 cm suivant les températures.

2 - Combien pèse la tour Eiffel ?

Réponse : les 18 000 pièces de fer assemblées par 2 500 000 rivets pèsent 7 000 t auxquelles il faut ajouter 50 t de peinture, renouvelée tous les sept ans par une armada de peintres acrobates.

Parc du Champ-de-Mars

Manège, aire de jeux, promenades à dos d'âne, de poney et en sulky, terrain de hand-ball et de basket, kiosque à musique, chalet de vente de crêpes et de friandises. Théâtre de marionnettes av. du Gén.-Marguerite. Parc ouvert jour et nuit. Chiens admis.

Le parc porte le nom du dieu romain de la Guerre, Mars, en raison des exercices d'instruction militaire qui s'y déroulaient, devant l'École militaire.

En 1783, le champ servit d'envol à la première montgolfière qui n'avait pour équipage qu'un mouton et deux canards. L'année suivante, l'aéronaute Jean-Pierre François Blanchard y réalisa la première tentative de vol dirigé en ballon. Alors qu'il voulait se poser à La Villette, il atterrit à Billancourt, c'est-à-dire à l'opposé !

Après avoir été successivement le terrain des grands rassemblements révolutionnaires, d'un hippodrome (de 1833 à 1860) et des Expositions universelles, le Champ-de-Mars fut aménagé en 1878 en un jardin paysager de 24,5 ha, bordé de part et d'autre par un tout nouveau quartier aux luxueux immeubles.

Faites une pause sur un banc, auprès de l'une ou l'autre des pièces d'eau situées à droite et à gauche de la tour Eiffel puis promenez-vous dans la partie du parc aménagé à la française, le long des grandes pelouses centrales pour admirer la perspective. De l'autre côté de l'avenue Jean-Bouvard qui coupe le parc dans sa largeur, flânez le long des bas-côtés aménagés à l'anglaise. Du côté de l'avenue de la Bourdonnais, les allées vous mèneront au petit restaurant La Bonbonnière de Marie qui propose crêpes et salades, en bordure d'un espace de jeux et à proximité du théâtre des marionnettes. Vers l'École militaire, dans la partie non plantée de gazon, vous pourrez entendre, par un bel après-midi d'été, les concerts donnés dans un kiosque à musique.

Aller au bout du parc, devant l'École militaire.

Le Mur de la Paix

Il fut construit pour le passage à l'an 2000. En le traversant, découvrez les écrans tactiles qui permettent d'envoyer des messages de paix dans toutes les langues ou de consulter ceux laissés par des visiteurs du monde entier. On peut lire ainsi la maxime de Mélanie, une Canadienne : « Il n'y a pas de plus grand mur à construire que celui de la paix. » Et vous, qu'allez-vous composer ?

Au bout du parc, la statue équestre du maréchal Joffre qui livra les batailles décisives de Verdun et de la Somme durant la Première Guerre mondiale trône devant l'École militaire.

S. Sauvignier / MICHELIN

Le Mur de la Paix, entre la tour Eiffel et l'École militaire.

École militaire★

L'École fut fondée par Louis XV pour les gentilhommes pauvres voulant devenir officiers dans les armées du roi. Bonaparte y passa une année (1784-1785) et, devenu général, y installa dix ans plus tard, en 1795, son quartier général. La Révolution avait entre-temps supprimé l'institution. Aujourd'hui, ces immenses bâtiments de style classique conservent leur fonction de caserne et accueillent les écoles supérieures de guerre et l'Institut des hautes études de Défense nationale.

Le dôme quadrangulaire réunit la façade sur le Champ-de-Mars à celle de la cour d'honneur donnant de l'autre côté, sur la place de Fontenoy.

Longer la façade par la gauche pour rejoindre le métro École-Militaire, fin de votre promenade. En passant, vous verrez derrière les grilles des véhicules militaires, mais aussi des cavaliers montés sur des chevaux bien dressés, et puis des officiers en uniforme et képi.

Et s'il pleut ?

Musée national de la Marine★★

Pl. du Trocadéro, dans le palais de Chaillot. M° Trocadéro. ✆ 01 53 65 69 47 - www.musee-marine.fr - ♿ - tlj sf mar. 10h-18h - visite guidée (1h) sur demande - fermé 1er janv., 1er Mai et 25 déc. - 9 € (enf. 6,50 €).

Sa collection de modèles de navires, de tableaux, d'instruments de navigation illustre l'histoire navale française. Les galeries présentent des dizaines de superbes maquettes de navires depuis le 17e s. jusqu'à nos jours : la *Couronne* (premier grand navire de guerre français), le *Sans-Pareil* (vaisseau de 108 canons), la *Réale* (une galère amirale du 17e s. et les sculptures qui ornaient sa proue), le *Coureur* (bateau

corsaire de la Manche), le canot de l'Empereur (1810) et enfin les derniers grands vaisseaux à voile lancés juste avant l'utilisation de la vapeur et l'apparition des premiers cuirassés.
L'intérêt des enfants peut se porter aussi sur les instruments de navigation, les souvenirs de l'épopée des grands voyages de découverte (vitrines consacrées aux navigateurs Christophe Colomb, La Pérouse, Dumont d'Urville), la marine marchande avec le décor mural du Grand Salon du *Normandie* et des modèles d'illustres paquebots comme le *Titanic* et le *France*, ou la marine militaire contemporaine depuis les premiers cuirassés jusqu'au porte-avions *Charles-de-Gaulle* (1999). Le musée organise aussi de magistrales expositions souvent prolongées en raison de leur succès. (L'épopée de la marine au temps de Napoléon ou la présentation de *Mistral* et *Tonnerre*, deux nouveaux bâtiments de surface de la Marine nationale.)
Après ce voyage maritime, les enfants qui veulent en savoir plus sur les navires, les noms des voiles, les batailles navales ou les grandes expéditions peuvent trouver un bon choix de livres à la librairie du musée.

Musée de l'Homme★★

Pl. du Trocadéro, dans le palais de Chaillot. M° Trocadéro. ✆ 01 44 05 72 72 - tlj sf mar. 9h45-17h15, w.-end 10h-18h30 - fermé j. fériés - 7 € (enf. 3 €).
Suite à la fermeture définitive des galeries d'Ethnologie en vue du transfert de leurs collections vers le futur musée du quai Branly, seules restent ouvertes les galeries d'Anthropologie biologique et de Préhistoire.
À partir de 7 ans. Fondé en 1937, il a succédé au musée d'Ethnographie du Trocadéro afin que soit réuni tout ce qui peut définir l'être humain dans sa chaîne évolutive, son unité et sa diversité biologiques, son expression culturelle et sociale (sciences de la paléontologie, de l'anthropologie et de l'ethnologie).
Tout en préparant de nouvelles scénographies, le musée présente trois expositions temporaires. « La nuit des temps » est consacrée à la préhistoire ; on peut y voir les outils qui ont permis aux premiers hommes de survivre et de s'adapter à leur environnement. « Tous parents, tous différents » démontre que, malgré les différences physiques et culturelles, les hommes font bien partie de la même famille. Enfin, « 6 milliards d'hommes » soulève la question du défi à relever pour assurer à la population mondiale des ressources et un environnement convenables.

Carnet d'adresses

PAUSE DÉJEUNER

⊖⊖ **Al Mounia** – *16 r. de Magdebourg - 16e arr. - M° Trocadéro ou Iéna - ✆ 01 47 27 57 28 - fermé dim. en juil. et août - réserv. obligatoire le soir - 19/60 €.* Dans un authentique décor marocain, aux murs sculptés et frises orientales, vous dégusterez pastillas, couscous et tajines sur de grands plateaux de cuivre, confortablement installé sur des banquettes basses. Service en tenue traditionnelle. Méchoui sur commande.

⊖⊖ **Le P'tit Troquet** – *28 r. de l'Exposition - 7e arr. - M° École-Militaire - ✆ 01 47 05 80 39 - fermé 1er-23 août, sam. midi, lun. midi et dim. - réserv. obligatoire - 27/29 €.* À quelques minutes du Champ-de-Mars, ce petit bistrot ravira les chineurs : bocaux, miroirs, dentelles, lampes et autres objets de brocante habillent la petite salle. Les épicuriens savoureront la cuisine du marché présentée à l'ardoise. Une adresse connue des Parisiens.

PAUSE QUATRE-HEURES

Carette – *4 pl. du Trocadéro - 16e arr. - M° Trocadéro - ✆ 01 47 27 88 56.* Fondé en 1927, ce salon de thé est une institution de la place du Trocadéro. Tout en évoluant au fil des ans, le décor rose a conservé son âme d'origine et séduit toujours la clientèle chic du quartier. À découvrir absolument, le macaron, dont la recette n'a pas changé depuis la création de la maison.

PAUSE ACHATS

Le Fleuriste du Chocolat – *49 av. de la Bourdonnais - 7e arr. - M° Pont-de-l'Alma - ✆ 01 45 56 13 04 - www.lefleuristeduchocolat.com - 9h30-19h - fermé août, dim., 25 déc. et 1er janv.* Pâtissier de métier, Thierry Bonnet a ouvert en 1995 cette boutique dans laquelle il propose d'originales créations sucrées, présentées sous forme de compositions florales. Arbre de calissons et bonbons au chocolat, jardinières gourmandes avec fleurs de dragées au chocolat ou bouquet de fleurs de confiserie... D'authentiques œuvres d'art, à admirer aussi longtemps que vous résisterez à la tentation !

Les Champs-Élysées

11

L'allée des défilés

ATLAS MICHELIN PARIS N° 56 (P. 29-31) ET N° 57 (P. 20 ET 22), REPÈRES F8-9, G9-11 – 8E ARR.

Les Champs Élysées : le lieu de séjour éternel des héros et des hommes sages dans la mythologie grecque désigne aussi une luxueuse avenue bordée de boutiques. Ce n'est pas sans raison que le jeu du Monopoly en fait une des rues les plus chères de Paris ! La longue coulée d'arbres qui part de la place de la Concorde pour rejoindre l'Arc de triomphe forme l'axe le plus majestueux de la capitale, le plus populaire aussi puisqu'il est le passage de tous les défilés. Le rond-point marque le trait d'union entre deux univers différents. En bas, les jardins, avec les palais ; en haut, l'animation, les cinémas, les vitrines, les restaurants. L'avenue se descend ou se remonte comme le font les anciens combattants, médailles sur le cœur, qui viennent ranimer la flamme du Soldat inconnu sous l'Arc de triomphe.

POINT DE DÉPART

En **métro** : lignes 1 et 13, station Champs-Élysées-Clemenceau.
En **bus** : lignes 32, 42, 49, 73, 80, 83 et 93, arrêt Rd-Pt-des-Champs-Élysées.
À proximité, vous pouvez suivre la promenade aux Tuileries (7) ou visiter les Invalides (8).

POUR LES PETITS MALINS

Prenez de bonnes chaussures de marche car les distances sont un peu longues. Faites-vous prendre en photo en vous postant sur un passage piétons protégé de l'avenue des Champs-Élysées, avec l'Arc de triomphe en arrière-plan, en prenant bien garde aux voitures.

LE CLOU DE LA VISITE

La vue du haut de l'Arc de triomphe : Paris à 360°, les grands monuments repérables grâce aux tables d'orientation, la découverte de l'urbanisme de la capitale, des douze avenues rayonnant autour de la place de l'Étoile et la perspective qui va des Tuileries à l'Arche de la Défense.

Pour mieux comprendre

Percée par Le Nôtre en 1670 pour prolonger la perspective royale des Tuileries, l'avenue des Champs-Élysées s'appelle alors le Grand-Cours, bien qu'elle s'arrête à l'actuel rond-point. Un siècle plus tard, l'artère est prolongée jusqu'à la butte de l'Étoile, mais les Champs-Élysées, peu construits, sont encore un lieu de pâturage pour les vaches, ce qui incommode les Parisiens en promenade ! En 1836, l'Arc de triomphe est inauguré et l'avenue se borde d'hôtels particuliers. Avec ses fontaines, ses larges trottoirs, ses 3 000 becs de gaz et ses restaurants, elle attire une foule élégante circulant en calèches et en fiacres. Avec l'arrivée de la ligne 1 du métro en 1902, de grands hôtels de voyageurs, des immeubles d'habitation cossus, puis des commerces de luxe transforment l'avenue, qui devient bientôt une vitrine du modernisme industriel, automobile et cinématographique.
Aujourd'hui, la plupart des immeubles sont occupés par des bureaux, si bien que l'artère, très fréquentée, n'est en réalité habitée en permanence que par quelques gardiens. Ce lieu de passage incontournable pour les touristes du monde entier fut, à l'issue des deux dernières guerres mondiales, l'allée de la victoire : en 1919, puis en 1944 quand le général de Gaulle descendit les Champs-Élysées au milieu d'une foule en liesse. Plus récemment, la foule est venue y fêter la victoire par la France de la coupe du monde de football en 1998. En janvier 2004, acrobates et danseurs de Pékin ont paradé pour fêter le nouvel an chinois ouvrant l'année de la Chine.

Autour du rond-point

Départ M° Champs-Élysées-Clemenceau. 2h de promenade.

Des héros parmi nous, place Clemenceau

Place Clemenceau, le **général de Gaulle** (1890-1970) semble en marche pour libérer Paris. Son pas va en direction de l'Hôtel de Ville où il prononça, le 25 août 1944, la célèbre harangue gravée aujourd'hui sur le socle de sa statue. Sur le terre-plein opposé, un bronze représente **Georges Clemenceau**, surnommé le Tigre ou le Père la Victoire (de la Première Guerre mondiale). Avenue Winston-Churchill, au pied du Petit Palais, surgit la silhouette de sir **Winston Churchill**, qui lutta lui aussi contre le défaitisme lors de la Seconde Guerre mondiale.

Deux palais en vis-à-vis

De chaque côté de l'avenue Winston-Churchill, le Grand et le Petit Palais forment avec le pont Alexandre III un vaste ensemble architectural datant de 1900.

Le **Grand Palais**★, surchargé de statues et de colonnades, dissimule une ossature de fer qui supporte la verrière en dôme de son grand hall. Conçu pour de grandes expositions, il accueillit le Concours hippique, les salons de l'Automobile, de l'Aviation, des Arts ménagers, des Antiquaires, du Livre et la FIAC (Foire internationale de l'art contemporain). Aujourd'hui les organisateurs lui préfèrent les immenses halles du parc des Expositions de la porte de Versailles. Sur l'avenue du Gén.-Eisenhower, une partie des bâtiments a été aménagée en 1969 en Galeries nationales pour recevoir de grandes rétrospectives d'art moderne. Manet, Turner, Renoir, Gauguin, et bien d'autres

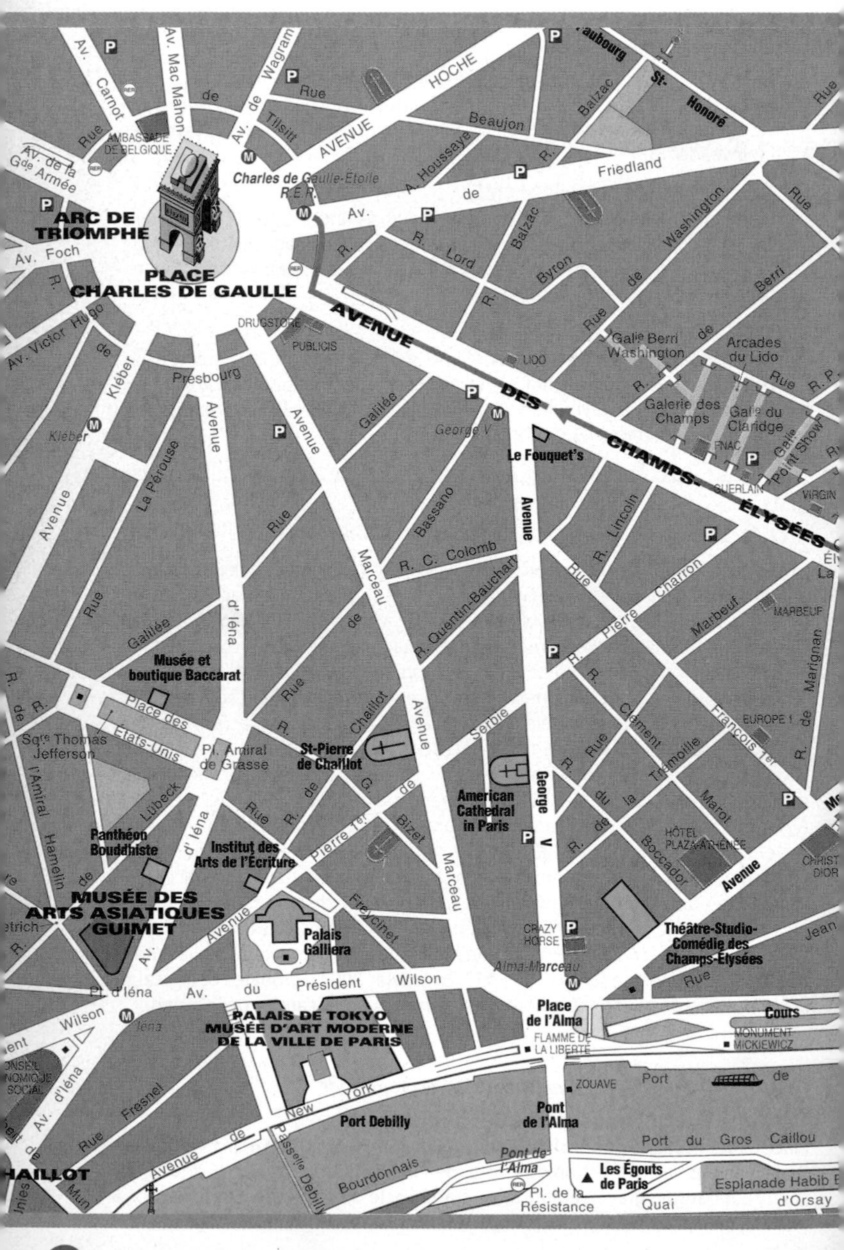

peintres, ont remporté un nombre record d'entrées. En face, le **Petit Palais** paraît bien modeste ! Pourtant, il peut être fier de son dôme qui rappelle celui des Invalides ! Ce musée abrite des collections d'art de la Ville de Paris. Les impressionnistes (Sisley, Cézanne, Monet) et l'école de Barbizon sont largement représentés.

Pont Alexandre-III★★

Construit en même temps que les deux palais, il porte le nom d'un grand tsar de Russie, en signe de l'amitié franco-russe. Son arche métallique est richement décorée de chevaux ailés, de candélabres de bronze entourés d'amours et de monstres marins. Sa construction fut une prouesse technique. Cette arche est très basse, afin de ne pas gêner la perspective des Invalides vue des Champs-Élysées ; elle enjambe la Seine d'une seule volée pour ne pas gêner non plus la circulation fluviale dans la courbe du fleuve. Elle exerce une poussée d'autant plus considérable sur les culées (points d'appui du pont) qu'elle est surbaissée au maximum. L'ornementation du pont sert aussi, de ce fait, de contrepoids.

Rejoindre le rond-point des Champs-Élysées et traverser l'avenue.

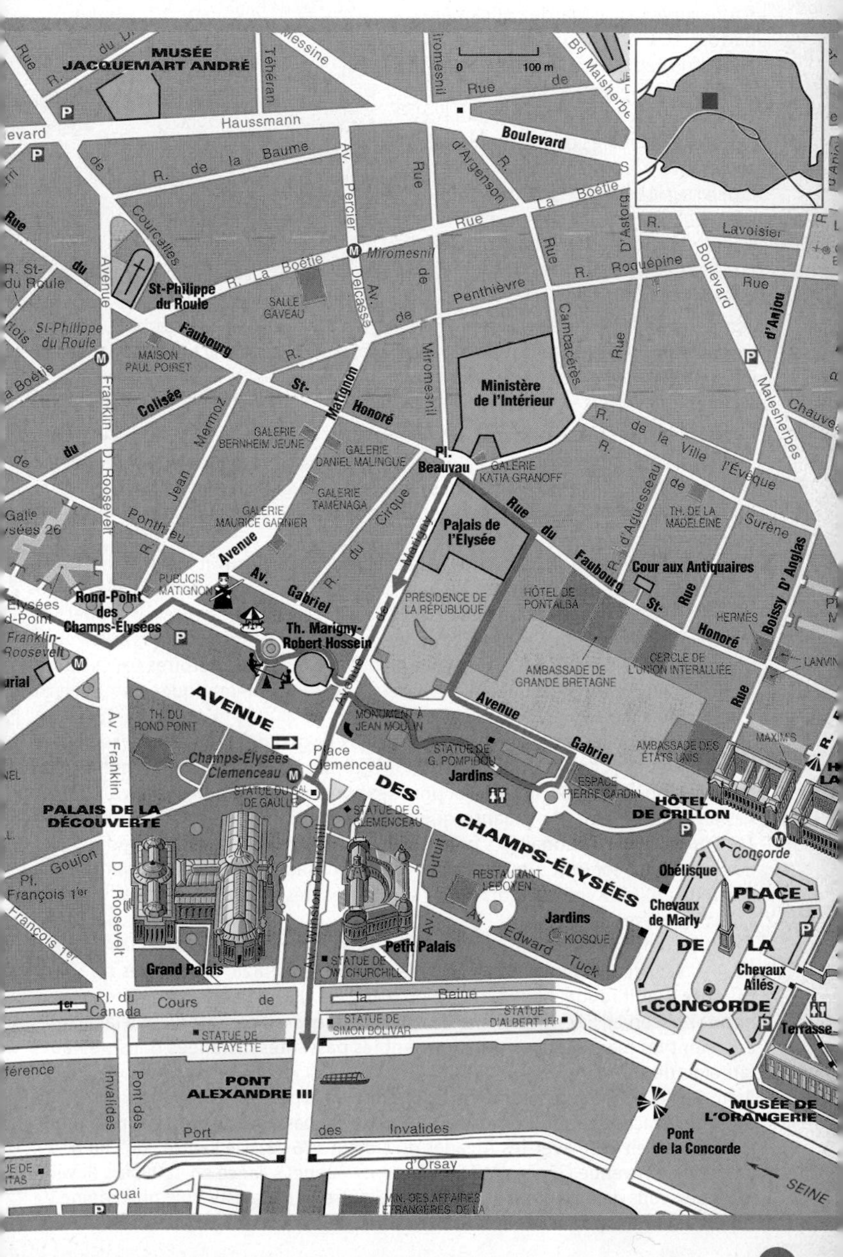

Des jardins★ et des pavillons

Aire de jeux, manèges, balançoires, chalets de vente, Guignol.

Les jardins à l'anglaise bordés de larges allées plantées de marronniers ont conservé des pavillons d'agrément, notamment le **théâtre Marigny**, édifié par Garnier en 1883 (Garnier est l'architecte de l'opéra de Paris). Tout ce périmètre est décoré de lampadaires et de kiosques rétro. Promenez-vous dans l'allée Marcel-Proust menant à l'aire de jeux et au plus vieux Guignol de Paris. Parallèle à cette allée, en faisant chemin inverse, l'**avenue Gabriel** est bordée par les jardins des ambassades.

Tourner à droite dans la rue de l'Élysée, puis à gauche rue du Faubourg-St-Honoré.

Palais de l'Élysée

Attention, pas de bêtises ; la rue est sous haute surveillance (gardes et caméras partout) ! Car c'est ici qu'habite le président de la République. À moins de connaître personnellement Jacques Chirac, vous ne pourrez pas entrer, sauf à l'occasion des Journées du patrimoine, en septembre. Vous pouvez quand même repérer sur la belle grille le « coq », oiseau emblématique de la Gaule. Derrière le palais s'étend un parc ouvert chaque année aux invités du Président pour la garden-party du 14 Juillet.

Quiz présidentiel

1 - Qui élit le président de la République ?
2 - Pour combien d'années est-il élu ?
3 - Dans quel ordre chronologique ces cinq présidents se sont-ils succédé sous la Ve République ? Jacques Chirac, Georges Pompidou, François Mitterrand, Valéry Giscard d'Estaing, Charles de Gaulle.

Réponses

1 - Le président de la République est élu au suffrage universel, c'est-à-dire par tous les Français et les Françaises ayant au moins 18 ans.
2 - Il est élu pour 5 ans ; son mandat s'appelle par conséquent un « quinquennat ».
3 - Charles de Gaulle, Georges Pompidou, Valéry Giscard d'Estaing, François Mitterrand et Jacques Chirac.

Tourner à gauche dans l'avenue de Marigny. Au coin de l'avenue de Marigny et de l'avenue Gabriel, les enfants peuvent compléter leur collection de timbres au **marché de la philatélie** *(jeu., w.-end et j. fériés).*

Repartir à droite vers l'avenue des Champs-Élysées.

Lèche-vitrine aux Champs

Préférez le côté pair, même si vous êtes amené à traverser l'avenue une ou deux fois. Les nombreuses enseignes ne cachent pas toutes les belles façades. Ainsi, au n° 15, l'hôtel construit en 1844 reste un exemple des demeures fastueuses qui bordaient jadis l'avenue.

Au n° 53, l'**Atelier Renault** *(voir le Carnet d'adresses)* est un lointain héritage des grands palais de l'automobile qui furent édifiés dans les années 1920 pour présenter les nouveaux modèles et qui prirent la suite des carrossiers, selliers et marchands de chevaux. Cet espace rénové en 2001 expose des voitures anciennes, des modèles de rallyes, des prototypes ou des véhicules-laboratoires conçus pour la recherche technologique, ainsi que des expositions thématiques renouvelées tous les trois mois.

Les Champs-Élysées, quartier de sièges sociaux de grandes firmes, de banques, de compagnies aériennes, attirent surtout la foule pour ses cinémas, qui présentent les films en première exclusivité, et pour ses nombreux commerces. Aux nos 52-60, Virgin Megastore est une gigantesque caverne d'Ali Baba. L'immeuble construit en 1931 pour la First National City bank a conservé ses pilastres et son grand escalier d'honneur qui conduit aux étages en retrait consacrés désormais à la musique, aux DVD, aux jeux vidéo tandis que le sous-sol est réservé aux livres avec un vaste rayon jeunesse.

Au n° 68, l'immeuble décoré de bow-windows d'acier, construit par l'architecte du Ritz, est occupé par la maison Guerlain qui, depuis 1828, égrène des créations célèbres (Habit rouge, Shalimar et bien d'autres...). Quelques pas plus loin, vous pourrez observer, à l'entrée d'une des plus grandes surfaces réservées à la beauté, comment les maquilleuses transforment les passantes installées dans de hauts fauteuils de stars !

Au n° 74, l'hôtel Claridge, édifié en 1912, a fermé ses portes aux voyageurs ; l'entrée de sa belle façade conduit désormais à l'un de ces passages couverts dont la mode a été lancée en 1926 avec les Arcades du Lido (nos 76-78). De l'autre côté, au n° 99, à l'angle de l'avenue George-V, le restaurant Fouquet's, lancé en 1898, est devenu le rendez-vous de nombreuses célébrités. En face, le bagagiste Vuitton imagine de superbes vitrines pour sa clientèle internationale.

En haut des Champs, côté pair, Peugeot a son hall d'exposition qui présente une collection de toutes les variantes du lion, emblème de la marque. Enfin, le **Publicis Drugstore**, au n° 131, perpétue un modèle américain importé en France dès 1958 : on peut y trouver une sélection de produits dans tous les domaines, y compris la pharmacie, jusqu'à 2h du matin. Ce lieu mythique vient de renaître avec une façade ornée d'une sculpture patchwork de verre et d'acier.

Gagner l'Arc de triomphe, au centre de la place de l'Étoile, en empruntant le passage souterrain situé sur le côté pair de l'avenue des Champs-Élysées.

Arc de triomphe★★★

01 55 37 73 77 - avr.-sept. : 10h-23h ; oct.-mars : 10h-22h30 - fermé 1er janv., 1er et 8 Mai (mat.), 14 Juil., 11 Nov. (mat.) et 25 déc. - 8 € (-18 ans gratuit).

Ce « portique de la victoire » parachève les deux kilomètres des Champs-Élysées. L'Arc fut construit selon la volonté de Napoléon Ier qui, en 1806, voulut commémorer les victoires des armées françaises. Hélas, les murs sortaient à peine de terre lorsque la nouvelle impératrice Marie-Louise fit son entrée par les Champs-Élysées ! L'architecte J.-F. Chalgrin édifia alors en hâte un trompe-l'œil de toile peinte. L'Empereur n'aura pas la joie de voir l'édifice achevé. Quand Chalgrin meurt en 1811, l'Arc atteint seulement 5,40 m de haut. Restaient encore 54,6 m à élever et de nombreuses sculptures à terminer. Pour l'entablement, sous la terrasse, six sculpteurs furent payés au mètre courant, mais, du sol, il est difficile d'imaginer que les personnages de la frise mesurent 2,12 m de haut et que le cortège se déroule sur 137 m de long ! Finalement, l'Arc fut inauguré en 1836, sous Louis-Philippe, 28 ans après le début des travaux !

Promenez-vous autour de l'Arc pour découvrir les hauts-reliefs qui ornent les piliers. *Le Départ des volontaires*, sur la façade tournée vers les Champs-Élysées, représente la Liberté invitant le Peuple à combattre pour son territoire, sous les traits d'une femme à l'expression farouche, coiffée d'un bonnet phrygien !

Sous l'édifice sont gravés dans la pierre les noms des 128 grandes batailles livrées par la République et le régime napoléonien. Au centre de la croix formée par les deux allées, la pierre tombale du Soldat inconnu, inhumé en 1921, est un autre symbole patriotique. La flamme ranimée tous les soirs à 18h30 pérennise le souvenir des combattants qui ont donné leur vie pour leur pays.

Si vous voulez éviter les 284 marches de l'escalier en colimaçon menant à la terrasse, un ascenseur vous conduira jusqu'au musée situé juste en dessous. De là-haut, vous apercevrez les plus grands monuments de Paris et les douze avenues qui partent de la place de l'Étoile. La plupart portent le nom de célèbres batailles napoléoniennes ou encore celui d'illustres généraux, comme Carnot ou Marceau. Le musée retrace l'histoire de la construction de l'Arc et les cérémonies glorieuses ou funèbres dont il a été le cadre. Ses murs sont décorés de palmes, hommages des villes et associations françaises et étrangères à la mémoire du Soldat inconnu.

Votre promenade se termine au métro Charles-de-Gaulle-Étoile, sur la place du même nom.

Ph. Gajic / MICHELIN

L'avenue des Champs-Élysées, celle de tous les triomphes...

Un peu de rab ?

Palais de la Découverte★★

M° Champs-Élysées-Clemenceau. Dans le Grand Palais ; entrée av. Franklin-D.-Roosevelt. ☏ 01 56 43 20 21 - www.palais-decouverte.fr - tlj sf lun. 9h30-18h, dim. et j. fériés 10h-19h (dernière entrée 1h av. fermeture) - séances planétarium : mar.-vend. 11h30, 14h15, 15h30, (16h30 sous réserve) - réserv. sur place - fermé 1er janv., 1er Mai, 14 Juil., 15 août et 25 déc. - 6,50 € (enf. 4 €, planétarium 3,50 €).

Ce musée, fondé en 1937 par le physicien Jean Perrin (1870-1942), prix Nobel de physique pour ses travaux sur les atomes, s'adresse à tous les scientifiques en herbe. Des médiateurs scientifiques réalisent des expériences devant le public et traduisent la science en dialoguant avec lui : plus de 40 séances par jour dans les domaines de la physique, de la chimie, des sciences de la Terre, de l'astronomie et des sciences de la vie ! Parmi les best-sellers : « L'École des rats », qui présente les fondements neurobiologiques de l'apprentissage, avec un rat qui traverse un labyrinthe et de multiples épreuves pour obtenir une bille, et bien sûr, la récompense à la clé ! La séance sur l'électrostatique avec des expériences sur l'électrisation du corps humain, la cage de Faraday, ou le paratonnerre sont aussi très spectaculaires.

Des expositions permanentes intéresseront les enfants dès 6 ans : « Communication animale » est illustrée par des acteurs bien vivants (grillons, fourmis, araignées ou poissons de Siam...) ; « Terre et Vie » présente les métamorphoses de notre planète, de ses géographies et de ses climats depuis son origine. Les plus grands se passionneront pour « L'Odyssée spatiale d'Arianne V » projetée en imagerie 3-D, de même que le film en images de synthèse et en relief « Voyage dans une cellule » qui transporte le spectateur dans un univers microscopique, mais ô combien beau et complexe ! Enfin, l'exposition consacrée à l'atmosphère (météorologie, climat, problèmes relatifs à l'ozone) répond aux questions les plus immédiates du public.

Le nouveau **planétarium★** *(second niveau)* composé d'une coupole de 15 m de diamètre permet de passer 45mn le nez dans les étoiles ! Un conférencier explique les divers aspects de notre univers en commençant par une description du ciel tel que l'on pourrait le voir le soir-même, puis oriente son propos vers un thème (les mouvements des planètes, le phénomène des saisons, les éclipses, le ciel à travers les siècles, la Lune).

Carnet d'adresses

PAUSE DÉJEUNER

Virgin Café – *52-60 av. des Champs-Élysées - 8e arr. - M° Franklin-D.-Roosevelt - ☏ 01 42 89 46 81 - 10/16 €.* Après avoir fait l'emplette d'un livre ou d'un CD, montez au dernier étage du magasin Virgin pour combler une petite faim : fumé, beignets de légume, salades, sorbets et jus de fruit frais vous y attendent. Un menu enfants plutôt bien équilibré. Brunch les dimanches et jours fériés.

Atelier Renault – *53 av. des Champs-Élysées - 8e arr. - M° Franklin-D.-Roosevelt - ☏ 01 49 53 70 70 - 12 €.* Vos enfants vont adorer l'endroit : le vaste hall d'exposition Renault a été entièrement rénové, mais les modèles de voitures sont toujours là ! Les tables du « pub » sont installées sur des passerelles suspendues, donc directement au-dessus des voitures... Idéal pour une pause déjeuner ou goûter.

PAUSE QUATRE-HEURES

Dalloyau – *101 r. du Faubourg-St-Honoré - 8e arr. - M° Miromesnil ou St-Philippe-du-Roule - ☏ 01 42 99 90 00 - www.dalloyau.fr - 8h30-21h.* Depuis 1802, cette enseigne régale les gourmets de ses macarons moelleux, de son opéra parfumé, de son millefeuille léger, de son originale croquante aux agrumes. Restaurant-salon de thé à l'étage et bar à vins au sous-sol, pour que toutes vos envies gourmandes soient satisfaites !

Maiffret – *102 av. des Champs-Élysées - 8e arr. - M° George-V - ☏ 01 45 62 55 17 - www.maiffret.com - 10h-22h.* Tradition et qualité sont les devises de cette maison fondée en 1885. Ganaches parfumées au miel, au Grand Marnier ou à la menthe, pralinés agrémentés d'épices, de café ou de noix de coco côtoient pâtes de fruits et marrons glacés. Petit salon et terrasse permettent de consommer boissons ou glaces Berthillon.

PAUSE ACHATS

Disney Store – *44 av. des Champs-Élysées - 8e arr. - M° Franklin-D.-Roosevelt - ☏ 01 45 61 45 25 - 10h-23h - fermé 1er Mai et 25 déc.* Jouets, vêtements, déguisements, accessoires, musique, vidéo... Tous les produits Disney sont réunis dans cette immense chambre d'enfant colorée et ornée d'un écran géant diffusant en permanence des bandes annonces de dessins animés.

Monceau

12

Au pays des amateurs d'art

ATLAS MICHELIN PARIS N° 56 (P. 17-18) ET N° 57 (P. 21), REPÈRES E8-10 – 8° ARR.

Le parc Monceau n'a pas beaucoup changé depuis le temps où Marcel Proust venait s'y promener. Déjà, les statues jouaient à cache-cache dans tous les coins ! Avec ses arbres centenaires, le parc est resté un espace calme et pittoresque. Certes, les enfants ne peuvent pas jouer sur les pelouses, mais des aires de jeux leur sont réservées et, en contrepartie, quel plaisir de pouvoir se promener dans un espace impeccablement entretenu ! De superbes demeures encadrent cette oasis de verdure digne d'un conte pour enfants sages. Dans le parc et aux alentours, l'art est à l'honneur. Même le nom des rues du quartier rappelle la passion de riches collectionneurs qui, au siècle dernier, réunissaient dans leurs hôtels particuliers des œuvres de Van Dyck, Rembrandt, Murillo, Vélazquez. Aujourd'hui, certaines de ces riches demeures sont ouvertes au public.

POINT DE DÉPART

En **métro** : ligne 2, station Monceau.
En **bus** : lignes 30 (arrêt Monceau) et 94 (arrêt Malesherbes-Courcelles).
À proximité, vous pouvez suivre la promenade aux Champs-Élysées (11).

POUR LES PETITS MALINS

Emportez vos rollers pour un tour de piste au parc Monceau.
Constituez votre carnet de route en dessinant les détails architecturaux des belles demeures des alentours ou les feuilles des différentes espèces d'arbres du parc Monceau.

LE CLOU DE LA VISITE

Le parc Monceau : un jardin à l'anglaise avec un érable pourpre « à la peau d'éléphant » et peut-être le geai des chênes ou la mésange nonnette !

Pour mieux comprendre

Au 9e s., des moines cultivent la vigne à Mousseux, lieu-dit désignant un petit mont. En changeant plusieurs fois d'orthographe, Mousseux deviendra Monceau.
En 1429, Jeanne d'Arc campe avec ses troupes dans la seigneurie de Monceau avant de délivrer Paris occupé par les Anglais et leurs alliés bourguignons. Mais blessée d'un trait d'arbalète à la porte Saint-Honoré, elle doit battre en retraite.
Au 18e s., Monceau n'est encore qu'un hameau entouré de terres cultivées et d'une réserve de chasse. Toutes les marchandises pénétrant dans Paris sont alors assujetties à l'octroi, une taxe collectée par les fermiers généraux, de puissants financiers. En 1780, la contrebande est telle que l'on fait construire autour de Paris une haute enceinte percée d'ouvertures où se dressent des barrières, guérites où l'on perçoit l'octroi. Ces guérites ressemblent à des pavillons d'inspiration gréco-romaine.
À Monceau, Louis-Philippe-Joseph d'Orléans, qui deviendra Philippe Égalité sous la Révolution, s'oppose à la construction de ce mur qui l'aurait privé de la vue sur son jardin, alors deux fois plus étendu qu'aujourd'hui. Aussi, il obtient qu'un fossé remplace l'enceinte et il aménage le second étage du pavillon d'octroi (actuelle rotonde de Chartres) en salon : de là, il peut contempler tout le Nord de la capitale et bien sûr son fabuleux jardin. Sous les frondaisons, tout est conçu pour donner au promeneur l'impression de voyager dans un « pays d'illusion » : au gré des allées, on croise un temple de marbre blanc, une naumachie (représentation de combat naval)

Un air de Chine rue de Courcelles : la maison Loo.

en miniature rappelant les antiques combats navals dans des cirques aquatiques, un moulin à vent hollandais, un pont chinois, une tente de nomades tartares, une pyramide égyptienne, un minaret, un obélisque et beaucoup de fausses ruines !
En 1810, Monceau compte à peine 300 habitants, mais bientôt, des spéculateurs achètent des terrains, tracent des rues et font bâtir des maisons de campagne pour les riches bourgeois de Paris. L'aventure immobilière prend son essor avec les frères Pereire et le baron Haussmann qui transforment les lieux en un beau quartier. Le parc de Louis-Philippe, délaissé depuis la Révolution, est coupé en deux, puis remanié par l'ingénieur Alphand qui s'efforce de garder les quelques éléments d'architecture existant encore et crée un jardin à l'anglaise.

Un jardin au charme unique

Départ M° Monceau. Promenade de 2h.

Bouche du métro Monceau

C'est l'une des dernières dans Paris à conserver son décor Art nouveau dessiné par l'architercte-décorateur Hector Guimard pour le métropolitain en 1900. Les volutes des rambardes et de l'éclairage évoquent des plantes.

Entrer dans le parc Monceau par la rotonde.

Parc Monceau★

♿ *- été : 7h-22h ; hiver : 7h-20 h - manège, promenades à poney, chalet de restauration, pelouse et bac à sable réservés aux petits, aire de jeux avec toilettes réservées aux enfants, piste de rollers, toilettes pour les adultes dans la rotonde - chiens interdits.*

L'entrée du parc est majestueuse : deux splendides grilles encadrent la rotonde, ancienne guérite de l'octroi du mur des fermiers généraux, surmontée d'une girouette. Tout à côté, vous pourrez vous peser pour 20 centimes d'euro sur l'une de ces anciennes balances publiques encore en service dans Paris. À gauche de l'allée de Ferdousi, les petits pourront faire un tour de manège ou de balançoire ; les affamés trouveront au chalet sandwiches, crêpes, beignets, pop-corn ou pommes d'amour... Mais attention, pas question de jeter les papiers par terre dans ce jardin hyper-soigné ! Des fontaines le long des allées distribuent de l'eau potable et d'innombrables bancs vous permettent de prendre tranquillement le soleil.

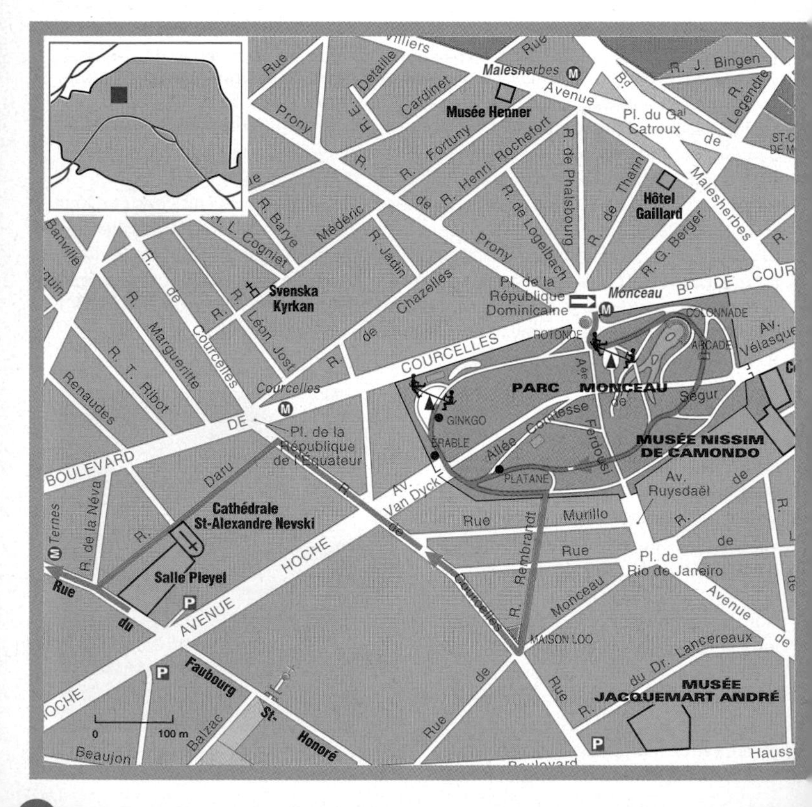

H. Le Gac / MICHELIN

Une promenade romantique dans les beaux quartiers, ça vous dit ?

Par l'allée de la Comtesse-de-Ségur, partez à la découverte des petites constructions au Nord-Est du parc : une grotte à stalactites, un pont italien enjambant une rivière, le bassin de la Naumachie, avec son île miniature plantée d'un saule pleureur. Les canards colverts y ont leurs habitudes, devant le décor à colonnades. De là, suivez la petite allée passant sous une arcade, puis, de l'autre côté de l'allée de la Comtesse-de-Ségur, continuez le chemin qui passe entre une lanterne japonaise et une pyramide. Essayez de repérer, non loin de là, le pin laricio au tronc élancé et à l'écorce veinée de profondes fissures noires, ou bien le micocoulier de Provence qui porte à l'automne des petits fruits comestibles d'un rouge sombre. En franchissant l'allée Nord-Sud, vous verrez sur la gauche des paulownias. Ces arbres originaires de Chine portent des grappes de fleurs mauves et les graines aîlées sont protégées dans des capsules de la taille d'une noix. Plus loin, les féviers d'Amérique se reconnaissent à leur tronc à grosses épines ramifiées. Cherchez aussi à apercevoir les oiseaux du parc : si la chouette hulotte reste cachée durant la journée, vous verrez peut-être en été le gobemouche gris qui se tient souvent dans les arbres dominant la rocaille, et d'avril à octobre les hirondelles de fenêtre qui édifient leur nid de boue séchée sur les façades des immeubles aux alentours du parc.

Faites un tour du côté de l'aire de jeux, à l'autre bout du parc, côté boulevard de Courcelles. Vous pourrez vous approcher de l'une des nombreuses statues d'hommes célèbres qui peuplent les lieux. Voici donc Frédéric Chopin. Mais quelle mélodie joue-t-il au piano ? une mazurka, une valse ou un nocturne ?

En revenant vers l'avenue Van-Dick, vous verrez un érable sycomore de plus de 130 ans, fourchu, haut de 35 m et d'une circonférence de près de 4 m. Non loin, un platane d'Orient vieux de 170 ans détient le record du plus gros tronc de Paris : il faudrait dix enfants se tenant par la main pour faire une chaîne autour de lui !

Maison du chocolatier Menier

Vous connaissez ce nom : il est indissociable des tablettes de chocolat ! Juste au coin de l'avenue Van-Dyck (Ouest) qui fait presque partie du parc, vous découvrirez un somptueux hôtel aux façades décorées par le sculpteur-décorateur

La saga Menier

En 1825, Jean Antoine Brutus Menier, un pharmacien-droguiste, se lance dans le chocolat. À l'époque, cette denrée est une confiserie de luxe réservée à une minorité de gens aisés. Menier achète un ancien moulin à blé à Noisiel (région parisienne) pour produire sa poudre de cacao puis invente les premières tablettes de chocolat en France. C'est le succès et la naissance d'un empire industriel. Son fils Émile crée la première chaîne de production industrielle, achète dans le monde entier, du Nicaragua à New York, les ressources nécessaires pour la fabrication du chocolat et lance les premières campagnes de publicité. Grâce à lui, le chocolat est à la portée de tous ! À partir de 1959, après cinq générations de Menier, l'entreprise est rachetée successivement par plusieurs sociétés, puis par Nestlé en 1988.

Jules Dalou. Il fut construit entre 1870 et 1872 pour Émile Menier, le premier grand industriel du chocolat. Entièrement restauré, l'hôtel a été divisé en plusieurs appartements. En face, l'école bilingue a pour cour de récréation... le parc Monceau !

Revenir dans le parc.

Des immeubles insolites

En suivant l'allée J.-Garnerin au Sud du parc, vous arriverez à la sortie du parc donnant sur la rue Rembrandt. Ici, les immeubles ont parfois des façades insolites, d'inspiration gothique, Renaissance ou Modern style.

Le charme réside dans les détails : des fenêtres en ogive, un auvent en verre, ou bien les petites plaques bleues portant l'inscription « Gaz à tous les étages », signe que ces immeubles construits au 19e s. étaient alors pourvus du confort le plus moderne ! Remarquez le no 7 de la rue Rembrandt avec ses bow-windows ou le no 19 de la rue Murillo qui porte quatre médaillons en céramique représentant les peintres Raphaël, Michel-Ange, Murillo et Rubens.

À l'angle de la rue Rembrandt et de la rue de Courcelles, voici la pagode que M. Ching Tasai Loo, un antiquaire chinois, fit construire en 1926-1928. Sa façade rouge et son toit de tuiles vernissées, surmonté de dragons protecteurs, produisent une touche d'exotisme en plein Paris ! M. Loo mourut en 1957 mais la compagnie d'antiquités orientales occupe toujours les lieux.

Prendre la rue de Courcelles et tourner à gauche dans la rue Daru.

Cathédrale Saint-Alexandre-Nevski

12 r. Daru. ✆ 01 42 27 37 34 - mar., vend. et dim. 15h-17h.

Rien ne permet d'imaginer que cette petite rue mène à une cathédrale telle qu'on en voit en Russie ! Ses cinq tourelles sont coiffées de bulbes, surmontés de la croix russe orthodoxe à huit branches. Pour les fidèles, ces flèches d'or représentent des cierges dont les flammes portent les prières vers le ciel.

Au 19e s., à Paris, la colonie russe se composait d'un bon millier de personnes. Quand l'empereur Napoléon III approuva le projet de construction d'une église orthodoxe, il fallut faire appel aux dons des Russes du monde entier. Alexandre II (le tsar qui abolit l'esclavage en Russie) apporta sa quote-part. L'église de style néo-byzantin moscovite fut consacrée en 1861, puis devint une cathédrale en 1922 et fut classée monument historique en 1983. L'intérieur forme une double croix : la première figure à l'horizontale le plan de la cathédrale ; la seconde, verticale, trace un axe partant du sol jusqu'au centre du dôme, avec ses branches formées par les demi-coupoles latérales. De pieuses icônes maintiennent le souvenir de la « Sainte Russie ». Les dimanches, l'office est célébré avec des chants russes.

Pour l'anecdote : le 12 juillet 1918 Pablo Picasso épousa Olga Khoklova en la cathédrale Nevsky, où furent présents Max Jacob, Guillaume Apollinaire, Jean Cocteau et Serge de Diaghilev.

En face, le salon de thé-restaurant « À la ville de Pétrograd » rappelle un peu les isbas (maison russe traditionnelle), avec sa façade en rondins, et propose tout un choix de spécialités russes.

Continuer la rue Daru jusqu'à la rue du Faubourg-St-Honoré et tourner à gauche.

Salle Pleyel

La salle Pleyel porte le nom d'Ignaz Pleyel. Ce compositeur autrichien émigré à Paris créa en 1807 une manufacture de pianos, lesquels furent utilisés par d'illustres compositeurs comme Saint-Saëns, Debussy ou Stravinsky. Camille Pleyel, le fils, grand ami de Chopin et compositeur lui aussi, organisa bientôt des concerts pour faire apprécier ses pianos dans le milieu musical. Après la Première Guerre mondiale, la maison Pleyel fut dirigée par Gustave Lyon qui fit construire en 1927 le plus grand centre musical pouvant alors exister, avec trois salles de concert, des studios insonorisés pour les compositeurs et les pianistes et de grands foyers pour le public. La salle Pleyel attira des artistes de musique classique et de jazz mondia-

Ils ont joué ou chanté à Pleyel

Donne à chacun de ces artistes sa spécialité musicale :

1 - Charles Trenet ; 2 - Herbert von Karajan ; 3 - Louis Armstrong ; 4 - Arthur Rubinstein ; 5 - Serge Prokofiev ; 6 - Yehudi Menuhin ; 7 - Nathalie Dessay ; 8 - Mstislav Rostropovitch.

a - compositeur ; b - chef d'orchestre ; c - pianiste ; d - violoniste ; e - violoncelliste ; f - chanteur ; g - artiste de jazz ; h - artiste de music-hall.

Réponses : 1-h ; 2-b ; 3-g ; 4-c ; 5-a ; 6-d ; 7-f ; 8-e.

Lequel de ces musiciens a composé le conte musical *Pierre et le loup* ?

Réponse : Serge Prokofiev.

H. Le Gac / MICHELIN

Les grilles du parc monceau : « Après vous, gentilshommes et nobles dames ! »

lement connus. S'il fallait tous les énumérer, on obtiendrait un dictionnaire des grands interprètes ! Un nouvel auditorium est en construction, avec des équipements techniques d'enregistrement numérisés ainsi qu'une salle d'exposition d'instruments historiques de la Maison Pleyel, un café et des galeries d'expositions d'arts plastiques.
À côté, au n° 250 de la même rue, la boutique Stnalowa fournit en tutus et chaussons les petits rats de l'Opéra, mais aussi toute la jeunesse férue de jazz, hip-hop, claquettes ou danse sportive.

Faites demi-tour et gagnez la place des Ternes.

Place des Ternes

Au centre, un marché aux fleurs, et, autour, des brasseries. Mais la curiosité se cache dans la cour du n° 9, un immeuble construit dans les années 1880. Levez les yeux, vous verrez le ciel dans un rond parfait, de quoi avoir le tournis avant de regagner le métro Ternes, sur la place.

Et s'il pleut ?

Musée Nissim-de-Camondo★★

63 r. de Monceau. M° Monceau. ✆ 01 53 89 06 50 - tlj sf lun. et mar. 10h-17h - fermé 1er janv., 1er Mai et 25 déc. - 6 €

Brochure gratuite d'aide à la visite à l'entrée - visite en famille sur réserv. auprès d'Arts-décojeunes au ✆ 01 44 55 59 25/75 - règlement en avance par chèque - RV au musée Nissim-de-Camondo.

Depuis 1936, presque rien n'a bougé dans cette demeure meublée comme au 18e s. par le comte de Camondo. Ce musée a la particularité d'avoir été créé de toutes pièces par un seul homme. Aussi, les enfants, tenez-vous bien, comme si vous étiez les sages invités du maître des lieux !
Afin que vous fassiez connaissance avant de commencer la visite, voici l'histoire triste de ces lieux et de cette grande dynastie fondatrice de la plaine Monceau.
Banquiers venus de Constantinople sous le second Empire, les deux frères Camondo, Abraham Behor et Nissim, firent construire deux hôtels particuliers mitoyens, en bordure du parc Monceau. En 1911, le comte Moïse de Camondo, qui a hérité de l'hôtel de son père Nissim, le fait démolir et fait édifier à la place un nouvel hôtel inspiré du petit Trianon de Versailles, afin de mettre en valeur la collection d'œuvres d'art qu'il a constituée. Son fils Nissim auquel est destiné cette collection est malheureusement tué lors d'un combat aérien durant la Première Guerre mondiale. En 1935, Moïse de Camondo lègue par testament et en souvenir de son fils l'hôtel et les collections au musée d'Arts décoratifs. Le musée Nissim-de-Camondo est inauguré en 1936. Hélas, les malheurs continuent à frapper cette famille, en 1945, la fille de Moïse de Camondo, Béatrice, son mari Léon Reinach et leurs deux enfants meurent au camp d'Auschwitz. Tragique destin pour cette famille qui s'éteint dans l'horreur avec la mort de ses derniers descendants.

Et maintenant, en avant pour la visite ! En gravissant le grand escalier menant au rez-de-chaussée haut, vous entrerez dans ses appartements de réception. Des fenêtres du grand salon, vous apercevrez un petit jardin brodé d'arabesques de buis donnant sur le parc Monceau. Dans le salon en rotonde, les tapisseries de Jean-Baptiste Huet montrent des bergères et des bergers qui ressemblent plutôt à des princesses et des damoiseaux, à la mode du 18e s. Autour de la grande table à rallonges de la salle à manger, des tables à service contenaient des seaux en cuivre pour garder les bouteilles au frais. Une femme noire trône dans la pièce, rappelant que le siècle des Lumières (18e s.) a aboli l'esclavage en 1794. Dans la pièce voisine, chaque assiette en porcelaine est décorée d'un oiseau différent.
Au second étage, les chambres à coucher et la bibliothèque étaient aménagées comme un musée : on y trouve encore des meubles fabriqués dans des bois précieux par les plus grands ébénistes. Quant à la salle de bains, elle n'a rien à envier aux nôtres !
Enfin, descendez au rez-de-chaussée bas : dans la cuisine, autour du four à charbon et des casseroles de cuivre rutilantes, on attend presque que le maître d'hôtel jette un dernier coup d'œil sur les mets avant de les placer sur le monte-plats. À côté, dans la salle des domestiques, il y a toujours les casiers numérotés destinés à contenir les objets personnels des 15 personnes chargées d'entretenir la maison.

Drôles de meubles !

Sais-tu ce que sont ces meubles ?
1 - une bouillotte ; 2 - un cartonnier ; 3 - un bout-de-pied ; 4 - une bergère ; 5 - une marquise ; 6 - un chiffonnier ; 7 - un semainier ; 8 - un bonheur du jour.
Réponses :
1 - Table ronde sur laquelle on pratiquait un jeu de cartes appelé « bouillotte ».
2 - Petit meuble de rangement composé de boîtes en carton pourvues de charnières. Il se place le plus souvent sur le côté d'un bureau.
3 - Sorte de tabouret qui se place au bout des sièges pour en faire une chaise-longue.
4 - Fauteuil garni d'étoffe allant de l'accoudoir au haut du dossier.
5 - Même fauteuil que la bergère, mais à deux places.
6 - Étroite commode à tiroirs superposés pour ranger le linge.
7 - Sorte de chiffonnier comportant sept tiroirs pour ranger le linge des sept jours de la semaine.
8 - Petit bureau féminin sur lequel est posée une petite armoire à plusieurs portes.

Musée Cernuschi★

7 av. Vélazquez. M° Monceau. ✆ 01 53 96 21 50 - www.cernuschi.paris.fr - ♿ - 10h-18h - fermé lun. et j. fériés - gratuit.
Henri Cernuschi, un banquier, a réuni dans cet hôtel ses collections d'art oriental qui permettent au musée d'exposer un large panorama de l'art de la Chine ancienne, du néolithique à la dynastie des Song (960-1279). Le circuit chronologique est entrecoupé de salles thématiques consacrées à l'art cultuel et funéraire, aux techniques de sculpture et de céramique chinoises. Les expositions temporaires alternent avec une collection de peintures chinoises traditionnelles contemporaines à l'encre. Parmi les curiosités, le rouleau des chevaux et palefreniers, chef-d'œuvre de la peinture Tang sur soie (8e s).

Musée Jacquemart-André★★

158 bd Haussmann. M° St-Philippe-du-Roule ou Miromesnil. ✆ 01 45 62 16 45 - www.musee-jacquemart-andre.com - 10h-18h - 9 € (-7 ans gratuit) - audioguide interactif (compris dans le prix d'entrée) disponible en français, anglais, allemand, japonais, italien et espagnol.
Voici une autre demeure somptueuse, et bien gardée ! Deux lions vous accueillent de chaque côté du perron, dans la cour d'honneur, et gardent les trésors de cet hôtel construit en 1869 pour le banquier et collectionneur Édouard André et son épouse Nélie Jacquemart : une artiste peintre qui abandonna ses pinceaux en se mariant pour se consacrer à la recherche d'objets d'art, comme son époux. Devenue veuve, Mme Jacquemart-André légua fortune, hôtel et collections constituées au cours de nombreux voyages pour en faire un musée.
Les lieux se visitent à la fois pour leurs œuvres d'art (Renaissance italienne et 18e s.) et pour le cadre qui servit à de fastueuses réceptions sous le second Empire.
Le rez-de-chaussée s'ouvre sur une enfilade de beaux salons. Au pied d'un majestueux escalier à double révolution, orné des fresques de Tiepolo, un jardin d'hiver agrémenté de plantes exotiques accueillait les invités. Les soirs de concert, le salon de musique aux murs tapissés de brocart cramoisi se transformait en salle de bal.

Sur fond de boiseries dorées, le grand salon en rotonde déroule une série de bustes exécutés par les sculpteurs renommés du 18e s. tandis que le salon des peintures expose des tableaux de Boucher, Nattier, Chardin ou Canaletto. Une suite de petits salons conduit aux toiles de maîtres flamands et hollandais (Van Dyck, Frans Hals, Ruysdael et Rembrandt). Le premier étage, organisé en musée italien, permet de découvrir le superbe *Saint Georges terrassant le dragon* peint par Uccello. Les époux André ne réservaient la visite de cet étage qu'à leurs amis intimes !
Avant de quitter les lieux, installez-vous dans la superbe salle à manger transformée en salon de thé pour déguster une pâtisserie ou prendre un brunch, le dimanche.

Carnet d'adresses

PAUSE DÉJEUNER

Le Café Jacquemart-André – *158 bd Haussmann - 8e arr. - M° Miromesnil ou Saint-Philippe-du-Roule - 01 45 62 11 59 - pas de réserv. - 11/30 €.* Installé dans l'ancienne salle à manger d'Édouard André et de Nélie Jacquemart, ce restaurant-salon de thé, non-fumeur, est un délicieux endroit pris d'assaut le midi par les gens du quartier. Sous un splendide plafond de Tiepolo et de grandes tapisseries illustrant la légende d'Achille, grignotez salades, quiche du jour et pâtisseries. Brunch le dimanche. Terrasse côté cour.

La Table Oliviers & Co – *8 r. de Lévis - 17e arr. - M° Villiers - 01 53 42 18 04 - fermé août, dim. et tous les soirs - 16/25 €.* Ce nouveau concept de restaurant-boutique semble avoir trouvé la formule qui marche : une grande table d'hôte dressée au milieu d'étagères en bois garnies de produits dédiés à l'huile d'olive et des recettes originales salées ou sucrées.

BE – *73 bd de Courcelles - 8e arr. - M° Courcelles - 01 46 22 20 20 - tlj sf dim. 8h-21h - à partir de 6 €.* La boulangerie épicerie (BE) d'Alain Ducasse et d'Éric Kayser présente un concept plutôt sympathique : pain aux algues, aux noix, au fromage..., des sandwichs et des tartines variées, des « Prêts-à-cuisiner » et un espace épicerie proposant 350 produits essentiels : huiles, pâtes italiennes, charcuteries, miels, chocolats, etc. Une adresse « in » !

Ty Yann – *93 r. Monceau - 8e arr. - M° Europe - 01 40 08 00 17 - fermé août et dim. - - 12/17 €.* Voici une adresse sympathique pour une petite pause à proximité du parc. La salle, dotée de tables de bistrot, est agrémentée d'une exposition d'émaux et aquarelles réalisés par la mère du patron. Crêpes salées et sucrées.

PAUSE QUATRE-HEURES

Au Pain Bien Cuit – *111 bd Haussmann - 8e arr. - M° St-Augustin - 01 42 65 06 25 - tlj sf dim. 8h-19h30 - fermé 4 sem. l'été, 25 déc.-1er janv. et j. fériés.* Voici une enseigne qui porte bien son nom : elle prépare son pain de façon totalement artisanale, à partir d'une farine sans conservateur ni additif, avant de le cuire dans un four à sole. Un savoir-faire qui se retrouve dans tous ses produits, de la baguette du Président jusqu'aux tartes et aux sandwiches.

Aux Enfants Gâtés – *7 r. Cardinet - 17e arr. - M° Courcelles - 01 47 63 55 70 - tlj sf lun. 8h-14h, 15h30-19h30, dim. 8h-14h - fermé août.* Il n'y a pas que les enfants qui seront gâtés en venant dans cette pâtisserie, les grands repartiront aussi comblés. Parmi les spécialités de la maison : le Pavé de Gaillac, le Vertige, le Royal... Sans oublier les gourmandises élaborées lors des fêtes religieuses. La décoration de la boutique n'a rien d'extraordinaire, mais l'accueil de Nathalie, la charmante patronne, mérite à lui seul le détour.

13 Les Grands Boulevards

Le monde du spectacle

ATLAS MICHELIN PARIS N° 56 (P. 31-32) ET N° 57 (P. 4-5), REPÈRES F-G 12-14 – 2E ET 9E ARR.

L'opéra, le musée Grévin, une foule de théâtres et une multitude de cinémas, dont l'étonnant Grand Rex : la balade vous entraîne dans le monde du spectacle, tout un monde de couleur, de paillettes et de fête. À condition de savoir s'abstraire d'un environnement parfois plus en grisaille pour rêver seulement aux étoiles.

POINT DE DÉPART

En **métro** : lignes 3, 7 et 8, station Opéra.
En **RER** : ligne A, gare Auber.
En **bus** : lignes 20, 21, 22, 27, 29, 42, 52, 53, 66, 81 et 95, arrêt Opéra.
Voir à proximité la promenade des Passages couverts (14).

POUR LES PETITS MALINS

Tout le piment de la balade réside dans la visite, plus ou moins rapide, de l'Opéra ainsi que dans celle(s) du musée Grévin et/ou du Grand Rex. Tenez-en compte pour programmer votre sortie. Vu l'absence d'espace vert et les distances parfois un peu longues entre deux sites attractifs, n'hésitez pas à emporter vos rollers.
La promenade peut aussi se faire en deux fois : une fois, l'Opéra et les théâtres alentour, avec un peu de shopping dans les grands magasins, situés juste derrière. Une autre fois, le musée Grévin et/ou le Grand Rex et une partie des passages couverts.

LE CLOU DE LA VISITE

Le faste coloré de l'Opéra, la rencontre entre l'histoire et l'actualité au musée Grévin et les coulisses du cinéma aux Étoiles du Rex.

Pour mieux comprendre

La destruction des remparts – À la fin des années 1660, un jour qu'il revient en carrosse de Vincennes, le roi Louis XIV est frappé par le vilain spectacle qu'offrent les fortifications qui ceinturent encore Paris au Nord et à l'Est. Elles sont très délabrées et ont perdu leur utilité depuis ses dernières victoires. On abat sur ses ordres les murailles, on comble les fossés et on aménage une sorte de terrasse surélevée d'où la vue s'étend sur la pleine campagne. L'ensemble forme une belle promenade bordée d'allées plantées d'arbres, où quatre carrosses peuvent rouler de front.

S. Sauvignier / MICHELIN

Au sommet de la façade monumentale de l'Opéra Garnier, Apollon élève sa lyre.

Le boulevard : promenade à la mode – Cette magnifique promenade, finalement appelée « boulevard », devient le grand lieu à la mode. Hôtels particuliers, théâtres, opéras, cafés, restaurants fleurissent tout au long du parcours. Les plus élégants, les plus riches se concentrent dans la partie Ouest, du côté du boulevard des Capucines et des Italiens. C'est là que les « gandins » ou les « dandys » viennent se montrer et se retrouver. C'est le rendez-vous du « chic », d'où partent les modes. À mesure que l'on avance vers l'Est, l'ambiance devient plus populaire. C'est le domaine des théâtres dont l'« esprit boulevardier » ne vise pas à la profondeur, mais éclate en bulles légères.

Les Boulevards des nouveautés – En 1817, l'éclairage au gaz fait sa première apparition dans le passage des Panoramas. Neuf ans plus tard, il s'étend sur les boulevards. Grâce au gaz, la vie nocturne bat son plein. C'est aussi sur les Boulevards qu'en 1828 les badauds voient rouler le premier omnibus, entre la Madeleine et la Bastille. Urinoirs, stations de fiacres, kiosques à journaux, trottoirs asphaltés... C'est sur les Boulevards qu'apparaissent une à une toutes les nouveautés de la ville moderne. C'est là aussi que l'on voit pour la première fois les cafés sortir des tables en terrasse dès que vient le printemps, une coutume sans laquelle Paris ne serait pas Paris...

En avant le spectacle !

Départ M° Opéra. Promenade de 2h à 3h selon le temps accordé aux visites. Prendre la sortie « Place de l'Opéra » vers le Théâtre national de l'Opéra.

Au sortir du métro, arrêtez-vous pour contempler ce grandiose monument qui domine l'activité trépidante de la place de l'Opéra et des Grands Boulevards.

Opéra Garnier★★

☎ 01 40 01 25 40 - www.operadeparis.fr - de mi-Jull. à déb. sept. : 10h-17h ; de déb.-sept. à mi-juil. : 10h-18h (sf spectacle en matinée ou manifestation exceptionnelle, dernière entrée 30mn av. fermeture) - possibilité de visite guidée (1h15mn) des foyers publics et du musée 12h (se présenter dans le hall d'entrée 15mn av.) - fermé 1er janv., 1er Mai et 14 Juil. - 7 € (-10 ans gratuit).

On l'appelle le palais Garnier. Palais pour sa magnificence inspirée en partie de celle du Louvre et de Versailles. Garnier, car c'est l'œuvre de Charles Garnier. Quand il remporta le concours lancé en 1860 par Napoléon III pour la construction d'un nouvel opéra à Paris, ce jeune architecte de 35 ans était encore inconnu. Son projet reposait sur une idée force. Puisque l'opéra est un art riche et exubérant qui réunit théâtre, musique et chant, voire poésie et danse, le bâtiment devait être à son image : riche et exubérant. D'où cette profusion de colonnes, de sculptures et de frises, cette débauche de couleurs, de marbres, de dorures, de peintures, de mosaïques, de bronzes et de cuivres... Garnier voulait que l'architecture et le décor du monument soient un spectacle, un monde de chant et de danse, de fête et de rêve, comme l'art lyrique lui-même...

Les travaux durèrent 13 ans et firent intervenir 71 sculpteurs, des dizaines de peintres et de mosaïstes et toute une armée d'artistes et d'artisans. L'inauguration, en 1875, fut un véritable événement. Un critique alla jusqu'à dire que la somptuosité du cadre effaçait l'intérêt pour ce qui se déroulait sur la scène. Et, de fait, pendant plusieurs mois, les spectateurs se pressèrent à l'opéra pour admirer le monument sans même se soucier du spectacle qui s'y donnait...

À vos jumelles ! Regardez le monument avec un peu de recul, puis approchez-vous pour observer les détails des sculptures. Que vous vouliez ou non faire la visite, entrez ensuite à l'**intérieur**★★★ pour jeter au moins un coup d'œil à la nef du grandiose escalier d'honneur. Comptez les marbres de différentes couleurs, regardez ces statues de femmes qui portent des torchères. La visite libre vous permettra de découvrir le grand foyer dans tout l'éclat de ses miroirs, de ses lustres, de ses peintures et de ses dorures ; la rotonde de la Lune, à la voûte ornée d'oiseaux de nuit, et celle du Soleil ornée de salamandres ; la rotonde du Glacier sur laquelle figurent les diverses

L'Opéra en chiffres

Essaie de deviner... 1 - La superficie du bâtiment ; 2 - Le poids du lustre central ; 3 - Le nombre de personnes pouvant tenir sur la scène ; 4 - Le nombre de personnes employées à l'Opéra ; 5 - Le nombre de spectateurs pouvant tenir dans la salle ; 6 - Le nombre de marbres différents servant à la décoration.

Réponses : 1 - 11 237 m² ; 2 - 8 tonnes ; 3 - Scène pouvant contenir 450 figurants ; 4 - Personnel de près de 1 100 personnes ; 5 - Salle de 2 200 places ; 6 - Plus de 12 couleurs de marbres différentes.

boissons (thé, café, orangeade, champagne...) et la salle de spectacle (avant d'acheter votre billet, vérifiez qu'elle est visible à l'heure de votre visite) dont le plafond peint par Chagall en 1964 reste le clou de la visite.
Pour rendre cette visite plus ludique pour les enfants, procurez-vous la plaquette « Visite du palais Garnier/parcours jeu » (payante).
Si vous optez pour la visite guidée, vous aurez peut-être la chance que le guide vous raconte aussi quelques amusantes anecdotes : celle du célèbre fantôme de l'Opéra imaginé par Gaston Leroux ou d'autres bien réelles comme ces ruches situées sur le toit de l'Opéra ou ce lac souterrain où l'on élève des carpes.
Pensez aussi à faire un tour à la boutique qui vend de ravissants petits livres et coloriages sur le thème de l'opéra.
Si vous désirez assister à un spectacle, sachez que le palais Garnier se consacre désormais essentiellement au ballet et que les spectacles Jeune Public (*demandez le programme à l'accueil*) ont lieu à l'Opéra-Bastille.

Jeu d'observation

1 - En regardant la façade du palais depuis la sortie du métro, que voit-on tout en haut ? Celui qui trouve la réponse gagne 10 pts (réponse : une statue d'Apollon, dieu de la Musique et de la Poésie pour les Anciens ; il tient à la main une lyre, symbole de l'inspiration).
2 - Le palais Garnier est sous le signe de la lyre. Chaque lyre repérée sur le monument vaut 2 pts.
3 - En s'approchant de la façade, combien de noms et de bustes ou de médaillons de musicien peut-on voir ? Le premier qui trouve Mozart, Beethoven et Bach gagne 10 pts.
Le gagnant doit maintenant imiter Apollon tout en haut du toit de l'Opéra...

En sortant de l'Opéra, descendre les marches vers la droite pour aller traverser la rue Auber et la remonter vers la droite, puis tourner à gauche rue Scribe. Entrez au musée du Parfum, ouvert par le célèbre parfumeur de Grasse, Fragonard, qui a, d'ailleurs, une autre antenne boulevard des Capucines. L'entrée étant libre, rien ne vous empêche d'y passer juste 5mn pour le plaisir de l'œil.

Musée de la Parfumerie Fragonard

9 r. Scribe - ✆ 01 47 42 04 56 - www.fragonard.com - de mi-mars à mi-oct. : 9h-17h30, dim. 9h30-15h30 ; de mi-déc. à mi-janv. : tlj sf dim. 9h-17h30 - possibilité de visite guidée 9h-18h - fermé de mi-janv. à mi-mars et de mi-oct. à mi-déc. - gratuit.

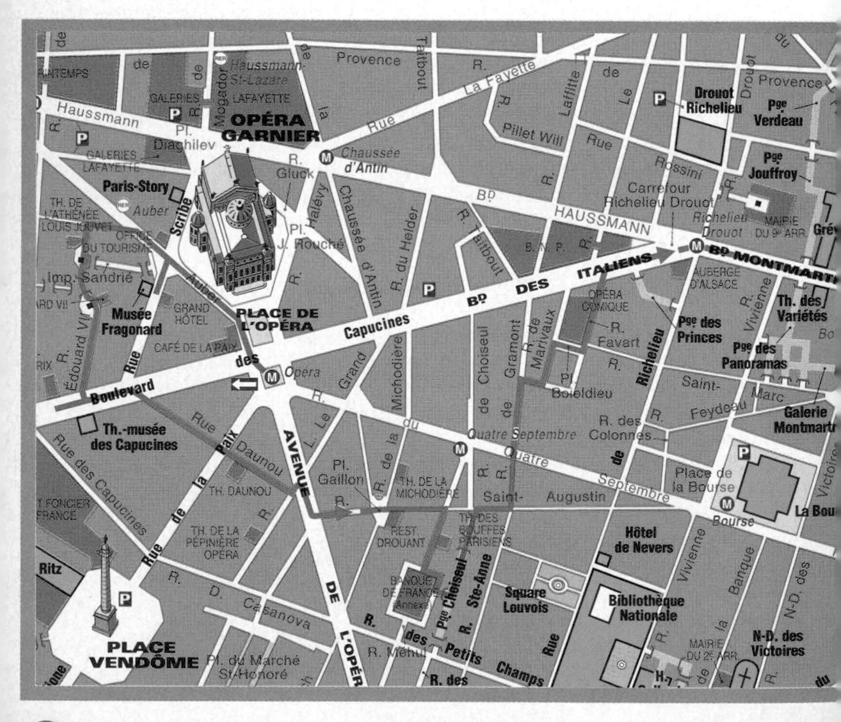

Dans un hôtel du 19e s., l'évocation de la fabrication du parfum à Grasse et une très belle collection de flacons anciens. Jolie plaque en céramique au bas de l'escalier représentant « le marchand de parfums ».

Rebrousser chemin pour prendre la rue Auber à gauche, puis la rue Boudreau et la rue Jouvet.

Îlot Édouard-VII

Vous voilà dans l'îlot Édouard-VII, un ensemble de petites rues et de placettes à l'italienne. On se croirait dans un décor de théâtre. D'ailleurs, en voici des théâtres...
L'**Athénée Théâtre Louis-Jouvet** (jolie verrière de la fin du 19e s.) porte le nom de Louis Jouvet, un illustre comédien qui fut aussi machiniste, costumier, peintre et éclairagiste avant de diriger l'Athénée de 1934 jusqu'à sa mort, en 1951, en pleine répétition.
Construit en 1913 pour le roi d'Angleterre, l'**Édouard-VII** oscilla à ses débuts entre théâtre et cinéma. Il accueillit un temps le Kinémacolor élaboré par Charles Urban, un pionnier du cinéma. L'un de ses directeurs fut Sacha Guitry, auteur célèbre pour l'humour acide de ses mots d'esprit.

Suivre la rue Édouard-VII pour rejoindre le boulevard des Capucines.

À quelques pas sur la droite se dresse l'**Olympia**. Inauguré en 1893 par la chanteuse La Goulue, cette salle mythique a vu défiler tous les grands de la chanson et du spectacle. Depuis Maurice Chevalier jusqu'à Johnny Hallyday, les Rolling Stones ou Patricia Kaas en passant par Bécaud, Piaf, Brassens, Brel et Charles Aznavour. Lors du concert des Beatles en 1964, leurs fans cassèrent 300 fauteuils. Menacé de disparition dans les années 1990 par suite de la réhabilitation de l'îlot Édouard-VII, l'Olympia fut reconstruit à l'identique un peu plus loin sur le boulevard !
Si, arrivé ici, vous avez envie d'une petite pause douceur ou de provisions de bouche, la **Maison du chocolat** n'est pas loin *(voir le Carnet d'adresses)*.

Revenez sur vos pas et traversez le boulevard des Capucines, en face de l'Olympia, vous verrez l'autre antenne du musée du Parfum Fragonard (voir plus haut).

Théâtre-musée des Capucines

39 bd des Capucines - ✆ 01 42 60 37 14 - www.fragonard.com - visite guidée tlj sf dim. 9h-18h - gratuit.
Encore un musée du Parfum ! L'attrait de celui-ci ? Il occupe l'ancien théâtre des Capucines construit en 1895. Et son usine de parfumerie miniature du 19e s. permet de comprendre comment sont extraites les matières premières.

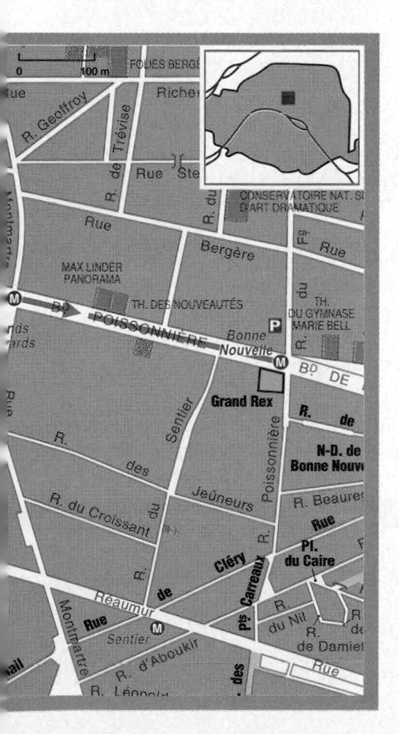

Continuer le boulevard des Capucines en direction de l'Opéra et tourner à droite rue Daunou. On croise la rue de la Paix, dont la cote au Monopoly est liée à la présence des grands joailliers et à la proximité de la place Vendôme.

Au nº 7, voilà encore un théâtre ! Le **théâtre Daunou**, créé en 1920, est spécialisé dans les « pièces du Boulevard » où un Louis de Funès pouvait déployer tout son talent comique.

Après avoir croisé la rue Louis-le-Grand où se niche le théâtre de La Pépinière-Opéra, traverser l'avenue de l'Opéra★. Cette voie prestigieuse voulue par Napoléon III relie le Louvre et l'Opéra (profitez du recul pour le regarder à nouveau).

Prendre la rue Saint-Augustin. On croise la rue de La Michodière, dans laquelle se trouve le théâtre du même nom, avant de déboucher place Gaillon.

Place Gaillon

Cette jolie petite place agrémentée d'une fontaine qui lui donne des airs de piazza romaine se donne souvent en spectacle. Elle abrite en effet un temple sacré des Lettres : le **restaurant Drouant** où depuis

1914 se réunissent chaque automne les jurés qui décernent le prix Goncourt, l'un des prix littéraires les plus réputés. Il a notamment récompensé Marcel Proust, Simone de Beauvoir, Romain Gary, Julien Gracq et Tahar Ben Jelloun… En face, le restaurant Fontaine Gaillon fait aussi beaucoup parler de lui depuis qu'il est aux mains de Carole Bouquet et Gérard Depardieu.

Continuer la rue Saint-Augustin puis tourner à droite dans la rue Monsigny.

Théâtre des Bouffes-Parisiens

Ouvert dès 1826, ce théâtre mettait en scène un magicien assisté d'enfants, mais dut fermer boutique en 1846 lorsqu'il fut interdit de faire travailler les mineurs de moins de 15 ans. Il reprit vie quelques années plus tard avec Offenbach dont les opérettes reflétaient la joie de vivre au second Empire

Tourner à gauche dans la rue Dalavrac puis deux fois à gauche pour remonter le passage Choiseul. Prendre à droite la rue Saint-Augustin, puis à gauche la rue de Gramont, à droite la rue de Grétry et à gauche la rue Marivaux pour déboucher à droite sur la place Boieldieu. Ouf, vous voilà hors du labyrinthe !

Opéra-Comique-Salle Favart

Sa façade tourne le dos au boulevard des Italiens. Pourquoi ? Parce que lors de sa construction, en 1783, cette salle était destinée à abriter le Théâtre royal italien, l'une des deux grandes troupes soutenues par le roi. Et, par conséquent, elle ne devait surtout pas être confondue avec les salles de spectacle des Grands Boulevards où se jouaient mélodrames et farces. Détruit à plusieurs reprises par un incendie, ce théâtre, devenu l'Opéra-Comique en 1801, fut reconstruit en 1898. Son actuel directeur est un amoureux de la « comédie musicale qui swingue » : Jérôme Savary.

Contourner le théâtre pour prendre la rue Favart qui débouche sur les Grands Boulevards que vous suivrez vers la droite.

Boulevard des Italiens

Ce boulevard doit son nom aux acteurs italiens qui animaient le théâtre que nous venons de voir. Difficile d'imaginer l'animation et l'élégance qui régnaient ici au 19e s. « Restaurants, cafés, théâtres, bains, maisons de jeu, tout s'y presse ; on a cent pas à faire, l'univers est là », écrivait Musset. Tous les dandys de l'époque venaient y parader, se retrouver au café Riche ou au café Hardu, déguster des glaces à l'italienne chez Tortoni… La guerre de 1914 mit fin à cette mode. Le seul survivant de cette époque reste le Café de la Paix, place de l'Opéra. Grands restaurants et beaux hôtels abritent aujourd'hui les sièges de grandes banques et le spectacle se cache surtout dans les nombreuses salles de cinéma. Mais c'est encore dans ce coin-là, au Golf Drouot, près du carrefour Richelieu-Drouot, que se lancèrent dans les années 1960 Eddy Mitchell ou Sylvie Vartan.

Sur la droite, le **passage des Princes** (nos 3-5), entièrement rénové, abrite le village JouéClub, vaste magasin de jouets réparti en huit univers différents.

Les Boulevards du cinéma

Dès 1799, le passage des Panoramas lance une nouvelle attraction, lointain ancêtre du cinéma : le panorama, un tableau panoramique peint sur un mur circulaire. La première projection du cinématographe Lumière a lieu en 1895, au Grand Café, boulevard des Capucines. Le premier film parlant, *Le Chanteur de jazz*, est projeté en 1929 au cinéma Auber, boulevard des Italiens. Depuis lors, les grandes salles de cinéma n'ont cessé de se développer sur les Grands Boulevards. Même la Cinémathèque française s'est installée (temporairement du moins) au n° 42 boulevard Bonne-Nouvelle. Mais les plus vénérables cinémas des boulevards restent le Max-Linder et le Grand Rex.

Boulevard Montmartre

Particulièrement animé, ce boulevard regorge de restaurants et de boutiques. Les principaux vestiges de sa grande époque sont les **passages Jouffroy** et **des Panoramas** *(voir la promenade Passages couverts)* et le **théâtre des Variétés** (n° 7) fondé en 1807. Le Tout-Paris y accourait pour voir les pièces d'Alexandre Dumas ou les opérettes d'Offenbach. C'est un des lieux souvent évoqués par Zola dans *Nana*. Dirigé depuis 1991 par le comédien Jean-Paul Belmondo, ce théâtre au décor à la grecque perpétue la grande tradition du théâtre du Boulevard avec des pièces telles que *Le Dîner de cons* de Francis Veber.

Une pause s'impose sans doute : selon vos goûts et l'âge des enfants, vous choisirez l'un des salons de thé tranquilles des passages couverts *(voir la promenade Passages couverts)*, le charme rétro du bouillon Chartier *(voir le Carnet d'adresses)* ou le Hard Rock Café, antre des fans du rock.

Puis vient le temps de la plongée dans ces deux temples du spectacle que sont le musée Grévin, voisin, et le Grand Rex tout au bout du boulevard Poissonnière.

Grévin★

10 bd Montmartre. ✆ 01 47 70 85 05 - www.grevin.com - ♿- 10h-18h30, w.-end, j. fériés et vac. scol. 10h-19h (dernière entrée 1h av. fermeture) - visites contées (7-12 ans) sur réserv. hors vac. scol. : merc., sam., dim. 14h30 - fermé du 3 au 7 janv. - 17 € (6-14 ans 10 €, visites contées 15 €).

En 1881, à une époque où la télé n'existe pas et la photo à peine encore, Arthur Meyer, directeur du quotidien *Le Gaulois*, a l'idée de présenter à ses contemporains les célébrités qui font la une de son journal sous forme de statues de cire grandeur nature. Pour mener à bien ce projet, il fait appel à Alfred Grévin, à la fois sculpteur, humoriste et créateur de costumes. Le succès est immédiat. Vers 1900, Grévin rachète de nouveaux décors : un théâtre à l'italienne et le palais des Mirages créé pour l'Exposition universelle de 1900. Depuis lors, le succès ne se dément pas.

Les scènes d'histoire sont nombreuses : Jeanne d'Arc au bûcher, Louis XIV à Versailles, l'assassinat d'Henri IV, mais aussi : Le premier pas sur la Lune, l'effondrement du mur de Berlin…

Mais Grévin fait aussi la part belle à l'actualité : rendez-vous à l'Élysée en compagnie de nombreux chefs d'État (Chirac, la reine Élisabeth II, Bush,...), à un cocktail où vous croiserez Julia Roberts et Bruce Willis…, à un défilé de mode avec Andie Mac Dowell, Christian Dior et Claudia Schiffer, à une séance photo aux côtés d'Amélie Mauresmo, Fabien Barthez et Michael Schumacher. Les personnalités se renouvellent à mesure de l'ascension ou du déclin de leur étoile. Plus de 2 000 personnalités de cire se sont succédé depuis l'ouverture, des centaines dorment dans les réserves. Sur les 300 célébrités présentes actuellement à Grévin, 80 sont nouvelles, parmi lesquelles Sean Connery, Henri Salvador (on l'entend même rire !), Naomi Campbell ou Jean-Paul Gaultier…

Entièrement transformé en 2001, Grévin propose un nouveau circuit de visite, plus libre et plus vivant, qui permet aux visiteurs d'évoluer au milieu de leurs idoles et de se faire photographier à leur côté. En fin de visite, un nouveau « **parcours découverte** » conçu pour les 7-12 ans (il risque fort d'intéresser aussi les parents) révèle les secrets de la fabrications des célébrités de cire. Jeux questions/réponse, vidéo, textes et manipulation à l'aveugle de matériaux (cire, résine, yeux, cheveux, tissus…) : les enfants peuvent enfin toucher et apprendre en s'amusant !

Suivre le boulevard Poissonnière où l'animation est moindre, sauf à hauteur du Grand Rex.

Cinéma Max-Linder-Panorama

Accolé au théâtre des Nouveautés, c'est l'un des plus anciens cinémas de Paris. Il fut ouvert en 1912 sous le nom de Kosmorama. L'année 1913, il ne projeta que des actualités en tant que Pathé-Journal, avant d'être repris par le plus célèbre acteur comique de l'époque : Max Linder.

Le Grand Rex★

Inauguré en décembre 1932, ce cinéma vaut une visite à lui seul : plafond en forme de ciel étoilé, décor insolite de minarets et de palais. Célèbre pour les dessins animés de Walt Disney et les comédies musicales qui font le bonheur de tous depuis des décennies, il l'est aussi, à l'époque de Noël, pour sa féerie des eaux, véritable son et lumière avec des jets d'eau et pour la rituelle avant-première du dernier dessin animé.

Les Étoiles du Rex proposent dans les coulisses du Rex un voyage dans l'univers du cinéma… du tournage à la projection. Ne pas manquer l'étage des effets spéciaux. *Horaires, prix : se renseigner auprès du cinéma.*

Pour redescendre des étoiles et rentrer, vous pourrez reprendre le métro à la station Bonne-Nouvelle.

Ph. Gajic / MICHELIN

Le Grand Rex, un cinéma prestigieux des Grands Boulevards.

Et s'il pleut ?

Paris-Story

11 bis r. Scribe. M° Opéra. ✆ 01 42 66 62 06 - www.exploreparis.fr - ♿ - 9h-19h (ttes les heures) - 10€ (enf. 6€).
Paris, de Lutèce à nos jours, sur grand écran panoramique, vue à travers son histoire et ses monuments évoqués par le personnage de Victor Hugo.

Carnet d'adresses

PAUSE DÉJEUNER

Chartier – *7 r. du Faubourg-Montmartre - 9e arr. - M° Grands-Boulevards ✆ 01 47 70 86 29 - ⊭ - 14/22 €.* Pour faire un repas à prix doux, mais surtout pour découvrir l'ambiance de ces restaurants bon marché d'autrefois qu'on appelait des « bouillons ». Le décor n'a pas changé depuis sa création en 1896, avec sa grande verrière, ses boiseries, ses porte-bagages de cuivre et ses casiers pour ranger les serviettes des habitués.

Le J'Go – *4 r. Drouot - 9e arr. - M° Richelieu-Drouot - ✆ 01 40 22 09 09 - fermé dim. – 15/30 €.* La carte de ce bistrot rend hommage à la cuisine d'Huguette, la maman du patron. Ce dernier a quitté son Gers natal pour régaler les Parisiens des bonnes saveurs de son enfance. Jambon cru, terrine, agneau fermier, poulet-frites, gigot à la broche, cassoulet : alléché ? Côté décor, on joue la carte de la sobriété : bois clair et grandes étagères faisant office de cave à vins.

PAUSE QUATRE-HEURES

Au Panetier – *10 pl. des Petits-Pères - 2e arr. - M° Bourse - ✆ 01 42 60 90 23 - tlj sf w.-end 8h15-19h15 - fermé juil. ou août et w.-end.* Cette boulangerie compte plus de 150 ans de bons et loyaux services. Son décor classé fut composé entre 1880 et 1896. Plus de 20 pains, dont le pavé des Petits-Pères à base de céréales écrasées à la meule, sortent cuits à point de l'un des trois derniers fours à bois de la capitale encore en activité. Tartes au chocolat et « pommes paille » sont délicieuses aussi.

PAUSE ACHATS

Blagues city idées stores – *1 bd St-Denis - 3e arr. - M° Réaumur-Sébastopol - ✆ 01 42 72 94 95 - tlj sf dim. 9h-19h.* Masques, cotillons, serpentins, farces et attrapes, etc. : la vitrine annonce la couleur ! Vous trouverez dans cette boutique tous les articles traditionnels qui agrémenteront une fête privée. Également, location de costumes, perruques et accessoires de déguisements.

La Maison du Chocolat – *8 bd de la Madeleine - 9e arr. - M° Madeleine - ✆ 01 47 42 86 52 - www.lamaisonduchocolat.com.* La Maison du Chocolat est parfaite pour faire une pause. Il n'y a qu'à s'offrir un chocolat chaud accompagné d'un brownie ou d'une charlotte pour comprendre que l'adresse mérite qu'on s'y arrête. Voici pêle-mêle quelques douceurs auxquelles vous ne pourrez pas résister : le Bacchus, ganache aux raisins flambés au rhum, le Salvador parfumé à la pulpe de framboise, l'Arneguy aux agrumes, l'Anastasia praliné gianduja… C'est plus que vous ne pouvez en supporter ?

Les passages couverts 14

Plongée dans un monde clos et mystérieux

ATLAS MICHELIN PARIS N° 56 (P. 20 ET 32) ET N° 57 (P. 4-5), REPÈRES F14, G13-14, H13-9E, 2E ET 1ER ARR.

Une balade à travers Paris à l'abri de la pluie et du bruit des voitures… Ça n'existe pas, pensez-vous ? Et pourtant si ! Il suffit de suivre une enfilade de passages couverts apparus à l'aube du 19e s. pour la plus grande joie des promeneurs : vous voilà soudain plongé dans un monde clos et mystérieux au charme suranné qui vous entraîne du haut des Grands Boulevards jusqu'au jardin du Palais-Royal, voire au-delà, si vous y prenez goût.

POINT DE DÉPART

En **métro** : ligne 7, station Le Peletier.
En **bus** : lignes 42, 67, 74 et 85, arrêt Le Peletier.
À proximité, vous pouvez suivre la promenade 13, Les Grands Boulevards.

POUR LES PETITS MALINS

L'enfilade de passages couverts étant presque continue, la promenade est agréable par tous les temps. Ces passages offrent deux ambiances contrastées. Côté Grands Boulevards, ils ont parfois des allures de souk. Côté Palais-Royal, ils ont plutôt des allures de salons. Quant au passage des Princes, il ne présente guère d'autre intérêt que les boutiques de jouets auxquelles il est presque exclusivement consacré. Il est d'ailleurs fermé le dimanche. Si vous ne voulez pas y aller, prenez directement la rue Vivienne sur la gauche en sortant du passage des Variétés pour rejoindre la promenade au niveau de la Bourse.

LE CLOU DE LA VISITE

La boutique Pain d'épice, passage Jouffroy : un fascinant univers de maisons de poupées.

Pour mieux comprendre

La boue et les embarras de Paris – À la fin du 18e s., ce n'est pas drôle de marcher dans Paris. À tout instant, on risque de trébucher sur les pavés inégaux ou de se faire renverser par les carrosses et les carrioles qui encombrent les rues.
Les trottoirs n'existent pas. Et les égouts non plus. Dès qu'il pleut, on patauge dans une mare de boue. Avec le tintamarre, la promenade se transforme facilement en cauchemar.

Une invention géniale : les passages couverts – Dès 1780, le duc d'Orléans, qui ne manque pas d'audace mais souvent d'argent, lance la construction de galeries couvertes bordées de boutiques autour de son jardin du Palais-Royal.
Le succès est immense : les badauds peuvent enfin flâner à leur aise à l'abri des intempéries et des périls de la rue. Mondains, militaires, oisifs ou filles légères, tout le monde s'y presse. La mode est lancée, elle va faire fureur. Entre 1791 et 1850, environ 150 passages couverts seront créés. Les « nouveaux riches » rachètent les terrains confisqués par la Révolution pour percer de nouvelles galeries longées par toutes sortes de commerces, comme dans les souks arabes. Certaines s'ouvrent à proximité d'un terminus de diligences de la poste pour attirer la clientèle de voyageurs. Mais leur élégance les apparente aussi

P. Jausserand / MICHELIN

Passage Véro-Dodat, arrêtez-vous devant les belles boutiques.

à des salons. Ornés de miroirs, de colonnes antiques, de mosaïques sur le sol, baignées par la douce lumière qui tombe des verrières ou, le soir, par les mille feux des lampes à gaz (une invention nouvelle), ces passages offrent un monde à part, un monde féerique. Aux côtés des boutiques de « nouveautés » s'ouvrent des cafés, des cabinets de lecture (sortes de bibliothèques), des salons littéraires et des salles de jeu. Les passages sont les grands lieux de promenade et de rendez-vous.

Une mode passée... au charme retrouvé – La construction des grandes gares et le percement de larges avenues bordées de trottoirs, sous l'ère du baron Haussmann (1852-1870), sonnent la fin des passages couverts. L'apparition des grands magasins finit de détourner les chalands de ces galeries un peu démodées, et parfois aussi, il faut l'avouer, fort mal fréquentées. Elles sont laissées à l'abandon ou carrément rasées. Sur les 150 passages couverts existant vers 1850, il n'en existe plus qu'une vingtaine aujourd'hui, souvent assez délabrés. Mais depuis quelques décennies, on redécouvre leur charme. Certains ont ainsi retrouvé leur splendeur d'antan et attirent aujourd'hui des commerces de luxe.

Le « jardin de la Révolution »

C'est du Palais-Royal que partent les premiers mouvements révolutionnaires. Quand il appelle le peuple aux armes, le 12 juillet 1789, Camille Desmoulins harangue la foule debout sur une table devant le célèbre café de Foy. C'est avec des feuilles de marronniers du jardin qu'il confectionne les premières cocardes. En 1793, le duc d'Orléans se fera appeler « Philippe Égalité », le Palais-Royal deviendra le « Palais-Égalité ».

Entre souks et salons

Départ M° Le Peletier. Environ 2h de promenade. Descendre la rue La Fayette pour tourner ensuite à droite dans la rue du Faubourg-Montmartre.

Au n° 35, vous apercevez la plus vieille confiserie de Paris, **À la Mère de famille** *(voir le Carnet d'adresses)*. Fondée avant la Révolution, elle a conservé son décor 1900. Remarquez la guirlande de fruits gravée sur le verre de la vitrine et l'indication : « Magasin spécial de desserts d'hiver - Fruits secs pour compotes et régimes ». Bocaux de « crottes sauvages », de « folies de l'écureuil », de « petits pois lardons » côtoient pralines roses, bêtises de Cambrai ou madeleines de Commercy. Tout un voyage ! Sans parler des spécialités maison qui feront craquer les enfants : sucettes-personnages en pâte d'amandes ou « pâte du cordonnier », une pâte à tartiner au chocolat et aux noisettes présentée dans une boîte à cirage.

À gauche de la Mère de famille s'ouvre le monde des passages couverts.

Passage Verdeau★

31 bis r. du Faubourg-Montmartre/6 r. de la Grange-Batelière. 7h30-21h, w.-end 20h30.

C'est l'un des derniers passages à avoir été construits, en 1847, avec des structures en fer et de grandes verrières lumineuses, des matériaux très modernes pour l'époque. Peu changé depuis sa création, il a conservé sa grosse horloge qui permettait de faire ses emplettes tout en surveillant l'heure de la diligence. Situé tout près de la salle Drouot (salle de vente aux enchères), il abrite de nombreuses boutiques de « vieilleries » : livres, estampes, appareils photo, sabres, etc. C'est l'occasion de raconter aux enfants comment leurs grands-parents vivaient quand il n'y avait pas la télé : ils lisaient ces *Gédéon*, *Bécassine* ou *Mickey* qu'on voit chez Roland Buret (n° 6), spécialiste des bandes dessinées anciennes. Les fillettes faisaient des ouvrages au point de croix comme en propose encore la mercerie Au Bonheur des dames (n° 8).

Traverser la rue de la Grange-Batelière pour continuer dans le passage Jouffroy.

Passage Jouffroy★

9 r. de la Grange-Batelière/10-12 bd Montmartre. 6h-22h (côté bd Montmartre) ; 7h-21h (côté Grange-Batelière).

C'est le passage le plus animé car il longe le musée Grévin *(voir la promenade 13)*. Dès son ouverture, en 1847, les Parisiens affluèrent dans cette galerie, la première à être chauffée par le sol, qui abritait cafés, restaurants et bazars élégants. Aujourd'hui, elle est bordée d'une succession de boutiques de toutes sortes : livres, gadgets, tuniques orientales, jouets ou miniatures.

Le magasin **Pain d'épice** (aux n°s 29-31-33) mérite à lui seul le détour. C'est le royaume des jouets à l'ancienne, des chevaux de bois, des marionnettes et des ours en peluche à fabriquer soi-même. Mais c'est surtout le paradis des maisons de poupées avec

des milliers d'accessoires pour les construire, les meubler, les décorer, les éclairer et les faire vivre.
Autres cavernes d'Ali Baba, la **Boîte à joujoux** (n° 41) et la **Boîte à doudou** (n° 24) sont également spécialisées dans les maisons de poupées et les miniatures. Attention toutefois ! Les miniatures ne sont pas des jouets pour les tout-petits : ils risquent d'ingérer des pièces. Les passionnés de *Némo*, du *Seigneur des anneaux* ou des vieux westerns iront fouiner chez **Ciné-Doc** (n° 45) qui regorge d'affiches, de photos, de cartes postales et de bouquins sur le cinéma. Et puis pour une pause, le restaurant-salon de thé **Le Valentin** *(voir le Carnet d'adresses)* s'impose.

Traverser le boulevard Montmartre pour continuer dans le passage des Panoramas.

Passage des Panoramas

11 bd Montmartre/10 r. Saint-Marc. 6h30-20h ; 6h30-0h (côté bd Montmartre).
C'est l'un des plus anciens passages de Paris. Il fut créé en 1799 pour faciliter l'accès à deux salles de panoramas, sorte d'ancêtre des cinémas. C'était alors la grande attraction à la mode qui venait d'arriver de Londres. Les spectateurs se plaçaient au centre

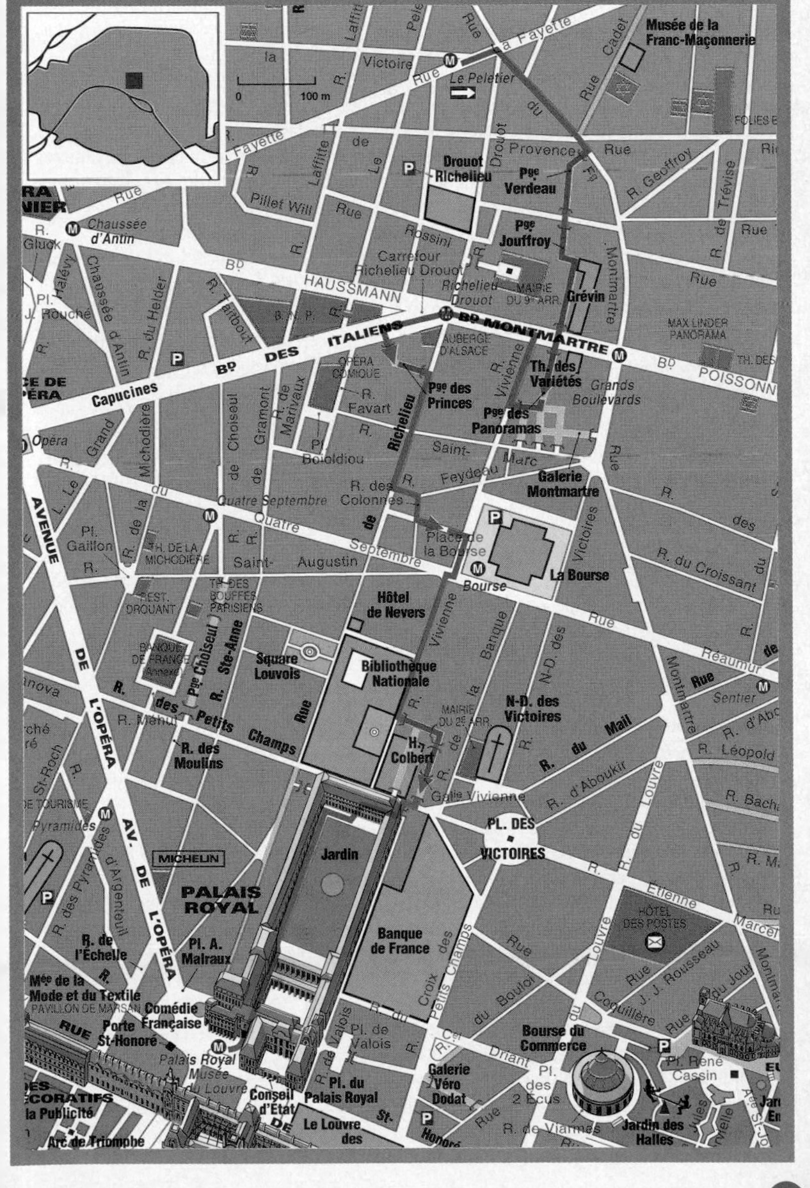

d'une salle ronde dans laquelle étaient présentés de vastes tableaux panoramiques : ils avaient ainsi le sentiment de « voyager ».
La mode des panoramas passa, les salles furent démolies. Mais le passage conserva sa splendeur. Dans *Nana*, Émile Zola décrit l'ambiance de luxe qu'il y régnait en 1880 : « Il y avait là une cohue, un défilé [...] l'or des bijoutiers, les cristaux de confiseurs, les soies claires des modistes flambaient, derrière la pureté des glaces, dans le coup de lumière crue des réflecteurs... ».
Difficile aujourd'hui d'imaginer ce luxe à la vue des boutiques tristounettes, grignotées peu à peu par les sandwicheries. Mais le salon de thé **L'Arbre à cannelle** *(voir le Carnet d'adresses)*, installé dans l'ancien magasin du chocolatier Marquis, vaut encore le coup d'œil. De même que la boutique du **graveur Stern★** (n° 43) aux tentures et boiseries intactes depuis le milieu du 19e s.

À l'angle du magasin Stern, prendre à droite le passage des Variétés, puis à droite encore la rue Vivienne pour rejoindre le boulevard Montmartre. Tourner à gauche pour suivre les Grands Boulevards jusqu'à l'entrée du passage des Princes.

Passage des Princes

3-5 bd des Italiens/97-99 r. de Richelieu. Tlj sf dim. 8h-20h.

Construit sous Napoléon III (1860), c'est le dernier-né des passages couverts parisiens du 19e s. Baudelaire le fréquenta lorsqu'il se rendait dans les locaux de la *Revue fantaisiste*. Dans les années 1990, il a été entièrement reconstruit avec des éléments anciens. Malgré sa jolie **verrière**, il y règne une atmosphère artificielle qui n'a plus rien à voir avec le charme désuet des autres vieux passages. Depuis 2002, le **Village JouéClub** s'y est installé : le passage des Princes est devenu le passage des enfants. Maison de poupées, Maison Lego, Maison des tout-petits, Maison de la fête, Maison des jeux éducatifs et créatifs, Côté jardin, etc. : une dizaine de boutiques thématiques réparties sur 2 000 m^2 en font le plus grand magasin de jouets de Paris. Vaste choix, prix raisonnables, mais rien de très original.
Un coiffeur pour enfants (il coiffe aussi les parents) occupe également les lieux : **Coup'Kid** (nos 3-5). Dans un décor tout en couleur, petits ou grands regardent un dessin animé ou jouent à un jeu vidéo en se faisant coiffer : calme assuré !

Sortir du passage par la rue de Richelieu et descendre cette rue sur la droite, tourner dans la 2e rue à gauche, la rue Feydeau, puis à droite dans la rue des Colonnes, étonnante rue à arcades construite sous la Révolution. Prendre à gauche la rue de la Bourse.

Palais de la Bourse

Voilà le temple du dieu Argent, la Bourse de Paris, le cœur de ce quartier où abondent les banques. Cet imposant monument entouré de 64 colonnes fut construit à partir de 1808 par Brongniart (d'où son nom de palais Brongniart) sur ordre de Napoléon Ier. L'Empereur voulait qu'il ressemble à un temple antique à la gloire du capitalisme et de l'Empire. C'est plutôt réussi !
Longtemps, les ordres d'achat et de vente des valeurs se passèrent à la criée dans la salle de la Corbeille. Mais depuis la fin des années 1980, la cotation se fait en continu grâce à des systèmes informatiques.

Tourner à droite dans la rue Vivienne. L'entrée de la galerie Vivienne se situe sur la gauche, en face de la Bibliothèque nationale.

Galerie Vivienne★★

6 r. Vivienne/4 r. des Petits-Champs/5 r. de la Banque. 8h-20h30.

La plus élégante des galeries, c'est elle. Elle fut construite en 1823 pour relier les galeries du Palais-Royal, un peu sur le déclin, aux quartiers d'affaires proches de la Bourse, alors en plein essor. Entièrement rénovée, elle abrite aujourd'hui des boutiques raffinées telles que celle du couturier Jean-Paul Gaultier (installée dans les anciennes écuries du Palais-Royal) ou d'Emilio Robba (nos 19-33), qui réalise d'étonnantes compositions de fleurs artificielles. Au fil des salles, guettez les nymphes et déesses qui courent le long des murs et suivez les arabesques de mosaïques dessinées sur le sol par l'Italien Facchina. Ne se croirait-on pas dans un salon ?
Jetez un œil au monumental **escalier★** du n° 13 qui menait chez Vidocq, le prince des bagnards devenu policier.
Amusez-vous devant les créations insolites de **Quand les belettes s'en mêlent** (n° 24). Mais faites surtout un tour à **Si tu veux** (n° 68), une charmante boutique de jouets. Elle propose une foule de petits cadeaux pas chers et originaux et des kits complets pour faire la fête avec fiches de jeux, des idées recettes et déco, des ballons et mirlitons, des petits cadeaux pour les copains, etc. Reste à choisir le thème préféré : « Fête au château », « Bienvenue dans la maison hantée », « La Boum » ou

« Sirènes et pirates ». Puis, en rêvant à la fête, vous pourrez prolonger la flânerie en savourant un délicieux chocolat chaud ou un menu enfant chez **À Priori Thé** *(voir le Carnet d'adresses)*.

Prendre le minuscule passage des Pavillons (5 r. des Petits-Champs/6 r. de Beaujolais), descendre les escaliers jusqu'à la rue de Beaujolais, puis passer sous les immeubles pour accéder au jardin du Palais-Royal.

Galeries et jardin du Palais-Royal★★

Avr.-mai : 7h-22h15 ; juin-août : 7h-23h ; sept. : 7h-21h30 ; oct.-mars : 7h30-20h30. Plan du jardin à chaque entrée. Ballons et rollers interdits. Visite guidée gratuite sur RV au 01 47 03 92 16 (dép. devant l'accueil surveillance galerie de Chartres). Brochure gratuite sur la visite du Palais-Royal remise au poste d'acceuil et de surveillance.

Le calme qui règne aujourd'hui sous ces élégantes arcades et dans ce jardin ne laisse pas soupçonner qu'à la fin du 18e s. et au début du 19e s. ce fut le lieu le plus animé de Paris.

L'ancien palais du cardinal de Richelieu, devenu le Palais-Royal quand Anne d'Autriche s'y installa avec le jeune Louis XIV, devint une véritable cité dans la ville quand le duc d'Orléans fit construire des maisons et des galeries bordées de boutiques autour de son jardin. Il espérait ainsi combler ses dettes.

En 1786, trois des côtés sont achevés sur les plans de l'architecte Victor Louis. Ce sont ces belles galeries à arcades qui portent les noms des fils du duc d'Orléans : Valois, Montpensier et Beaujolais. Mais faute d'argent, le duc doit interrompre les travaux sur le corps de logis entre cour et jardin. Qu'à cela ne tienne, il fait bâtir à la place une galerie de bois où il loue des emplacements à toutes sortes de commerces. Beau monde et mauvais sujets, tout le monde se presse au Palais-Royal. Les Parisiens affluent pour admirer les vitrines des boutiques de luxe ou voir les attractions à la mode : ombres chinoises, cabinet de figures de cire, salle d'illusions d'optique.

Mais ce lieu privé où la police n'a pas accès abrite aussi des salons littéraires, des clubs politiques, des tripots et des cabarets. Mondanités, bagarres, jeux, harangues ou débauche : il y règne une animation incroyable. C'est « le cœur battant de Paris ».

En 1829, une somptueuse galerie en verre et en fer, la galerie d'Orléans, remplace les galeries de bois. Mais la fermeture des maisons de jeu, en 1838, entraînera le déclin du lieu.

Sous les arcades – De la somptueuse galerie d'Orléans, il ne reste qu'une double colonnade entre la cour d'honneur et le jardin. La galerie de Valois *(en face vers la gauche quand on arrive par le passage du Pavillon)* abrite nombre de boutiques précieuses tels les Salons du Palais-Royal Shiseido (n° 142) aux mystérieux parfums. Mais les galeries de Beaujolais et de Montpensier *(sur la droite)* présentent davantage d'attraits pour les enfants, en particulier la petite vitrine d'**Anna Joliet** *(galerie de Beaujolais)*, spécialisée dans les boîtes à musique, et celle de la **Boutique du Palais-Royal** *(galerie de Beaujolais)*, un magasin de jouets plein de charme avec ses jolies peluches et poupées à l'ancienne, ses marionnettes ou ses veilleuses faites à la main.

Ne manquez pas non plus de jeter un coup d'œil au décor du restaurant le **Grand Véfour** *(79-82 galerie de Beaujolais)*, installé dans l'ancien café de Chartres (18e s.), et aux boutiques de **décorations et médailles** (Bacqueville) ou de **soldats de plomb** (Drapeaux de France) de la galerie Montpensier.

Détectives, à vous de jouer !

Dans l'enceinte du Palais-Royal, on peut voir différents éléments plus ou moins insolites. Peux-tu les retrouver et expliquer leur présence ?

1 - Un canon ; 2 - Une colonne sur laquelle les gens jettent des pièces ; 3 - Des miroirs déformants.

Réponses :

1 - Un petit canon en cuivre trône au centre du jardin, sur la ligne du méridien de Paris. Il rappelle le canon-chronomètre qui tonnait à midi précis pour donner l'heure aux passants. Offert par l'horloger Rousseau en 1786, ce canon resta en place jusqu'en 1914.

2 - Dans la cour, l'une des « colonnes de Buren » entourée d'un grillage semble plonger au fond d'un puits. De nombreux promeneurs formulent un vœu en lançant une pièce sur cette colonne. C'est le seul endroit où l'on puisse voir la rivière souterraine qui constitue la fontaine.

3 - Les sphères d'acier qui flottent sur l'eau des deux fontaines proches de la colonnade font de merveilleux miroirs déformants. Regarde comment le palais se reflète dans le métal poli… Appelées *Les Sphérades*, ces fontaines du sculpteur belge Pol-Bury datent de 1985.

L'été, vous pourrez laisser vos enfants jouer en les surveillant depuis la terrasse du restaurant-salon de thé **Muscade** *(67 galerie Montpensier)*.

Le jardin★★ et les jeux – Un bac à sable, un bassin, quelques chaises et bancs dans les « salons de verdure » ou à l'ombre des tilleuls, le jardin du Palais-Royal est surtout un havre de calme. Mais curieusement, l'attraction qui a le plus de succès, ce sont les parties de chat perché sur les « **colonnes de Buren** ». Ne le répétez pas : c'est juste une tolérance car ces colonnes rayées noir et blanc n'ont rien officiellement d'un terrain d'aventure. C'est la partie visible d'une fontaine intitulée les *Deux Plateaux*, œuvre d'un artiste français minimaliste, Daniel Buren. Son implantation dans ce site historique dans les années 1980 fit d'ailleurs l'objet d'une virulente controverse...

J.-P. Clapham / MICHELIN

Aux colonnades du 19e, répondent les étranges colonnes coupées de Daniel Buren.

Suivre la galerie Montpensier pour sortir du Palais-Royal sur la place Colette.

La Comédie-Française

R. de Richelieu. Ce théâtre, qui faisait partie du Palais-Royal, abrite depuis 1791 la troupe des Comédiens français, la plus ancienne du monde. Le seul moyen d'apprécier l'intérieur est d'assister à une représentation ! On peut alors y voir le fauteuil où Molière mourut en scène (en 1673) en jouant *Le Malade imaginaire*.

Gagner le métro Palais-Royal-Musée du Louvre soit par l'entrée Kiosque des noctambules (réservée aux voyageurs munis de billets), soit par l'entrée située place du Palais-Royal.

Kiosque des noctambules

Ces coupoles en perles de verre colorées, qui donnent un air de fête à la bouche de métro située place Colette, sont l'œuvre du sculpteur français Jean-Michel Othoniel, réalisée en 2000 à l'occasion du centenaire du métro.

Un peu de rab ?

Place des Victoires★

Tout à côté de la Banque de France, elle-même à proximité (à l'Est) du Palais-Royal.
Pour se faire bien voir de Louis XIV, le maréchal La Feuillade commanda une statue du roi couronné par la Victoire et écrasant un monstre à trois têtes représentant ses ennemis. Pour lui servir d'écrin, il fit édifier par Jules Hardouin Mansart cette ravissante place circulaire. Ce témoignage de son admiration lui coûta la coquette somme de 7 millions de livres.
La statue en pied, détruite à la Révolution, a été remplacée par une statue équestre en 1822.

Galerie Colbert★★

6 r. des Petits-Champs/4 r. Vivienne.
Parallèle à la galerie Vivienne, ce passage luxueux a failli être démoli, tant il était délabré. Restauré dans les années 1980, il a retrouvé son décor inspiré des villas de Pompéi. Elle servit de dépendance à la Bibliothèque nationale pour des expositions et des conférences. L'auditorium fut installé sous la grande rotonde.
Aujourd'hui, après le transfert des collections d'imprimés et de périodiques à la Bibliothèque François-Mitterrand, les lieux vacants sont investis par l'Institut national de l'histoire de l'art.
Jetez un coup d'œil au décor 1900 de la brasserie du Grand Colbert : on se croirait dans un film.

Galerie Véro-Dodat★★

2 r. du Bouloi/19 r. Jean-Jacques-Rousseau. Sortir du jardin du Palais-Royal par le passage des Fontaines (sous le ministère de la Culture). Traverser la place de Valois et prendre en face la rue de Montesquieu. Tlj sf dim. 7h-22h - fermé j. fériés.
Créée en 1826 par deux charcutiers, Véro et Dodat, cette galerie connut un franc succès grâce à la proximité des Messageries générales : au 19e s., une foule de voyageurs y déambulaient en attendant les diligences.

Elle a conservé une merveilleuse unité avec ses devantures en bois et en cuivre. Un même esprit, assez sophistiqué, semble animer les boutiques.
Plongez-vous dans la mélancolie d'un autre temps dans ce passage souvent très calme, à tort méconnu des Parisiens.

Carnet d'adresses

PAUSE DÉJEUNER

Le Pain quotidien – *33 r. Vivienne - 2e arr. - M° Bourse - 01 42 36 76 02 - 10,40/19 €.* Le concept, exporté de New York à Los Angeles, en passant par Genève, est né en Belgique. Boulangerie, épicerie et salon de thé : c'est du trois en un ! De hautes étagères regorgeant de bons produits tapissent les murs et deux grandes tables d'hôte accueillent les clients. Tartines, assiettes composées et pâtisseries toute la semaine ; brunch le week-end. Service très décontracté.

L'Arbre à Cannelle – *57 passage des Panoramas - 1er arr. - M° Grands-Boulevards - 01 45 08 55 87 - fermé dim. et le soir – 15/28 €.* Cette ancienne chocolaterie aux boiseries Napoléon III, installée dans le passage des Panoramas, abrite un salon de thé. Pour déguster tartes salées ou sucrées, salades, assiettes gourmandes ou plat du jour, préférez la salle ornée d'un plafond à caissons.

PAUSE QUATRE-HEURES

À Priori Thé – *35/37 galerie Vivienne - 2e arr. - M° Bourse ou Palais-Royal - 01 42 97 48 75 - lun.-vend. 9h-18h, sam. 9h-18h30, dim.12h-18h30 - fermé 25 déc. et 1er janv.* Prolongez l'enchantement de votre balade dans la galerie Vivienne en vous installant à la terrasse de ce charmant salon de thé. Sous la verrière du passage ou dans la salle réservée aux non-fumeurs, vous dégusterez de délicieuses pâtisseries maison et, au déjeuner, le plat du jour. Une adresse à fréquenter en priorité...

Muscade – *67 galerie de Montpensier - 1er arr. - M° Bourse ou Palais-Royal - 01 42 97 51 36 - fermé dim. soir et lun.* Un emplacement de rêve l'été, quand les tables sont sorties en terrasse dans le jardin du Palais-Royal. Les gâteaux maison sont la passion de la patronne, Catherine Allain. Chocolat à la cannelle ou à la muscade, chocolat à l'ancienne, glaces, tartes, crumbles, gâteau ou brioche au chocolat..., que demander de plus ?

Le Valentin – *30/32 passage Jouffroy - 1er arr. - M° Grands-Boulevards - 01 47 70 88 50.* Restaurant-salon de thé. Cette maison a inventé un savoureux gâteau de voyage parisien, le Parizi, à base d'amandes, de chocolat, de sablé et de marmelade d'oranges qui se conserve une dizaine de jours. Elle fait aussi de merveilleux masques en chocolat pour le mardi gras, et des sapins pour Noël, aussi beaux que bons.

PAUSE ACHATS

À La Mère de Famille – *35 r. du Faubourg-Montmartre - 9e arr. - M° Le Peletier - 01 47 70 83 69 - ouv. lun. et sam. 10h-19h, mar.-vend. 9h-19h - fermé août.* Pains d'épice, confitures, fruits confits, chocolats et délices de la Mère de Famille trônent dans cette boutique digne des photographies de Doisneau ! Sa remarquable vitrine 1900 s'ouvre sur un carrelage d'époque, de grands tiroirs en bois patiné et un comptoir en marbre blanc où l'on prépare les ballotins.

15 Les Halles

Dans l'ancien « ventre de Paris »

ATLAS MICHELIN PARIS N° 56 (P. 32-33) ET N° 57 (P. 5), REPÈRE H14-15, G14-15 – 1ER ARR.

Pendant des siècles, c'est là que se tenait le grand marché de la capitale. C'est pourquoi on l'appelait le « ventre » de Paris. Aujourd'hui, l'ambiance a changé : boutiques de fringues et cinémas ont remplacé montagnes de choux et caisses de volailles. Un jardin a même été dessiné. Mais le quartier reste grouillant de vie. La balade vous invite sur la piste des marchands d'autrefois et de ceux d'aujourd'hui, avant de vous engouffrer dans le Forum, vaste centre de loisirs et de consommation, ou de vous allonger sur une pelouse pendant que vos petits iront plonger dans la piscine à balles du Jardin des enfants.

POINT DE DÉPART

En **métro** : ligne 1, station Louvre-Rivoli.
En **bus** : lignes 21, 67, 69, 72, 74, 81 et 85, arrêt Louvre-Rivoli.
À proximité, vous pouvez visiter le Louvre (31) ou suivre la promenade à Beaubourg (16).

POUR LES PETITS MALINS

Attention, les travaux de rénovation des Halles sont en cours. Les enfants, ne aventurez pas dans les chantiers.
Si vous voulez visiter la Bourse du commerce, il faut faire la balade en semaine.
Si vous souhaitez accompagner vos petits dans le Jardin des enfants, il faut faire la promenade le samedi matin. On ne peut pas tout avoir à la fois !

LE CLOU DE LA VISITE

La coupole de la Bourse du commerce, sorte d'immense bande dessinée sur l'histoire des échanges commerciaux ; la tour Jean-sans-Peur, pour découvrir la vie quotidienne au 15e s. ; et le Jardin des enfants, un étonnant terrain d'aventure.

Pour mieux comprendre

Un marché historique – Dès le début du 12e s., un marché se tient sur la rive droite de la Seine. Il connaît un tel succès que Philippe Auguste fait construire deux halles, de grands abris en bois pour les marchands. Toutes les ruelles alentour bouillonnent aussi de vie : marchands et artisans, portefaix et clients, chacun s'affaire pour vendre ou acheter un peu de tout car chaque rue a sa spécialité. Au 16e s., il fut réservé aux denrées alimentaires.

Le ventre de Paris – Au fil du temps, le grand marché prolifère de façon anarchique. Au 19e s., Napoléon III fait tracer de grandes rues et construire de nouvelles halles. L'architecte Baltard édifie dix pavillons dont la structure métallique, aux allures de parapluie géant, enthousiasme l'empereur : c'est « le Louvre du peuple », dira-t-il, « une des gloires du Paris moderne », écrira-t-on aussi. Toute la nuit, le marché de gros grouille d'activité. Les « forts des Halles », des grands gaillards, débarquent des piles de cageots ou trimbalent d'énormes quartiers de viande dont le sang macule leur blouse à capuche blanche. Les commères au bagout truculent vantent leurs fleurs ou leurs légumes qui s'accumulent en gigantesques tas colorés. Des fêtards en tenue de soirée viennent s'encanailler en allant manger une soupe à l'oignon, des escargots ou des pieds de porc Au Chien qui fume, Au Pied de cochon ou dans un autre des restaurants de ce pittoresque quartier...

S. Sauvignier / MICHELIN

La rue Montorgueil : on peut y faire son marché tous les jours !

Forum et jardin – Les halles de Baltard deviennent à leur tour trop petites. En 1969, le marché est transféré à Rungis. Les pavillons sont démolis, le quartier perd son activité. Le « trou » laissé par les Halles reste béant : on ne sait trop qu'en faire. Finalement, les années 1980 voient l'aménagement du plus grand centre commercial de Paris, le Forum des Halles, et d'un vaste jardin. Mais ce grand projet n'a pas donné entièrement satisfaction (difficultés d'accès et de circulation, manque de sécurité, espaces inoccupés, etc.) et sont en cours de réaménagement. Dans les rues alentour, boucheries et crémeries ont cédé la place à des magasins de vêtements, des boutiques de déco, des fast-foods ou des cafés branchés. Seuls quelques bistrots aux noms évocateurs et le marché de la rue Montorgueil rappellent encore le « ventre » de Paris.

Alice au pays des marchands

Départ M° Louvre-Rivoli. 2h de promenade. En sortant du métro (la station semble une annexe du Louvre avec ses sculptures et autres objets d'art sous vitrine), traverser la rue de Rivoli pour prendre en face la rue du Louvre.

Repérez au passage Duluc Détectives (n° 18). Les Sherlock Holmes en herbe auront vite fait de trouver la plaque et la spécialité de la maison : enquêtes et filatures.

Prendre à droite la rue A.-Jullien qui mène à la Bourse de commerce.

Bourse de commerce

Tlj sf w.-end 9h-18h - coupole : entrée libre.

Cet édifice circulaire, inauguré en 1889, occupe la place de l'ancienne Halle aux blés dont il a conservé le plan et l'escalier double (18e s.). Il abrite la Chambre de commerce et d'industrie de Paris qui représente les intérêts de tous les commerçants de Paris. Entrez dans la vaste rotonde néo-classique pour admirer la majestueuse **coupole★**. Sous la gigantesque verrière à la délicate armature de fer, une fresque évoque plaisamment l'histoire du commerce autour du monde, sorte de grande bande dessinée qui se déroule sur 1 400 m² ! Vérifiez discrètement l'incroyable écho que renvoie la coupole, puis en avant pour la course des marchands du monde *(voir encadré ci-dessous)*…

La course des marchands du monde

Règle du jeu : chaque indice repéré sur la fresque de la coupole vaut un certain nombre de points. Le premier qui obtient 200 points doit courir se placer sur le rond central de marbre rouge !

Sur les bas-reliefs, qui illustrent les points cardinaux, trouver :

1 - le Sud symbolisé par un lion, image de puissance (5 pts)
2 - l'Est avec le soleil levant et des déesses qui fument le narguilé (5 pts)
3 - le Nord où figure un ours polaire et des sapins de Sibérie (5 pts)

Sur la fresque maintenant, qui voit :

4 - les maharadjahs en train de se pavaner sous un dais ? (10 pts) Ils évoquent l'Inde.
5 - une impératrice de Chine entourée de ses mandarins ? (10 pts) Nous voilà en Asie.
6 - la cérémonie du thé, offert ici par des femmes japonaises à un étranger ? (10 pts)
7 - le drapeau français (15 pts) et les Arabes qui déploient des marchandises sur un tapis (5 pts), allusion à la conquête de l'Algérie par la France et à l'essor du commerce entre les 2 pays ?
8 - la jeune fille qui renverse malencontreusement son panier d'oranges (15 pts), allusion aux Andalous et à l'Espagne ? On est ici dans la zone du Bassin méditerranéen.
9 - les colonnes des sites archéologiques italiens ? (5 pts)
10 - les 2 danseurs napolitains exécutant une tarentelle au pied des colonnes ? (10 pts)
11 - la fumée du volcan Vésuve en arrière-plan ? (15 pts)
12 - les mineurs noircis par le charbon dont l'un porte un chargement en sortant de la mine (vers le bas de la fresque) ? (20 pts) C'est le Nord industriel de la France et l'Angleterre qui sont représentés ici.
13 - le port de Russie ? (10 pts)
14 - le moujik (paysan) agenouillé près d'un samovar pour se réchauffer avec un thé brûlant ? (15 pts)
15 - les riches Lapons reconnaissables à leur habillement ? (5 pts)
16 - les Indiens qui capturent les fauves (15 pts) ? C'est l'univers des westerns !
17 - les colons en tenue blanche qui font du troc avec les Indiens ? (10 pts)
18 - les gauchos d'Argentine qui capturent des buffles lors d'une grande chevauchée ? (15 pts)
19 - Christophe Colomb, celui qui a découvert l'Amérique, apparaît comme un fantôme sur un étrange vaisseau flottant, au milieu des nuages ? (30 pts)

Pour départager les ex æquo : quelle est la hauteur du dôme ? 10, 20, 30 ou 40 m ? Il est aussi haut que Notre-Dame ! (30 m) Que présentait-on dans les petites vitrines autour de la salle ? (des céréales).

En sortant, prendre à gauche la rue de Viarmes, qui fait le tour de la Bourse. Autrefois, cette rue était surnommée la **rue éternelle**. Pourquoi ? Parce qu'en suivant cette rue « sans début ni fin » on tournait éternellement... Sur une grande colonne à cannelures accolée à la Bourse, on aperçoit un médaillon avec une couronne royale. Quelles sont ces initiales entrelacées ? Un H et un C à la mémoire d'Henri II et de Catherine de Médicis. C'est le seul vestige du splendide hôtel que la Reine fit bâtir pour fuir les Tuileries afin d'échapper à une fatale prédiction. Cette colonne dissimule un escalier à vis de 147 marches menant à une plate-forme. C'est là que montait sans doute le mage Ruggieri, que la reine avait fait venir d'Italie pour observer les astres afin de lui prédire sa destinée. Car, à cette époque (17e s.), on ne distinguait pas encore astrologie et astronomie. Au pied de la colonne, une petite porte correspond à une fontaine plus tardive (19e s.).

Revenir sur ses pas et reprendre la rue du Louvre à droite. Au 15 rue du Louvre, deux costauds barbus se ressemblent étonnamment. Comment appelle-t-on ces statues qui semblent soutenir un immeuble ? Des atlantes, à l'image d'Atlas, le héros mythologique qui portait la voûte du ciel sur ses épaules.

Prendre à droite la rue Coquillière qui mène à Saint-Eustache. Au n° 18, la maison **Dehillerin** vend depuis 1820 du matériel de cuisine à tous les cordons-bleus. Les petits pâtissiers en herbe dénicheront là toutes sortes d'amusants moules à gâteaux pour les fêtes : moules soleil, chat, étoile de mer, clown, cochon ou papillon. Au n° 6, repérez le cochon rose lumineux. C'est l'enseigne d'un des restaurants mythiques où, jusque dans les années 1960, les noctambules venaient au sortir du bal, en robe longue et smoking, déguster la soupe à l'oignon à côté des « forts des Halles ».

Tourner à gauche dans la rue du Jour. **La Droguerie** *(voir le Carnet d'adresses)* vend absolument tout pour confectionner accessoires et bijoux : boutons, rubans, perles, plumes, strass et coquillages... Avis aux coquettes ! *Puis entrer dans Saint-Eustache.*

Église Saint-Eustache★★

Qui connaît l'histoire de saint Eustache ? L'homme s'est converti après avoir vu une croix lumineuse entre les bois d'un cerf. L'église des Halles qui porte son nom fut édifiée au 16e s. sur les plans de Notre-Dame. Sa façade fut rebâtie dans un style classique au 18e s. Jusqu'à la Révolution, c'était une très importante église « paroissiale et royale ». C'est là que furent baptisés Richelieu, Molière et la marquise de Pompadour. Louis XIV y fit sa première communion, Lully s'y maria, Colbert y a son tombeau. À l'époque du marché, le gigantesque vaisseau de Saint-Eustache voguait sur un océan de fleurs,

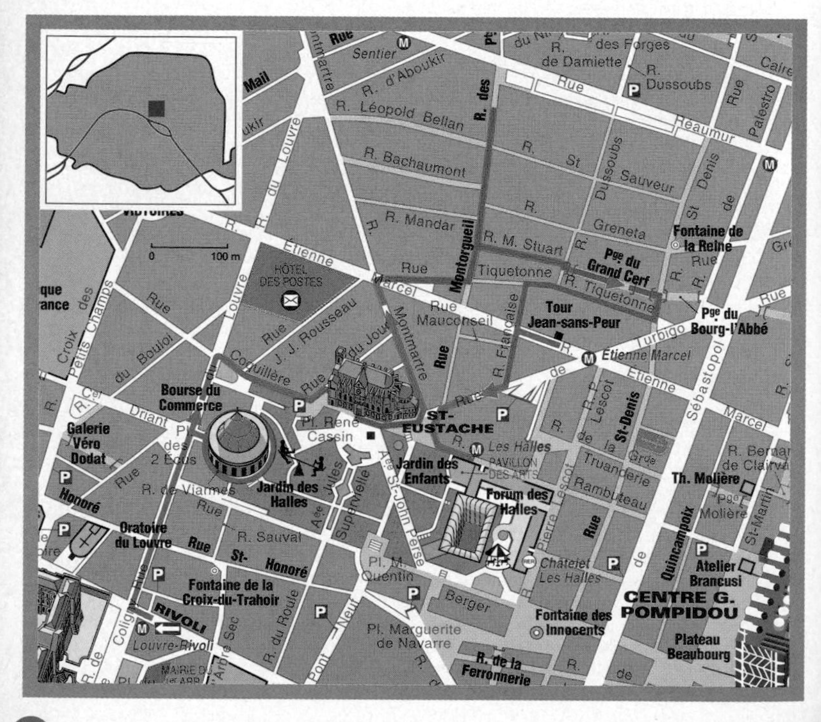

de choux, de laitues… C'était la paroisse des corporations des Halles qui y célébraient leurs fêtes votives. À l'intérieur, une sculpture et un vitrail rappellent ce passé. En entrant par la rue du Jour dans cette majestueuse forêt de piliers, gagnez la 4e chapelle de la nef Nord *(à gauche)* où une surprenante sculpture polychrome de Raymond Mason célèbre *Le Départ des fruits et légumes du cœur de Paris le 28 février 1969*. À l'opposé, en diagonale, la 5e chapelle du chœur Sud abrite un vitrail offert en 1944 par le Souvenir de la charcuterie française, un autre vestige de l'époque des Halles.

Sortir par la porte située à gauche de la chapelle du Souvenir et remonter la rue Montmartre vers la gauche. Vous y trouverez de nombreux **grossistes de l'alimentation**, implantés pour la plupart depuis plus d'un siècle, ainsi que des **charcuteries de luxe** (ces grossistes vendent aux particuliers à prix intéressants) mais aussi une charmante boutique pour vos bambins : **Moi, le héros** (n° 32) qui vend toutes sortes de jeux et jouets originaux : gants de toilette-marionnettes, déguisements féeriques, heaumes en carton, lampes Barbapapa ou encore livres personnalisés et kit d'apprenti styliste.

Une chapelle bâtie grâce aux poissons

C'est le marché qui présida à la fondation de l'église puisque, pour rembourser sa dette à un bourgeois, le roi Philippe Auguste avait autorisé son créancier à prélever un denier sur chaque panier de poisson vendu aux Halles. L'homme s'enrichit si rapidement qu'il décida d'utiliser l'excédent de fonds pour édifier une chapelle au début du 13e s., ce que rappelle le poisson sculpté au-dessus de l'entrée de la crypte Sainte-Agnès *(1 r. Montmartre)*. Le développement du marché et des habitations alentour fut tel que la chapelle dut être agrandie au 15e s., puis entièrement reconstruite à partir du siècle suivant pour accueillir un nombre sans cesse croissant de paroissiens.

Prendre à droite la rue Tiquetonne. Au n° 58, **G. Detout** fait figure de caverne d'Ali Baba de la pâtisserie et de la confiserie. On y trouve de tout – comme son nom l'indique – à des prix de gros. *Prendre la rue Montorgueil à gauche.*

Marché de Montorgueil★

Tlj sf lun. Au cœur d'une zone piétonne, cette rue commerçante depuis le 13e s. conserve une ambiance de village, bruissante et animée grâce à la gouaille des poissonniers et des vendeurs de fruits et légumes qui rappellent les anciennes Halles. C'est d'ailleurs là que la reine d'Angleterre a choisi de prendre un bain de foule lors de sa visite officielle à Paris, en avril 2004. Autrefois, le **marché du mont Orgueil** était le lieu d'arrivée des poissons et fruits de mer en provenance des ports du Pas-de-Calais et le grand marché aux huîtres de la capitale. **Le Rocher de Cancale** (n° 78, mais celui dont parle Balzac dans *La Comédie humaine* se situait au n° 59), restaurant de fruits de mer, témoigne de ce passé. Levez aussi le nez à la recherche du gros escargot qui sert d'enseigne à un fameux restaurant (n° 38) célèbre pour son décor du 19e s.
Mais, surtout, comme la reine d'Angleterre, ne manquez pas d'aller faire une halte gourmande, en jetant un coup d'œil au décor classé, à la **pâtisserie Stohrer** *(voir le Carnet d'adresses)* : tartes aux fraises des bois, animaux en chocolat, macarons et fameux babas valent le détour ! Les curieux pousseront la flânerie plus loin pour repérer l'**enseigne coloniale** d'une ancienne brûlerie de café Au planteur (*12 r. des Petits-Carreaux, dans le prolongement de la r. Montorgueil)*.

Prendre la rue Marie-Stuart (à hauteur du 23 r. Montorgueil) où un panneau indique l'entrée du passage qui relie la rue Dessoubs à la rue Saint-Denis.

Passage du Grand-Cerf

Ce beau passage couvert créé vers 1825 (et refait à l'identique en 1980) regorge de boutiques de bijoux et d'objets venus d'ailleurs. Pour étonner parents et enfants, rendez-vous chez **As'Art** (n° 3) : les petits s'amuseront des poules, souris ou pingouins en plastique de récupération, des moutons en tampons à récurer ou d'autres personnages bidouillés avec génie dans des boîtes de conserve et des matériaux de récupération. Une vraie ménagerie en pierre sculptée et en calebasse se mêle aux beaux meubles et autres objets d'Afrique. Il y a là de quoi dénicher des petits cadeaux ou piquer quelques idées pour bricoler les jours de pluie… En sortant d'As'Art, un crabe géant à l'enseigne d'en face vous salue.

Au bout du passage, tourner à droite dans la rue St-Denis, puis tout de suite à droite dans la rue Tiquetonne. Prendre ensuite à gauche la rue Française puis encore à gauche la rue Étienne-Marcel.

H. Le Gac / MICHELIN

Un petit tour de manège au jardin des Halles ?

Tour Jean-sans-Peur

20 r. Étienne-Marcel. ✆ 01 40 26 20 28 - www.tourjeansanspeur.com - avr.-oct. : merc.-dim. 13h30-18h ; reste de l'année : merc. et w.-end 13h30-18h - fermé 1er Mai et 25 déc. - 5 € (enf. 3 €).

La tour Jean-sans-Peur est le dernier vestige d'une des plus importantes demeures princières du Moyen Âge : l'hôtel des ducs de Bourgogne. Cette tour défensive fut construite en 1409, en pleine guerre de Cent Ans, par Jean sans Peur, duc de Bourgogne, qui venait d'assassiner Louis d'Orléans, frère de Charles VI. Il entendait s'y protéger et affirmer sa puissance. Un excellent petit livret remis aux enfants permet une visite ludique et active de la chambre de l'écuyer et de celle de Jean sans Peur, de la vis d'escalier dont la voûte imite une ramure d'arbre ainsi que des plus anciennes latrines de Paris... Dans les combles, huit caissons lumineux illustrent la vie quotidienne dans un palais au début du 15e s. Une visite passionnante !

En sortant de la tour, prendre à droite la rue Étienne-Marcel, puis à gauche la rue Française et à droite la rue de Turbigo pour accéder aux Halles.

Jardin des enfants

Allée Victor-Baltard, vers la rue Rambuteau. Réservé aux enf. de 7 à 11 ans, sf sam. 10h-14h où le jardin est accessible aux enfants de tout âge obligatoirement accompagnés d'un adulte. Fermé lun. et par temps de pluie. Les horaires variant selon les saisons et les jours, mieux vaut se renseigner par téléphone. Entrée ttes les h. (séance 1h). ✆ 01 45 08 07 18.

Cet espace ludique, destiné à l'exploration curieuse et jubilatoire, a été conçu par le sculpteur Claude Lalanne, dont le mari François-Xavier a créé le jardin des Halles. Des animateurs accueillent les enfants et leur donnent les consignes de sécurité avant de les laisser crapahuter durant 1h. C'est uniquement le samedi matin que vous aurez la chance de parcourir avec votre bambin (de n'importe quel âge cette fois-ci) les six mondes de ce micro-univers : le « monde sauvage », avec piège à tigre, pont de singe, canyons et cascades dans un décor de forêt tropicale, le « monde volcanique », « l'île mystérieuse », le « monde géométrique et sonore », le « monde mou » avec une piscine à balles, un grand serpent en spirale et une cuve géante, et la « cité perdue » où l'on accède par un labyrinthe creusé dans le sol, et le corps d'un curieux escargot géant.

Pour terminer la promenade, plonger dans les entrailles du Forum pour reprendre le métro ou visiter les lieux.

Et s'il pleut ?

Forum des Halles

L'entrée principale, la porte Lescot, r. Pierre-Lescot, donne accès par des escaliers roulants au point d'information ainsi qu'au métro et au RER (station Châtelet-les-Halles). Au niveau -3, vous trouverez un espace bébé. Ce centre commercial de 67 000 m^2 sur

4 niveaux souterrains comporte plus de 180 boutiques, dont bon nombre séduiront les enfants par leurs articles branchés ou leurs jeux et jouets. Vous en trouverez la liste au point d'information. Le Forum comprend aussi des **cinémas**, une **piscine** et des espaces culturels.

Forum des images

Les Halles, porte Saint-Eustache - 1er arr. - M° Les Halles - ☏ 01 44 76 62 00 - www.forumdesimages.net - locaux en travaux, mais programmation « hors les murs »- se renseigner.

L'entrée à la journée donne accès à tous les films en salle, à 2h de visionnage de films sur Paris (parmi une collection de 6 500 films) dans la salle de consultation et à 30mn de connexion au Cyberport (espace Internet). Plus de 30 courts et longs métrages de différentes époques, classique sur les écrans individuels de la salle de consultation. La liste est sur Internet (rubrique Films à la carte) et 2h de visionnage sont incluses dans le billet à la journée ou dans le billet après-midi des enfants *(voir « Maman, j'sais pas quoi faire ! », rubrique cinéma).*

Un peu de rab ?

Fontaine des Innocents★

Pl. J.-du-Bellay. M° Châtelet. Cette fontaine fait partie du décor de fête dressé en 1549 dans l'axe de la porte Saint-Denis pour l'entrée officielle du roi Henri II à Paris. Nymphes, monstres marins, tritons et voiles qui ruissellent sur les corps ondoyants…, tout son décor évoque l'onde. Mais à l'époque, l'eau elle-même était trop précieuse et trop rare pour ruisseler sur le monument : elle servait seulement aux habitants du quartier qui venaient la puiser aux petits robinets à tête de lion placés dans son soubassement. Sculpté par Jean Goujon, ce chef-d'œuvre de la Renaissance fut transféré sur cette place où se trouvait auparavant le cimetière des Saints-Innocents.

Carnet d'adresses

PAUSE DÉJEUNER

Santi – *49 r. Montorgueil - 2e arr. - M° Étienne-Marcel - ☏ 01 42 21 36 58 – 8/17 €.* Murs blancs, mobilier design et éclairage étudié composent le décor moderne épuré de cette sandwicherie chic. Les prix ne sont pas tendres mais les produits, souvent importés d'Italie, sont de qualité. Bon choix de salades et de desserts dont l'incontournable tiramisu.

La Cocarde – *7 r. Marie-Stuart - 2e arr. - M° Étienne-Marcel - ☏ 01 40 39 05 09 - fermé sam. et dim. - réserv. conseillée – 13,50/20 €.* Les atouts de cette petite adresse nichée dans une ruelle piétonnière du quartier des Halles ? Une décoration aux teintes chaleureuses, un service jeune et souriant, de copieux plats traditionnels et des prix doux.

Olio Pane Vino – *44 r. Coquillière - 1er arr. - M° Les-Halles - ☏ 01 42 33 21 15 - fermé le soir sf vend. - 8/15 €.* De l'huile, du pain et du vin : l'enseigne de cette épicerie-table d'hôte annonce la couleur… ou plutôt la merveilleuse lumière toscane ! Le patron prendra plaisir à vous parler avec une pointe d'accent italien des produits qu'il a sélectionnés. Vous pouvez les savourer sur place grâce aux assiettes de dégustation ou les emporter pour les accommoder à votre façon.

Le Pain Quotidien – *2 r. des Petits-Carreaux - 2e arr. - M° Sentier - ☏ 01 42 21 14 50 - 8/17,50 €.* Les arpenteurs du pavé parisien connaissent cette chaîne d'épicerie-boulangerie-salon de thé importée de Belgique. Les autres découvriront les grandes tables d'hôtes, les armoires en pin chargées de conserves, les petites vitrines exposant pains et pâtisseries. Tous pourront commander tartines garnies, salades ou gourmandises sucrées. Le brunch dominical compte de nombreux adeptes.

PAUSE QUATRE-HEURES

Stohrer – *51 r. Montorgueil - 2e arr. - M° Sentier - ☏ 01 42 33 38 20 - 7h30-20h30 - fermé 1er-15 août.* Stanislas Leszczynski, Louis XV et son pâtissier, Nicolas Stohrer, figurèrent parmi les protagonistes de la naissance du baba, délicieuse création qui doit son nom à l'Ali Baba des Mille et Une Nuits. Stohrer quitta Versailles pour fonder en 1730 cette boutique. Dans un décor classé, on propose encore les trois versions du baba : raisins et crème pâtissière, chantilly et fruits rouges, rhum.

PAUSE ACHATS

La Droguerie – *9-11 r. du Jour - 1er arr. - M° Les-Halles - ☏ 01 45 08 93 27 - tlj sf dim. 10h30-18h45, lun. 14h-18h45 - fermé j. fériés.* On peut s'y procurer tous les matériaux nécessaires à la confection de bijoux fantaisie et de vêtements : perles, accessoires de montage, fils à tricoter, rubans, galons… ainsi que des conseils et explications pour réaliser soi-même ses accessoires.

Beaubourg

Invention et création

ATLAS MICHELIN PARIS N° 56 (P. 33) ET N° 57 (P. 6), REPÈRE G-H 15 – 3E ARR.

Pour commencer : un gigantesque « engin » bardé de tuyaux aux couleurs éclatantes, architecture novatrice des années 1970, qui regroupe toutes les formes de la création artistique. Pour finir : un des premiers engins volants enchâssé dans une ancienne abbaye qui regroupe toutes les formes de l'invention. Et puis un musée de poupées où l'on vous conte des histoires, et une fontaine délirante et plein de saltimbanques… La balade se déroule sous le signe de l'imagination.

POINT DE DÉPART

En **métro** : ligne 11, station Rambuteau.
En **bus** : lignes 29, 38, 47 et 75, arrêt Centre-Georges-Pompidou.
À proximité, vous pouvez suivre les promenades aux Halles (15) et dans le Marais (17).

POUR LES PETITS MALINS

L'intérêt de Beaubourg, c'est que l'esprit créatif s'exprime partout : dans l'architecture du centre Pompidou, sa signalétique, sa boutique design, ou la fontaine Stravinski voisine. On n'est même pas obligé d'entrer au musée. Par contre, pour aller admirer Paris depuis la terrasse du 6e étage, il faut absolument un billet musée ou exposition (pour les plus de 18 ans… à moins de se rendre au restaurant Georges par l'ascenseur (accès par la piazza).

LE CLOU DE LA VISITE

Un « Dimanche en famille » pour s'initier à la création artistique au centre Pompidou. La vue depuis le 6e étage et les sculptures animées de la fontaine Stravinski.
Les avions suspendus dans la nef de la chapelle des Arts et Métiers.

Pour mieux comprendre

Grande abbaye et joli bourg – Tout commence avec l'implantation d'une grande abbaye mérovingienne, Saint-Martin-des-Champs, sur la rive droite de la Seine, celle-là même dont les bâtiments monastiques abritent de nos jours le conservatoire des Arts et Métiers. Vers l'an 1000, la ville s'agrandissant, un bourg se développe à l'ombre de ce monastère. Il est si plaisant qu'on le surnomme le « Beau Bourg ».

Un quartier bouillonnant d'activité – Rattaché à Paris au 12e s., Beaubourg devient un quartier commerçant bouillonnant d'activité à la croisée du nouveau marché des Halles, de la place de Grève (l'actuelle place de l'Hôtel-de-Ville) où débarquent les marchandises acheminées par bateau et des grandes voies menant vers les Flandres et l'Angleterre. La rue Beaubourg en est l'artère principale ainsi que la rue Saint-Martin. Au fil des siècles, de belles demeures (17e-18e s.) sont construites au milieu des maisons médiévales.

Un « îlot insalubre » – Sous l'accroissement considérable de la population au 19e s., les ruelles de Beaubourg deviennent populeuses et misérables : les eaux stagnantes rendent les chaussées boueuses, les maisons humides et mal entretenues se délabrent. Le choléra fait des ravages. Soucieux d'hygiène et de sécurité, Napoléon III fait tracer de grandes voies bordées de beaux immeubles. Mais derrière subsistent toujours de vastes îlots insalubres où sévit la tuberculose. Le pire de tous, c'est le plateau Beaubourg. On y meurt quatre fois plus qu'ailleurs. Il faut réagir d'urgence : détruire ces bâtisses pourries. Entre 1924 et 1968, toutes les vieilles maisons du plateau Beaubourg sont progressivement démolies…

Place à la création – Durant des décennies reste alors un vaste terrain vide qui sert de parking. En 1969, le président de la République Georges Pompidou décide d'y construire un complexe culturel d'un genre novateur. Non pas un musée solennel et intimidant, mais un lieu ouvert où l'on puisse aussi bien consulter des livres en bibliothèque, voir des films ou des pièces de théâtre, écouter des concerts et participer à un atelier, qu'aller voir une exposition de photo, de design ou d'art moderne. Avec ses parois vitrées et ses « entrailles à l'air », le projet architectural retenu (œuvre de l'Italien Renzo Piano et du Britannique Richard Rogers) contribue lui aussi à l'objectif voulu : désacraliser la culture. Et de fait, sur les millions de visiteurs qui sont déjà venus au centre Georges-Pompidou, 65 % ont moins de 35 ans.

L'imagination au pouvoir

Départ M° Rambuteau. 2h de promenade. Prendre la sortie « Centre Georges-Pompidou ». Contourner le centre pour rejoindre le parvis ou « piazza ».

La piazza de Beaubourg

Toujours animée, la piazza de Beaubourg accueille baladins modernes et saltimbanques en tous genres : cracheurs de feu, jongleurs, peintres et caricaturistes, guitaristes ou joueurs d'orgue de Barbarie… La fête bat son plein tous les jours !

Centre Georges-Pompidou★★★

Centre Georges-Pompidou - ✆ 01 44 78 12 33 - www.cnac-gp.fr - ♿ - 11h-22h (dernière entrée 1h av. fermeture) ; musée et expositions : 11h-21h (jeu. 23h) - fermé mar. et 1er Mai - 5 à 9 € selon espaces (-13 ans : exposition gratuite, -18 ans : musée gratuit), musée national d'Art moderne gratuit 1er dim. du mois.

Regardez ce bâtiment par-devant, par-derrière… À quoi vous fait-il penser ? À un Meccano ? une raffinerie ? une méduse avec des tuyaux sur le dos ? Côté piazza, sa peau de verre laisse voir son squelette d'acier : 13 travées et 5 plateaux. Une « chenille » de verre soulignée de rouge zèbre en diagonale cet édifice d'avant-garde : elle abrite le grand escalator. Des cubes rouges montent et descendent : les ascenseurs. Côté rue du Renard, encore d'autres cubes rouges et des tuyaux de couleurs. Ce sont les veines et boyaux de ce grand corps. Chacun assure la circulation d'un élément vital qu'indique sa couleur : bleu pour l'air, vert pour l'eau, jaune pour l'électricité, rouge pour les humains. Avec son air de Meccano, l'architecture du centre Pompidou montre que la création contemporaine peut être à la fois novatrice, fonctionnelle et ludique.

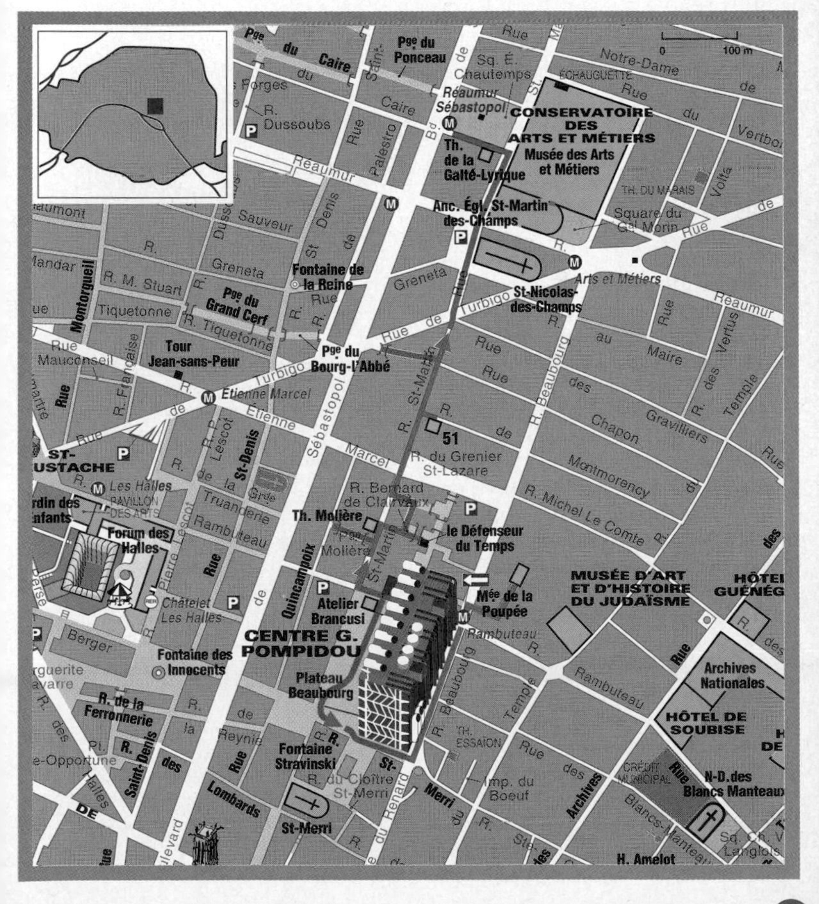

Le centre Pompidou abrite le **musée national d'Art moderne**, dont nous donnons un aperçu dans la rubrique « Et s'il pleut ? ». Mais ce n'est pas tout. C'est un lieu très vivant, ouvert à tous, où l'on peut consulter en libre accès livres ou bandes vidéo à la **Bibliothèque publique d'information**, écouter des concerts à l'**Ircam** (Institut de recherche et coordination acoustique et musique), visiter des **expositions temporaires**, assister à des **spectacles vivants** (danse, musique, théâtre), à des séances de **cinéma** ou, tout simplement, se balader dans les lieux juste pour humer l'ambiance créative et souvent amusante qui y règne.

Visites guidées – *☎ 01 44 78 13 15 - visites guidées du musée national d'Art moderne et des expo. temporaires : lun.-jeu. 9h-18h, vend. 9h-13h, 14h-16h30.*

Galerie des Enfants – *Niveau 0, à gauche de l'entrée - tlj sf mar. 11h-19h - accessible avec un billet musée ou expo (-18 ans gratuit). Pour la visite, les enfants doivent être accompagnés d'un adulte.* Cette galerie présente deux ou trois expositions par an conçues pour le jeune public. Son intérêt tient pour beaucoup aux animations qui s'y déroulent : ateliers, parcours découverte, ateliers en famille, etc.

« Un dimanche en famille » – *☎ 01 44 78 49 13* - Le programme varie au fil de l'année, mais le principe reste le même : découvrir en famille la création contemporaine, de façon ludique et interactive. Vous aurez ainsi le choix entre **les Impromptus** *(1er dim. du mois 15h-18h - gratuit),* **les parcours « Boîte à surprises »** *(6-10 ans - 2e dim. du mois 15h - 4,50 €)* sur le thème des couleurs ou des sensations, ou les **parcours « clin d'œil »** *(2-5 ans - 3e dim. du mois 15h et 16h, durée 45mn - 4,50 €).*

Ateliers pour enfants – *Voir la partie « Maman, j'sais pas quoi faire ! », rubrique Ateliers des musées.*

L'Écran des enfants – *Salle cinéma 2 (niveau -1) - ☎ 01 44 78 44 22 - oct-juin : merc. 14h30 - 3 € (- 18 ans 2 €).* Présentation et projection de films pour les moins de 13 ans : films classiques ou en avant-première et nombreux films d'animation. Quelques séances s'adressent même aux petits à partir de 3 ans

Librairie Flammarion – *Niveau 0, à droite.* Le rayon jeunesse propose un excellent choix de livres pour initier les enfants à l'art, telles la collection *L'Art en jeu* et la collection *Zigzart*.

En sortant du centre Pompidou, tourner à gauche pour aller observer la fontaine de la place Stravinski. Vous pourrez le faire attablé à la Crêperie Beaubourg ou chez Dame Tartine *(voir le Carnet d'adresses)* ou tout simplement assis sur les marches.

Fontaine Stravinski★

Des machines noires bougent l'eau, la pulsent, la pulvérisent dans un rythme qui rappelle un peu celui du jazz. Des formes rondes, rigolotes et bariolées tournoient et tourbillonnent en faisant jaillir encore l'eau. Les éléments métalliques font écho aux arcs gothiques flamboyants de l'église Saint-Merri. Les sculptures aux couleurs éclatantes créent un lien avec les tuyauteries colorées du centre Pompidou. Bruit d'eau et cliquetis de ferraille, mouvement, couleur, reflets : on dirait une ambiance de cirque ou de fête foraine. Cette fontaine est l'œuvre de deux artistes contemporains, Jean Tinguely (les machines noires) et Niki de Saint-Phalle (les sculptures bariolées) en hommage à Igor Stravinski, célèbre musicien du 20e s. d'origine russe, qui fut influencé par l'esprit du jazz. « Je voulais une fontaine merveilleuse qui plaise aux enfants », disait Tinguely, qui, gamin, déjà, bricolait des « machines à sons » entraînées par l'eau des ruisseaux.

Contourner le centre Pompidou pour rejoindre l'impasse Berthaud, à quelques mètres de la station de métro Rambuteau.

Quiz musique et eau

La fontaine Stravinski comporte 16 sculptures. Chacune porte un nom qui fait référence à des œuvres de Stravinski. Le premier qui repère une sculpture gagne 10 points. Qui voit...

1 - Le chapeau de clown (allusion au clown qui apparaît dans trois œuvres de Stravinsky : *Jeu de cartes, Petrouchka* et *Pulcinella*) ; 2 - L'oiseau de feu (allusion à l'œuvre du même nom d'après un conte russe) ; 3 - La Vie ou la corne d'Abondance (allusion au *Sacre du printemps*) ; 4 - La clef de *sol* (hommage à la musique en général) ; 5 - Le Renard (allusion à *Renard*, histoire burlesque) ; 6 - L'Éléphant (allusion à *Circus polka,* œuvre conçue pour accompagner un numéro d'éléphant savant) ; 7 - Les lèvres et le cœur (l'amour) ; 8 - La Sirène (allusion aux nombreuses collaborations de Stravinski avec le monde de la danse) ; 9 - Le Serpent, la grenouille, la Diagonale, la Spirale et la mort (allusion au *Sacre du printemps* et à *L'Histoire du soldat*) ; 10 - Ragtime (allusions à *Ragtime,* œuvre pour 11 instruments).

H. Deguine / MICHELIN / © Adagp, Paris 2006

De l'eau et de drôles de sculptures : c'est la fontaine Stravinski.

Musée de la Poupée

Tout au fond de l'imp. Berthaud. ✆ 01 42 72 73 11 - www.museedelapoupeeparis.com - ♿ - tlj sf lun. 10h-18h (dernière entrée 30mn av. fermeture) - fermé j. fériés - 6 € (enf. 3 €). Plus de 500 poupées du 19e s. jusqu'à nos jours présentées avec leur mobilier, leurs accessoires et leurs jouets d'époque. Des expositions temporaires, autour de Barbie, par exemple. Une boutique où l'on trouve tête en porcelaine, corps en bois, perruque ou yeux en verre pour réparer une poupée ancienne, ainsi qu'une clinique pour poupées.

Musée + contes – *✆ 01 42 72 73 11 - merc. 16h30 - réserv. obligatoire - 10 € (enf. 7 €) Une visite du musée que vous terminerez en écoutant des contes (3 histoires) assis au milieu des poupées.*

Plutôt que de passer par le quartier moderne de l'Horloge, qui manque franchement de charme, reprenez la rue Beaubourg vers la gauche, puis la rue Rambuteau à droite pour prendre la rue Saint-Martin à droite.

Rue Saint-Martin

C'est l'une des plus vieilles rues de Paris. Elle vous entraîne jusqu'à l'ancien prieuré de Saint-Martin-des-Champs autour duquel naquit ce Beau Bourg. Les pèlerins l'empruntaient pour se rendre à Tours sur le tombeau de saint Martin. Baladins et troubadours les accompagnaient.

Faites une petite incursion dans le charmant **passage Molière** qui s'ouvre sur la gauche. Vous y verrez le **théâtre Molière** fondé en 1791 et aujourd'hui reconverti en **Maison de la poésie**. Puis, au n° 17, l'Atelier Zouille présente d'étonnantes créations d'artistes tels ces colliers aux noms insolites : Veuve joyeuse, Revanche du serpent à plume ou la Truie à l'opéra. Vous y puiserez peut-être des idées pour vos propres créations… Revenu rue Saint-Martin, remarquez la librairie Scaramouche (n° 157), dont la vitrine regorge de marionnettes, masques et automates.

Petite incursion à droite dans la rue Bernard-de-Clairvaux pour aller voir, sur la droite, la célèbre horloge à automate du **quartier de l'Horloge** : le **Défenseur du Temps**. Normalement, lorsque l'horloge s'anime, l'homme armé livre combat contre un dragon, un oiseau ou un crabe qui symbolisent la Terre, l'Air et l'Eau. Mais ces temps-ci, malheureusement, il ne fonctionne plus. De l'autre côté de cette petite rue, les bijoutières en herbe s'attarderont dans **La Boîte à perles** *(voir le Carnet d'adresses)*.

Reprenez votre bâton de pèlerin pour continuer à arpenter la rue Saint-Martin. Plongez éventuellement au passage dans la librairie-galerie Superhéros de BD (n° 175), traversez la rue du Grenier-Saint-Lazare puis tournez à droite rue Montmorency pour découvrir, au n° 51, **la plus vieille maison de Paris**. Elle fut construite en 1407 par Nicolas Flamel, un riche et généreux bourgeois parisien. La légende raconte qu'il était alchimiste et avait découvert le moyen de changer le plomb en or. En réalité, c'était un écrivain juré de l'Université et un homme d'affaires avisé. Il fit construire

cette maison pour servir de refuge aux pauvres en échange de quelques prières quotidiennes pour le repos de l'âme des défunts, comme l'indique l'inscription qui figure sur le linteau. Que voyez-vous d'autre gravé sur la façade ?
Retour rue Saint-Martin pour faire un petit saut dans le charmant **passage de l'Ancre**, l'un des plus vieux de Paris, qui s'ouvre sur la gauche au nº 223.

Au croisement de la rue Turbigo vient l'heure du choix. Soit vous prenez cette rue vers la droite pour aller visiter le musée des Arts et Métiers (voir « Et s'il pleut ? »). Soit vous continuez encore la rue Saint-Martin pour voir la façade du conservatoire des Arts et Métiers et pour emmener ensuite les enfants se défouler dans le square Émile-Chautemps.

Mais si vous hésitez encore, vous pouvez aussi aller prendre un thé à la menthe, une crêpe berbère aux amandes ou un mezzé à l'Andy Walhoo, rue des Gravillliers. En continuant la rue Saint-Martin, on passe devant l'**église Saint-Nicolas-des-Champs★** (façade et clocher gothique et portail Renaissance*)*. Puis on arrive devant le **conservatoire des Arts et Métiers★★** installé depuis 1799 dans l'ancien prieuré fortifié de Saint-Martin-des-Champs (1060). De ce prieuré, il ne reste aujourd'hui que l'**église Saint-Martin-des-Champs★** (qui abrite aujourd'hui machines à vapeur, engins volants et autres trésors du musée), l'ancien **réfectoire★★** des moines (dans la cour), joyau gothique aujourd'hui transformé en bibliothèque, et une **tour d'enceinte** (au coin de la rue du Vertbois) construite en 1140. À côté de la tour se trouve la **fontaine du Vertbois** qui date de 1712. Encore un coup d'œil au bout de la rue : cet arc de triomphe, c'est la porte Saint-Martin, construite en l'honneur de Louis XIV.

Square Émile-Chautemps

Dans ce square bien ombragé, les enfants pourront se défouler sur le terrain de jeux ou au ping-pong (à condition d'avoir pensé à emporter raquettes et balles). Mais il n'existe aucune pelouse où s'allonger et peu d'espace pour courir.

La balade terminée, vous pouvez repartir par la station de métro Réaumur-Sébastopol, sur le boulevard devant le square, ou par la **station de métro Arts-et-Métiers** (ligne 11), près de l'entrée du musée, dont le décor est inspiré du *Nautilus*. À travers les hublots de ses flancs de cuivre, on découvre des objets représentatifs du musée.

Et s'il pleut ?

Musée national d'Art moderne (MNAM/CCI)★★★

Mº Rambuteau. Accès par le niveau 4 du Centre Pompidou. Le musée se répartit sur 2 étages : les modernes de 1905 à 1960 (niveau 5) et les contemporains de 1960 à nos jours (niveau 4). Dans les salles, fiches pédagogiques sur les grands mouvements artistiques. Pour les horaires, se reporter au Centre Pompidou.

C'est l'un des plus riches musées d'Art moderne du monde. Il compte près de 50 000 œuvres et couvre tous les domaines de la création, de la peinture à l'architecture, en passant par la photographie, le cinéma, les nouveaux médias, la sculpture ou le design. C'est un musée vivant dont l'accrochage se renouvelle tous les ans. C'est pourquoi il n'est pas possible de proposer un circuit fixe. Pour rendre la visite attrayante pour les enfants, l'idéal est de suivre une **Visite active** dans le cadre d'un **Dimanche en famille** *(voir plus haut le centre Georges-Pompidou)*. Sinon, vous pouvez aussi suivre un fil conducteur tel que la couleur ou la matière en vous inspirant des petits livres de la collection Zigzart comme *Bleu zinzolin et autres bleus* ou *Peaux, tissus et bouts de ficelle (vendus à la librairie du Centre, niveau 0)*. À l'étage des modernes, les enfants seront sans doute sensibles à Picasso, à Chagall *(le Cirque bleu, les Mariés de la tour Eiffel...)*, aux surréalistes avec leurs univers oniriques, à Braque et ses oiseaux, à Matisse et ses papiers découpés *(Tristesse du roi)*... Faites un tour sur les trois terrasses qui prolongent le musée pour voir les sculptures de Max Ernst ou de Miró et les grands « stabiles » de Calder.

Pause photo devant Beaubourg.

L'art contemporain étonnera les enfants et leur offrira parfois la possibilité d'interagir avec l'œuvre. Ne manquez pas le *Requiem pour une feuille morte* de Tinguely, l'*Antichambre des appartements privés de l'Élysée* d'Agam, pour découvrir le cinétisme, *Le Jardin d'hiver* de Dubuffet pour appréhender les « environnements ».
Après la visite du musée, gagnez le 6e niveau. De l'extrémité de l'escalator et des terrasses, vous pourrez contempler la **vue★★** sur les toits de Paris et jouer à identifier les différents monuments. Puis redescendus sur terre, les plus passionnés pourront encore aller faire un tour dans l'**Atelier Brancusi**, sur la piazza. C'est la reconstitution de l'atelier de ce grand initiateur de la sculpture moderne que fut Constantin Brancusi (1904 -1957). On y voit ses œuvres, ses ébauches, ses outils.

Musée des Arts et Métiers★★

60 r. Réaumur. M° Arts-et-Métiers. ☏ 01 53 01 82 00 - www.arts-et-metiers.net - ♿ - tlj sf lun. 10h-18h (jeu. 21h30) - fermé j. fériés - 6,50 € (enf. gratuit). Visite libre, guidée classique (1h30), ou guidée thématique (45mn) et démonstrations (25mn) - pour horaires se renseigner sur www.arts-et-metiers.net - gratuit - visite audio-guidée en 7 langues pour adultes (1h30-6h, selon parcours) et pour enfants (45mn-1h30) - 2,50 €.
La visite commence avec les instruments d'exploration de l'infiniment petit et de l'infiniment loin. Puis on découvre les machines qui transforment les matériaux pour en faire des objets usuels mais également des œuvres d'art. Un étage plus bas, des maquettes évoquent l'art de bâtir. L'art de communiquer, le thème suivant est abordé à travers l'imprimerie, la télé, la photo, la micro-informatique, etc. Faites le plein d'« énergie » en visitant la salle évoquant ce thème (machines à vapeur, moteurs divers et multiples). Plongez ensuite au cœur des machines pour découvrir la mécanique, puis laissez les locomotives, avions et autres voitures transporter votre imagination dans le temps. Retour au rez-de-chaussée, mais le nez en l'air, pour découvrir la chapelle et sa magnifique voûte ; regardez quand même où vous marchez : il y a là les premiers autobus à vapeur, des maquettes de la statue de la Liberté et celle du moteur de la fusée Ariane. Ne manquez pas non plus le **théâtre des automates** qui fait revivre, en particulier, la « Joueuse de tympanon » de Marie-Antoinette (1784).

Ateliers en famille – *☏ 01 53 01 82 75 (tlj sf w.-end 9h30-12h, 14h-17h30) - 7-12 ans - durée 1h30 - réserv. obligatoire - 6,50 € (enf. 4,50 €).* Thèmes : « Le textile » ou « Le point en mer », etc. Pour les ateliers pour enfants seuls, voir la partie *« Maman, j'sais pas quoi faire ! », Ateliers des musées.*

Carnet d'adresses

PAUSE DÉJEUNER

Crêperie Beaubourg – *2 r. Brisemiche - 4e arr. - M° Rambuteau - ☏ 01 42 77 63 62 – 7/18 €.* Cette crêperie, qui dispose d'agréables tables en terrasse, jouit d'une superbe vue sur la fontaine Stravinski et les gargouilles de l'église Saint-Merri. Elle propose un menu enfant à 7,50 €.

Café Léonard – *7 r. Turbigo - 3e arr. - M° Arts-et-Métiers - ☏ 01 48 04 07 55 - fermé août, dim. et j. fériés - 12/20 €.* Tout le décor de ce café-brasserie situé en face de l'école des Arts et Métiers rend hommage à Léonard de Vinci. Son autoportrait est peint sur le mur, ses machines volantes sont suspendues au plafond, ses dessins et croquis figurent sur les tables et sa Joconde est reprise sous mille et une formes… Le cadre est amusant, les fauteuils en cuir et bois sont chaleureux et il y règne une ambiance estudiantine.

PAUSE QUATRE-HEURES

Dame Tartine – *2 r. Brisemiche - 4e arr. - M° Rambuteau - ☏ 01 42 77 32 22.* Des tartines, des assiettes froides et chaudes, des desserts et surtout une superbe vue sur la fontaine Stravinski et les arcades gothiques flamboyantes de Saint-Merri.

Images de demain – *141 r. St-Martin - 4e arr. - M° Rambuteau - ☏ 01 44 54 99 99 - fermé mar. mat.* Au rez-de-chaussée, des affiches, des cartes postales (regardez en particulier les séries de portraits…), papiers à lettre, encre et tampons de toutes sortes… à l'étage, un salon de thé de charme au milieu d'un amusant bric-à-brac. Mais surtout une jolie vue sur Beaubourg. Un choix de biscuits appétissants (antillais, navettes aux amandes, napoléons et muscadins…) et des glaces.

PAUSE ACHATS

La Boîte à perles – *194 r. St-Denis - 2e arr. - M° Réaumur-Sébastopol - ☏ 01 42 33 71 72 - tlj sf w.-end 9h30-17h45 (vend. 16h45) - fermé 6-21 août.* Au fond d'une petite cour, cette boutique propose plusieurs centaines de variétés de perles, de nombreux articles pour la confection de bijoux, des strass et des paillettes.

Perles Box – *1 r. Bernard-de-Clairvaux - 4e arr. - M° Rambuteau - ☏ 01 42 78 28 78 - tlj sf dim. 10h30-19h.* Encore une boutique de perles. Ici, toutes les variétés sont proposées, ainsi que de nombreux articles pour la confection de bijoux.

Le Marais

Les mystères d'un ancien marécage

ATLAS MICHELIN PARIS N° 56 (P. 45-46) ET N° 57 (P. 8-9), REPÈRES J15-17 – 4E ARR.

Un étranger venant de loin, d'une vraie campagne, serait bien surpris de voir ce que l'on nomme « Marais » à Paris. Ni plante sauvage hormis les buis des jardins à la française, ni eau stagnante hormis les fontaines de la place des Vosges, ni animal dangereux hormis vos enfants... Mais non, il y en a plein, et des plus bizarres, des dragons, des sphinges ou même des hommes qui grimacent... Ils ornent portes ou façades des demeures dans lesquelles ont habité nombre de personnages célèbres. Pour les dénicher, vous devrez vous faufiler dans les rues étroites et les sombres passages, heureusement préservés des grands travaux du préfet Haussmann.

POINT DE DÉPART

En **métro** : ligne 7, station Pont-Marie.
En **bus** : ligne 67, arrêt Pont-Marie.
À proximité, vous pouvez suivre les promenades sur l'île de la Cité (1), à la Bastille (18), aux Halles (15) et à Beaubourg (16).

POUR LES PETITS MALINS

Notre parcours est déconseillé aux vélos et aux poussettes car ce qui fait le charme de ce quartier, ce sont ses rues pavées et ses escaliers ! Par contre, dans la première partie de la promenade, la voiture est souvent absente.
Inutile de préparer le pique-nique à la maison : dans la rue St-Antoine et dans la rue des Rosiers, vous trouverez tout ce qu'il faut pour satisfaire les petits et les gros appétits. Sachez encore qu'un marché se tient place Baudoyer (à côté de la mairie du 4e) le mercredi de 15h à 20h et le samedi de 7h à 14h30.
Le passage de l'hôtel de Sens ferme à 18h. Celui du 10, rue Charlemagne est ouvert les mardi et jeudi de 15h à 19h, le vendredi de 16h à 21h30. Fermé, donc, pour les balades du mercredi et du week-end !

LE CLOU DE LA VISITE

L'hôtel de Sens parce qu'on peut le voir de tous les côtés et le musée de la Magie car on a beau essayer de percer à jour « le truc » derrière chaque objet exposé, comme par exemple un fantôme emprisonné dans une pièce vitrée, le mystère reste entier...

Pour mieux comprendre

Quand les Romains habitaient la Gaule, un marais s'étendait ici : dès cette époque, la rue St-Antoine était surélevée pour être protégée des crues de la Seine. Au 13e s., des couvents s'installent dans ce faubourg marécageux qui reste encore en dehors de Paris, juste derrière le rempart de Philippe Auguste. Les moines défrichent le marais afin de le rendre cultivable. Puis, les limites de la ville s'élargissant, le quartier du Marais est annexé à Paris et reçoit sa consécration : le roi Charles VI s'installe à l'hôtel St-Pol, entre la rue St-Antoine et le quai de la Seine. Le **17e s.** sera « le » siècle du Marais. Estimant que Paris ne possède aucune place assez grande pour servir de lieu de fêtes et de promenade, le roi Henri IV fait construire la place Royale, l'actuelle place des Vosges, attirant tout autour les grands seigneurs et les courtisans. C'est à cette époque que se construiront les belles et grandes demeures que vous verrez au cours de la promenade et que l'on appelait alors des « hôtels particuliers ».

Grandes demeures et petites rues

Départ Mº Pont-Marie. 1h30 de promenade. À la sortie du métro, prendre l'escalier de droite. Vous êtes quai des Célestins. Sur votre droite, quelques bouquinistes s'affairent devant leurs étals. Dos à la Seine, remonter la rue des Nonnains-d'Hyères en longeant le jardin, puis prendre à droite le passage de l'hôtel de Sens (fermé à partir de 18h).

Hôtel de Sens★

1 r. du Figuier. L'originalité de cet hôtel particulier ? Il est l'un des rares bâtiments parisiens dont on peut faire complètement le tour. Guidé par huit petits acacias pleins d'épines, vous longez un exemple typique de jardin à la française, haies basses de buis dessinant des formes géométriques, couronnées de **topiaires** d'ifs *(pour connaître le sens des mots en gras, regardez le petit encadré « Les mots de ta promenade »)*. Édifié en 1475 pour les archevêques de la ville de Sens (en Bourgogne), c'était le plus bel hôtel de son époque. Et, bien que situé en pleine ville, il garde des éléments typiques de l'architecture militaire, comme à chaque angle les **échauguettes** permettant de surveiller les alentours et la **bretèche** dans la cour. S'il pleut, prenez garde à la **gargouille**, c'est une gouttière ! L'hôtel de Sens abrite aujourd'hui une bibliothèque. Vous êtes rue du Figuier. Pourquoi ce nom ? C'est très simple : retournez-vous, un figuier tortueux cache la façade du centre médico-légal. Juste en face, dans le petit square de l'Ave-Maria, suivez le labyrinthe de l'an 2000 de Christophe Grunenwald : c'est facile et ça détend.

Continuer tout droit dans la rue de l'Ave-Maria ; au loin s'élève le chevet de l'église St-Paul-St-Louis, vous y reviendrez. En face du nº 7, passer sous la voûte pour découvrir le village St-Paul.

Les mots de ta promenade

Tu vois des choses incroyables qui portent de drôles de noms. Essaie de les retenir pour épater la maîtresse !
Topiaire : arbre ou arbuste que l'on a taillé pour lui donner une forme particulière (cône, boule…).
Févier : arbre avec des épines, dont les fruits renferment des graines semblables à des fèves.
Séquoia toujours vert : c'est son nom ! Il dépasse en hauteur le séquoia géant. Les séquoias sont faciles à reconnaître : leur tronc est toujours mou.
Sphinge : ou sphinx, monstre ailé à corps de lion et tête de femme proposant des énigmes…
Gargouille : gouttière du Moyen Âge représentant des monstres ou des figures d'animaux fantastiques.
Échauguette : guérite en pierre placée aux angles des châteaux forts pour surveiller les abords.
Bretèche : c'est la même chose, mais elle est placée sur les façades.

Village Saint-Paul

Vous pouvez relâchez votre surveillance : il n'y a pas de voitures, mais une succession de cours avec des commerces d'artisans. En cherchant bien, vos enfants trouveront la **boutique des Inventions** *(voir le Carnet d'adresses)*. Un magnifique **séquoia toujours vert** est là pour vous accueillir à l'entrée du village. Revenez dans quelques années, c'est un des arbres les plus grands du monde, il peut atteindre 112 m !

Sortir au fond à gauche. Vous êtes rue des Jardins-St-Paul. Vous apercevez un pan de mur effondré : c'est ce qui reste de la tour Montgomery, qui faisait partie de l'enceinte Philippe Auguste.

Enceinte Philippe Auguste

Paris a été longtemps sous la menace d'envahisseurs : aussi, pour se protéger, les rois édifiaient des murs. Cette enceinte (1165-1223) constituait au début du 13e s.,

H. Deguine / MICHELIN

Sur la place des Vosges, les trottinettes vont bon train.

la limite de l'Est de Paris. Elle était ponctuée de tours permettant de surveiller les environs, ainsi que de portes et de poternes donnant accès à la ville. Le roi Philippe Auguste a été l'allié de Richard Cœur de Lion. Mais si, vous le connaissez, c'est lui qui vient chasser le méchant roi Jean et aider Robin des bois.

Reprendre à droite la rue Charlemagne.

Lycée Charlemagne

Vous êtes face à l'entrée du lycée Charlemagne. Charlemagne (742-814) a dit que chaque enfant devait aller à l'école, et comme c'était un empereur très puissant, le plus puissant de l'Occident même, ses sujets lui ont obéi : depuis, chaque enfant va à l'école !

Au 10 rue Charlemagne, un passage étroit vous permet de rejoindre directement l'arrière de l'église St-Paul-St-Louis. Il est ouvert les mardi et jeudi de 15h à 19h, le vendredi de 16h à 21h30. S'il est fermé, prenez à gauche la rue Eginhard, puis tournez à gauche rue St-Paul. À 40 m, prenez encore à gauche le passage St-Paul qui mène à l'église.

Rue Eginhard

Eginhard a écrit la vie de Charlemagne : c'est grâce à lui qu'on sait que Charlemagne, même s'il était l'empereur le plus puissant de la terre, ne savait pas écrire !
Une plaque posée dans le jardin de l'un des immeubles rappelle le souvenir d'Elias Zajdner, déporté à Auschwitz avec ses trois fils en mai 1944. Un acte de mémoire à l'égard des nombreuses familles juives habitant le quartier et qui subirent le même sort.

Église Saint-Paul-Saint-Louis★★

✆ 01 42 72 30 32 - visite guidée 2e et 4e dim. du mois 15h.
La grande nouveauté de cette église, lorsqu'elle fut construite, était son dôme, le même qu'aux Invalides *(voir la promenade 8)*. Si vous entrez, vous verrez tout de suite sur votre gauche, en hauteur, un grand tableau de Delacroix, le *Christ au jardin des Oliviers*, puis vers la sortie, les deux jolies coquilles du bénitier offertes par Victor Hugo, quand il habitait place des Vosges.

Quitter l'église par l'entrée principale. Partez sur votre droite pour traverser la rue Saint-Antoine au premier passage piéton.

Rue Saint-Antoine

Vous quittez le monde du silence. La ville s'offre à vous : voitures, piétons, commerces de bouche encore nombreux et toujours appétissants. Vous y trouverez de quoi calmer une première faim.

Face à vous ou presque, la rue de Caron : suivez-la jusqu'à la place du Marché-Sainte-Catherine.

Place du Marché-Sainte-Catherine★

Un petit havre de paix sans voiture, mais très peuplé dès les beaux jours. Parfait pour une pause grenadine. C'est ici que se niche le **café-théâtre du Double Fond**

Place du Marché-Ste-Catherine, on se rencontre et papote autour d'un verre.

(voir « Maman j'sais pas quoi faire ! ») qui propose des spectacles et des cours de magie pour les petits.

Revenez en arrière pour rejoindre la rue St-Antoine que vous suivez sur la gauche.

Hôtel de Sully★

62 r. St-Antoine. ☎ 01 44 61 21 50 - visite de la cour et du jardin : 9h-19h - gratuit.

Construit à partir de 1624, l'hôtel est acheté en 1634 par Sully, ancien ministre de Henri IV. À la Révolution, un négociant transforme les bâtiments en commerces, faisant de l'hôtel de Sully une sorte de mini-centre commercial. La **cour★★** de l'hôtel est décorée de frontons et de lucarnes sculptés.

Passer entre les deux **sphinges***, qui encadrent l'escalier. Vous arrivez dans le jardin, ancienne orangerie qui communique avec la place des Vosges. En sortant du jardin, longer la galerie à droite et jusqu'au bout.*

Regarde et devine

Sur les ailes de l'hôtel de Sully, une série de figures représentent les quatre éléments : l'eau, l'air, le feu et la terre.
Pour les repérer, voici des indices :
1 - Il faut la transporter.
2 - Le temps change, tout comme le caméléon.
3 - Pour le dragon c'est facile.
4 - Grâce à elle, on récolte des fruits.
Au dessus du passage qui conduit au jardin, deux saisons sont illustrées :
1 - L'hiver est toujours représenté par un vieillard, pour montrer que c'est la dernière saison de l'année comme la vieillesse est la dernière étape de la vie.
2 - Pour la seconde saison, les fruits devraient vous aider...

Maison de Victor Hugo★

6 pl. des Vosges. ☎ 01 42 72 10 16 - ♿ - tlj sf lun. 10h-18h - fermé j. fériés - gratuit (sf expo. temporaires).

Une fois n'est pas coutume, vous allez monter les deux étages de cette maison. La visite est gratuite et pendant que les enfants peuvent s'attarder sur les oiseaux et les dragons du « salon chinois », les parents auront une belle vue d'ensemble de la place. Ainsi, rien ne vous interdit de vous transporter au 19e s. et de converser aux fenêtres avec vos voisins Théophile Gautier ou Alphonse Daudet, l'auteur des *Lettres de mon moulin*.

Victor Hugo vécut dans cet appartement de 1832 à 1848. Il y écrivit une partie des *Misérables*. Sa vie est illustrée par des portraits, des photographies et des souvenirs de famille, des lettres, des médailles et des pistolets...

Place des Vosges★★★

Jeux d'enfants, bacs à sable, fontaines pour boire et pour se mouiller un jour d'été...

Idéal pour faire une pause. Souvent, des musiciens jouent sous les arcades. Les cafés-restaurants restent raisonnables et, dans le jardin, des fontaines donnent de quoi remplir les gourdes.

Entreprise par Henri IV en 1605, cette place fut terminée deux ans après son assassinat par Ravaillac. Le roi n'en a donc pas profité ! 36 pavillons, « d'une mesme cimettrie » selon les vœux royaux : alternance de pierre et revêtement de fausse brique, quatre arcades sur deux étages avec un toit percé de lucarnes, des arrière-cours et des jardins cachés. Mais les directives d'uniformité n'ont pas toujours été respectées : vous pouvez vous amuser à trouver les différences parmi les balcons, les lucarnes et les œils-de-bœuf...

Au Sud (côté rue Saint-Antoine), le pavillon du Roi fait face, au Nord, au pavillon de la Reine. Henri IV voulait en faire un quartier à la mode : il y parvint. La place s'impose au 17e s. comme le lieu de la vie élégante ; au no 21, habitait Richelieu, le protecteur de d'Artagnan et des mousquetaires. La place fut aussi le théâtre des duels qui avaient souvent pour enjeu le cœur d'une dame...

Rejoindre la rue des Francs-Bourgeois, que vous suivez sur la gauche.

Rue des Francs-Bourgeois★

Cette vieille rue se dénomma d'abord « rue des Poulies » à cause de ses métiers de tisserands. Elle a pris son nom actuel après la fondation, en 1334, des « maisons d'aumône », dont les occupants, affranchis de taxes en raison de leurs faibles ressources, étaient appelés « francs-bourgeois ». Aujourd'hui, la mode y a pris ses quartiers et la plupart des boutiques sont ouvertes le dimanche. Parents, attention à votre porte-monnaie...

Longer le musée Carnavalet. Au-dessous d'un masque grimaçant, vous pourrez apercevoir entre les grilles un autre jardin à la française : cette fois, les tracés de buis sont en courbes et les **topiaires** mélangent les ifs et les buis. *Si vous voulez visiter le musée Carnavalet, voir la rubrique « Et s'il pleut ? ».*

Un peu plus loin, une tourelle vous indique la rue Pavée. Tourner à droite rue Payenne.

Square Georges-Caïn

Entre le lycée Victor-Hugo et le musée Carnavalet. Écouter un rossignol chanter à Paris, c'est possible. Au crépuscule, installé sur un banc entouré de pierres sculptées et de magnifiques arbres appelés **féviers**, vous pourrez entendre l'installation sonore d'Erik Samakh : « Le chant d'un rossignol »... En journée, contentez-vous de faire une petite pause avant de repartir.

Faire demi-tour et continuer en face dans la rue Pavée.

Hôtel de Lamoignon★★

24 r. Pavée. L'enchevêtrement de lierre ne doit pas vous dissuader d'entrer dans la cour de cette superbe demeure autrefois fréquentée par les plus grands : Mme de Sévigné, Boileau... Alphonse Daudet y a aussi habité : décidément, cet écrivain provençal savait choisir ses demeures parisiennes !

Tourner à droite dans la rue des Rosiers. À l'angle, vous verrez une solderie de livres, Culture *(voir « Maman, j'sais pas quoi faire ! »).* Arrêtez-vous quelques minutes. Les livres pour enfants sont superbes et très bon marché.
Mais, pourquoi a-t-on appelé « Pavée » cette rue ? Vous trouverez la réponse même dans cette librairie ! (Elle fut l'une des premières rues du quartier à être pavée, en 1450.)

Rue des Rosiers

Après avoir levé la tête pour admirer tous ces hôtels qui ont fait la gloire du Marais, baissez maintenant le regard, car c'est au niveau des vitrines qu'il doit se poser. Et si, pour tromper les distraits, un magasin de vêtements s'est caché sous une enseigne de boulangerie, la rue émaillée d'enseignes hébraïques vous indique que vous pénétrez dans un Marais plus moderne et néanmoins empreint de tradition, le quartier juif dont la rue des Rosiers est l'emblème. C'est au 12e s. que des juifs travaillant pour l'ordre des Templiers se sont installés autour de la rue des Rosiers. Ils importaient des produits venus d'Orient. Progressivement, le quartier a été habité par les juifs d'Europe de l'Est puis d'Afrique du Nord. Vous pouvez d'ailleurs voir une synagogue, au 10 rue Pavée, construite par Hector Guimard, l'architecte à qui l'on doit toutes les entrées de métro en forme de libellule et de feuillage...
Le Marais est désigné par une expression spécifique en yiddish : le *Pletzl* (la « place »). Hormis le samedi, jour du sabbat (l'équivalent du dimanche des chrétiens), les boutiques regorgent de gourmandises : gâteaux au fromage, strudel aux pommes ou aux noix... Avant de rentrer, achetez quelques-unes de ces spécialités de l'Europe de l'Est : tarama, carpes farcies ou pastrami de bœuf accompagné de pain à l'oignon ou de cornichons, falafels..., par exemple chez Marianne *(voir Carnet d'adresses)* ou chez Rosenberg.
Au bout de la rue, vous êtes rue Vieille-du-Temple ; sur votre droite au n° 47, deux têtes de méduse sculptées vous observent du haut de la porte.

Tourner à gauche, puis à droite rue Ste-Croix-de-la-Bretonnerie, à gauche rue du Bourg-Tibourg, puis à droite rue de la Verrerie, et à gauche rue des Archives. Profitez-en pour flâner : les boutiques sont nombreuses. La rue des Archives donne sur la rue de Rivoli, que vous suivez le long du BHV. Traverser la rue.

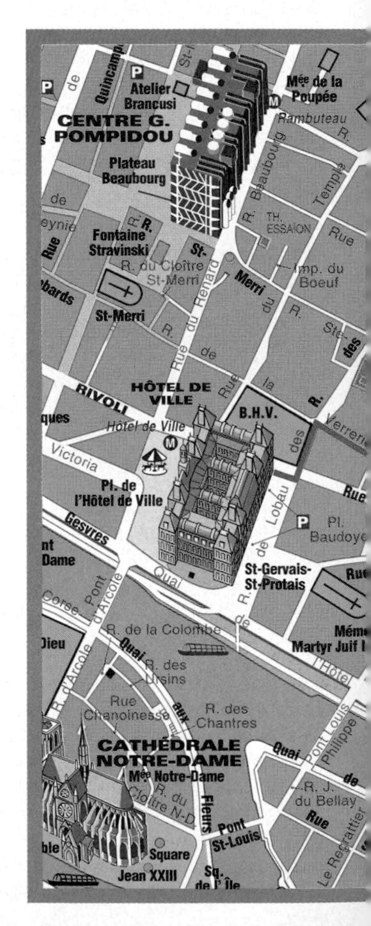

Place de l'Hôtel-de-Ville
Ce fut, jusqu'en 1830, la **place de Grève**, qui descendait alors en pente douce jusqu'à la Seine. Au Moyen Âge, elle est le rendez-vous des ouvriers sans travail, d'où l'expression « faire la grève ». Des fêtes populaires y sont données. Tous les ans, on y allume le feu de la Saint-Jean, gigantesque bûcher de 20 m de haut.
Sous l'Ancien Régime, les bourgeois et les gens du peuple condamnés à mort étaient pendus sur la place, les gentilshommes décapités à l'épée ou à la hache. Ceux qui avaient été reconnus coupables d'hérésie ou de sorcellerie étaient brûlés vifs, les assassins « roués ». Pour les crimes de lèse-majesté, la peine était l'écartèlement. Heureusement, tout cela n'existe plus aujourd'hui. À la place, vous pouvez succomber au supplice du patinage sur glace puisqu'une grande patinoire en plein air y est installée pendant les mois d'hiver. Vous y trouverez également un joli manège.

Hôtel de Ville★
Ce pastiche néo-Renaissance bien réussi est le « palais de toutes les révolutions, lieu de ralliement des émotions nationales ». Il a été reconstruit par Ballu après l'incendie de la Commune du 24 mai 1871. Il se trouve à l'emplacement de la **Maison aux piliers**, la première municipalité de Paris, au 13e s. Au 19e s., l'administration de la ville de Paris est assurée par un préfet. Puis, une loi votée en 1975 fait de Paris en 1977 une commune comme les autres, administrée par le maire de Paris. Celui-ci est cependant assisté par 20 maires d'arrondissement. C'est pour cela que, dans chaque arrondissement, on trouve une mairie !

La promenade s'achève au métro Hôtel-de-Ville.

Et s'il pleut ?

Musée de la Magie★
11 r. St-Paul. Mº Pont-Marie ou Sully-Morland. ✆ 01 42 72 13 26 - www.museedelamagie.com - merc., w.-end et vac. scol. (zone C) 14h-19h - 7 € (enf. 5 €).

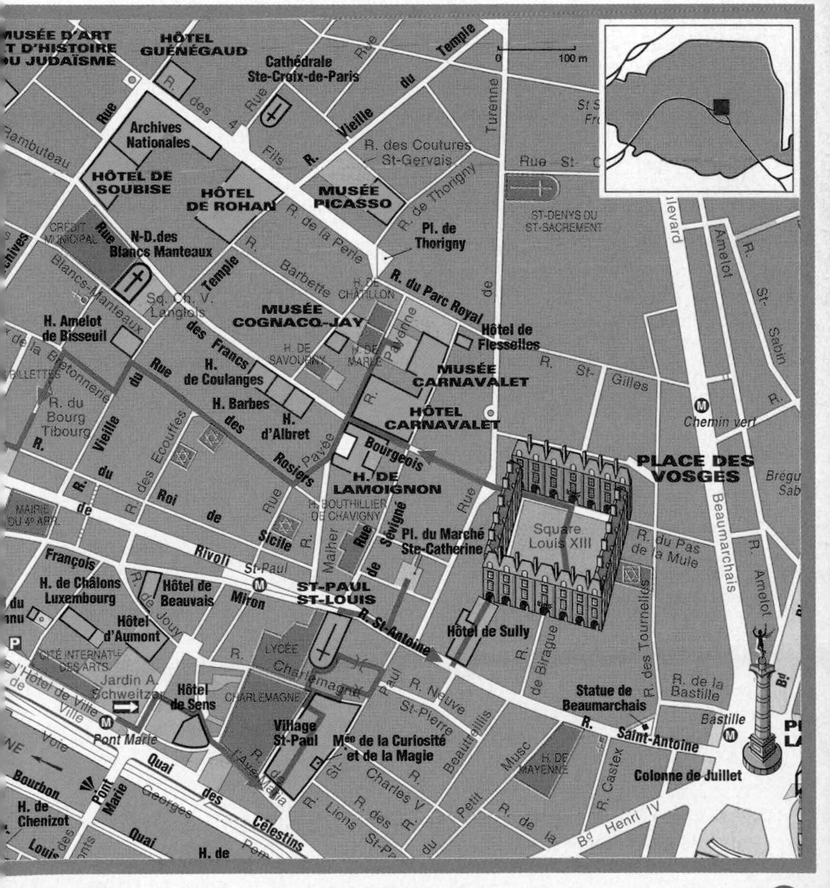

Si vous osez descendre sous terre, ne serrez surtout pas la main qui se tend vers vous : qui sait si elle ne vous fera pas perdre la tête, comme ces boîtes qui vous la mettent à l'envers ou vous la font tout simplement disparaître… Sous les voûtes, les tours les plus simples cohabitent avec les appareils les plus sophistiqués. Vous êtes accompagné d'un animateur et de ses aides, les automates. Un spectacle de 20mn clôt la visite. Une librairie et des accessoires aideront peut-être à faire naître des vocations au mystère. *Ateliers pendant les vacances, voir la partie « Maman, j'sais pas quoi faire ! ».*

Musée Carnavalet-Histoire de Paris★★

23 r. de Sévigné. M° St-Paul. ✆ 01 44 59 58 58 - www.carnavalet.paris.fr - tlj sf lun. 10h-18h - fermé certains j. fériés - gratuit (sf expositions).

Il renferme toute la mémoire de Paris, de la préhistoire à aujourd'hui. Tableaux, meubles, sculptures et collections des arts et traditions populaires font de ce musée l'un des plus vivants de la capitale. Notre coup de cœur : les **pirogues néolithiques** en bois retrouvées à Bercy. La plus ancienne est datée d'environ 4400 av. J.-C. ! Les enfants peuvent s'y distraire intelligemment grâce aux multiples formules proposées *(voir « Maman, j'sais pas quoi faire ! »).*

Musée de la Chasse et de la Nature

Hôtel de Guénégaud, 60 r. des Archives. M° Rambuteau. ✆ 01 53 01 92 40 - fermé pour travaux, réouverture probable 4e trimestre 2006.

Vos enfants vont adorer ce petit musée à échelle humaine et à sensation très animalière… Un ours polaire de plus deux mètres, un grizzli caché sous un escalier, des têtes de rhinocéros et des fusils partout… Ils ne le disent pas trop mais tout le personnel du musée se met en quatre pour les enfants : il suffit de demander et ils vous donneront de quoi dessiner les animaux, ils vous expliqueront la différence entre un jaguar et un léopard et vous raconteront plein d'histoires…

Carnet d'adresses

PAUSE DÉJEUNER

Le Pain Quotidien – *20 r. des Archives - 4e arr. - M° Hôtel-de-Ville - ✆ 01 44 54 03 07 - tlj 7h-22h30 - fermé 25 déc. - 8/19,50 €.* Au cœur du quartier gay, la terrasse sous les marronniers de cette boulangerie-épicerie-salon de thé rencontre un vif succès. Si vous n'y trouvez pas de place, installez-vous à l'intérieur, autour d'une grande table d'hôte, pour grignoter salades, tartines garnies, pâtisseries ou partager un brunch le week-end.

Chez Marianne – *2 r. des Hospitalières-St-Gervais - 4e arr. - M° St-Paul ou Hôtel-de-Ville - ✆ 01 42 72 18 86 - réserv. obligatoire - 12,96/27,44 €.* Dans le quartier juif de la rue des Rosiers, ce restaurant-épicerie marie les saveurs de la Méditerranée et de l'Europe centrale, et vous permet de composer des assiettes à votre goût. Préférez la salle à manger face aux casiers à bouteilles et, en été, la petite terrasse.

Les Marronniers – *18 r. des Archives - 4e arr. - M° Hôtel-de-Ville - ✆ 01 40 27 87 72 - 8h-2h – 13,50 €.* Des Marronniers, on ne connaît souvent que sa belle terrasse toujours bondée. Le décor coloré et un tantinet baroque des salles du rez-de-chaussée et de l'étage ne manque pourtant pas d'attrait. Brunch le dimanche.

PAUSE QUATRE-HEURES

Café du Centre culturel suédois – *11 r. Payenne, Hôtel de Marle - 3e arr. - M° St-Paul ou Chemin-Vert - ✆ 01 44 78 80 20 - fermé lun.* L'espace Ikea permet aux enfants de s'ébattre pendant que les parents dégustent des spécialités scandinaves dans le café.

Le Loir dans la Théière – *3 r. des Rosiers - 4e arr. - M° St-Paul - ✆ 01 42 72 90 61 - lun.-vend. 11h-19h, w.-end 10h-19h.* Cet élégant salon de thé vert clair, équipé de confortables fauteuils club, propose depuis plus de vingt-cinq ans cuisine et pâtisseries maison.

PAUSE ACHATS

La Boutique des inventions – *13 r. St-Paul, Village St-Paul - 4e arr. - M° St-Paul ou Pont-Marie - ✆ 01 42 71 44 19 - www.la-boutique-desinventions.com - tlj sf lun.-mar. 11h-19h.* Elle propose des inventions qui viennent d'être déposées à l'INPI : puzzle à ficelles, table secrète… De quoi étonner et susciter des vocations.

Joséphine Vannier – *4 r. du Pas-de-la-Mule - 3e arr. - M° Bastille - ✆ 01 44 54 03 09 - tlj sf dim. mat. et lun. 11h-13h, 14h30-19h - fermé 25 juil.-25 août et 14 Juil.* Boutique spécialisée dans les créations artisanales à base de chocolat. La maison propose également des pralinés et des noisettes grillées caramélisées, enrobées de chocolat, ainsi que les succulents sorbets et glaces de Martine Lambert (glacier deauvillais). Ne manquez pas de jeter un coup d'œil à l'originale vitrine.

La Bastille

18

Un quartier d'artisans

ATLAS MICHELIN PARIS N° 56 (P. 46-47) ET N° 57 (P. 30 ET 32), REPÈRES J18, K17-19, L18 – À CHEVAL SUR LE 4ᴱ ET LE 11ᴱ ARR.

Du fait de la proximité de la Seine, qui facilitait l'acheminement des matériaux, la Bastille a toujours été un quartier d'artisans et d'ouvriers, travaillant notamment autour du bois : menuisiers, ébénistes, doreurs, vernisseurs, tapissiers... Ce sont eux qui ont fait les grandes heures de la Bastille en créant des meubles pour le roi ou en démontant pierre par pierre la forteresse de la Bastille. Mais, avec la Révolution, les nobles n'ont plus passé de commande et le quartier s'est reconverti en petites industries (porcelaine, textile, métallurgie). Enfin, au 20ᵉ s., de nouveaux métiers sont arrivés, créateurs de mode ou architectes. C'est ce brassage entre anciens et nouveaux métiers qui fait tout le charme du quartier et qui peut susciter chez vos enfants de futures vocations...
Autre atout de la Bastille : son port de plaisance et sa Promenade plantée. À côté des bruits de circulation de la place, le bruit du vent dans les gréements des voiliers amarrés au port de l'Arsenal et les senteurs de lavande de la coulée verte vous font perdre l'équilibre !

POINT DE DÉPART

En **métro** : lignes 1, 5 et 8, station Bastille.
En **bus** : lignes 20, 29, 65, 69, 76, 86, 87 et 91, arrêt Bastille.
À proximité, vous pouvez suivre la promenade dans le Marais (17).

POUR LES PETITS MALINS

Si vous faites cette promenade le matin, vous pourrez profiter de la profusion du marché d'Aligre. Inutile alors de préparer un pique-nique à la maison. Le marché Beauvau, marché couvert qui jouxte le marché d'Aligre, propose également ses produits l'après-midi.
Autre superbe marché : celui de la Bastille, boulevard Richard-Lenoir, le jeudi et le dimanche de 7h à 14h30.
Il est possible de faire une grande partie de la promenade à vélo. Mais la marche s'impose sur quelques tronçons, notamment dans le port de l'Arsenal et sur la Promenade plantée, où le vélo est interdit. Pour « monter » à la Promenade plantée, des ascenseurs sont à la disposition des poussettes.
Que vos enfants apportent leur planche de skate, ils pourront faire quelques figures au Sud de la place de la Bastille. Quant aux rollers, ils peuvent aussi les apporter mais les pavés sont courants à la Bastille...
Notre promenade propose trois étapes : la première, avec le port de l'Arsenal, et la deuxième, avec la Promenade plantée et le marché d'Aligre, sont idéales pour les enfants de 3 à 7 ans. Quant à la dernière, le faubourg Saint-Antoine, ses passages et ses artisans, elle enchantera les enfants de 8 à 12 ans et leurs parents.

LE CLOU DE LA VISITE

Courir sans penser une seule minute aux voitures sur la Promenade plantée, se cacher derrière les buissons et regarder passer les gens tout petits du haut de la promenade, bien serré dans les bras de ses parents.

Pour mieux comprendre

Au 12ᵉ s., la Bastille est encore un faubourg de Paris. Des religieuses y construisent une abbaye (à l'emplacement de l'actuel hôpital Saint-Antoine), autour de laquelle beaucoup d'artisans s'installent car ici, ils n'ont pas de taxes à payer au roi. C'est ainsi que commence l'histoire du faubourg, intimement liée à celle d'un matériau, le bois, que la Seine permettait d'acheminer. Menuisiers, ébénistes, tapissiers, doreurs et autres artisans du bois vont assurer la réputation de la future capitale du meuble, qui devient vite internationale. Ainsi, dès le 18ᵉ s., on trouve des meubles du faubourg à la cour de Russie ! Avec les ouvriers qu'ils emploient, les artisans forment une population pauvre : c'est ce petit peuple qui, en avril 1789, dévastera les ateliers d'un riche manufacturier

S. Sauvignier / MICHELIN

Le port de l'Arsenal, où l'on débarquait autrefois le bois pour les ébénistes du faubourg St-Antoine.

de papier peint qui voulait baisser les salaires de ses ouvriers. Trois mois plus tard, ils prendront la Bastille et marqueront ainsi le début de la Révolution française !

Le tour de la Révolution

Départ M° Bastille. 2h de promenade. Prendre la sortie « Rue St-Antoine » (toilettes juste à la sortie).

Place de la Bastille

Au sol, devant l'arrêt de bus de la rue Saint-Antoine, vous pouvez voir une ligne de pavés qui trace le contour de l'ancienne forteresse appelée Bastille. Édifiée en 1370 par le roi Charles V, elle était chargée de défendre l'Est de Paris. Elle a été assiégée sept fois et s'est rendue six fois sans résistance !

À la fin du 17e s., le cardinal de Richelieu la transforme en prison. Le premier prisonnier en est son constructeur ; les sept derniers sont portés en triomphe le 14 Juillet 1789, le jour où la Bastille est reprise par les Parisiens en colère. Son détenu le plus célèbre est le mystérieux « masque de fer ». Fin 1789, elle est démolie et ses pierres sont réutilisées pour construire, en autres, le pont de la Concorde.

Au centre de la place se dresse la **colonne de Juillet**, édifiée en l'honneur des Parisiens tués lors d'une autre révolution, celle de juillet 1830. Ils reposent dans son soubassement et leurs noms sont gravés sur le fût de bronze. À 47 m de haut, le génie doré de la Liberté tient le flambeau de la Liberté et la chaîne enfin brisée de la tyrannie.

Derrière la colonne de Juillet s'élève l'**Opéra de Paris-Bastille★** construit dans les années 1980. Il a pris la place de l'ancienne gare de la Bastille d'où partait la ligne de chemin de fer reliant Paris à la campagne, aujourd'hui transformée en Promenade plantée *(voir plus bas).*

Traverser la rue St-Antoine, le boulevard Henri-IV puis le boulevard Bourdon. Vous êtes face aux grilles du port de l'Arsenal.

Le côté Sud de la place est le terrain d'entraînement des amateurs de roller et de skate qui se construisent des pistes d'envol. Vous pouvez les admirer ou les rejoindre !

Longer les grilles sur la gauche pour descendre le long du boulevard de la Bastille. Le port est accessible au niveau du n° 50.

Port de plaisance

Association pour le port de plaisance de Paris-Arsenal – Capitainerie du port - 11 bd de la Bastille - 12e arr. - ✆ 01 43 41 39 12 - www.portparisarsenal.com - 9h-18h - possibilité de visite guidée sur RV.

Voici un lieu parisien invisible des quais et plutôt insolite : une belle marina en plein cœur de Paris. C'est ici que débouche d'un long tunnel le canal St-Martin, qui, à l'autre extrémité du port, conduit les bateaux jusqu'à la Seine (*voir la promenade 19 le long du canal St-Martin).* À l'ombre des liquidambars (ces arbres portent de magnifiques fleurs blanches en automne), les pêcheurs taquinent une des 35 espèces de poissons qui nagent dans les eaux parisiennes.

Les mouettes et les goélands argentés retrouvent un peu de leur mer oubliée et viennent disputer aux canards les restes des repas des habitants des quelque 180 bateaux. Car nombre d'entre eux servent de maison. Et si, pour beaucoup, ils ne sont pas de taille à affronter une tempête, au moins sont-ils obligés de naviguer 21 jours par an. Autrefois, le port servait à l'acheminement du bois pour les artisans installés dans le faubourg St-Antoine dont nous allons découvrir quelques-uns des descendants.

Jardin de Paris-Arsenal

8h-22h. Bordé de jardins en terrasse, le port de plaisance, le seul de Paris, constitue une superbe promenade sur près de 600 m. Vous pouvez vous installer sur les pelouses pour observer les bateaux colorés. Les plus longs gabarits font 25 m. Les enfants pourront profiter des deux aires de jeux.

Arrivé à hauteur de la passerelle qui enjambe le port, remonter sur le boulevard de la Bastille puis prendre juste en face la rue Jules-César, qui débouche au carrefour de la rue de Lyon et de l'avenue Daumesnil.

Promenade plantée★

8h-17h30 ou 21h30 selon les saisons (w.-end et j. fériés 9h) - accès par les escaliers, au début de l'avenue Daumesnil. Pour les poussettes et les personnes en fauteuil roulant, prendre l'ascenseur se trouvant rue Hector-Malot. Jeux pour enfants, bac à sable, ping-pong, pelouses libres, chiens admis.Faire tout le chemin nécessiterait une journée car cette ancienne ligne de chemin de fer rejoint le bois de Vincennes.

Voir le monde d'en haut, quel enfant n'en rêve pas ! Les jardins suspendus de Babylone devaient ressembler à ça ! Sur 4 km, un jardin enjambe la ville, sans voiture, sans l'ombre d'un vélo, simplement parfois bousculé par une poussette, la vôtre ? Enfin un lieu où laisser ses enfants courir sans l'angoisse de les perdre puisqu'il n'y a qu'un chemin, une longue ligne droite.

Difficile de ne pas jouer au curieux, car on marche, au début, à mi-hauteur des appartements, ce qui permet parfois de découvrir la vie de ces immeubles qui vont du plus moderne au plus classique.

Sinon, en passant sous les treillages de roses, baissez les yeux (et le nez !) sur les plantes, car tilleuls, noisetiers, plantes grimpantes, bambous, érables et plantes aromatiques ponctuent la promenade d'une multitude de couleurs et de parfums.

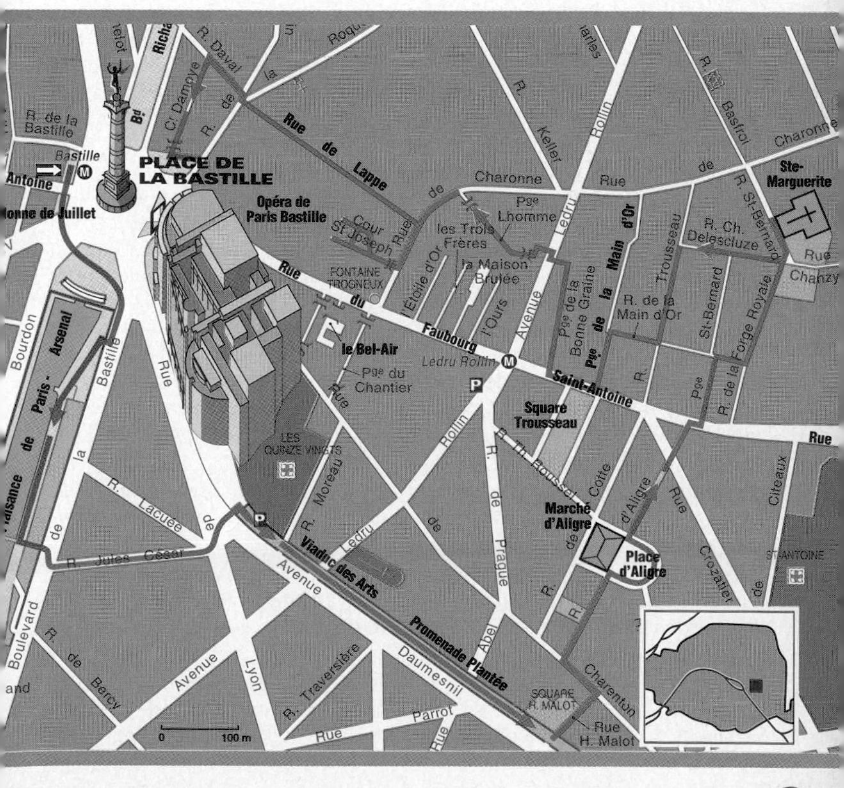

Vous pouvez continuer sur environ 150 m pour découvrir les imposantes statues, pastichant les *Esclaves* de Michel-Ange, qui semblent porter les deux derniers étages du commissariat du 12e arrondissement.

Revenir un peu en arrière, à hauteur de l'ascenseur. Descendre au niveau 1.

Jardin Hector-Malot

D'une double rangée de bambous surgissent les deux terrasses du jardin. Du haut, vous apercevez sous les érables du Canada (c'est avec sa sève que l'on fait le sirop d'érable) des petites fontaines reliées par des canaux. Sur la terrasse du bas, lavandes et orangers du Mexique sont protégés par des pins pleureurs de l'Himalaya, quel voyage ! Un lieu parfait pour une petite pause au pays des senteurs.

Reprendre l'ascenseur ou l'escalier afin de rejoindre la rue Hector-Malot.

De là vous pouvez en profiter pour admirer le **viaduc des Arts★**, cet ouvrage en brique rose et en pierre de taille sur lequel repose la Promenade plantée. Jetez un œil aux boutiques, galeries et ateliers installés sous les arcades. La soixantaine de voûtes accueille en effet des artisans des métiers d'art : orfèvrerie, ébénisterie, tapisserie, restauration de tableaux, de marbres, de poupées anciennes ou de jouets mécaniques, ferronnerie, fabrication de carrelages et de briques, création de mobilier contemporain. Vous pourrez voir quelques artisans à l'œuvre, représentant les corps de métiers traditionnels du faubourg Saint-Antoine.

Mais revenons à notre promenade.

Au bout de la rue Hector-Malot, prendre à gauche la rue de Charenton, puis tourner à droite rue d'Aligre.

H. Deguine / MICHELIN

Sur la Promenade plantée, on peut rouler sans danger.

Marché d'Aligre

Tlj sf lun. 7h30-13h ; marché couvert : tlj sf lun. 7h30-13h, 16h-19h30.

Petits conseils si c'est le matin : il faut tout d'abord se frayer un passage, puis découvrir et enfin choisir, ce qui risque fort de ralentir votre promenade tant les étals sont nombreux ! Ce marché peut être un excellent exercice pour apprendre à vos enfants à comparer les prix et les produits. Les marchands sont adorables : si vous hésitez sur un produit, ils vous le font souvent goûter. Le plus difficile : ne pas repartir avec trois kilos d'oranges alors que vous n'en vouliez qu'une seule (c'est presque le même prix).

Le marché couvert, appelé **Beauvau-Saint-Antoine**, plus cher, propose des produits plus élaborés ainsi que de la viande et du poisson. Les enfants vont adorer l'échoppe d'Anna (sa boutique s'appelle **Les plaisirs d'Anna** – *voir le Carnet d'adresses*) qui, tout en cuisinant, propose ses dix pains d'épice, son vrai fondant au chocolat ou sa terrine d'agrumes : de la clémentine avec du pamplemousse maintenu par une gelée de miel ! Arrêt obligatoire.

Les enfants peuvent aussi s'attarder sur le côté droit de la place. Derrière l'ancien corps de garde, au milieu des bouquinistes, des brocanteurs proposent des trésors dans des caisses remplies de tout et de rien, cassettes vidéo, BD à moitié déchirées, jouets passés entre toutes les mains... Ces petits riens feront le bonheur des dénicheurs en herbe. Et ce n'est pas votre bourse qui en pâtira, il y a vraiment des prix défiant toute concurrence. Bonne pêche !

Aller au bout de la rue d'Aligre, traverser la rue du Faubourg-St-Antoine pour prendre en face le passage St-Bernard, puis à droite la rue de Candie, puis à gauche la rue de la Forge-Royale.

Tout au bout se trouve le **square Majorelle**. Les enfants du quartier aiment se perdre et se cacher dans le labyrinthe d'arbustes. En face, à côté d'un autre square avec aire de jeux et fontaine, se trouve l'église Ste-Marguerite.

Église Sainte-Marguerite

✆ 01 43 71 34 24 - tlj sf dim. 8h30-12h, 14h-17h - sur demande préalable au secrétariat ou à l'accueil.

Personne ne la connaît et pourtant elle abrite un des plus grands trompe-l'œil de son époque, une œuvre de Brunetti (1765). C'est aussi dans son cimetière qu'on a longtemps cru qu'était enterré le jeune Louis XVII, mort à 10 ans au Temple. Il était le fils de Louis XVI qui fut exécuté place de la Concorde, quatre ans après la prise de la Bastille.

En sortant, prendre à gauche et rejoindre la rue Charles-Delescluze à droite. Puis au bout, tourner à gauche, rue Trousseau.

À l'angle de la rue Trousseau, les bustes d'un homme et d'une femme semblent surveiller les enfants qui travaillent dans le **Jardin nomade**. Ce sont les enfants du quartier qui trouvent là matière à se salir les mains. Les petits carrés portent le nom des herbes qu'ils ont plantées ou le nom des jardiniers. Selon leur inspiration, des nains ou des insectes en plastique servent d'épouvantails et trônent sur les plates-bandes. Au n° 22 rue Trousseau, des décorations foisonnantes de marguerites et de tournesols ornent les étages de l'immeuble. Derrière vous, à l'angle de la rue de la Main-d'Or, une magnifique exposition de « passementeries multicolores ». À quoi cela peut-il bien servir ? Préparez-vous à cette question que vos enfants vous poseront sûrement...

Suivre la rue de la Main-d'Or. Le bistrot à vin **Chez Pierre** était autrefois la salle d'attente d'un rebouteux. Quand on avait une entorse ou une luxation, le rebouteux, d'un mouvement sec et précis, vous remettait tout ça en place. Inutile de dire que l'anesthésie n'existait pas et qu'il fallait bien serrer les dents. En face, un autre café avec une vieille inscription « Charbons - Vins et Liqueurs ».

Prendre à gauche le passage de la Main-d'Or. À l'angle, regardez l'ancienne devanture de la boutique de Tapisserie. De l'autre côté du passage se trouve le **théâtre de la Main-d'Or**, qui propose les mercredis et le week-end des spectacles pour enfants. *Traverser la rue du Faubourg-St-Antoine.*

Square Trousseau

Il est tout nouveau, tout beau avec ses luxuriants massifs de plantes de terre de bruyère, ses rhododendrons ou ses azalées. Et les enfants ne sont pas oubliés, peu s'en faut.

Placés sous le signe de la corde, ponts ou murs d'escalade, toboggans, poutres et balanciers se multiplient pour le plaisir et la souplesse des 3-9 ans. Pour les plus grands, des tables de ping-pong et même un baby-foot, si on n'oublie pas d'apporter sa balle.

De retour rue du Faubourg-St-Antoine, un peu sur la gauche, prendre le passage de la Bonne-Graine.

Passage de la Bonne-Graine

Le passage de la Bonne-Graine s'appelle ainsi car il était autrefois occupé par des marchands de graines. Au milieu de la venelle brille l'enseigne des établissements Rinck, une ébénisterie fondée en 1934. En entrant dans la cour, vous apercevrez à gauche l'entrée de l'atelier à côté d'une grande balance Testut et d'un très vieux et très beau miroir... En face, l'atelier de passementerie Boulet Frères. Un peu plus loin se trouve la maison Dissidi, spécialisée depuis des générations dans la copie de meubles. Jetez un œil sur les quelques meubles exposés au rez-de-chaussée : ils sont étincelants...

Aller jusqu'au bout du passage. Au débouché sur l'avenue Ledru-Rollin, un tapissier est souvent à l'ouvrage sur des vieux fauteuils. Toutes ces boutiques et ateliers rappellent que le faubourg Saint-Antoine reste depuis le 17e s. le quartier des artisans travaillant le bois.

Traverser l'avenue Ledru-Rollin, prendre en face le passage de la Bonne-Graine, puis tourner tout de suite à gauche dans le passage Josset. Passer ensuite sous le porche et ses tags pour découvrir avec stupéfaction le luxuriant passage Lhomme.

Passage Lhomme

S'il fait beau, vous aurez la chance d'apercevoir les artisans au travail dans leur atelier construit sur deux étages : gainerie, laque, chaiserie, vernissage au tampon ou ébénisterie.

Au milieu des fleurs et de l'herbe qui poussent entre les pavés, le passage présente une des dernières cheminées du faubourg construites au 18e s. pour actionner les machines à vapeur. Vous êtes pour quelques instants un peu hors du temps.

En sortant, vous débouchez 26 rue de Charonne ; prendre à gauche jusqu'à l'angle de la rue du Faubourg-St-Antoine et de la rue de Charonne.

Fontaine Trogneux

Au 18e s., il n'y avait pas l'eau courante à Paris. Des porteurs sillonnaient la capitale, transportant l'eau soit dans des jarres juchées sur leur dos, soit dans des citernes tirées par des chevaux. Ces derniers étaient très nombreux, et ce n'était pas sur les

crottes de chien qu'il fallait éviter de marcher mais sur le crottin de cheval ! Afin qu'ils se désaltèrent, on décida d'installer des fontaines publiques comme celle-ci, qui date de 1719.
Vous pouvez, vous aussi, boire un peu d'eau. Une autre fontaine se trouve 225 rue du Faubourg-St-Antoine.

Revenir sur ses pas et entrer à gauche, au 5 rue de Charonne.

Cour Saint-Joseph

Anciennement occupée par une manufacture de porcelaine, elle constitue un petit îlot de calme à l'abri de la foule et des voitures. À droite, des passages rejoignent la cour Jacques-Viguès.
Les deux passerelles métalliques qui la traversent facilitaient autrefois le transport des meubles d'un bâtiment à l'autre.

Ressortir rue de Charonne à gauche et tourner dans la rue de Lappe à gauche.

Rue de Lappe

La rue mythique du Paris d'avant la Seconde Guerre mondiale ! À l'époque, ce n'était ni aux Champs-Élysées ni rue du Faubourg-St-Antoine que l'on sortait le samedi soir, c'était dans cette toute petite rue. S'il était parisien, votre grand-père est sûrement venu guincher au son de l'accordéon, l'instrument roi, dans les bals qui occupaient toute la rue. Peut-être y a-t-il rencontré votre grand-mère… Le seul bal survivant est le Balajo, dont le nom est tiré d'un certain Jo qui a créé son bal, « le bal à Jo ».
Poussez les portes de quelques numéros : le n° 34 (il faut passer par le café), le 26 (cour Saint-Louis avec sa statuette à l'entrée), le 24…, elles donnent toutes sur des cours noyées de verdure. Avant de quitter la rue de Lappe, entrez dans la boutique de produits auvergnats, au n° 6, pour acheter quelques saucissons ou pots de confiture artisanale.

Encore un peu d'énergie ? Prenez en face la rue Daval, puis à gauche, le passage Damoye. Sinon, tournez à gauche rue de la Roquette pour rejoindre le métro Bastille.

Cour Damoye

Lun.-vend. 9h-20h, sam. 10h-20h, dim. 13h-19h.
Tout nouveau, tout beau, un excellent moyen pour terminer la promenade avant de retrouver la ville. Galeries de sculpteurs, de peinture, affiches de festival, peinture sur soie, thé en vrac… Au milieu du passage, tout de fer et de noir vêtu, un ancien monte-charge desservait dans les années 1920 une usine à béton. Encore un petit bout de rue pavée et sans voiture avant de rejoindre le métro Bastille au bout du passage.

Un peu de rab ?

Cours et passages le long de la rue du Faubourg-Saint-Antoine

La rue du Faubourg-Saint-Antoine suit l'ancienne chaussée qui reliait la forteresse de la Bastille à l'abbaye Saint-Antoine, le centre historique du quartier. Les enfants peuvent y découvrir des cours, des impasses, des ruelles et des passages uniquement piétonniers, au charme désuet et qui constituent le véritable cœur artisanal du faubourg. Les ateliers abritent toujours de nombreux artisans du bois. On peut parfois les voir travailler et leur poser quelques questions.

Situé au début de la rue de la Roquette *(voir plan)*, le **passage du Cheval-Blanc** était au 17e s. un ancien entrepôt de bois. Il donne accès à un réseau de cours portant les noms des mois de l'année. Dans la cour de Février, regardez bien les galeries suspendues ; elles permettaient de transporter facilement les meubles d'un bâtiment à l'autre. *Lun.-vend. 8h-20h (sam. 12h).*

Rue du Faubourg-St-Antoine, entre la rue de Charonne et l'avenue Ledru-Rollin, quatre larges cours se suivent. Elles datent du 17e s., l'âge d'or du faubourg.
Au n° 75, la **cour de l'Étoile-d'Or,** est une allée pavée toute droite bordée d'habitations et d'un mur couvert d'un rideau de lierre. Dans le fond, quelques ateliers de meubles demeurent mais semblent surtout utilisés pour le stockage.
Aux nos 81-83, dans la **cour des Trois-Frères**, au milieu des anciennes boutiques de meubles, pour la plupart abandonnées, vous verrez en semaine des artisans à l'œuvre dans les ateliers Armand.
De même au n° 89, la **cour de la Maison-Brûlée** et, au n° 95, la **cour de l'Ours**, qui abritent quelques ébénistes.

Carnet d'adresses

PAUSE DÉJEUNER

⊖ **Le Paradis du fruit** – *12 pl. de la Bastille - 11e arr. - M° Bastille - ✆ 01 43 07 82 25 -8h-2h - 5,50/17 €.* Ce restaurant de chaîne ne manque pas de fidèles venus « siroter » un cocktail aux jus de fruits, savourer une salade composée ou simplement grignoter une tartine garnie. Salles à manger colorées complétées par une terrasse tournée vers l'Opéra-Bastille.

⊖ **Morry's** – *1 r. de Charonne - 11e arr. - M° Ledru-Rollin - ✆ 01 48 07 03 03 - 2,90/5,80 €.* Chez Morry's, on mange des bagels, ces petits pains ronds avec un trou au milieu, que l'on trouve dans toutes les rues de New York. Bagels aux graines de pavot, au basilic ou nature que l'on choisit ensuite d'agrémenter de cream cheese et de saumon. Chaque bagel est accompagné de coleslaw. Vous ne savez pas non plus ce que c'est ? Une raison de plus pour aller chez Morry's en famille : un petit repas rapide, bon et dépaysant.

⊖⊖ **Le Grand Bleu** – *Bd de la Bastille, port de plaisance de l'Arsenal - 12e arr. - M° Bastille - ✆ 01 43 45 19 99 - fermé fév. - 13,72 € déj. - 30/48 €.* Non, vous ne rêvez pas, vous êtes bien au cœur de Paris ! Attablé à cette terrasse qui surplombe le charmant port de plaisance de la capitale et son jardin, vous êtes sous la Bastille, à 50 m à peine du Génie… Service dans la véranda si le soleil boude. Cuisine de poissons.

PAUSE QUATRE-HEURES

Les plaisirs d'Anna – *Pl. d'Aligre, marché Beauvau - 12e arr. - M° Ledru-Rollin - ✆ 01 43 45 20 74 - tlj sf dim. apr.-midi et lun. 9h-13h, 16h30-19h30.* Les plaisirs d'Anna sont réconfortants : pain d'épice, tarte au chocolat, terrine aux agrumes (de la clémentine avec du pamplemousse maintenu par une gelée de miel !), tiramisu, tarte au chèvre et au concombre : Anna crée tous ces chefs-d'œuvre devant vous, dans sa petite échoppe du marché Beauvau.

Moisan – *5 pl. d'Aligre - 12e arr. - M° Ledru-Rollin - ✆ 01 43 45 46 60 - mar.-sam. 7h-13h30, 15h-20h (dim. 13h30).* On se bouscule pour acheter le délicieux pain biologique fabriqué sous vos yeux dans cette boulangerie cossue. Pains, tartes et brioches sont élaborés à base de farine certifiée AB. Parmi les produits vedettes : le Saint-Jean (très gros pain), les éclairs, les tartes Tatin et les charlottes au chocolat. Une excellente adresse parisienne.

PAUSE ACHATS

La Maison du Cerf-Volant – *7 r. de Prague - 12e arr. - M° Ledru-Rollin - ✆ 01 44 68 00 75 - www.lamaisonducerfvolant.com - tlj sf dim. et lun. 11h-19h.* Pour débutants ou passionnés confirmés, utilisables immédiatement ou à monter soi-même, budgets à ras du sol ou plus élevés, vocation sportive ou simple amusement : le choix de cerfs-volants proposé dans cette boutique est à couper le souffle !

Le canal St-Martin

Les onze portes

ATLAS MICHELIN PARIS N° 56 (P. 22 ET 34) ET N° 57 (P. 27), REPÈRE E-G 17-18 – 10E ARR.

Neuf écluses, onze portes, deux ponts tournants, des passerelles de fer, un plan d'eau – parfois plus élevé que la chaussée –, des pavés et des rangées d'arbres : le canal Saint-Martin compose sous le ciel parisien un paysage plein de charme, reflétant le Paris populaire et industriel du 19e s., et sur lequel planent les ombres d'Arletty et d'Amélie Poulain. De l'Afrique à Stalingrad en passant par les rives tranquilles du canal, cette balade est aussi représentative du Paris d'aujourd'hui : s'y mêlent une foule bigarrée et laborieuse, le calme bucolique des squares et le clapotis des écluses. Chacun vaque à ses loisirs, les uns conversent les pieds dans l'eau, un verre à la main, les autres surveillent attentivement le bouchon, du jeu de boules ou de la canne à pêche, tandis que les plus petits lancent des cailloux…

POINT DE DÉPART

En **métro** : ligne 11, station Goncourt.
En **bus** : ligne 46, arrêt Goncourt.
À proximité, vous pouvez suivre les promenades à La Villette (26 et 34), au Père-Lachaise (28) et sur les Grands Boulevards (13).

POUR LES PETITS MALINS

Une piste cyclable borde de part et d'autre le canal.
À la sortie du métro Goncourt, un peu plus bas dans la rue du Faubourg-du-Temple, une graineterie vous permettra d'acheter de la nourriture pour les canards du canal.
Tous les jours à 15h et 16h, des bateaux passent dans les écluses du canal. À partir d'avril, des bateaux passent aussi le matin à 10h et 10h30.
Si vous voulez faire une croisière en bateau sur le canal, reportez-vous au chapitre « Maman, j'sais pas quoi faire ! », rubrique « Croisières sur les canaux ».
Le dimanche et les jours fériés, le canal est fermé aux voitures de Stalingrad à la rue du Faubourg-du-Temple (10h-18h).
Le dernier dimanche du mois, l'espace Jemmapes (116 quai de Jemmapes) propose des spectacles gratuits pour toute la famille. Les thèmes vont de la magie à la chanson.

LE CLOU DE LA VISITE

Comme une promenade le long d'un fleuve incite à la rêverie, laissez divaguer vos pensées et notez les atmosphères différentes que peut prendre une ville à 100 m de distance. C'est l'occasion d'essayer de décrire un lieu et les gens qui le fréquentent. Car il ne faut pas oublier que ce qui fait une ville, c'est bien sûr l'architecture et les rues, mais aussi et surtout les gens qui y habitent.

Pour mieux comprendre

Pour pallier les problèmes d'approvisionnement en eau et satisfaire ses rêves de grandeur et d'embellissement de la capitale, Napoléon Ier décide de construire le canal de l'Ourcq en 1802 afin de capter les eaux de l'Ourcq jusqu'au bassin de La Villette, situé en rase campagne à l'époque. Il confie les travaux à Pierre-Simon Girard, un ingénieur qui a étudié, en Égypte, le cours du plus long fleuve du monde, le Nil (6 671 km). Les travaux s'achèvent en 1825 avec la construction du canal Saint-Martin.

Les onze portes…

Départ M° Goncourt. 2h de promenade. Sortir rue du Faubourg-du-Temple.

Goncourt

Oh, la, la ! Que de bruits ! Maman, c'est ça le canal ? Mais non, c'est le carrefour de Goncourt. C'est déjà en soi un voyage dans le monde. Des Indiens, des Africains, mais aussi des Chinois qui remontent vers Belleville. Seriez-vous capable de retrouver le pays d'origine de chacun ? Tout ce monde vaque à ses occupations, certains n'en ont aucune, d'autres ont des courses urgentes, des bobos bousculent des matrones africaines en boubou, les pépés arabes font leur tiercé, les Pakistanais attendent un emploi, à la tâche ou à la journée, et les chauffeurs-livreurs font des queues de poisson aux bus. Quant aux commerçants, ils s'affairent devant leurs étals et attendent le chaland. Souvenez-vous de l'atmosphère de ce quartier : au début du 20e s., les rives du canal étaient animées comme cela.

Descendre la rue du Faubourg-du-Temple.

Au n° 45, une très vieille cour, avec des immeubles délabrés, des enfants qui jouent : on se demande comment l'immeuble de l'entrée tient debout ! D'ailleurs les architectes ne s'y sont pas trompés puisqu'ils ont posé des mouchards sur les fentes pour surveiller l'écartement des murs. Les voyez-vous ?
En passant devant le théâtre du Palais-des-Glaces au n° 37, mettez-vous à la place du pauvre éléphant écrasé dans sa boîte. Dort-il ?

Vous arrivez quai de Jemmapes ; traversez et arrêtez-vous, dos au square.

Square Frédérick-Lemaître

En face du square, juste à l'entrée, deux catalpas à grandes feuilles protègent du soleil les épaules d'une grisette (c'est ainsi qu'on appelait au 19e s. les jeunes couturières aux mœurs légères). À cette époque, le bronzage n'était pas du tout à la mode, les canons de la beauté exigeaient une peau blanche. Aussi, nombre d'arbres ont été plantés à Paris pour prévenir les femmes des rayons du soleil. En regardant vers la rue du Faubourg-du-Temple, au 1er étage d'un immeuble, deux angelots soutiennent une horloge arrêtée depuis belle lurette. Plus loin, une grande dame nous tourne le dos. La reconnaissez-vous ? Il s'agit de la République brandissant ses lauriers.
Vous pouvez maintenant entrer dans le square et vous asseoir face au buste de Frédérick Lemaître (1800-1876). Ne vous laissez pas impressionner par son air sévère, c'était un comédien, le plus illustre de son temps, une sorte de Gérard Depardieu.

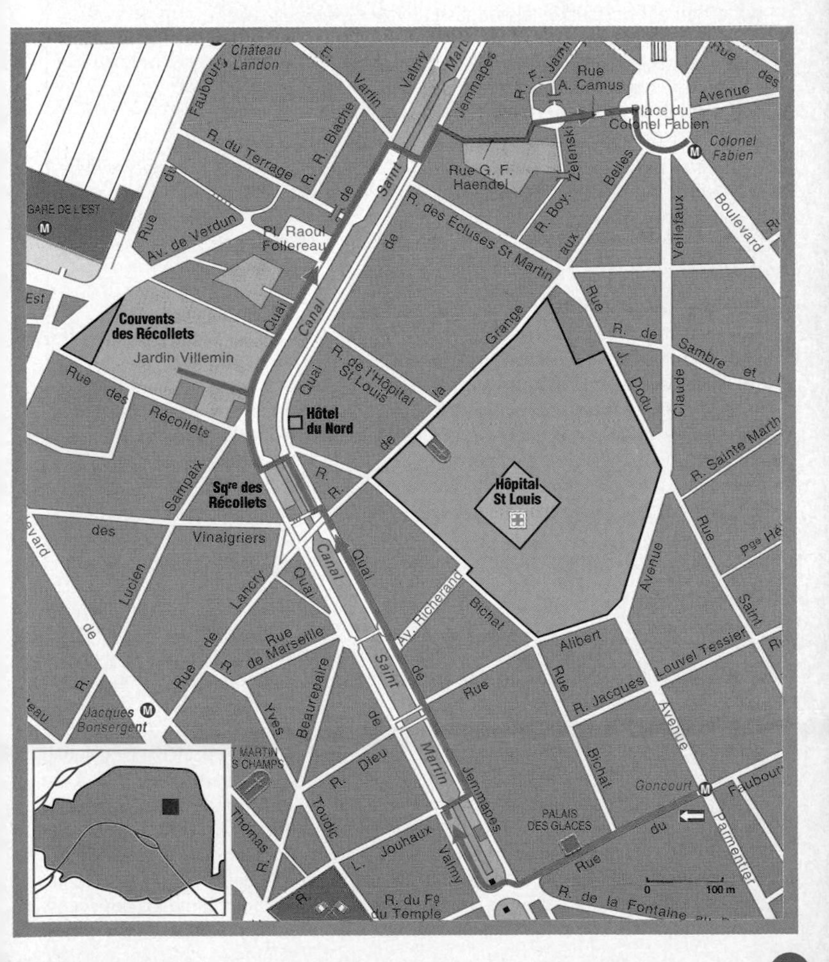

Il savait faire rire ou pleurer, il jouait la comédie. Mais vous ne pourrez jamais le voir dans un film, car le cinéma n'a été inventé qu'en 1895. C'est au théâtre qu'il jouait. Et pas très loin d'ici, sur le boulevard du Temple, que l'on surnommait le « Boulevard du crime » car on y montait beaucoup de drames où le sang coulait à flots…
Cependant, vous pouvez voir l'histoire de Frédérick Lemaître dans *Les Enfants du paradis*, film de Marcel Carné, dans lequel joue une autre grande actrice, Arletty, que vous allez croiser plus tard dans la promenade.

Levez-vous et remontez le côté gauche du canal, le long des platanes, jusqu'à l'entrée du tunnel.

La première porte de la première écluse

C'est à cet endroit que réapparaît le canal, souterrain depuis la Bastille où il forme le bassin de l'Arsenal. Vous découvrez la première porte de la première écluse. Chaque écluse comporte une porte d'entrée et une porte de sortie. Comparez l'ambiance du lieu avec celle de Goncourt.

Traverser la passerelle de la Douane, remonter le quai de Jemmapes de ce côté : l'après-midi vous y serez en plein soleil et la vue y est plus belle que du quai de Valmy. Continuer, puis monter sur le pont piéton situé à peu près à la hauteur de la rue Richerand pour profiter encore de la vue.

Les ponts tournants

D'ici, de chaque côté du pont piéton, vous apercevez les deux ponts tournants du canal (avec au loin, à droite, la cascade de l'écluse des Récollets). Le pont tournant permet de laisser passer les grands bateaux.
C'est à cet endroit précis qu'Amélie Poulain fait ses ricochets. Si vous trouvez des petites pierres plates, vous aussi, vous pouvez essayer…

Vous avez dit écluse ?

Sais-tu ce qu'est une écluse ? C'est une sorte d'ascenseur pour bateaux.
Ici, il y a deux écluses car le dénivelé (c'est-à-dire la différence de niveau entre le bas et le haut) est très grand, 6 m. Autrefois, les gardiens des écluses ouvraient les portes à la force du poignet. Aussi, pour les soulager, les constructeurs ont réalisé trois portes de trois mètres de haut. Pour que les bateaux ne bougent pas, on les encorde à des bites d'amarrage – et ce n'est pas un gros mot ! Les bites blanches qui sont tout en bas servent pour les bateaux de plaisance.

Redescendre quai de Jemmapes et continuer à remonter jusqu'au pont tournant de la rue de la Grange-aux-Belles. Arrêtez-vous un instant au n° 82 : derrière le bâtiment se cache une charmante courette verdoyante dotée d'une façade en trompe-l'œil *(si la porte est fermée, vous pourrez l'apercevoir de l'allée du n° 80).*

Continuer à remonter le quai.

Square des Récollets

Jeux pour enf. Vous êtes arrivé à la quatrième porte et à la troisième écluse… Une grande peinture murale orne le n° 85, quai de Valmy. Que voyez-vous ?
Les deux écluses semblent plus anciennes. Il y a de la mousse sur les murs et de l'eau s'écoule en cascade des portes. Rejoignez le côté gauche du square, asseyez-vous sur un banc, fermez les yeux et écoutez. Qu'entendez-vous ? Des voitures bien sûr, des éclats de voix, mais aussi de l'eau qui coule. Sentez-vous la différence d'atmosphère par rapport à Goncourt ? Une autre image de Paris, plus calme, peut-être légèrement plus triste. Dans ce lieu, rien n'indique que nous sommes déjà au 21e s. Nous sommes peut-être en 1929…

Juché sur la seconde passerelle au bout du square, entre les feuilles de platanes et de marronniers, vous distinguerez tant bien que mal le fameux Hôtel du Nord.

Hôtel du Nord

102 quai de Jemmapes. Dans les années 1920, l'ambiance du quartier ressemblait à celle de Goncourt, que vous venez de quitter : les péniches étaient beaucoup plus nombreuses, il y avait un marché, des bars et des commerces. Un petit garçon, Eugène Dabit, vécut dans cet hôtel simple et peu cher. Quelques années plus tard, il écrivit un livre relatant les petites histoires du quartier, *Hôtel du Nord*. Ce livre devint un film dans lequel, en passant sur le pont où vous êtes, Arletty, l'actrice principale qui jouait le rôle d'une prostituée, répond vertement, avec un accent très « titi parisien », à son souteneur : « Atmosphère, atmosphère, est-ce que j'ai une gueule d'atmosphère ? »
Quelqu'un peut-il avoir une gueule d'atmosphère ? Regardez les visages des personnes autour de vous : certains vous racontent une histoire, notamment ceux des vieilles personnes, peut-être celle d'un cruel sorcier ou d'une jolie fée…
En 1938, année de tournage des *Enfants du paradis*, tourner un film dans des décors naturels était très compliqué car les caméras et les projecteurs étaient trop gros et

trop lourds ; de plus, on attachait une grande importance à l'éclairage des personnages et des lieux pour restituer une ambiance. On voulait faire vrai avec du faux. Aussi, le décorateur Alexandre Trauner reconstitua entièrement l'hôtel, le canal et les écluses dans un studio. Grâce aux habitants du quartier, l'hôtel a été sauvé de la démolition en 1983. Mais le bâtiment légendaire n'a conservé que sa façade.

Rejoindre le quai de Valmy par la passerelle, et le longer jusqu'au jardin Villemin.

Jardin Villemin

♿ *Jeux pour enfants, pétanque, piste de roller, terrains de basket et de hand-ball, toilettes publiques, relais bébés, pelouse libre.*

Juste après la courbe que dessine le quai de Valmy se profile un bel espace vert tout entier dédié aux habitants du quartier. D'agréables pelouses descendent en pente douce jusqu'au canal Saint-Martin et, dès le printemps, le jardin regorge de parterres de fleurs aux couleurs vives. Au fond s'étire l'**ancien couvent des Récollets**. Datant du 17e s., il n'a conservé que sa partie principale et son cloître. Le bâtiment est en cours de rénovation. À proximité du couvent, vous passerez sous des saules pleureurs, des frênes et des hêtres. Mais surtout, arrêtez-vous devant l'étonnant mûrier blanc qui, jeté à terre par une tempête, continue de pousser.

Sortir du square et remonter le quai de Valmy sur la droite.

Quai de Valmy

De nos jours, le canal est peu utilisé par les grosses péniches, car il n'accepte que des péniches de 260 tonnes, dont le tirant d'eau maximum est de 2,40 m, le canal ne faisant que 20 cm de plus de profondeur ! Or, de nos jours, la majorité des péniches transportent de 360 à 380 tonnes ! Mais jusque dans les années 1920, le trafic était très important. Nécessitant de l'eau en grande quantité, de nombreuses papeteries, tanneries et fabriques de faïence étaient installées le long des rives du canal.

Ainsi, en face du quai de Valmy, à hauteur de la place Raoul-Follereau, vous pouvez encore voir, sous les vignes vierges, un beau bâtiment industriel en brique, verre et métal qui appartient aux papeteries Clairefontaine. Regardez dans votre cartable, vous avez sûrement un cahier qui vient de là. Et maintenant, imaginez ces péniches chargées de sable, de charbon, de sucre ou de sel défilant à une cadence soutenue, s'arrêtant à tour de rôle devant les docks et les entrepôts... Figurez-vous les embouteillages, les mariniers qui s'invectivent les uns les autres... Pour vous aider, souvenez-vous de la population autour du métro Goncourt.

Continuez à remonter le quai de Valmy, jusqu'au square Eugène-Varlin.

Square Eugène-Varlin

♿ - *Jeux pour enfants.* Ce square est situé de part et d'autre du canal. Installé sous des érables sycomores, vous apercevez les 7e, 8e et 9e portes et devinerez tout au loin, vers Jaurès, les 10e et 11e.

Redescendre sur le quai de Jemmapes, le traverser, puis prendre sur la droite la rue pour piétons Georg-Friedrich-Haendel. Traverser la place Robert-Desnos pour remonter la rue Albert-Camus, sur la droite, jusqu'à la place du Colonel-Fabien, terme de votre promenade (M° Colonel-Fabien).

Ph. Gajic / MICHELIN

Venez faire des ricochets dans l'eau du canal St-Martin, comme Amélie Poulain.

Un peu de rab ?

Bassin de La Villette

M° Jaurès ou Stalingrad. Un vaste plan d'eau et une faible circulation automobile : deux atouts majeurs en plein Paris.

Côté quai de la Seine – *Piste cyclable en cours d'aménagement. Aires de jeux, terrains de pétanque et tables de ping-pong.* Le **cinéma MK2**, installé dans un ancien entrepôt, se repère aux célèbres répliques de films qui couvrent la façade. Continuez la promenade Signoret-Montand au bord de l'eau : une délicieuse flânerie entre pêcheurs du dimanche, amateurs de ping-pong et joueurs de pétanque.

Côté quai de la Loire – *Piste cyclable. Aires de jeu.* Un nouveau **cinéma MK2** de sept salles, en face du précédent, vient de voir le jour. Si vous êtes plus sportif que cinéphile, faites une halte à la **base nautique de La Villette**, installée dans un ancien entrepôt aux 15-17 quai de la Loire *(voir « Maman, j'sais pas quoi faire ! »)*. Si vous avez besoin d'une petite pause, allez au Bar Ourcq (68 quai de la Loire), où l'on vous prêtera un transat pour siroter votre verre de grenadine sur le quai.

Carnet d'adresses

PAUSE DÉJEUNER

Chez Prune – *36 r. Beaurepaire - 10e arr. M° République - 01 42 41 30 47 - lun.-sam 8h-2h, dim. 10h-2h - fermé 25 déc. et 1er janv. - à partir de 14 €.* Situé au bord du canal Saint-Martin, Chez Prune constitue une halte paisible ou animée, selon les heures, mais toujours sympathique. S'y retrouve une jeunesse « branchée », essentiellement issue du quartier, venue savourer un petit plat ou prendre un verre.

Couleur Canal – *56 r. de Lancry - 10e arr. - M° Jacques-Bonsergent - 01 42 40 60 52 - tlj sf w.-end 11h-19h - fermé de mi-juil. à mi-août - 8 à 15 €.* Posée sur le trottoir, l'ardoise propose un choix de tartes salées et de pâtisseries maison réalisées sur place et, le plus souvent possible, à partir de produits biologiques. Côté décor, ce salon de thé joue la carte de la simplicité et de la modernité mettant ainsi en valeur les œuvres exposées du patron-sculpteur (jolies lampes au premier étage).

L'Île Enchantée – *65 bd de la Villette - 10e arr. - M° Colonel-Fabien - 01 42 01 67 99 – à partir de 10 €.* Façade toute bleue, grandes baies vitrées, mobilier hétéroclite (neuf, ancien et de récupération), zinc peint en rouge : ce cadre a séduit une clientèle jeune et branchée. On vient ici avant tout pour boire un verre, mais un choix réduit d'assiettes froides permet de combler les éventuelles petites faims. Un Dj anime les soirées en fin de semaine… les noctambules s'y pressent.

Sésame – *51 quai de Valmy - 10e arr. - M° République - 01 42 49 03 21 - tlj sf lun. 10h-20h - fermé 2 sem. en août, 1 sem. à Noël et 1er Mai - à partir de 10 €.* Accueil charmant, cadre contemporain tout en sobriété (ton beige dominant), vue sur le canal, et préparations appétissantes : de bonnes raisons de pousser la porte de ce salon de thé-épicerie fine proposant également petits-déjeuners et brunchs. Salades composées et sandwichs originaux, le tout composé à partir de produits frais et de qualité.

PAUSE QUATRE-HEURES

Antoine & Lili – *95 quai de Valmy - 10e arr. - M° Gare-de-l'Est - 01 42 37 41 55 - www.antoineetlili.com - 11h-20h - fermé 24 déc.-2 janv. et 1er Mai.* Impossible de rater le « village » d'Antoine et Lili et ses trois façades aux tons acidulés (rose, vert, jaune). Jetez un œil aux boutiques de vêtements et de décoration avant de vous attabler dans cette cantine-épicerie. Intérieur assez kitsch ultracoloré et miniterrasse face au canal pour boire un thé, déguster des tapas, une crêpe ou une pâtisserie.

La Bonne Fournée – *151 quai de Valmy - 10e arr. - M° Château-Landon - 01 42 05 43 83 - lun.-sam. 7h30-20h30 - fermé vac. de fév.* Avec son enseigne en lettres dorées gravées sur du marbre, son décor à l'ancienne et son plafond bleu ciel peuplé d'angelots, cette petite boulangerie de quartier postée au bord du canal Saint-Martin séduit. Les habitués viennent y acheter sa baguette de tradition ou se laissent tenter par l'une des 20 sortes de pains proposés tels que le Bavière, pain au seigle noir et graines de tournesol.

PAUSE ACHATS

La Pinata – *25 r. des Vinaigriers - 10e arr. - M° Jacques-Bonsergent - 01 40 35 01 45 - mar.-sam. 11h-19h, dim. 15h-19h.* Des couleurs, de la musique, des masques, des squelettes : vous êtes vraiment en Amérique latine. Des jouets à partir de 50 cts d'euros, mais aussi des lézards et des pinatas en forme de hot dog ou de chien en tutu (ce sont de grosses boules de papier mâché que les enfants doivent s'amuser à faire éclater). Lors des fêtes comme le Carnaval ou la Toussaint, la boutique présente des fêtes typiques de l'Amérique du Sud comme la Fête des morts mexicaine. Ce jour-là, les crânes en sucre rigolent drôlement…

La Nouvelle Athènes 20

Entre musique et peinture

ATLAS MICHELIN PARIS N° 56 (P. 8 ET 20) ET N° 57 (P. 68) REPÈRE C-D 13-14 – 9E ARR.

Des théâtres, majestueux ou minuscules, des demeures, grandioses ou secrètes, des personnages, célèbres ou oubliés : vous allez vous promener dans un quartier où tous les grands artistes de la première moitié du 19e s. ont soit habité, soit fréquenté ceux qui y logeaient. Et, comme dans tous les endroits à la mode, ils ont attiré toute une foule de parvenus qui, à défaut d'être restés dans la postérité, ont laissé de magnifiques hôtels ou ateliers. Pour mieux comprendre l'ambiance de ce quartier d'artistes, qu'on appelle la Nouvelle Athènes, vous allez suivre M. Dandin, un metteur en scène de théâtre, désireux de monter un spectacle. Il part à la recherche de personnages – le quartier regorge de figures pittoresques –, de décors, comme ces façades décorées de vitraux, de verrières ou rythmées par des statues, et enfin d'un théâtre où jouer sa pièce.

POINT DE DÉPART

En **métro** : ligne 2, station Blanche.
En **bus** : lignes 30 et 54, arrêt Blanche.
À proximité, vous pouvez suivre les promenades sous les passages couverts (14) sur les Grands Boulevards (13), et évidemment à Montmartre (21).

POUR LES PETITS MALINS

Si c'est loin d'être la campagne, il s'agit quand même d'un parcours accidenté : ça monte et ça descend. Munissez-vous de bonnes chaussures et d'énergie. Inutile, malgré tout, d'avoir une poussette 4x4, les pavés sont rares.
La rue Lepic, située au début de votre balade, est célèbre dans tout Paris pour la qualité de ses commerces de bouche ; profitez-en, après ils se font plus rares.
Gardez bien votre plan sous la main, pour vous éviter des trajets inutiles, tout en ne ratant rien. Nous vous faisons souvent aller dans des portions de rue pour faire ensuite marche arrière.

LE CLOU DE LA VISITE

Le musée de la Vie romantique, pour son jardin, ses contes et sa serre. Même sans visiter le musée, pourtant gratuit, le dépaysement est garanti.

Pour mieux comprendre

Au milieu du 19e s., les Parisiens sont de plus en plus nombreux. Il faut leur construire des appartements. Des promoteurs immobiliers décident de réunir autour de l'Opéra, où les théâtres sont déjà nombreux, des comédiens, des peintres, des musiciens et des écrivains. Ils leur construisent un lotissement avec des appartements confortables et des ateliers spacieux pour peindre de grandes toiles. Voilà comment est né le quartier de la Nouvelle Athènes.
Quant au choix de son nom, s'agissait-il de faire allusion au goût des architectes pour l'Antiquité dont ils s'inspirèrent pour construire leurs immeubles (vous verrez beaucoup de colonnes et frontons) ou aux nombreux artistes qui choisirent de s'installer ici ? Athènes symbolise en effet, dans l'Antiquité, la naissance de la démocratie, avec la fin de la tyrannie, l'égalité et la libération des arts. Avec la Nouvelle Athènes, c'est un quartier dédié aux arts qui surgit au cœur de Paris… Toujours est-il qu'en 1823 un journaliste, Dureau de la Malle, donna le nom de Nouvelle Athènes au quartier qui venait d'être loti.

Le projet de M. Dandin

Départ M° Blanche. 2h de promenade. Une seule sortie, face à la place Blanche. Arrêtez-vous au bas des marches juste avant de sortir.

M. Guimard et sa station de métro

Halte-là ! Ne montez pas tout de suite. Observez, du bas des marches, la sortie de la station de métro : le premier artiste de votre balade s'offre à vous. Autrefois, toutes les stations de métro étaient ornées des sculptures d'Hector Guimard. Mais elles ont

été démontées sous la pression d'esprits chagrins et peureux, qui trouvaient que les mats en forme de tulipes, signalant la nuit l'entrée du métro, étaient trop effrayants. Ils prenaient les réverbères pour des yeux de monstre. Qu'en pensez-vous ?
Une question pour les petits champions : savez-vous pourquoi la place Blanche s'appelle ainsi ? C'est à cause de ses anciennes carrières de plâtre.

Montez les marches. Sur votre droite trône le Moulin-Rouge. C'est votre première direction. Traversez le boulevard de Clichy, puis descendez-le sur votre gauche.

Boulevard de Clichy

La population du quartier dépend de l'heure de votre visite. Tôt le matin, c'est le royaume des ménagères et des touristes, vers midi, les travailleurs nocturnes se lèvent, dans l'après-midi, les bars ouvrent peu à peu et la faune des noctambules vient se mélanger à celle des passants. Cette mixité vous permettra de croiser des personnages inquiétants, bizarres ou tout simplement amusants.

Moulin-Rouge

90 bd de Clichy. Immanquable ! Grâce aux affiches de Toulouse-Lautrec, ce music-hall, ouvert en 1899, est connu dans le monde entier. Regardez tous ces touristes qui ont traversé la terre pour se faire prendre en photo devant les ailes du Moulin-Rouge et dire : « J'y étais ! » Vous y êtes ! Ici, les artistes sont des danseuses de french cancan. C'est une danse difficile où il faut lever très haut la jambe et se jeter au sol en faisant le grand écart. Au moment de sa création, vers 1889, les beaux messieurs se mettaient au premier rang pour admirer les grandes culottes tout en dentelle de ces jeunes filles. Et ce sont précisément ces filles qu'a dessinées Toulouse-Lautrec. Vous pouvez les voir en photo dans le couloir qui mène à l'entrée.

H. Champollion / MICHELIN

Le Moulin-Rouge, où l'on danse le french cancan.

M. Dandin trouve ce spectacle un peu Olé, olé et dépasse le Moulin-Rouge. Il tourne à droite dans la cité Véron.

Cité Véron

94 bd de Clichy. Juste à côté des « drôles d'oiseaux » qui rôdent sur les Boulevards, montez dans la cité et écoutez les petits oiseaux. Ils sont perchés, tout au fond de l'allée, dans les arbres du cimetière Montmartre. Vers le haut, à droite, suivez l'escalier : vous apercevrez les ailes du Moulin-Rouge ; par grand vent, elles tournent, même si elles n'ont jamais moulu de grain ! Puis entrez dans le bâtiment pour découvrir, sous une grande verrière, une salle de danse. S'il y a un cours, jetez un œil discrètement : vous verrez peut-être une danseuse qui travaille un entrechat ou le grand écart. Essayez, en douceur et sans forcer, de faire comme elle. C'est dur !

« Ce n'est sûrement pas pour moi », dit M. Dandin et il redescend, tourne à droite et marche quelques mètres.

Théâtre des Deux Ânes

Le nom est drôle, la façade, terne, mais l'affiche est souvent amusante. Comme la plupart des théâtres du quartier, il propose une comédie.
« Ça, un théâtre ? Il est minuscule ! » se dit M. Dandin. Eh oui ! Néanmoins ce sont dans des lieux comme celui-ci, petits donc peu chers, que les auteurs et les comédiens peuvent pour la première fois se confronter au public.
Une trompe plus loin, l'enseigne de l'Éléphant bleu (un bar) est bien plus attirante. En tout cas, ce pachyderme semble plus à l'aise que le pauvre éléphant du Palais des glaces *(voir la promenade 19 le long du canal St-Martin)*.

Un peu plus loin, de l'autre côté du boulevard, se trouve la rue P.-Haret. Suivez-la jusqu'à la place Adolphe-Max.

Place Adolphe-Max et square Berlioz

Au 18e s., la place était occupée par un petit étang entouré d'un parc sillonné d'allées et de charmilles au milieu duquel trônait une belle maison. Aujourd'hui, enveloppée dans un grand manteau, la statue du compositeur Hector Berlioz est érigée dans le square

où s'amusent les enfants du quartier. Au n° 11 de la place, sur une belle façade, un barbu et deux femmes *(en médaillons)* semblent réprouver cette agitation. Un peintre de la mer, Eugène Boudin, avait pourtant choisi d'habiter cette résidence en 1871. À l'angle de la rue de Vintimille et de la place se dresse un immeuble qui présente une baie vitrée aux dimensions incroyables. Imaginez l'espace de l'atelier…
« Si j'étais peintre, se dit M. Dandin, je m'installerais dans la petite véranda, bien à l'abri des cris et des courants d'air et je dessinerais les enfants qui glissent sur le toboggan. »
C'est peut-être ce qu'a fait Pierre Bonnard, un autre peintre qui habita en ces lieux, et qui a beaucoup peint les enfants et les familles en utilisant des couleurs chaudes comme le jaune ou l'orange.

Descendez la rue de Vintimille, le long de cet immeuble. Puis, place Lili-Boulanger, tournez à droite et suivez la rue Ballu.

Rue Ballu

Même dans ses rêves les plus orgueilleux, il ne pouvait espérer avoir une si belle rue. Pourtant, Théodore Ballu est un architecte de renom : il a notamment reconstruit l'Hôtel de Ville, après sa destruction sous la Commune *(voir la promenade 28 au Père-Lachaise)*. Quelle rue ! Quel luxe ! Hôtels particuliers en pierre de taille, porches d'entrée ornés de ferronneries, cours intérieures, jardins verdoyants, impasses avec maisons s'enchaînent comme s'il en pleuvait. Et, pour certaines, ce sont des associations d'artistes qui en sont propriétaires. Si un jour M. Dandin arrive à écrire sa pièce de théâtre, c'est aux **nos 5 à 11 bis**, à la SACD, la société des auteurs et compositeurs dramatiques, qu'il déposera son œuvre pour la protéger des copieurs et en tirer des revenus. Pour en être propriétaire, en somme, comme on l'est d'une maison. Tous les livres sont protégés, regardez à la fin de ce guide, p. 304, le copyright (en anglais « le droit de copier ») appartient à Michelin. Et si M. Dandin préfère écrire un tube pour la Star Academy, c'est à la SACEM, la société des auteurs, compositeurs et éditeurs de musique, qu'il déposera son morceau *(9 square Moncey, 9e arr.)*.
Mais, avant cela, arrêtez-vous au **n° 23** derrière la drôle de façade Art nouveau, où l'écrivain de *Germinal*, Émile Zola, habita en 1867. Pénétrez dans la **villa Ballu** : à droite, une crèche vous rappelle qu'il y a toujours plus petit que vous. Et tout le long, vous admirerez les belles maisons et les hôtels particuliers.
Plus bas, au n° 13, le sourire des caryatides, ces grandes statues de femmes, n'est pas forcément ironique, mais sachez que derrière la verrière se cachent un atelier et une salle d'armes de 100 m^2. Au 19e s., on ne connaissait pas le vélo d'appartement, aussi on pratiquait l'escrime chez soi.

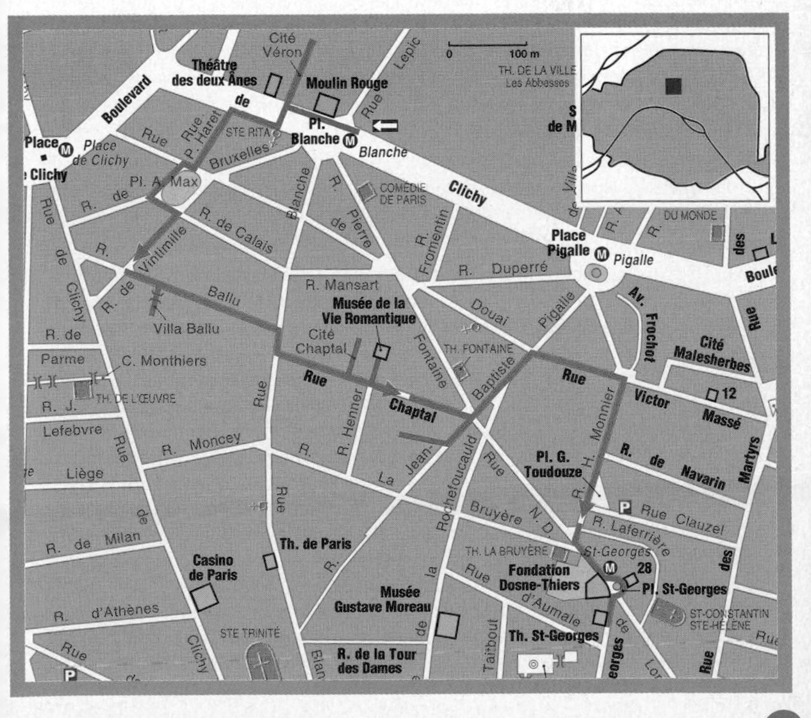

Enfin, pour pénétrer un peu plus dans l'ambiance de cette rue et faire une pause, arrêtez-vous au café de la Maison des Auteurs aux n°s 5-11 bis : le café est sur votre droite, calme et non-fumeurs.

Descendez à droite la rue Blanche et prenez tout de suite à gauche la rue Chaptal.

Cité Chaptal

20 bis r. Chaptal. Au fond de l'impasse apparaît la façade criarde et abandonnée du Théâtre 347. Ce théâtre annonçait la couleur : 347 correspondait au nombre de places. Il avait remplacé le théâtre du Grand-Guignol, ouvert en 1896, où ne passaient que des comédies et des drames « sanguinolents », comme sur le boulevard du Crime *(voir la promenade 19 le long du canal St-Martin)*. Mais, avant, c'était un atelier et, encore avant, un magasin de ferronneries religieuses, et, au départ, une chapelle !.. dont les quatre lobes dans le rectangle sont les derniers vestiges.

Musée de la Vie romantique

16 r. Chaptal. ✆ 01 55 31 95 67 - tlj sf lun. 10h-18h (dernière entrée 30mn av. fermeture) - fermé j. fériés - gratuit (expo. temporaires : 7 €).

Des acacias tout ridés, de jolis treillages et un vieux charme tortueux sous lequel des bancs et des tables vous proposent une halte plus qu'agréable : vous êtes au cœur de la vie romantique !

L'histoire de cette maison est liée au peintre Ary Scheffer. Apprécié du roi Louis-Philippe, ce dernier décide, en 1830, de rejoindre le quartier où habite le peintre le plus illustre de l'époque, l'auteur de *La Liberté guidant le peuple*, Delacroix. Grâce à son royal appui, Scheffer fait construire deux vastes ateliers. Et si ce lieu ne lui a pas donné le talent de son célèbre confrère, il sait au moins recevoir, puisque les musiciens Rossini, Liszt ou Chopin y côtoient des écrivains comme Flaubert et George Sand. Et à une époque où tout un chacun possède un ordinateur, le musée consacré à cette femme écrivain vous remet en mémoire les trois outils d'un écrivain à cette époque, la tête (cheveux de George Sand), la main (un moulage) et sa plume ! Entre les souvenirs de George Sand et quelques œuvres d'Ary Scheffer, pleins d'objets amusants et un atelier de peintre complet !

Reprenez la rue Chaptal sur la gauche, allez tout au bout, tournez à droite, rue Pigalle. Descendez jusqu'à la cité Pigalle.

Cité Pigalle

M. Dandin, déjà dubitatif sur le rapport entre le fait d'avoir un bel atelier et celui d'être un peintre célèbre, va l'être plus encore ici.

Connaissez-vous le peintre des tournesols jaunes, des iris bleus et du soleil de Provence, qui se coupa l'oreille ? Eh oui ! c'est Van Gogh, le peintre aux œuvres les plus chères du monde, qui a habité au fond de cette impasse, à gauche forcément, pense M. Dandin, dans la maison avec le superbe atelier aux murs ornés de cavaliers antiques. Eh non, il habitait en face, chez son frère Théo, au quatrième étage. Il y passa ses derniers jours avant de se suicider, le 27 mai 1890, à 37 ans.

Remontez la rue Pigalle jusqu'à la rue Victor-Massé que vous suivez à droite. Au 54 de la rue Pigalle, devant l'enseigne criarde d'un cabaret fermé, vous pouvez apercevoir au loin le Sacré-Cœur *(voir la promenade 21 à Montmartre)*.

Rue Victor-Massé

Encore une rue qui évoque la vie d'artiste, puisque Victor Massé était un compositeur de musique pour le théâtre. Après le monde des vieux peintres s'ouvre le monde de la jeunesse et de la musique. Vous ne pourrez pas manquer de croiser ces musiciens tendance ou dépenaillés qui vont de magasin en magasin à la recherche du bon son. Si vous ne les entendez pas dans la rue, c'est qu'ils sont derrière les vitrines, assis, une guitare à la main ou devant un synthétiseur. À défaut de les entendre, vous pouvez voir à l'angle de la rue une magnifique collection de guitares. En remontant la rue, vous verrez des batteries, plus loin des amplificateurs, puis des micros… Bref, tout ce qu'il vous faut pour enregistrer votre morceau avant de le déposer à la SACEM !

La rue Victor-Massé fut aussi la rue du célèbre Chat noir, le cabaret de la majorité des artistes de Montmartre, dans les années 1880 ! Il présentait notamment un théâtre d'ombres chinoises qui a influencé les affiches de Toulouse-Lautrec. Comme il dessinait souvent dans l'ombre des salles de spectacle, ses affiches, dépourvues de détails, sont faites de grandes lignes et d'aplats de couleurs pures. Les personnages sont stylisés : le peintre ne gardait que les traits marquants d'un chansonnier ; s'il portait toujours une écharpe rouge, on ne voyait qu'elle sur l'affiche. Regardez les publicités dans la rue, elles ne sont pas si différentes !

Avenue Frochot

Angle r. Victor-Massé et r. Frochot. Derrière le vitrail d'inspiration Art déco, aux tons bleu et brun, qui orne la façade située à gauche de l'allée, se situe un autre théâtre qui porte bien son nom : le Théâtre-en-Rond. Rond comme sa scène, autour de laquelle se répartissaient les spectateurs. Ce qui était le cas, notamment à l'époque de Shakespeare, de la plupart des théâtres. Sur la façade longeant la rue Frochot, deux statues à l'antique se cachent dans leur niche.

De l'autre côté, derrière les grilles malheureusement souvent fermées, un paradis interdit… Après la maison jaune flamboyant, l'avenue est bordée d'une quinzaine de maisons ou de petits immeubles, de styles divers, entourés de jardins. Vous pouvez imaginer Toulouse-Lautrec, qui habitait au n° 15, prenant le café avec son voisin Auguste Renoir, ou Victor Massé croisant Alexandre Dumas partant chercher de l'encre pour écrire *Les Trois Mousquetaires.*

Continuez un peu dans la rue Victor-Massé, jusqu'au n° 20. Si la chance vous sourit, poussez la grille : vous découvrirez alors l'incroyable **cité Malesherbes** *(autre entrée possible à la hauteur de la place Lino-Ventura, rue des Martyrs).* Son histoire est semblable à celle la Nouvelle Athènes : il s'agit d'un lotissement ! À l'intérieur, au n° 11, un hôtel particulier présente une façade entièrement recouverte de dessins colorés et émaillés.

Retournez sur vos pas sur le trottoir de droite jusqu'à la rue Henri-Monnier. Au coin des rues Henri-Monnier et Victor-Massé, l'immeuble fait un peu tourner la tête à M. Dandin avec ses entrelacs de fruits, d'arabesques ou de serpents. Imaginez le travail ! De concert avec l'architecte, un sculpteur a pensé, dessiné puis sculpté ces décors.

Descendez la rue Henri-Monnier. Au 21, encore un immeuble richement décoré. Si le nom de l'architecte est souvent écrit, au niveau du premier étage, il est plus rare que soit indiqué, comme ici, le nom du sculpteur. Plus loin, vous verrez leurs statues. À votre avis, quel étage était le plus prestigieux ? Est-ce toujours le cas ? Vous aurez la réponse tout au long de votre balade.

En bas, traversez la rue N.-D.-de-Lorette, descendez-la sur votre gauche et entrez dans le square.

Square Alex-Biscarre

♿ *- Jeux pour enfants, bac à sable.*

Depuis ce petit coin de verdure, vous pouvez découvrir les jardins qui se trouvent derrière la rue La Bruyère. Et c'est dans de la terre de bruyère que sont plantés les végétaux de ce jardin ! Touchez-la, elle est toute légère. Ainsi, en mai, vous pourrez admirer les magnifiques fleurs des rhododendrons (qui ne poussent bien que dans la terre de bruyère).

Derrière le Napoléon à cheval se trouve un « petit » hôtel particulier qui a appartenu à un ministre et académicien, M. Thiers.

Sortez du square ; sur votre droite se trouve la place St-Georges.

Place Saint-Georges

Ronde, ni trop petite ni trop grande, elle est entourée de somptueux immeubles et protégée par une haute grille noire qui en fait presque le tour.

La fontaine au centre de la place était autrefois destinée à faire boire les chevaux. Avec l'ouverture de la station de métro en 1906, la fontaine fut tarie. Mais en vous approchant – attention aux voitures – vous apercevez, sculptés sur la colonne, un robinet, et aussi un Pierrot de carnaval.

De l'autre côté de la place, deux paisibles immeubles fin de siècle bordent une façade richement décorée. Malgré ses airs d'hôtel particulier, le n° 28 était une maison à loyer, l'une des plus chères de Paris tout de même ! On doit le luxe de

Regarde et devine

L'architecte de l'hôtel de la Païva, au n° 28 place St-Georges, a dessiné une luxueuse façade avec plein de symboles.

1 - La fenêtre au milieu du 1er étage est flanquée de deux statues, chacune dans une niche en coquille : sais-tu ce qu'elles représentent ?

2 - De chaque côté, qui sont les deux jeunes hommes ailés ? Les outils qu'ils tiennent peuvent t'aider à trouver la réponse.

3 - Au 2e étage, tu reconnaîtras sans doute les deux bustes qui se trouvent dans des médaillons.

Réponses :

1 - La Sagesse et l'Abondance.

2 - Les génies de l'architecture (avec la règle) et de la sculpture (avec le marteau).

3 - Apollon et sa sœur jumelle Diane.

S. Sauvignier / MICHELIN

Au débouché du métro St-Georges, une jolie place.

cette façade « gothico-Renaissance » à l'architecte Édouard Renaud. Amuse-toi à bien l'observer en répondant aux questions de l'encadré !
Outre sa décoration, la renommée de cet immeuble revient à l'une de ses locataires du rez-de-chaussée, Thérèse Lachmann. Recevant beaucoup et somptueusement, elle y fit la connaissance d'un Portuguais très riche mais criblé de dettes de jeu. Peu importe : elle l'épousa, régla ses dettes, et devint sous le nom de « La Païva », la reine du Paris du second Empire. Elle quitta alors la place Saint-Georges pour un hôtel qu'elle se fit construire sur les Champs-Élysées.
Avant de finir sa balade, M. Dandin veut absolument voir le théâtre St-Georges. Il est accolé à la place, dans la rue St-Georges sur le trottoir de droite.

Si vous traversez la rue, vous pourrez voir sa façade en trompe-l'œil. Tout n'est qu'illusion ! « *Un beau théâtre,* se dit M. Dandin, *parfait pour mon spectacle ! Allez maintenant rentrons noter tout ce que nous avons vu* ». Le métro St-Georges est tout proche.

Et s'il pleut ?

Musée Gustave-Moreau★

14 r. de La Rochefoucauld, 9e arr., Mo Trinité. ✆ 01 48 74 38 50 - www.musee-moreau.fr - tlj sf mar. 10h-12h45, 14h-17h15 - fermé 1er janv., 1er Mai et 25 déc. - 4 € (-18 ans gratuit), gratuit 1 dim. du mois.

C'est une maison de trois étages dans laquelle le peintre Gustave Moreau a habité et travaillé. Rien ou presque n'a changé : c'est magique et ludique. Amusez-vous à observer les dessins avec les animaux réels ou imaginaires, classés dans les tiroirs en bois…

Un peu de rab ?

Rue de la Tour-des-Dames

Depuis la place St-Georges, descendre la rue St-Georges, tourner à droite rue d'Aumale, remonter jusqu'à la rue de La Rochefoucauld. Puis prendre à droite jusqu'à la rue de la Tour-des-Dames.

Les plus grands comédiens du 19e s. ont habité cette rue. Au no 1, Melle Mars, vedette du Théâtre Français, se fit construire un hôtel. Elle copiait ainsi une autre actrice, Melle Rafin, dite La Duchesnois, qui, après avoir été domestique, acheta en 1822 le bel hôtel du no 3. En semaine, la grille du no 4, un hôtel datant de 1822,

Le Diamant

Née Anne-Marie-Hippolyte Boutet, elle préféra s'appeler Mademoiselle Mars pour incarner l'une des gloires du Théâtre-Français. Elle interpréta Molière et Marivaux, spécialisée dans les rôles d'ingénues puis, l'âge venant, dans ceux des grandes coquettes du répertoire. Surnommé « Le Diamant », elle fut l'actrice préférée de Napoléon Ier, admirateur également de Talma, qui fut peut-être le premier tragédien moderne.

est grande ouverte : admirez la somptueuse serre donnant sur le jardin en terrasse et les médaillons de mosaïque bleu roi, sur le côté gauche. Enfin le tragédien Talma, fils de cocher, se fit construire vers 1820 un hôtel particulier au n° 9 et confia le décor de sa salle à manger au peintre Delacroix.

Carnet d'adresses

PAUSE DÉJEUNER

Je n'aime que toi – *62 r. de Clichy - 9e arr. - M° Clichy - 01 42 81 32 31 - lun.-vend. 11h-15h - - 8/13 €.* Belle déclaration d'amour... à susurrer à votre partenaire de balade dans la Nouvelle Athènes. Mais comme on ne peut pas vivre que d'amour et d'eau fraîche, une petite pause gourmande s'impose. Salades, sandwiches chauds ou froids, tartes salées ou plateaux repas : il y en a pour toutes les faims !

Tea Follies – *6 pl. Gustave-Toudouze - 9e arr. - M° St-Georges - 01 42 80 08 44 - 9h-2h - réserv. conseillée - 10/15 €.* Petit salon de thé au décor intérieur gentiment « cosy ». Dès que les premiers rayons de soleil réchauffent la ravissante place, on y dresse quelques tables immédiatement prises d'assaut par les gens du quartier. On chuchote même que des célébrités du cinéma et du théâtre fréquentent l'adresse. Salades, tartes salées, copieuses assiettes composées et pâtisseries maison. Le dimanche, c'est brunch !

PAUSE QUATRE-HEURES

Les Cakes de Bertrand – *7 r. Bourdaloue - 9e arr. - M° N.-D.-de-Lorette - 01 40 16 16 28 - tlj sf lun. 9h30-19h30.* Plaisante petite salle feutrée en ce salon de thé installé dans une ancienne chocolaterie. Bertrand y propose de savoureux cakes très originaux, un bon choix de thés et quelques confitures. La vitrine et le décor méritent à eux seuls un coup d'œil : vieilles photos, portraits, théières et bibelots gentiment kitsch.

Le Sable Doré – *20 r. Henri-Monnier - 9e arr. - M° St-Georges - 01 42 81 24 41 - fermé dim. et lun.* Salon de thé-restaurant égyptien aménagé à la façon d'une tente de nomades. Rien ne manque : tapis, poufs, coussins brodés et tables basses décorées de plateaux en cuivre. Dans cette atmosphère orientale, nous vous conseillons l'incontournable thé à la menthe ou l'expérience enivrante du narguilé. Couscous, tajines et pâtisseries sont également proposés.

Salon de thé du musée de la Vie romantique – *16 r. Chaptal - 9e arr. - M° St-Georges ou Blanche - tlj sf lun. 11h30-17h - fermé oct.-avr.* Quelques chaises et des tables dans le délicieux jardin du musée de la Vie romantique. Une pause parfaite tant le cadre est beau et reposant. Tartes salées et sucrées. Boissons.

PAUSE ACHATS

Libr'Animal - La librairie des animaux – *6 r. St-Lazare - 9e arr. - M° N.-D.-de-Lorette - 01 42 85 84 71 - www.libr-animal.com - tlj sf dim. et lun. 10h-19h - fermé août.* Dans les rayons, des centaines d'ouvrages évoquent des domaines très variés de la littérature animalière : écologie, animaux de compagnie, monde sauvage, contes et légendes, sciences, encyclopédies, atlas, livres d'éveil et aquariophilie. Peluches, puzzles et cartes postales occupent l'espace ludique. Exposition de photos, tableaux ou dessins.

21 Montmartre

Un faux air de campagne

ATLAS MICHELIN PARIS N° 56 (P. 8 ET 20) ET N° 57 (P. 68), REPÈRES C-D 13-14. 18E ARR.

De la Nouvelle Athènes à Montmartre, il n'y a qu'une rue : le boulevard de Clichy. Et pourtant, comme ces deux voisins sont différents ! Il faut dire que leurs origines ne sont pas les mêmes ! Au 16e s., les habitants de la butte étaient tous des vignerons. Cette origine paysanne ne les a jamais quittés, et c'est cela que sont venus chercher les peintres du début du 20e s. : la campagne, qu'ils pouvaient peindre sur place. Une fraîcheur champêtre à peine défigurée par le Sacré-Cœur ! Et de ce temps béni de la campagne à Paris, il reste les vignes, les moulins à vent, les jardins sauvages, les impasses mystérieuses et les culs-de-sac qui ont servi de terrain de jeux aux garnements, devenus « poulbots » sous les crayons du peintre montmartrois du même nom.

POINT DE DÉPART

En **métro** : ligne 12, station Lamarck-Caulaincourt.
En **bus** : ligne 80, arrêt Lamarck-Caulaincourt.
À proximité, vous pouvez suivre la promenade dans la Nouvelle Athènes (20).

POUR LES PETITS MALINS

Montmartre monte et descend ! Rassurez-vous, la montée vers le Sacré-Cœur est assez rapide. Et la descente est beaucoup plus longue. À moins que vous n'empruntiez le funiculaire, qui vous coûtera un ticket de métro.
La fatigue des petits pieds pouvant surgir n'importe quand, notre parcours suivra d'assez près celui du Montmartrobus, qui permettra, en cas de grosse fatigue, de se reposer. Le Montmartrobus fait le tour de la butte dans les deux sens.
Notre parcours est déconseillé aux vélos et aux poussettes : la beauté de ce quartier tient aussi à ses rues pavées et à ses escaliers !
Si vous pensez faire vos courses à Montmartre, vous aurez du mal. Les restaurants abondent, mais les commerces y sont rares. Il y a heureusement l'épicerie d'Amélie Poulain, pas très loin du métro Abbesses.

LE CLOU DE LA VISITE

La petite maison rose du Lapin Agile et le carré de vignes et de fleurs situés de l'autre côté de la rue St-Vincent : tous deux restituent l'ambiance que venaient chercher les peintres de la fin du 19e s. et du début du 20e s.

Pour mieux comprendre

Incroyable ! Le premier évêque de Paris, après avoir été décapité rue des Martyrs, a ramassé sa tête puis s'est dirigé vers le Nord dans un lieu qui portera son nom, Saint-Denis. Cette tradition venue du 8e s. a fait de la butte le « mont des Martyrs », Montmartre, quoi ! Puis, jusqu'au 16e s, à l'abri du couvent des Bénédictines, la butte s'est couverte de vignes. Mais le vin a progressivement disparu au profit des carrières de gypse, cette matière blanche servant à faire le plâtre et qui a donné son nom à une certaine place (« Blanche », vous l'aurez compris)... À la fin du 18e s., on doit cesser l'exploitation des carrières dont les kilomètres de galeries menacent de faire s'effondrer la colline. La campagne reprend alors ses droits, attirant les peintres impressionnistes qui ont trouvé sur la butte les décors naturels qu'ils affectionnent tant. Et comme ces derniers se rencontrent le soir dans les bars et les cabarets qui fleurissent sur la butte, certains se sont installés là, rejoints par une cohorte d'artistes goûtant aux plaisirs et aux loyers peu chers.

Ils sont où les moulins ?

Départ Mº Lamarck-Caulaincourt. 1h30 de promenade. À la sortie du métro, prendre l'escalier de la rue Pierre-Dac qui se trouve derrière vous. Traverser la rue Caulaincourt pour tourner tout de suite à gauche rue Lucien-Gaulard.

Cimetière Saint-Vincent

De mi-mars à déb. nov. : tlj sf w.-end. 8h-18h, sam. 8h30-18h, dim. et j. fériés 9h-18h ; reste de l'année : tlj sf w.-end. 8h-17h30, sam. 8h30-17h30, dim. et j. fériés 9h-17h30 - toilettes.

S. Sauvignier / MICHELIN

Au pied du Sacré-Cœur, un manège d'antan vous attend.

Jetez un œil à l'entrée de ce petit cimetière. Le calme, les arbres, des personnages célèbres et, tout en haut, le Sacré-Cœur : vous êtes à Montmartre. De jolies stèles funéraires figuratives bordent l'entrée, et si vous venez au printemps, les grappes de fleurs jaunes des cytises « pluie d'or », les biens nommés, vous accueilleront. Nombre de figures illustres reposent dans ce lieu : nous n'en citerons que deux, Marcel Carné, le réalisateur d'*Hôtel du Nord (voir la promenade 19 le long du canal St-Martin)* et Marcel Aymé, cet auteur de contes fantastiques que nous allons croiser plus tard dans notre promenade.

Ressortir du cimetière, tourner à gauche le long du square Constantin-Pecqueur et prendre encore à gauche la rue St-Vincent.

Rue Saint-Vincent

Certes, les escaliers vous confirment que vous ne vous promenez pas dans une plaine, mais dans cette rue, les contreforts en meulière lèveront vos derniers doutes. Un chemin piéton surplombant la route permettra à vos enfants de s'épuiser en toute sécurité. À gauche, derrière la vigne vierge, les murs du cimetière. Nous ne sommes déjà plus tout à fait à Paris, car ici, entre les pavés et sur les murs, les mauvaises herbes fleurissent au printemps.

Au croisement des rues St-Vincent et des Saules, faites attention car vous vous approchez du... Cabaret des Assassins.

Cabaret des Assassins

Ou encore le « Rendez-vous des Voleurs » : tels sont les anciens noms de ce cabaret célébrissime, le **Lapin Agile**. Ouvert en 1860, il fut fréquenté par des peintres comme Picasso et des poètes comme Apollinaire, Max Jacob ou Roland Dorgelès. La spécialité de la maison, le lapin sauté à la casserole, inspira André Gill, qui peignit le tableau toujours accroché sur la façade. Comme Gill était un consommateur assidu des alcools concoctés par le patron, le père Frédé, on surnomma le bar le Lapin à Gill, qui devint le Lapin Agile. Ce qui finalement était mieux que ses premiers noms pour attirer la clientèle, non ? Aujourd'hui, le Lapin Agile présente toujours des chanteurs à textes. C'est un lieu où si vous avez de la voix, vous pourrez faire vos premières armes sur scène, comme l'ont fait en leur temps Georges Brassens ou Claude Nougaro.

Les vignes

Le cabaretier du Lapin Agile s'y connaissait en vin ; il n'avait qu'à traverser la rue pour le trouver, pensez-vous. Eh bien, non ! Il a fallu attendre l'année 1933 pour que la ville

Concours de bêtise

Connaissez-vous Joachim-Raphaël Borolani, qui exposa sa toile, *Coucher de soleil sur l'Adriatique*, au Salon des Indépendants de 1910 ? Non ? et pourtant c'est le nom d'un peintre tellement célèbre qu'il peignait ses toiles devant un huissier pour que l'on soit certain que chaque coup de pinceau était bien de lui. Sa technique était simple, il lui suffisait d'une botte d'avoine pour se nourrir et de sa queue, qu'il trempait dans différents pots de peinture, pour en barbouiller la toile. Petite précision, Borolani est l'anagramme d'Aliboron, qui était l'âne du patron du Lapin Agile !

replante des vignes à cet endroit. Au 16e s., la butte en était recouverte. Ses habitants étaient tous des vignerons. Mais la concurrence des vignes de villages voisins, qui faisaient paraît-il un meilleur vin, et les carrières de gypse ont eu raison d'elles. De nos jours, chaque 1er samedi d'octobre, on vendange puis on vinifie le vin de Montmartre. Les quelques centaines de bouteilles sont vendues aux enchères au profit des œuvres sociales du quartier.

Remonter la rue des Saules bordant les vignes jusqu'à la rue de l'Abreuvoir.

Maison rose d'Utrillo

2 r. de l'Abreuvoir. Petite histoire triste qui finit bien : Utrillo était un jeune homme avec beaucoup de problèmes psychologiques. Sa maman, Suzanne Valadon, qui fut un modèle du peintre Auguste Renoir dont nous parlerons plus tard, le fit interner dans un hôpital de fous. Pour le soigner, le docteur Blanche lui suggéra de peindre. Sa mère étant elle-même peintre, elle lui prodigua des conseils et Utrillo devint l'un des peintres les plus célèbres de Montmartre !

Continuer à remonter la rue des Saules et tourner à gauche dans la rue Cortot.

Rue Cortot

Dépassez le n° 16, garni de lierre, où habitait Aristide Bruant, le chansonnier à l'écharpe rouge, et arrêtez-vous devant la plus vieille maison de Montmartre, le n° 12. Elle fut construite au 17e s par un comédien de Molière. Puis Utrillo et sa mère y vécurent, ainsi que Renoir qui était fasciné par la beauté champêtre du jardin, descendant en terrasses jusqu'à la rue St-Vincent. Van Gogh y vint aussi et, dans le parc, on peut apercevoir les verrières de l'atelier dans lequel travaillaient les artistes. C'est aujourd'hui le **musée de Montmartre**, dans lequel vous pouvez voir l'affiche originale représentant Aristide Bruant ainsi qu'une sculpture de saint Denis tenant sa tête. ✆ 01 49 25 89 44 - *www.museedemontmartre.com - tlj sf lun. 10h-18h - fermé 1er janv., 1er Mai et 25 déc. - 5,50 € (-10 ans gratuit).*

Aller au bout de la rue et tourner à gauche dans la rue du Mont-Cenis.

Au loin, le stade de France

Si vos enfants aiment le foot, il va être dur de les empêcher de descendre cette grande volée de marches. En effet, de là où vous êtes, vous avez une vue imprenable sur l'ovale du stade des vainqueurs de la coupe du monde 1998, qui ne se trouve qu'à 4 km !

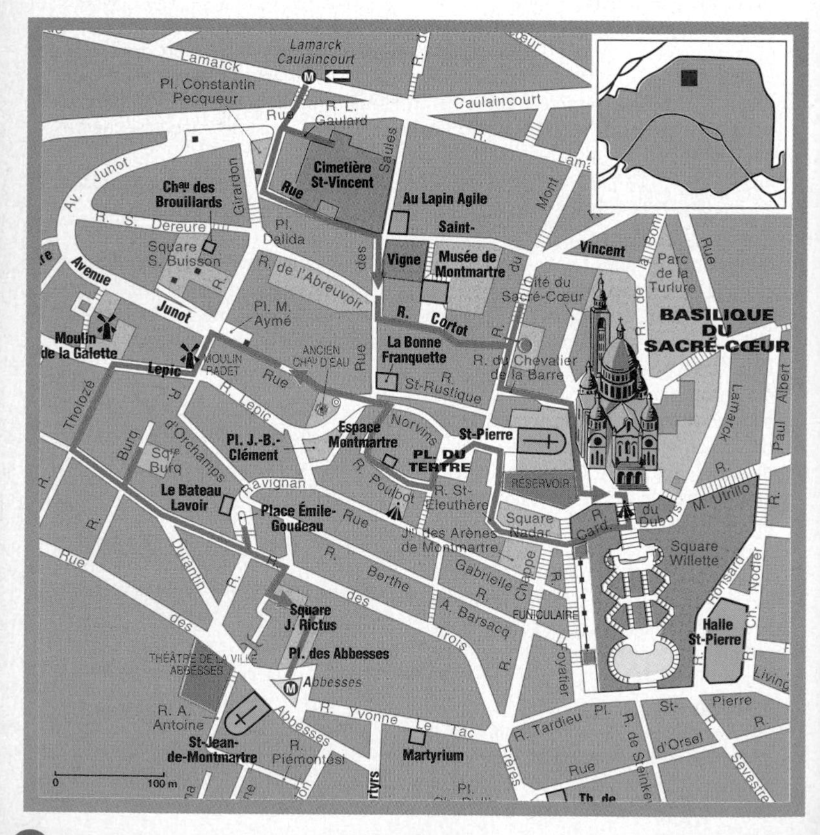

Revenez sur vos pas dans la rue du Mont-Cenis, puis tournez à gauche dans la rue du Chevalier-de-la-Barre.

Rue du Chevalier-de-la-Barre

Rue tragique s'il en est, car ce pauvre chevalier eut la langue arrachée à 19 ans parce qu'il chantait des chansons qui déplaisaient aux gardiens des bonnes mœurs. Heureusement, il a laissé son nom, et une statue dans le square Nadar *(à gauche quand vous êtes au dos du Sacré-Cœur).*

Au bout de la rue, tourner à droite dans la rue du Cardinal-Guibert. Longer le Sacré-Cœur et tourner à gauche sur le parvis.

Sacré-Cœur★★

Un peu d'histoire pour comprendre l'origine de ce monument si emblématique de Paris. Après la capitulation de la France face aux Prussiens en 1870, les Montmartrois refusent de se rendre et rassemblent 171 canons sur la butte. Le gouvernement dirigé par Thiers donne l'ordre au général Lecomte de s'en emparer, mais la foule refuse et le fusille. C'est le début de la **Commune**. Afin de « laver le sang versé », d'oublier ce triste événement et d'exaucer le vœu d'édifier une église si Paris était épargné par les Prussiens, on lança en 1873 la construction du Sacré-Cœur. Le campanile, au-dessus du dôme, culmine à 80 m de hauteur et abrite la Savoyarde, une cloche de 19 tonnes ! Il est construit en calcaire qui, au contact de la pluie, produit le calcin lui donnant cette éclatante couleur blanche.

Descendre la première volée de marches pour rejoindre la balustrade.

La vue

Imaginez la scène : en 1870, Paris est encerclé par les Prussiens. Pour les observer, on utilise des ballons dirigeables. On s'en sert aussi pour transporter le courrier. Or, devant le tour que prend la guerre, le ministre de l'Intérieur du gouvernement national, Gambetta, doit quitter Paris pour organiser la résistance. Et c'est en ballon qu'il s'échappe !

Longez à droite la rue du Cardinal-Dubois, puis la rue St-Eleuthère que vous remontez.

Trouvez-les

De gauche à droite, on voit tout plein de monuments parisiens. Voici quelques indices :
1 - pas très loin, deux jardins ;
2 - un bâtiment avec des tuyaux en couleur ;
3 - deux dômes, dont l'un doré ;
4 - une grande dame de fer.
Réponses : 1 - les Buttes-Chaumont et le cimetière du Père-Lachaise, la plus grande surface plantée de Paris ; 2 - Beaubourg ; 3 - le Panthéon et le Dôme doré des Invalides ; 4 - facile ! c'est la tour Eiffel !
Et celui qui arrive à voir l'Arc de triomphe gagnera une glace ! Pour le voir, il faut remonter la rue du Cardinal-Dubois, puis la rue St-Eleuthère jusqu'au premier virage ; vous pouvez vous déplacer sur la droite le long de la grille, c'est aussi la direction de votre promenade.

Église Saint-Pierre de Montmartre★

Sur les portes de bronze sont sculptés, comme dans une bande dessinée, des épisodes de la vie du Christ, mais si vous regardez bien, vous pourrez aussi trouver des grappes de vignes de Montmartre. Et s'il fait très chaud, vous pouvez vous reposer sous les plus anciennes ogives de la capitale. Il y fait frais…

Traverser la place pour rejoindre, en face, la place du Tertre.

Place du Tertre

Vous êtes dans le cœur touristique de Montmartre. S'il subsiste quelques galeries de peinture sur la butte, la majorité des peintres se trouvent ici. Une galerie à ciel ouvert. Qui regarde qui ? Qui peint qui ? Qui sont les plus pittoresques ? Les touristes en goguette ou les peintres qui hèlent le chaland ? Tout autour de la place, des cafés. Attablés aux terrasses, les visiteurs regardent les peintres qui soit sont concentrés sur leur toile, soit attendent le touriste pour lui croquer le portrait. Les touristes, une fois rafraîchis, n'hésitent pas à se rasseoir mais devant un caricaturiste, cette fois. Si vous êtes prêt à vous laisser tenter, prenez votre temps pour savoir si vous voulez être croqué, au crayon, au fusain ou découpé en silhouette, puis choisissez avec attention l'artiste. Leur bagout ou leur apparence ne doivent pas perturber votre choix, regardez avant tout les exemples de leur travail ou, mieux, regardez-les à l'œuvre.

Longer la place du Tertre sur la gauche pour récupérer la rue Poulbot à gauche.

Rue Poulbot

Le dessinateur et affichiste Francisque Poulbot créa au début du 20e s. un Gavroche moderne qui porta son nom et devint un personnage emblématique de Paris, le gosse de Montmartre. Un gamin frondeur, et aussi misérable, qui sait se débrouiller pour survivre dans la jungle de la ville.

Vous commencez votre descente sur Paris. Après cette agitation, un peu de calme et toujours cette vue fantastique sur Paris. Au bout de la rue Poulbot, prendre à gauche la rue Norvins jusqu'à la place Marcel-Aymé.
Sur votre droite, vous passez devant de beaux jardins privés, des « maquis », comme on disait alors. Un peu plus loin, faites attention car « il y avait à Montmartre un excellent homme qui possédait le don singulier de passer les murailles sans en être incommodé… » et depuis « certaines nuits d'hiver dans la solitude sonore de la rue Norvins », il revient… Rassurez-vous, vous êtes en plein jour et ce n'est que la statue de l'auteur du *Passe-Muraille* que vous apercevez, Marcel Aymé.
Descendre à gauche rue Girardon pour voir, à l'angle de la rue Lepic, les ailes du moulin Radet.

Moulin Radet

Enfin, un moulin ! Il n'en reste que deux alors que, jusqu'à la Révolution, plus de trente moulin à broyer le silex, la craie, le grain et les racines d'iris (pour la parfumerie) occupaient la colline. La fin de l'exploitation des carrières a sonné le glas des ailes de bois. Au 19e s., ceux qui ne sont pas abandonnés sont transformés en ferme-buvette ou en guinguette. On y vient le dimanche pour manger de la galette, boire un verre de vin sous les arbres et surtout danser.
Descendre la rue Lepic jusqu'à la rue Tholozé. à gauche, surgissant majestueusement des arbres, voici le moulin de la Galette !

Moulin de la Galette

Le peintre Auguste Renoir, que nous avons déjà croisé, a peint un tableau célèbre, *Le Bal du moulin de la Galette*, qui retranscrit à lui seul l'ambiance de fête et de campagne que venaient rechercher les artistes de son époque.

Descendre la rue Tholozé jusqu'à la première rue à gauche, la rue Durantin. Suivre la rue Durantin jusqu'à la rue Burcq (drôle de nom pour une rue, non ?) que vous remontez jusqu'au square à droite.

Square Burcq

Donnez le guide à votre enfant, lui seul peut comprendre. Fais 80 pas tout droit, monte les escaliers, tourne à gauche, compte 20 pas, ouvre la porte du jardin, ignore le bac à sable. Sur ta gauche se trouvent trois bancs, choisis celui du fond, assieds-toi. Vérifie que personne ne t'a suivi, puis, parmi tous les immeubles face à toi, trouve celui qui a un toit rouge. Tu as trouvé, tu peux maintenant appeler tes parents. « Maman, j'ai trouvé la maison de Dalida ! » Vous pouvez, en remontant la rue Burcq jusqu'en haut, apercevoir le balcon où elle prenait son café en pensant à son concert de la veille. Sur la droite de cette cascade d'immeubles se trouvaient les chambres du Bateau-Lavoir que nous allons bientôt voir.

Redescendre la rue Burcq et tourner à gauche rue Garreau jusqu'à la rue de Ravignan. Aller sur la gauche en haut des marches.

Place Émile-Goudeau★

Imaginez derrière la petite facade du n° 13 un labyrinthe de couloirs avec des chambres de chaque côté, simplement séparées par des planches en bois qui isolent aussi peu du froid que du bruit. Puis au fond, quatre étages qui dévalent la colline. Cet ensemble biscornu où l'on pouvait loger pour une somme dérisoire a été surnommé **Bateau-Lavoir** pour deux raisons : il n'y avait qu'un seul robinet où chacun à son tour venait se laver, et le bâtiment faisait penser, selon le poète Max Jacob, aux bateaux brinquebalants des lavandières le long des rivières.
Le plus célèbre de ses locataires est Picasso : il habitait au bout d'un couloir proche de l'entrée. Le Hollandais Van Dongen, Apollinaire, André Salmon et surtout Max Jacob viennent si souvent que Picasso a inscrit au-dessus de la porte : « Au rendez-vous des poètes. » Et c'est dans sa chambre, sa toile posée à même le sol, une bougie dans une main et le pinceau dans l'autre, que Picasso a peint, la nuit, le tableau le plus célèbre de l'art moderne *Les Demoiselles d'Avignon*.
Cet étonnant « phalanstère » – un curieux mot pour désigner une communauté d'artistes – disparut dans un incendie en 1970 ; il a été reconstruit et abrite encore des ateliers et des logements d'artistes.

Redescendre les marches et prendre à gauche la rue des Trois-Frères, à 50 mètres au croisement de la rue Androüet.

Épicerie d'Amélie Poulain

Eh oui, c'est ici, dans cette épicerie, qu'Amélie fait ses courses ! Et contrairement à *Hôtel du Nord*, le réalisateur a tourné dans la rue : il a seulement reconstitué une façade caractéristique des épiceries des années 1950 que le véritable épicier (pas le méchant du film) a, depuis, décidé de garder. Vous avez devant vous un décor de cinéma.

En face, descendre la volée d'escaliers du passage des Abbesses. À gauche, un petit passage conduit à un **jardin botanique**. *Mai-oct. : 14h-16h30, jeu. 14h30-15h30. Si le passage est fermé, continuer tout droit. Vous débouchez sur la place des Abbesses. Longez-la sur votre gauche pour rejoindre le square Jean-Rictus.*

Square Jean-Rictus

Assavakkit, Au domoni iko, N'wôh, Volim te... Jean Rictus, ce poète de la gouaille des Parigots, aurait été bien content de se voir dédier un square avec un mur couvert des plus simples et des plus beaux mots du monde : « Je t'aime » dans toutes les langues.

Et s'il pleut ?

Musée Salvador-Dali (Espace Montmartre)

9-11 r. Poulbot. ✆ 01 42 64 40 10 - www.daliparis.com - 10h-18h30 (dernière entrée 30mn av. fermeture) - 8 € (- 8 ans gratuit). En descendant dans cette ancienne cave, vous pénétrez dans l'antre et l'esprit de l'un des plus célèbres peintres surréalistes. Ce virtuose est allé puiser dans son enfance des symboles qui se retrouveront dans tous ses tableaux : le pain, l'orange mais le temps qui s'écoule, comme ses montres molles. Et comme Dali s'est appuyé sur la figuration pour exprimer ses rêves, cette visite plonge les enfants dans des délires visuels. Une visite avec le mystérieux meuble à tiroirs moustachus peut également être utile.

Halle Saint-Pierre

2 r. Ronsard. À droite des escaliers et du funiculaire menant au Sacré-Cœur. ✆ 01 42 58 72 89 - www.hallesaintpierre.org - ♿ - août : 12h-18h ; reste de l'année : 10h-18h - fermé 1er janv., 1er Mai et 25 déc. - 7 € (enf. 5,50 €). Au pied de la butte, cet ancien marché couvert accueille des expositions temporaires d'art brut. Les œuvres exposées sont adaptées aux enfants car leur recherche du détail, leur simplicité et leurs couleurs les rapprochent de la BD. Quant aux sculptures, elles sont faites par des artistes qui n'ont par définition aucune culture artistique. Une cafétéria, dans cette grande halle, vous permettra de vous reposer tout en laissant courir les enfants. Il y a aussi une librairie.

Carnet d'adresses

PAUSE DÉJEUNER

L'Été en pente douce – *23 r. Muller - 18e arr. - M° Anvers - ✆ 01 42 64 02 67 - fermé 24-25, 31 déc. et 1er janv. - 9/19 €.* Du Sacré-Cœur, descendez quelques marches dans cette ruelle pour vous attabler à la délicieuse terrasse de cette ancienne boulangerie, transformée en restaurant-salon de thé. Vous y dégusterez salades, assiettes composées et pâtisseries en face du joli jardin public.

La Mère Catherine – *6 pl. du Tertre - 18e arr. - M° Abbesses - ✆ 01 46 06 32 69 - 12/38 €.* Une gloire montmartroise ! Et pour cause ! Outre son emplacement, mythique, cette maison du 17e s. s'est rendue célèbre en accueillant Danton et ses disciples. Intérieur résolument rustique et terrasse prise d'assaut dès que le temps le permet.

Le Coquelicot – *24 r. des Abbesses - 18e arr. - M° Abbesses - ✆ 01 46 06 18 77 - tlj sf lun. 8h-20h – à partir de 10 €.* Dans cette jolie boulangerie-pâtisserie-salon de thé, vous trouverez la baguette La Picolla, de tradition française, et de nombreux pains spéciaux aux fruits, aux céréales, au coquelicot... Toute la journée, assiettes, tartines et copieux petits-déjeuners servis dans de grands bols remportent beaucoup de succès.

PAUSE QUATRE-HEURES

Arnaud Larher – *53 r. Caulaincourt - 18e arr. - M° Lamarck-Caulaincourt - ✆ 01 42 57 68 08 - tlj sf dim. et lun. 10h-19h30 - fermé 7-30 août.* Les créations d'Arnaud Larher ont déjà séduit de nombreux gourmands. À côté des classiques millefeuille, saint-honoré, Paris-Brest et tartes aux fruits, n'hésitez pas à découvrir à votre tour ses entremets au nom évocateur : Récif, Toulouse-Lautrec, Suprême, Coquelicot, etc.

PAUSE ACHATS

Do you speak martien – *8 r. des Trois-Frères - 18e arr. - M° Abbesses - ✆ 01 42 52 89 72 - tlj sf dim. et lun. 11h-19h.* Cette boutique a pris le nom de la fameuse réplique de Goldorak : « Do you speak martien ? » Les enfants y trouveront des gadgets japonais et américains comme du scotch à tête de mort ou des poupées terrifiantes, des méduses gluantes ou, pour les plus petits, des Barbapapas.

Home Sweet Môme – *61 r. Lepic - 18e arr. - M° Abbesses - ✆ 01 42 23 40 11 - 11h-19h.* Derrière une vitrine tout de rouge vêtue, boutique proposant un vaste choix de vêtements, accessoires, jeux et livres pour enfants. Une bonne adresse pour dénicher des cadeaux originaux et ludiques.

Jardins du Ranelagh.

Ph. Gajic / MICHELIN

PROMENONS-NOUS DANS LES BOIS

22 Bois de Boulogne

ATLAS MICHELIN PARIS N° 56 (P. 14-15, 26-27, 38-39) ET N° 57 (P. 58, 60 ET 62), REPÈRES E3 À E6, F1 À F5, G1 À G4, H1 À H3, J1 À J3, K1-2 ET L2 – 16E ARR.

Lacs, cascades, étangs, jardins, pelouses, sous-bois… Le bois de Boulogne a gardé son charme d'antan qui attire les promeneurs, les amateurs de jogging, les rameurs, les pêcheurs ou les cyclistes fidèles à l'entraînement dominical. Quelques larges voies pour les voitures, des allées ombragées pour les cavaliers, des parcours réservés aux randonneurs, des jardins enclos…, chacun peut y trouver son plaisir et s'oxygéner sans avoir à prendre sa voiture !

ACCÈS

En **métro** : ligne 1, stations Porte-Maillot ou Les Sablons ; ligne 2, station Porte-Dauphine ; ligne 10, station Porte-d'Auteuil.
En **RER** : ligne C, gares Porte-Maillot, Avenue-Foch ou Avenue-Henri-Martin.
En **bus** : ligne PC, arrêts bordant l'Est du bois ; lignes 82, 73 et Balabus, arrêt Porte-Maillot ; ligne 63, arrêt Porte-de-la-Muette ; ligne 32, arrêts bordant le Sud-Est du bois ; ligne 52, arrêt Porte-d'Auteuil.
À l'intérieur du bois, utilisez la ligne 244. Attention, bus toutes les 20mn depuis la Porte-Maillot, indiqué à partir des couloirs du métro.

POUR LES PETITS MALINS

Emporter dans son sac à dos boisson, goûter ou pique-nique, vêtement pour la pluie, rollers ou corde à sauter, ou tout matériel pour une sortie en plein air. Si vous partez avec Milou, assurez-vous des lieux où les chiens sont autorisés. Partir de préférence de bon matin, avant l'afflux des promeneurs.

LE CLOU DE LA VISITE

Assurément, c'est le jardin d'Acclimatation où tout est conçu avec charme et poésie pour les enfants.

Pour mieux comprendre

Le bois de Boulogne fait partie de Paris depuis un demi-siècle. C'est un vestige de l'ancienne forêt de Rouvray qui s'étendait jusqu'aux remparts de Lutèce (le Paris du tout début) et où les Parisiens, comme le roi Dagobert, chassaient l'ours, le loup, le cerf et le sanglier.
En 1308, revenant d'un pèlerinage à Boulogne-sur-Mer, Philippe IV fait édifier une chapelle au hameau de Menuls vouée au culte de Notre-Dame de Boulogne-sur-Mer. Le village est rapidement connu sous ce nom !

G. Targat / MICHELIN

Le majestueux lac Inférieur, dans le bois de Boulogne.

Sous Louis XIV, de grandes avenues rectilignes sont tracées, avec des carrefours en étoile marqués de grandes croix de pierre.
À l'issue de la campagne de Napoléon Ier en Allemagne (1813) et de la défaite de Leipzig, la France est envahie. Les Alliés occupent Paris et Napoléon est contraint à l'abdication (6 avril 1814). Les armées alliées campent dans le bois. Anglais, Autrichiens et Cosaques abattent la plupart des arbres pour se chauffer, laissant après leur départ une forêt dévastée.
Napoléon III décide de transformer le terrain en lieu de promenade. Les travaux sont dirigés par le baron Haussmann, préfet de la Seine, et l'ingénieur-paysagiste Alphand. Le défi est relevé en un peu moins de deux ans par 12 000 hommes, terrassiers et jardiniers. Le vieux mur d'enceinte est supprimé, près de 200 000 arbres sont replantés, plus de 100 km de sentiers pour piétons et d'allées cavalières sont tracés, 14 ha de lacs, des îles, des cascades et des mares sont créés, des pavillons, des kiosques sont installés çà et là. Métamorphosé, le bois, repaire des mauvais garçons où l'on n'osait plus s'aventurer, devient l'endroit à la mode. Un public mondain vient admirer la Grande Cascade, une pièce d'eau aménagée grâce à une retenue d'eau et des rochers provenant de Fontainebleau, ou bien les courses à l'hippodrome de Longchamp inauguré en 1857 par l'empereur.
Le 20e s. apporte le boulevard périphérique, le jardin des serres d'Auteuil, le stade du parc des Princes et celui de Roland-Garros. Certes, les avenues autrefois empruntées par de beaux attelages et d'élégantes cavalières montant en amazone sont désormais traversées par les voitures et le bois est entièrement cerné par la ville, mais l'exploitation forestière y est strictement réglementée, notamment par des enclos de reboisement. Ainsi les petits Parisiens peuvent-ils continuer à retrouver la couleur des saisons sur les feuillages.

Au jardin d'Acclimatation

Accès

En **métro** : ligne 1, station Les Sablons ; prendre la rue d'Orléans puis le boulevard des Sablons, l'entrée du jardin est à 150 m.
En **bus** : lignes PC, 73, 82 et Balabus, arrêt Porte-Maillot ; passer au-dessus du périphérique et suivre la route de la Porte-des-Sablons à la Porte-Maillot. Ou alors, prendre le **petit train du jardin d'Acclimatation** qui rejoint l'entrée principale du jardin d'Acclimatation. *Trajet AR 2,50 € billet combiné avec l'entrée au jardin 5,20 €*

Horaires et tarifs

✆ 01 40 67 90 82 - www.jardindacclimatation.fr - ♿ - juin-sept. : 10h-19h ; oct.-mai : 10h-18h - 2,50 € (-3 ans gratuit). Vélos et chiens interdits. Tenue correcte demandée. Toilettes près du théâtre, du restaurant de la Ferme du golf, du guignol et de la prévention routière. Aires de pique-nique. Infirmerie à l'accueil. Restaurants et restauration rapide.

Ses 19 ha sont le royaume des enfants de tous les âges. Après avoir fait les pitres devant les glaces déformantes, ils peuvent aller au théâtre, au guignol, goûter les plaisirs de nombreuses attractions gratuites ou payantes. Aux beaux jours, l'expédition peut se transformer en partie de campagne. Rien de plus agréable qu'un déjeuner sur l'herbe (kiosques et restaurants pourvoient ceux qui ont oublié leur pique-nique !).

ATTRACTIONS LIBRES D'ACCÈS

Miroirs déformants… et magiques !

Pour tous. Petits ou grands, minces ou ronds, à l'envers ou à l'endroit, énormes ou minuscules, tous les reflets sont possibles avec ces étranges miroirs !

Aires de jeux

Les moins de 10 ans ont leur espace (balançoires couronnées d'insectes suspendus sur de longues antennes souples, vaches bulles, camions de pompiers rouge vif, jets d'eau du Jardin des marguerites). Les aînés ont leur royaume, entre technique, aventure et exploits sportifs (gigantesque vague bleue aux passages débouchant sur le sable, toile d'araignée en guise d'escalier géométrique et souple montant à l'assaut du ciel, toboggans).

Guignol & Compagnie

✆ 01 45 01 53 52 - www.guignol.fr - merc., w.-end, fêtes et vac. scol. 15h et 16h. Le héros lyonnais, son épouse revêche Madelon, son ivrogne d'ami Gnafron, Patate le voleur et ses autres compagnons se donnent en spectacle durant 30mn pour la joie de tous !

Prévention routière

Dès 7 ans. Le circuit a été conçu avec l'aide de la Préfecture de police de Paris. Sous l'œil attentif de « monsieur l'Agent », les enfants prennent leurs marques avant de s'aventurer pour de vrai, à pied ou à vélo, dans l'univers urbain.

Pour la petite histoire

Le jardin d'Acclimatation fut inauguré par Napoléon III et l'impératrice Eugénie en 1860. Son but était d'acclimater une flore luxuriante originaire des pays lointains (bananiers, aloès, séquoias, ignames, bambous). Cependant, ses concepteurs, membres de la Société impériale zoologique d'acclimatation, enrichirent vite le projet en y introduisant la faune exotique (zèbre, girafe, chameaux) et l'ethnologie.
Le succès fut immédiat, mais lors de la guerre de 1870 avec la Prusse, ses portes se fermèrent durant un temps. La famine à Paris imposant des mesures d'urgence, il fallut même abattre les pensionnaires du jardin pour nourrir la population de la capitale. Au menu de la Saint-Sylvestre de 1870, certains purent ainsi goûter de l'entrecôte d'éléphant !
En 1900, le jardin d'Acclimatation devint le premier parc de loisirs en famille. En 1952, il fut transformé en un parc de promenade, avec des attractions de plein air choisies pour leur caractère instructif, sportif et familial. Récemment, le jardin s'est enrichi une fois encore de nouveautés teintées d'exotisme oriental (maison de thé, pont et jardin coréens).

Les animaux et le potager

Un coin de campagne au cœur d'une ville où légumes, fruits et animaux sont bien soignés. On y admire les cultures au fil des saisons (citrouilles, arbres fruitiers, herbes aromatiques…) avant d'aller saluer lapins, cochons, vaches, pintades, moutons, chèvres et lamas, peut-être avec la chance de voir les nouveau-nés !

Les animaux acclimatés

Ours bruns nés au jardin, daims et paons, canards, mais aussi les habitants de la Grande Volière se laissent admirer toute l'année.

Jardin de Séoul

Pour tous. Un jardin minéral, ponctué de symboles, issu de la tradition confucianiste où les visiteurs découvrent le « bassin de purification », la « terrasse d'où l'on regarde la Lune » et le « pavillon traditionnel » : pour rêver dans une douce poésie.

ATTRACTIONS PAYANTES

Carnets : 30 € les 15 tickets, 45 € les 25 tickets, 75 € les 50 tickets ; à l'unité : 2,50 €.

La Rivière enchantée

Dès 4 ans. Voici près d'un siècle que les enfants glissent au fil de son courant créé par une roue à aubes. Au détour des méandres : saules pleureurs, roseaux, lys et canards. Un photographe immortalise les navigateurs au bout du voyage !

Le Dragon

Dès 4 ans. Dans ses wagonnets, l'animal fantastique entraîne les enfants dans de vraies mini-montagnes russes au parfum d'Orient.

Petits chevaux

Dès 4 ans. De gentils destriers en bois emmènent les petits cavaliers à travers bosquets et prairies, dans un circuit à ciel ouvert, sinueux à souhait.

Le Village des manèges… ou le royaume de la fête foraine !

Une vingtaine d'attractions et de stands de jeux offrent tous les plaisirs renouant avec une tradition séculaire (tapis volant, montagnes russes, auto-tamponneuses, pêche aux canards, carrousel de chevaux de bois…).

Circuit automobile

Tous les pilotes en herbe y font leurs premières armes. Casqués et sanglés dans leur véhicule, les 10 ans et plus (et leurs passagers, dès 4 ans) apprennent à négocier les courbes de la piste.

Bateaux téléguidés

Dès 3 ans. Le lac du jardin est un endroit à part. Juste derrière le pont écarlate tout droit venu d'une ville impériale chinoise, voici le petit port de bateaux de course et ses postes de pilotage avec gouvernail et commandes de vitesse permettant aux enfants de devenir capitaine.

Golf miniature

18 trous sous de grands arbres : il suffit de louer clubs et balles pour découvrir les coins et recoins de ce parcours ludique nécessitant juste un peu d'attention (pour les confirmés et pour les débutants dès 4 ans).

La Maison enchantée

Un espace découverte pour les tout-petits dès 9 mois (piscine à balles multicolores pour les 2 à 4 ans, toboggans, consoles de jeux vidéo et de cd-rom pour les plus grands, mur d'escalade...). Encadrés par des animateurs, les enfants peuvent y passer une heure, un après-midi ou une journée.

Les Ateliers du jardin

01 40 67 90 85 - merc., sam. et vac. scol. 10h-12h, 14h-16h - atelier simple 17,20 €, 40,20 €/j.

Dans la grande maison blanc et vert, guidés par les animateurs, les enfants fabriquent du dentifrice aux plantes, teignent avec des jus de fleurs, binent le potager, cuisinent des gâteaux au chocolat ou s'initient à la calligraphie chinoise, au mime ou aux tours de magie.

Théâtre du jardin d'Acclimatation

Lever de rideau : merc. 10h30 ou 14h30, dim. 15h30 - 7 €. .Dès 4 ans. Des spectacles exceptionnels mêlant chorégraphie, chants et jeux, tout en racontant des histoires extraordinaires...

Musée en herbe

01 40 67 97 66 - www.musee-en-herbe.com - ♿ - 10h-18h, sam. 14h-18h - fermé 1er janv. et 25 déc. - 3,50 €.

Dès 3 ans. Fondé en 1975, il a déjà initié d'innombrables enfants aux arts plastiques, aux sciences et à l'éducation civique, grâce à une pédagogie nouvelle : les spectateurs peuvent toucher certaines œuvres, apprennent à les regarder et à les recomposer, dansent, miment et se déguisent. Jeux d'observation et d'assemblage complètent le savoir transmis par le récit. Les expositions temporaires font passer les enfants de Monet à Picasso ou aux arts du cirque, du Vietnam à l'art du recyclage des poubelles, de la violence à l'école aux civilités à respecter dans les rues de la ville !

Explor@dome

01 53 64 90 40 - www.exploradome.com - 10h-18h - fermé 1re quinz. d'août, 25 déc et 1er janv. - 5 €, gratuit w.-end de la Fête de la Science (mi-oct.).

Dès 4 ans. Cet espace interactif dédié aux sciences, art et multimédia propose des activités basées sur l'expérimentation : pour savoir comment faire rouler une roue carrée, construire un pont ou accrocher votre ombre au mur ! Avec l'espace multi-média-Internet et ses 12 iMac connectés sur le haut débit, les plus grands peuvent réaliser une vidéo numérique ou s'initier à Internet.

École de golf

01 45 00 16 64. Dès 6 ans et jusqu'à 99 ans ! Composé d'un practice offrant des postes couverts et éclairés, d'un putting green, d'une zone d'approches et d'un bunker d'entraînement, le golf permet à chacun de découvrlr ce sport, de s'entraîner ou de prendre des cours avec des professionnels qui fournissent clubs et balles.

Club hippique

01 45 01 97 97. Dès 3 ans et adultes. Ouvert à tous, des plus petits aux plus grands, le centre équestre propose des initiations et du perfectionnement, des cours privés et des stages collectifs (voltige, saut d'obstacles). Il organise également des concours hippiques ou des promenades bucoliques dans le bois de Boulogne.

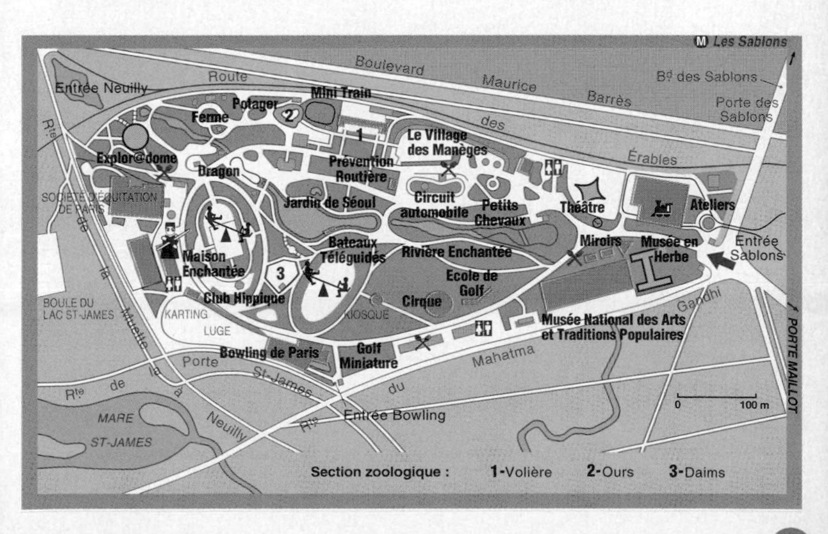

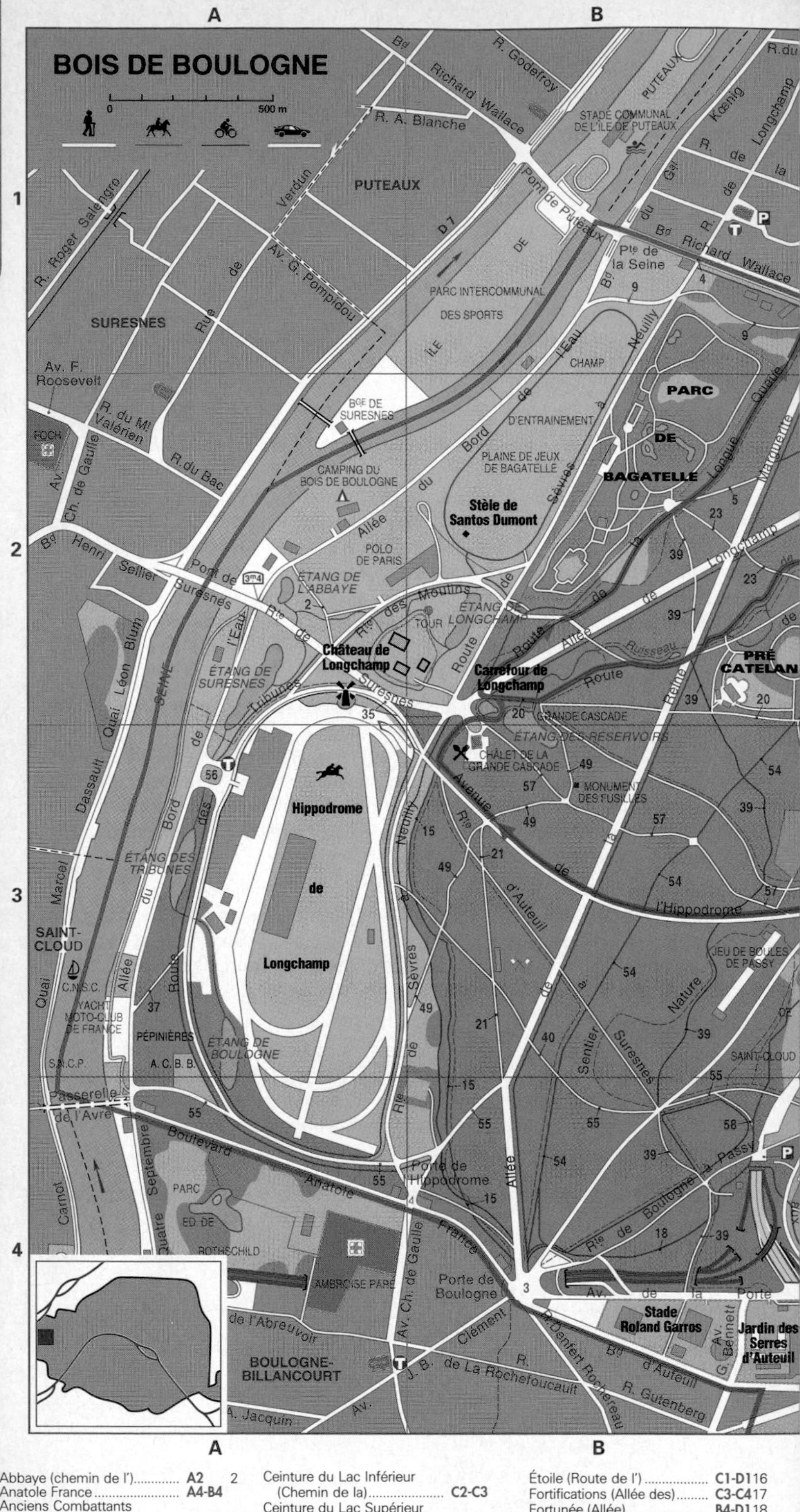

BOIS DE BOULOGNE
0
500 m
A
B
1
2
3
4
PUTEAUX
SURESNES
SAINT-CLOUD
BOULOGNE-BILLANCOURT
R. Godefroy
Bd Richard Wallace
R. A. Blanche
STADE COMMUNAL DE L'ILE DE PUTEAUX
R. de Longchamp
Pont de Puteaux
Pte de la Seine
R. Roger Salengro
Verdun
Av. G. Pompidou
Rue de
D 7
PARC INTERCOMMUNAL DES SPORTS
ÎLE DE
Av. F. Roosevelt
R. du Mt Valérien
R.du Bac
FOCH
Av. Ch. de Gaulle
BGE DE SURESNES
CAMPING DU BOIS DE BOULOGNE
Allée du Bord de l'Eau
CHAMP D'ENTRAINEMENT
PLAINE DE JEUX DE BAGATELLE
PARC DE BAGATELLE
Stèle de Santos Dumont
Bd Henri Sellier
Pont de Suresnes
POLO DE PARIS
ÉTANG DE L'ABBAYE
ÉTANG DE LONGCHAMP
TOUR
Rte des Moulins
Château de Longchamp
Carrefour de Longchamp
ÉTANG DE SURESNES
Rte de Suresnes
Quai Léon Blum
SEINE
PRÉ CATELAN
GRANDE CASCADE
ÉTANG DES RÉSERVOIRS
CHALET DE LA GRANDE CASCADE
MONUMENT DES FUSILLÉS
Hippodrome de Longchamp
Avenue de l'Hippodrome
Rte d'Auteuil
Quai Dassault
Quai Marcel
ÉTANG DES TRIBUNES
Allée du Bord de l'Eau
Route des Tribunes
JEU DE BOULES DE PASSY
Sentier de la Nature
Rte de Suresnes à Sèvres
SAINT-CLOUD
C.N.S.C.
YACHT MOTO-CLUB DE FRANCE
PÉPINIÈRES
A. C. B. B.
S.N.C.P.
ÉTANG DE BOULOGNE
Passerelle de l'Avre
Boulevard Anatole France
Porte de l'Hippodrome
Allée
Rte de Boulogne à Passy
PARC ED. DE ROTHSCHILD
Quatre Septembre
Carnot
AMBROISE PARÉ
Porte de Boulogne
Av. de la Porte
Stade Roland Garros
Jardin des Serres d'Auteuil
Av. G. Bennett
de l'Abreuvoir
Av. Ch. de Gaulle
J. B. Clément
R. de La Rochefoucauld
R. Denfert Rochereau
Bd d'Auteuil
R. Gutenberg
A. Jacquin

C
D
NEUILLY-SUR-SEINE
Jardin
d'Acclimatation
Mée Nal des Arts et Traditions Populaires
Palais des Congrès de Paris
17e
Pl. de la Pte Maillot
Av. Charles de Gaulle
Bd Maillot
Bd Maurice Barrès
PAVILLON D'ARMENONVILLE
PAVILLON DE L'ORÉE DU BOIS
ÎLE DES CÈDRES
CERCLE DU BOIS DE BOULOGNE
PELOUSE DE MADRID
CENTRE ÉQUESTRE DE L'ÉTRIER
PAVILLON DAUPHINE
PAVILLON ROYAL
Pl. du Mal de lattre de tassigny
Avenue Foch
Porte Dauphine
Mée d'Ennery
Mée Arménien
UNIVERSITÉ PARIS IX
AMBASSADE DE RUSSIE
LAC INFÉRIEUR
RACING CLUB DE FRANCE
CHALET DES ÎLES
PELOUSE DE LA MUETTE
Pl. de Colombie
Square Lamartine
Av. Henri Martin
MAIRIE DU 16e
Av. Georges Mandel
Pl. de Mexico
PARIS
MUSÉE MARMOTTAN
Jardin du Ranelagh
Pl. de la Pte de Passy
Rue de Passy
LAC SUPÉRIEUR
Hippodrome d'Auteuil
16e
Musée H. Bouchard
Maison de Radio France
Castel Béranger
Fondation Le Corbusier
Rue La Fontaine
Statue de la Liberté
Front de Seine
SEINE
Pl. de Barcelone
R. d'Auteuil
Pl. d'Auteuil
Eglise d'Auteuil
Rue Molitor
Place de la Pte Molitor
15e
1
2
3
4

Cirque Phénix Junior

☎ 01 56 29 19 10 - merc., w.-end, vac. scol. et j. fériés 14h30 et 16h30 - vente des billets sur place pour ceux qui sont déjà munis d'une entrée au jardin d'Acclimatation : 2,70 € (-3 ans sur les genoux : gratuit).
Son chapiteau installé au cœur du jardin d'Acclimatation est conçu sans mât à l'intérieur pour ne pas gêner la vue des jeunes spectateurs. Grâce à l'aide d'un narrateur qui permet de suivre l'intrigue, de jeunes artistes enchaînent des tableaux, à la fois ludiques et pédagogiques.

Pédaler dans le bois de Boulogne

Accès

En **métro** : ligne 1, station Les Sablons ; prendre la rue d'Orléans puis le boulevard des Sablons pour rejoindre la porte des Sablons.
En **bus** : lignes 73 et Balabus, arrêt Les Sablons ; prendre la rue d'Orléans puis le boulevard des Sablons pour rejoindre la porte des Sablons.

Louer son vélo

Les amoureux de la petite reine peuvent louer des vélos en plusieurs points du bois de Boulogne. Nous privilégions néanmoins celui du carrefour des Sablons, départ de notre circuit.

Paris cycles – *Rd-pt du Jardin d'Acclimatation - ☎ 01 47 47 76 50 - www.paris-cycles.com - de mi-avr. à mi-oct. : 10h-19h ; de mi-oct. à mi-avr. : merc., w.-end et j. fériés 10h-19h - location 5 €/h, 12 €/j. Un plan du bois vous est donné ; vélos adultes et enf. à partir de 4 ans ; fourniture de casque, siège bébé et antivol à la demande.* Face à l'entrée principale du jardin d'Acclimatation, au carrefour des Sablons ; autre point de location près du Pavillon royal, au carrefour du Bout-des-Lacs.

Cyclobus RATP – *M° Porte-d'Auteuil - avr.-oct. : w.-end et j. fériés (sf temps de pluie) 9h-19h. Fourniture de casque, panier, siège bébé, antivol et, assurance multirisque bicyclette et individuelle accident. Réserv. possible ☎ 0 810 44 15 34.* Un cyclobus, ancien autobus reconverti en point de location Roue libre, propose des VTC, mixtes et junior et des VTT junior et enfant à partir de 7 ans. La RATP propose des randonnées dans le bois et met des guides à la disposition de ceux qui veulent organiser leur propre parcours, à l'heure ou à la journée. 9h-19h ; ☎ 01 53 46 43 77.

Grand tour à vélo

Boucle de 10 km à travers le bois, qui peut être raccourcie à tout moment.
Du carrefour des Sablons (point de location des vélos), partir sur la piste cyclable longeant la route de la Porte-Dauphine à la Porte-des-Sablons, traverser le ruisseau des Sablons et l'allée de Longchamp puis, à droite, longer le ruisseau d'Armenonville, passer devant une aire de jeux, continuer jusqu'au **lac Inférieur** (sur votre gauche) et son kiosque de restauration.
Soit vous choisissez le circuit court qui continue tout droit le long de la rivière : vous pourrez faire alors une halte au **Pré Catelan** puis revenir sur vos pas ou continuer jusqu'à la Grande Cascade. Soit vous optez pour le circuit long qui contourne le lac Inférieur : vous rejoindrez le chemin de ceinture du lac Inférieur côté Paris, qui passe devant le chalet de location de barques puis le chalet des Acacias proposant une restauration en plein air. Toujours en longeant le lac, vous apercevrez sur la gauche la **pelouse de la Muette** et, à droite, l'embarcadère de la navette menant aux deux îles du lac et au chalet des Isles, autre halte gourmande possible.
Continuez sur le couloir réservé aux vélos jusqu'au bout du lac où un abri permet d'attendre la fin d'une éventuelle averse. Au carrefour des Cascades, entre les deux lacs, prenez garde à la circulation, même si vous restez dans l'allée des vélos. Rejoignez l'avenue de l'Hippodrome, voie réservée aux piétons et aux vélos de 9h à 18h, qui démarre au kiosque de restauration du lac Supérieur.
Traverser l'allée Reine-Marguerite et continuer tout droit. Une petite descente vous conduira en roue libre jusqu'à l'**hippodrome de Longchamp**, presque en face des tribunes. Vous verrez sûrement là des

S. Sauvignier / MICHELIN

Qui sera le grand vainqueur du tour… du bois de Boulogne ?

pelotons de cyclistes s'entraînant sur la piste cyclable en faisant le tour du champ de course, sur 3 km environ. À l'extrémité Nord, à droite, vous découvrirez un **moulin** qui n'est qu'une restauration moderne d'un vestige de l'ancienne abbaye. Suivez la piste cyclable sur la droite pour arriver, au carrefour de Longchamp, à la **Grande Cascade** bordée d'un grand cèdre du Liban et d'un cyprès du Mexique, vieux de 130 ans. Sur le terre-plein, un ancien pavillon de plaisance datant de Napoléon III, reconverti en restaurant à l'occasion de l'Exposition universelle de 1900, est un lieu très chic derrière lequel l'Auberge du Bonheur propose sa terrasse dès les beaux jours.
Descendez un instant de vélo pour gravir le petit monticule qui mène, derrière la chute d'eau, à l'étang du réservoir, puis continuez en traversant le carrefour pour rejoindre en face la route de la Longue-Queue qui démarre en montée. Elle vous mènera tout droit jusqu'à la grille verte et dorée de l'entrée Est du parc de Bagatelle. Toujours tout droit, vous rejoindrez le carrefour de Madrid, qu'il faut traverser pour rejoindre sur la gauche la piste conduisant à la **mare Saint-James**, fréquentée par de fidèles pêcheurs à la ligne. Repeuplée régulièrement, elle assure quelques prises : truites, brochets ou sandres ! Continuez encore tout droit à travers un bois de pins très éclairci par la tempête de 1999 ; vous longerez alors le jardin d'Acclimatation puis vous rejoindrez la route des Sablons et sur la droite, votre point de départ.

Le tour des lacs

Accès

En **métro** : ligne 2, station Porte-Dauphine ; depuis la place du Mar.-de-Lattre-de-Tassigny, la route de Suresnes conduit au lac Inférieur.
En **RER** : ligne C, gare Avenue-Henri-Martin ; l'av. Henri-Martin conduit à la place de Colombie ; traverser la pelouse de la Muette pour rejoindre le lac Inférieur.
En **bus** : ligne PC, arrêt Porte-Dauphine ; depuis la place du Mar.-de-Lattre-de-Tassigny, la route de Suresnes conduit au lac Inférieur.

Location de barques

Au carrefour du Bout-des-lacs, au lac Inférieur. ✆ 01 45 25 44 01. De mi-fév. à fin oct. : 10h-18h (w.-end 19h) - caution 50 €. 5 pers. par barque, y compris les enfants. Paiement au retour.

Lac Inférieur

Ses deux îles reliées par un pont et son kiosque offrent une promenade appréciée tout au long de l'année. On les rejoint soit en barque, soit en prenant la navette du chalet des Isles qui assure la traversée toutes les 5 ou 10mn *(1,50 € AR)*.
À la belle saison, vous pourrez déjeuner à la terrasse du chalet des Isles avant de laisser les enfants jouer à Robin des bois dans les deux îles.
Le long du lac Inférieur, côté Muette, piste pour les rollers et les vélos.

Lac Supérieur

L'ambiance est différente. C'est le rendez-vous des passionnés de modèles réduits téléguidés. Bateaux de pêche, fins voiliers, hors-bord vrombissants naviguent sur ce plan d'eau pour des compétitions amicales ou en toute liberté : la passion réunit ici toutes les générations !

Les jardins

Au Pré Catelan et au parc de Bagatelle, tout respire l'harmonie. Un vrai moment de bonheur pour l'amateur de l'art des jardins ou le simple promeneur. Un plaisir à faire partager à un enfant déjà capable d'en apprécier la beauté…

Pré Catelan★

Au centre du bois de Boulogne, par l'allée de la Reine-Marguerite. Depuis la porte Maillot, accès par le bus 244, arrêt Bagatelle-Pré-Catelan. Aire de jeux pour enf. Chiens interdits. Kiosques pour s'abriter de la pluie. Ses pelouses impeccables sont bordées d'arbres magnifiques tels l'araucaria, originaire du Chili, et que l'on surnomme le « désespoir des singes » en raison des épines qui émaillent chacune de ses feuilles. On remarque aussi un

Une heureuse erreur

Les deux lacs du bois de Boulogne sont nés à la suite d'une erreur humaine ! Entre 1852 et 1858, le bois de Boulogne a été complètement modifié selon les souhaits de Napoléon III, mais l'architecte paysagiste Varé a alors créé une dénivellation qui a modifié le cours de la rivière alimentant aujourd'hui les deux lacs. La partie inférieure restait inondée tandis que la partie supérieure était toujours à sec ! L'ingénieur Alphand trouva alors la solution en séparant deux lacs par une digue sur laquelle passe une chaussée et en dessous de laquelle tombe une cascade de 6 m de haut.

hêtre pourpre de 1782, l'un des plus beaux arbres de Paris, le magnolia grandiflora, dont la floraison parfumée s'étale de juin à octobre, et le séquoia géant, planté en 1872 et dont le nom vient du célèbre chef indien See-Quayah ; originaire de Californie, il peut atteindre 150 m de haut !
Le Pré Catelan abrite un **théâtre de verdure** qui plonge le visiteur dans l'univers de Shakespeare. Ces jardins sont inspirés de cinq de ses pièces de théâtre dont le *Songe d'une nuit d'été* où le dramaturge anglais fait intervenir des lutins prénommés Puck (pour le plus facétieux), Grain de moutarde et Pois de senteur ! Ce théâtre de verdure se réveille chaque été d'un long sommeil pour vous offrir le charme inhabituel de pièces de théâtre jouées en plein air. *☎ 01 40 71 75 60 - 14h-16h (sf pdt représentations théâtrales) - possibilité de visite guidée (2h) - gratuit, 6 € visite guidée (enf. 3 €).*

Parc de Bagatelle★★

Rte de Sèvres à Neuilly. M° ligne 1, station Pont-de-Neuilly, puis bus 43, arrêt Place-de-Bagatelle ou M° ligne 1, station Porte-Maillot, puis bus 244, arrêt Bagatelle-Pré Catelan. Chiens et vélos interdits. ☎ 01 40 71 75 60 - juil.-août : 8h30-20h ; mars-juin et sept.-oct. : 8h30-18h ; nov.-fév. : 8h30-16h30 - possibilité de visite guidée (2h) à certaines dates - 1,50 € (hors expo.), visite guidée 6 € (enf. 3 €).
Le château fut construit en 64 jours suite à un pari entre le comte d'Artois, frère de Louis XVI, et sa belle-sœur, Marie-Antoinette, en 1775 ; dans le même temps, le jardinier Blakie traça un jardin de style anglo-chinois. En 1835, le roi Louis-Philippe vendit le domaine à lord Seymour qui le légua à son fils adoptif Richard Wallace. Ce dernier agrandit l'espace (24 ha) et le fit redessiner par le paysagiste Varé, dans le goût de l'époque. En 1904, la Ville de Paris acquit Bagatelle et le paysagiste J.-N. Forestier dessina la roseraie, le Jardin des iris et celui des Présentateurs où ont lieu des expositions horticoles.
Côté Est, vous serez charmé par le murmure de l'eau, qui accompagne vos pas dans la partie paysagère du parc. Le décor est presque celui d'un conte de fées. Petits ponts, rochers, grottes, miroirs d'eau et cascades sillonnent sous le couvert boisé. Un hêtre pleureur de 140 ans balance ses branches vers le bassin des Nymphéas, émaillé de lotus et de nénuphars. Vous découvrirez une pagode chinoise du 19e s., et un chemin en colimaçon vous conduira à travers une forêt de bambous à un belvédère d'où l'on voit les tours de la Défense et, en contrebas, le terrain d'entraînement des joueurs de foot, occupé les jours favorables par des champions de cerf-volant. C'est là que l'aéronaute brésilien **Santos-Dumont** établit le 12 novembre 1906 l'un des premiers records du monde d'aviation, en parcourant une distance de 220 m en 21,4 s.
Le parc, ponctué de petits jardins regroupant les fleurs par espèces, est un vrai festival de couleurs. À la sortie de l'hiver, les pelouses se colorent de milliers de tulipes, jacinthes, narcisses, sur fond de magnolias, de cerisiers et de pêchers en fleur. En mai-juin vient le temps des iris et, derrière le château, des pivoines en massifs. En juin, c'est le moment de découvrir les lauréates du concours international de roses nouvelles. La roseraie *(face à l'orangerie)* en possède 1 200 variétés. L'été est la saison des plantes aquatiques : la pièce d'eau couverte de nymphéas ressemble à un tableau impressionniste.
Le long du mur d'enceinte côté Ouest, un potager présente les cultures au fil des mois dans l'alignement d'une allée de buis taillés en arabesques et de tonnelles.
Vous rencontrerez çà et là des paons se pavanant sans être gênés par votre présence. Ils aiment se faire admirer, préférant les espaces dégagés aux sous-bois.

Du côté d'Auteuil

M° ligne 10, station Porte-d'Auteuil ; bus 32, 52 et PC, arrêt Porte-d'Auteuil, bus 241, arrêt Fleuriste-Municipal, bus 123, arrêt Stade-Roland-Garros.

Jardin des serres d'Auteuil

1 bis av. de la Porte-d'Auteuil, 1 av. Gordon-Bennett ou par l'entrée du square des Poètes. ☎ 01 40 71 75 60 - ♿ - avr.-sept. : 10h-18h ; oct.-mars : 10h-17h - 1 € (-7 ans 0,50 €).
Sur une ancienne pépinière installée par Louis XV, de superbes serres en fer forgé furent édifiées en 1898. Le Fleuriste municipal y produisait alors des plantes pour le Service des espaces verts de Paris. Aujourd'hui, le jardin est voué à la culture de plantes de collections, à des expositions, à la promenade.
La grande serre à dôme (16 m de haut) abrite un palmarium et une abondante flore tropicale (lianes, frangipaniers, lotus bleus…) tandis que les autres sont consacrées aux plantes du Sahel (baobab, dattier, gommier…) ou aux plantes insectivores. Ce jardin rassemble plus de 2 000 genres, espèces et variétés de plantes, notamment une collection d'orchidées, et comprend une partie à la française (en restructuration), un jardin méditerranéen, un jardin à l'anglaise et un jardin japonais.

Stade Roland-Garros

2 av. Gordon-Bennett, porte des Mousquetaires. ☎ 01 47 43 48 48 - www.rolandgarros.com - mars-oct. : tlj sf lun. 10h-18h ; reste de l'année : merc., vend. et w.-end, se renseigner pour les horaires - fermé 28 mai-11 juin et 25 déc. - possibilité de visite guidée du stade (1h) sur réserv. 14h30 et 16h30 - 10 € (-18 ans 8 €) ; 15 € billet combiné avec le Tenniseum (-18 ans 10 €) ; 7,50 € Tenniseum seul (-18 ans 4 €).

Une **visite guidée** vous entraîne dans les coulisses de ce lieu mythique du tennis : vous découvrirez son histoire, les parties réservées aux joueurs (centre de presse, salle des interviews, vestiaires, bar des joueurs, couloir menant les champions sur le cour central). Idéal pour revivre les émotions fortes des grandes finales !

Le **Tenniseum★**, premier musée du Tennis, abrite dans un décor ultramoderne une médiathèque, un atelier pédagogique, une salle de consultation multimédia avec 7 écrans plasma et un espace d'exposition (objets fétiches, du jeu de paume à la première raquette en aluminium). À l'entrée, retrouvez la photo de tous les gagnants et gagnantes de la coupe Roland-Garros, depuis 1891 : un album riche en célébrités, de Jean Borotra, René Lacoste et Fred Perry à Yannick Noah, Mary Pierce et bien d'autres. Sur les bornes interactives, vous pourrez écouter les paroles des champions, voir le résumé des grands matchs ainsi que des films d'archives : séquence nostalgie avec un film des frères Lumière datant de 1898 où des dames vêtues de longues jupes et de chaussures à talon se renvoient la balle ! Enfin, les quiz vous permettront de tester vos connaissances.

Sachez aussi qu'un enseignant initie les enfants dès l'âge de 5 ans au tennis de manière très ludique, sur un **mini-tennis**, durant 20mn. *De fin juin à fin sept. : w.-end 10h30-16h. Gratuit. Inscription sur place.*

Carnet d'adresses

PAUSE DÉJEUNER

⊖ Restaurants du jardin d'Acclimatation – *Bois de Boulogne, carrefour des Sablons - 16e arr. - M° Sablons ou Porte-Maillot - à partir de 9 €.* Le jardin d'Acclimatation comporte plusieurs restaurants : le Club-House du Golf propose salades composées et tartines salées ; Le Pavillon des oiseaux sert une cuisine familiale et un brunch le dimanche ; La Ferme du golf propose plutôt des les grillades

⊖ Les Jardins de Bagatelle – *Parc de Bagatelle, rte de Sèvres - 16e arr. - ☎ 01 40 67 98 29 - fermé 22 déc.-15 janv., de mi fév. à déb. mars, dim. soir de mi-sept. à fin avr. - à partir de 7 €.* En plein cœur du parc de Bagatelle, un joli pavillon avec terrasse ombragée dès les beaux jours pour bruncher le dimanche en famille ou pour goûter.

⊖⊖ L'Auberge du bonheur – *Bois de Boulogne, allée de Longchamp - 16e arr. - ☎ 01 42 24 10 17 - 19 €.* Juste derrière le restaurant de la Grande Cascade se cache l'Auberge du bonheur, particulièrement agréable pour un déjeuner ou dîner en plein air dès les beaux jours, en plein cœur du bois. Un vrai menu enfant : mêmes plats que les adultes mais en portions plus réduites.

⊖⊖ Gare – *19 chaussée de la Muette - 16e arr. - M° La Muette - ☎ 01 42 15 15 31 - t.papin@voila.fr - ⊭ - 29 €.* L'ancienne gare de « Passy-La Muette », construite en 1854 sur le trajet de la Petite Ceinture, abrite désormais ce restaurant atypique. Son décor s'ordonne joliment autour des quais où sont dressées les tables, ainsi que dans la salle d'attente pour les déjeuners plus rapides. Sa réjouissante cuisine de type brasserie séduit une clientèle très « beautiful people ». Service jusqu'à minuit.

PAUSE QUATRE-HEURES

Kiosques du jardin d'Acclimatation – *Bois de Boulogne, carrefour des Sablons - 16e arr. - M° Sablons ou Porte-Maillot - à partir de 3 €.* Vos mouflets vous réclameront certainement un petite gaufre, une boisson ou une glace… Pas de panique ! Vous trouverez des kiosques (Le Chalet gourmand, Bar Côté jardin, Café du village) un peu partout dans le jardin d'Acclimatation.

Pierre Gouverneur – *109 bd Exelmans - 16e arr. - M° Porte-d'Auteuil ou Michel-Ange-Molitor - ☎ 01 46 51 67 93 - tlj sf merc. et jeu. 7h-20h - fermé août.* Cette excellente adresse de quartier peut s'enorgueillir de la finesse de ses pâtisseries : le cake au citron, le moelleux aux cerises, les brioches à l'orange, la tarte Tatin, le gâteau chocolat grand-maman, la chocolatine, etc. La baguette Exelmans et les glaces maison remportent aussi un franc succès. Salon de thé.

Parc André-Citroën

PLAN ATLAS MICHELIN N° 56 (P. 52) ET N° 57 (P. 54), REPÈRE M5 – 15E ARR.

Sur les anciens terrains des usines Citroën, un nouveau quartier a surgl dans les années 1990. Des immeubles d'avant-garde entourent un parc de 14 ha, le plus vaste créé à Paris depuis Haussmann et le seul de la capitale à s'ouvrir directement sur la Seine. D'une conception nouvelle, le parc André-Citroën est partagé en une succession de jardins riches et variés, propices à la découverte botanique, au repos, à la rêverie et aux jeux labyrinthiques. Les jets d'eau à cadence variable font le bonheur des enfants aux beaux jours et un immense ballon captif invite à jouer les aéronautes !

ACCÈS

En **métro** : ligne 10, station Javel-André-Citroën ; ligne 8, station Balard.
En **RER** : ligne C, gare Javel ou Boulevard-Victor.
En **bus** : ligne 88, arrêt Cauchy ; ligne 72, arrêts Wilhem et Wilhem-Versailles ; PC, arrêt Hôpital-Européen-G.-Pompidou.
À proximité, vous pourrez suivre la promenade au parc Georges-Brassens (25) ou au Trocadéro (10).
Entrées du parc : quai André-Citroën, r. Leblanc, r. Saint-Charles, r. de la Montagne-de-la-Fage.

POUR LES PETITS MALINS

♿ - Vélos et chiens interdits, pelouses autorisées. W-C du côté des petites serres.
Pour les jours de grande chaleur : les jets d'eau à cadence variable, entre les deux grandes serres, ne sont pas des douches autorisées ! Les gardiens ferment pourtant les yeux devant les jeux aquatiques des enfants pourvu que les parents les surveillent de près.
Emporter un appareil photo si projet de vol en ballon captif.

LE CLOU DE LA VISITE

Un baptême de l'air pour un voyage à 150 m d'altitude au-dessus de la pollution, pourvu qu'Éole le veuille bien.

Pour mieux comprendre

Au 18e s., le hameau de Javel s'étend le long de la Seine et, en 1777, le comte d'Artois y installe une usine de produits chimiques exploitant l'hypochlorite de potasse pour fabriquer l'eau de Javel. Sur le quai du même nom, un port est construit en 1866, tandis qu'en bordure poussent des melons !
En 1915, l'industriel André Citroën (1878-1935) propose au gouvernement de participer à l'effort de guerre : il crée sur les anciers jardins maraîchers une usine produisant des obus. Des bâtiments sortent bientôt de terre : ateliers, cantine, infirmerie et même une crèche et une pouponnière pour permettre aux ouvrières de travailler.
À la fin de la guerre, en 1918, André Citroën modifie son usine pour fabriquer des automobiles, moyen de transport alors peu répandu. Un an plus tard sort la 10 CV. type A, livrée avec une roue de secours ! C'est la première voiture française fabriquée en série, selon le modèle américain instauré par Ford (travail à la chaîne, chronométrage des opérations pour une meilleure productivité, un peu comme dans le film *Les Temps modernes* de Charlie Chaplin, qu'André Citroën invita d'ailleurs chez lui !). Bientôt, les usines s'étendent, à Javel et sur d'autres sites, pour produire une torpédo à trois places, puis d'autres modèles qui roulent dans toute la France : autocars, taxis, voitures de pompiers et camions portant le sigle de la marque, un double chevron, souvenir de la toute première usine du fondateur qui fabriquait alors des engrenages à chevron.
En 1933-1934, un des ingénieurs de Citroën met au point une voiture à « traction avant », la fameuse Traction, mais des grèves, la reconstruction complète de l'usine du quai de Javel en 1933 et des difficultés financières mettent la société en faillite. Celle-ci est alors rachetée.
En 1958, la Ville de Paris décide de donner le nom d'André-Citroën au quai Javel, puis, en 1970, Citroën déménage ses usines et en 1982 son siège social.

Le lieu légendaire est reconstruit : pour moitié des logements et des bureaux, pour l'autre moitié le parc dont l'aménagement, sous la direction des architectes paysagistes P. Berger, G. Clément, A. Provost, J.-P. Viguier et F. Jodry, s'est achevé en 1993. Depuis 1996, un viaduc, construit sous les rails de la SNCF, a ouvert le jardin sur la Seine.

Le jardin aux mille couleurs

La promenade proposée débute à l'entrée principale du parc, rue Saint-Charles, à l'angle de la rue Balard, soit à environ 200 m de la station de métro Balard, sortie « Place Balard vers la rue Balard ».

Le parc est logé dans le quartier le plus numérique et audiovisuel de la capitale, là où sont regroupées les grandes chaînes de télévision. Autour, on peut apercevoir au Sud, l'hôpital Georges-Pompidou, qui a ouvert en 2000. Il descend en escaliers vers le parc et des patios-jardins aménagés en rez-de-chaussée. Du même côté, entre la rue Leblanc et le parc, les immeubles de bureaux Le Ponant forment une porte d'entrée monumentale que l'on peut traverser. Les façades sont recouvertes de dalles de verre-miroir qui masquent les vraies fenêtres des bureaux, de hauteurs différentes. À l'Ouest, un embarcadère en débord du quai de la Seine est l'une des escales du port autonome de Paris.

Noir et Blanc, deux jardins opposés

Situés de part et d'autre de l'entrée principale, ces deux jardins carrés étendent les limites du parc jusqu'à la rue Saint-Charles.

Le **Jardin noir★** (entre la rue Leblanc et la rue Saint-Charles) est planté d'arbres au feuillage sombre, notamment de superbes conifères dont la taille évoque des bonzaïs géants ou bien certaines estampes de maîtres japonais. Des gradins entourent différents espaces intimes où l'on peut trouver le calme et la fraîcheur.

Le **Jardin blanc** (entre la rue de la Montagne-d'Aulas et la rue Cauchy) est plus minéral et moins feuillu. Au centre, un patio entouré de hauts murs est consacré aux plantes vivaces à floraison blanche.

Du Jardin noir part une allée qui traverse le parc en diagonale. Elle mène aux deux grandes serres séparées par un péristyle aux 120 jets d'eau intermittents qui domine la pelouse centrale s'étendant en pente douce vers la Seine.

Les grandes serres

Hauts et larges de 15 m, ces grands quadrilatères transparents (hormis les portes et les colonnes recouvertes de tek sur lesquelles s'amarrent les filins métalliques maintenant le léger vitrage) abritent à l'Ouest une orangerie et à l'Est un jardin qui entraîne le visiteur aux antipodes de la France, parmi les plantes du bush australien et des prairies de Nouvelle-Zélande, où la faune et la flore sont restées isolées du reste du monde durant 150 millions d'années. Eucalyptus, mimosas, fougères arborescentes, lianes et pandanus aux racines aériennes poursuivent leur croissance dans une ambiance maintenue à 12 °C.

L'attraction du parc André-Citroën : les jets d'eau.

L'eau du parc

Seine oblige, l'eau, élément déterminant du parc, jaillit entre les deux grandes serres, coule dans le grand canal, se métamorphose en cascades qui alimentent plusieurs fontaines et bassins aux quatre coins du parc. Grâce à ses pneumatofores, des racines creuses qui lui permettent de respirer sous l'eau, le cyprès chauve a été choisi pour orner le parc, en compagnie de magnolias taillés comme des colonnes (sur le canal à proximité des grandes serres).

Retrouve les 6 sens

Chaque jardin sériel a sa couleur. Mais sais-tu attribuer à chacun son thème ? **Réponses** – Jardin bleu : cuivre, Vénus, vendredi, pluie et odorat / Jardin vert : étain, Jupiter, jeudi, source et ouïe / Jardin orange : mercure, Mercure, mercredi, ruisseau et toucher / Jardin rouge : fer, Mars, mardi, cascade et goût / Jardin argent : argent, Lune, lundi, rivière et vue / Jardin doré : or, Soleil, dimanche, évaporation et… le sixième sens !

Jardins sériels★ et jardins à thème

Au Nord-Est du parc, le long de la rue de la Montagne-de-l'Espérou, six petites serres répondent aux six **jardins sériels★** formant autant d'espaces intimes où l'on peut passer des heures à rêver. Chacun est associé à une déclinaison thématique. À la belle saison, vous pourrez repérer le lys des steppes, la fleur des Incas, dans le jardin orange pavé de pierres rondes agréables au toucher ; le sureau doré ou le seringat doré dans le jardin doré orné d'un cadran solaire horizontal, ou sentir la menthe, la lavande et la sauge dans le jardin bleu…
Plus loin, le **Jardin en mouvement** n'est qu'une friche jardinée où fusains, rosiers, bambous, digitales, coquelicots, balsamines et herbes sauvages poussent, se ressèment, refleurissent à d'autres endroits du parc au fil des ans, en toute liberté.
À proximité, le **Jardin d'ombre** est le royaume des mousses et la **porte des Ternes,** une allée pavée bordée de piédestals cubiques pour des arbres en pleine croissance.
Traversez l'esplanade le long de la Seine pour découvrir une étrange **cascade** et le **Jardin des métamorphoses**, qui évoque la transmutation alchimique de l'or et du plomb !
En longeant le canal, sur la terrasse en bordure des façades du Ponant, saluez au passage M. Citroën. Son buste est presque caché par la végétation ! Ce polytechnicien fut l'un des premiers patrons français à avoir édité un journal d'entreprise, réservé au personnel, et instauré pour leurs enfants des colonies de vacances. Entre 1922 et 1932, il lance ses voitures (notamment ses autochenilles) dans des expéditions

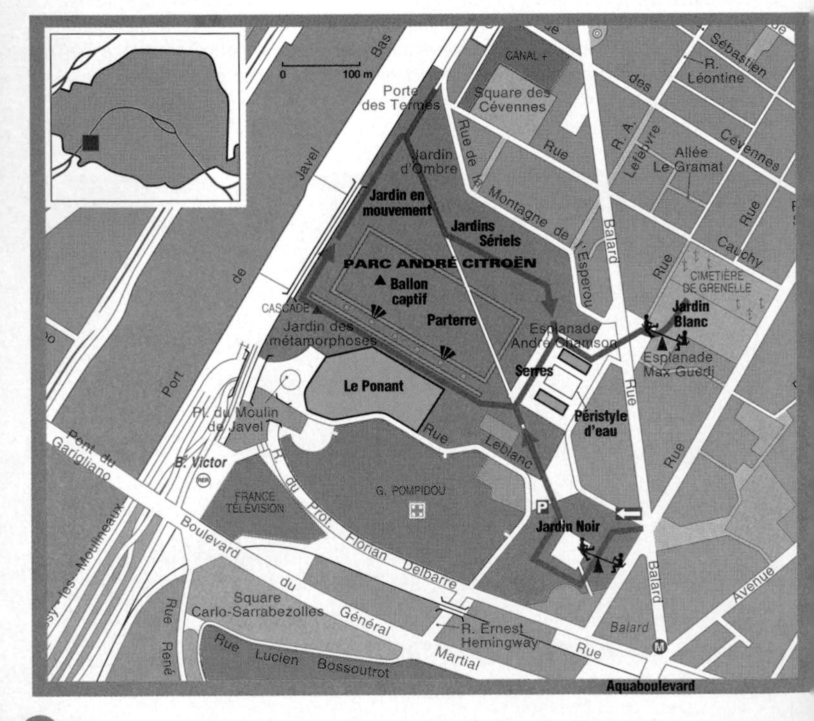

lointaines (traversée du Sahara, Croisière noire, Croisière jaune). Comme il aimait beaucoup les enfants, il créa même une fabrique de jouets, essentiellement des voitures miniatures !
Juste avant de rejoindre la rue Balard et le métro, arrêtez-vous à La Ferme de la Métaierie qui, dès les beaux jours, installe à proximités des grandes serres deux anciens modèles Citroën (une Rosalie de 1908 et une camionnette de 1938) pour vendre des sorbets biologiques.

Quelques activités

Dans le parc

Jeux – *Dans les Jardins noir et blanc.* Aires de jeux de 2 à 11 ans : bacs à sable, tables de ping-pong, tyrolienne, aires de jeux de ballon, etc.

Visites guidées – *01 40 71 75 60 - RV à l'entrée du Jardin noir, angle de la rue Balard et de la rue Saint-Charles - 6 € (7-25 ans 3 €).*

Ballon captif – *15e arr. - tlj sf cas de pluie ou de grand vent, envol toutes les 15mn 12 € (12-17 ans : 10 €, 3-11 ans : 6 €, Parisiens -12 ans gratuit sur présentation d'un justificatif de domicile au nom de l'enfant). Se renseigner avant sur les conditions de vol 01 44 26 20 00, www. aeroparis. com*
Depuis plus de 80 ans, les aéronefs avaient disparu de la capitale. L'entreprise Eutelsat a donc décidé d'installer en 2002, sur la pelouse centrale du parc, le plus grand ballon captif du monde. Ce modèle, mis au point par deux jeunes ingénieurs de 25 ans, M. Gobbi et J. Giacomoni, s'élève à 150 m d'altitude. L'ascension géostationnaire est toutefois soumise aux conditions météorologiques. Par vent de 35 km/h ou temps d'orage, le ballon reste cloué au sol ; le nombre de ses passagers dépend aussi de la vitesse du vent. Le vol de 10mn, en tête-à-tête avec la tour Eiffel, est unique !

Palmarès d'un ballon

Il est haut de 32 m, soit l'équivalent d'un immeuble de 12 étages.
Le câble qui le rattache à la terre est long de 200 m et peut résister à 44 t de traction.
Son enveloppe de 22 m de diamètre est composée de 46 fuseaux. Et le filet qui retient cette enveloppe est formé de 9 000 nœuds.
Il faut 5 500 m³ d'hélium pour le gonfler.
Enfin, sa nacelle peut contenir jusqu'à 30 passagers, dont tu fais certainement partie !

À proximité du parc

Aquaboulevard – *4-6 r. Louis-Armand (porte de Sèvres) - 15e arr. - M° Balard - 01 40 60 10 00 - 9h-23h, vend. 9h-24h, sam. 8h-24h, dim. et j. fériés 8h-23h (dernière entrée 21h) - fermé 2 sem. en janv.* Immense parc aquatique couvert disposant d'un bassin à vagues, d'îles Jacuzzi et de tobbogans géants. Autres activités d'intérieur : tennis, squash, restaurants et cinémas. Dès les premières belles journées, pelouses, plages garnies de transats et minigolf vous attendent à l'extérieur.

Carnet d'adresses

PAUSE DÉJEUNER

Le Bistrot Champêtre – *107 r. St-Charles - 15e arr. - M° Charles-Michel - 01 45 77 85 06 - bistrobis@wanadoo.fr - 15,50/31 €.* Le bois domine et donne de la chaleur au décor rustique de ce bistrot qui au travers d'une grande baie vitrée ouvre sur un îlot de verdure. Les habitués du quartier, nombreux, reviennent ici pour déguster une cuisine très traditionnelle et généreusement servie.

La Dînée – *85 r. Leblanc - 15e arr. - M° Balard - 01 45 54 20 49 - fermé w.-end - 31 €.* La devanture de ce restaurant niché derrière le parc André-Citroën se distingue par son côté chic. L'intérieur conforte cette impression : la décoration actuelle et les tableaux modernes participent à l'élégance du cadre. Cuisine au goût du jour et accueil attentionné.

PAUSE ACHATS

Le Bonhomme de Bois – *56 r. de la Convention - 15e arr. - M° Javel ou Boucicaut - 01 45 78 66 30 - www. lebonhommedebois.fr - tlj sf dim. 10h-19h.* Comme son nom le laisse supposer, cette jolie boutique propose principalement des jouets en bois, mais n'oublie pas les peluches et les animaux en tissus pour les tout-petits. Trains, circuits, voitures, poupées, chevaux à bascule, mais aussi jeux de plein air à emporter dans le parc André-Citroën situé à deux pas.

 Jardin du Luxembourg

ATLAS MICHELIN PARIS N° 56 (P. 44) ET N° 57 (P. 15), REPÈRES L13-14, K13 – 6E ARR.

On rencontre des palmiers et des orangers, des arbres aux 40 écus et des poiriers en pyramide ailée. On voit un cyclope, un silène et un défilé de reines blanches. On joue aux échecs, à la pétanque, au tennis et à la longue paume. On s'entraîne au tai-chi ou au sabre devant le palais d'une reine venue d'Italie. Le Luxembourg présente une multitude de facettes : l'une d'elles est dédiée aux enfants avec son parc de jeux, ses sulkys, ses poneys et ses marionnettes.

ACCÈS

En **métro** : lignes 4, 10 et 12, stations Vavin, Odéon et Notre-Dame-des-Champs.
En **RER** : ligne B, gare du Luxembourg.
En **bus** : lignes 21, 27, 38, 58, 82, 83, 84, 85 et 89.
Entrées du jardin : boulevard Saint-Michel, rues Auguste-Comte, d'Assas, Guynemer, de Vaugirard et de Médicis.
Horaires : le jardin du Luxembourg dépend du Sénat qui définit les conditions d'ouverture au public. Les horaires varient en fonction du lever et du coucher du soleil : ouverture entre 7h30 et 8h15, fermeture entre 17h et 21h45.

POUR LES PETITS MALINS

Hormis la location de bateaux, les attractions pour enfants se concentrent sur la terrasse Ouest (côté r. Guynemer). Elles sont presque toutes payantes. Les rares pelouses libres se situent côté rue Auguste-Comte et dans le jardin réservé aux petits.
Près des attractions pour enfants, vous trouverez des W-C (payants), des kiosques vendant friandises et petits jouets, ainsi que le kiosque des surveillants.
Accès interdit aux chiens, sauf tenus en laisse dans la partie Sud-Est du jardin. Interdit de rouler en bicyclette sauf munie de stabilisateurs sur les allées asphaltées. Patins et planches à roulettes interdits. Jeux de balle autorisés uniquement sur les emplacements prévus à cet effet.
Il existe une merveilleuse halte-garderie de plein air pour les enfants de 18 mois à 6 ans. On peut les déposer l'après-midi même (à condition qu'il reste de la place, ce qui semble rarement le cas aux beaux jours…) ou les inscrire pour un jour donné. *De déb. mai à mi-sept. : tlj sf dim. et j. fériés 14h-18h - inscription sur place (apporter carnet de santé) - 9 € goûter fourni.*

LE CLOU DE LA VISITE

Le jardin d'enfants avec pelouse, eau et sable pour les tout-petits (gratuit), le parc de jeux pour les plus grands (payant), les chevaux de bois qui font rêver des générations successives…

Pour mieux comprendre

La pépinière des Chartreux – Au début du 13e s., c'est une campagne déserte. Il n'y a là que les ruines du château de Vauvert. On dit qu'elles sont hantées. D'où l'expression « Aller au diable Vauvert ! » Pour chasser ce diable, Saint Louis installe un couvent de Chartreux. Les moines vont cultiver des arbres fruitiers. Leurs pépinières deviendront célèbres dans l'Europe entière.

Le jardin de Marie de Médicis – Quatre siècles plus tard, la reine Marie de Médicis, épouse d'Henri IV, a le coup de foudre pour ce faubourg champêtre où le duc de Luxembourg possède une belle demeure et où vivent nombre de ses compatriotes italiens. Après l'assassinat du roi, en 1610, elle décide de s'y installer. Marie veut fuir le Louvre dont les fossés empestent et se faire construire un palais plus riant, comme ceux de son enfance, à Florence : un palais richement décoré ouvert sur un jardin à l'italienne orné de grottes et de fontaines. La reine convainc le duc de Luxembourg de lui vendre sa demeure (d'où vient le nom du jardin), puis au fil des années, elle rachète tous les terrains alentour. Sauf ceux des Chartreux qui refusent de lui céder leurs terres.

Le jardin du Sénat – À la Révolution, le palais du Luxembourg est transformé en prison. Camille Desmoulins et Danton y sont enfermés… Mais, grâce à la nationalisation des biens du clergé, le rêve de Marie se voit enfin réalisé. La merveilleuse pépinière des Chartreux est réunie au parc du palais. Hélas, au 19e s., le baron Haussmann la fera disparaître pour tracer de nouvelles rues. Il n'en reste qu'un verger. Depuis 1799, une loi a affecté le palais et le jardin du Luxembourg à la Haute Assemblée. Voilà pourquoi ils dépendent aujourd'hui du Sénat.

Au fil des arbres et des statues

Entrer par la grande porte située boulevard Saint-Michel en face du RER Luxembourg.

Chacun a son côté au Luxembourg : ici, c'est celui des étudiants. Normal, puisqu'on se trouve juste à côté du Quartier latin. Prenez sur la droite le chemin qui sinue entre deux parterres. Vous voyez ces sculptures ? Il y en a près d'une centaine au Luxembourg. C'est un vrai **musée en plein air !** La plupart datent du 19e s., un siècle parfois un peu pompeux. Ne vous inquiétez pas, nous ne regarderons que les plus belles ou les plus amusantes…

Maintenant, levez les yeux sur cet arbre aux feuilles en forme d'éventail. À l'automne, elles deviennent jaune d'or. D'où son nom d'« arbre aux 40 écus ». C'est un **ginkgo biloba** femelle. Un fossile vivant. Il ne peut se reproduire que s'il y a un pied mâle à proximité (cherchez-le… il se trouve à peu près à 100 m). Ses fruits sentent affreusement mauvais ! Les jardiniers s'empressent de les ramasser pour éviter la puanteur. Mais l'amande qui se cache à l'intérieur fait les délices des Asiatiques. Elle est même très recherchée en pharmacie pour ses vertus sur le cerveau.

Au sortir du chemin, cherchez le **Faune**… Il danse et joue de la flûte. Écoutez ses mélodies légères et entraînantes, suivez son mouvement. Il aime les plaisirs simples, la chasse, la musique et la danse. Pour les Romains, les faunes étaient des demi-dieux protecteurs des bergers et des troupeaux. Celui-ci s'inspire d'une statue découverte à Pompéi, une ancienne ville romaine.

Longez le parterre qui mène à l'escalier et saluez au passage l'**Acteur grec**. Son masque relevé sur le front, son manuscrit à la main, que fait-il ? Il répète son rôle.

En bas des marches, placez-vous devant la fontaine entre les deux rangées de platanes. Levez les yeux sur ces géants. Certains ont plus de 170 ans.

Fontaine Médicis

C'est le plus beau vestige du jardin de Marie de Médicis, celui qui rappelle le plus l'Italie. Du temps de la reine, cette grotte se cachait au bout d'une longue allée. Au 19e s., le percement de la rue voisine obligea à rapprocher la grotte du palais. L'architecte Gisors fit alors placer de nouvelles sculptures dans les niches et un bassin devant. Regardez ! On dirait que l'eau descend vers la fontaine ; pourtant elle ne coule pas… C'est une illusion d'optique voulue par l'architecte. Cela tient au fait que les rebords du bassin sont de plus en plus hauts, car en réalité c'est le terrain qui monte. Approchez maintenant de ce terrible géant de bronze penché sur un couple de marbre blanc. C'est le **cyclope Polyphème**, fils de Neptune, le dieu de la Mer. Cet être colossal couvert de poils hirsutes n'a qu'un œil au milieu du front et dévore tous les voyageurs qui échouent près de sa caverne. Pourtant un jour, ce monstre terrifiant tombe amoureux d'une charmante nymphe, à la peau blanche comme le lait : Galatée. Pour la séduire, il lui envoie mille présents, une fois un ours, une

Ph. Gajic / MICHELIN

Le jardin du Luxembourg et son palais, qui abrite le Sénat.

autre fois un éléphant... Mais Galatée lui préfère Acis, un jeune berger aussi beau et doux qu'elle. Or voilà que Polyphème les surprend dans une grotte, près de la mer, tendrement enlacés. Imaginez sa fureur ! Fou de jalousie, le cyclope empoigne un rocher qu'il jette sur les amants. La nymphe agile réussit à s'échapper dans les flots. Le jeune homme meurt écrasé, mais les dieux le changent en fleuve...

Une autre scène de la mythologie figure sur l'autre face de la fontaine : c'est **Léda et le cygne**. L'oiseau qui se frotte tendrement aux flancs de Léda, femme du roi de Sparte, n'est autre que Jupiter. Le plus puissant dieu de l'Antiquité s'ennuie parfois dans le ciel et les mortelles sont si belles ! Pour les séduire, il prend souvent une forme d'animal. En voyant ce cygne altier, Léda ne pouvait se méfier. De leur union naîtra Hélène, la plus belle femme du monde, qui causera la guerre de Troie.

Revenir vers le palais.

Palais du Luxembourg★★

« Tout est grand et majestueux » dans ce palais, « toutes ses faces sont riantes », disent au 17e s. ceux qui le voient construire. À quoi cela tient-il ? Regardez : ce palais respire l'équilibre, l'unité. De là vient sa beauté plus que de la richesse du décor sculpté. Mais l'architecte Salomon de Brosse qui l'a dessiné y a ajouté une petite touche florentine : ces pierres en saillie et ces colonnes annelées. Voyez comme elles font vibrer la lumière pour éviter toute monotonie. Regardez bien encore : voyez-vous quelque chose d'étrange ? Non ? Pourtant la façade côté jardin et les pavillons d'angle ne datent pas de la même époque que le reste. Ils ont été construits dans le même style, mais deux siècles plus tard. Pour accueillir les 300 pairs, ancêtres de nos sénateurs actuels, il a fallu agrandir le palais de 33 m en avant !

Observation

Sur la façade, essaie d'identifier les statues qui encadrent l'horloge. Sauras-tu reconnaître le Jour et la Nuit ? Et les 4 statues qui représentent les vertus politiques : Sagesse, Éloquence, Prudence et Justice ? Et encore ces deux autres : d'un côté la Guerre, de l'autre la Paix ?

Contourner l'aile du palais en levant les yeux vers la terrasse Ouest du jardin : c'est souvent là que des maîtres asiatiques entraînent des disciples à l'art du sabre ou au tai-chi. Continuer par l'allée de platanes.

Derrière la fontaine Delacroix, on aperçoit le **Petit Luxembourg**. C'est l'ancien hôtel que Marie de Médicis avait acheté au duc de Luxembourg. Il abrite aujourd'hui la présidence du Sénat.

Voilà l'orangerie et le jardin d'enfants de la roseraie. Les joueurs d'échecs ou de cartes s'installent souvent sous l'abri voisin. C'est leur coin.

D'octobre à mai, l'**orangerie** abrite environ 180 palmiers, grenadiers, lauriers-roses et orangers. Les plus vieux atteignent 300 ans. Chaque année, les jardiniers les taillent pour qu'ils tiennent dans les caisses en bois : ce sont des sortes de bonzaïs géants. L'été, on les sort pour les disposer autour des grands parterres.

Dépasser l'orangerie, puis prendre à gauche les allées qui serpentent au milieu du jardin anglais, le long des rues Guynemer et Auguste-Comte.

Jardin anglais

Arrêtez-vous devant **Le Triomphe de Silène**, sculpté par Dalou. Vous reconnaîtrez facilement ce vieillard jovial et ventripotent, tellement ivre qu'il ne tient même plus sur son âne. Silène fut l'éducateur de Bacchus, le dieu de la Vigne et du Vin. Dans le fond, c'est un sage et un philosophe, mais il aime boire, chanter et rire. Il participe à ces grandes fêtes de Bacchus au cours desquelles les faunes se déchaînent et où les femmes du cortège, les Bacchantes, se livrent à des danses frénétiques. Vous les voyez ces femmes ? L'une d'elles danse avec exubérance en soutenant Silène ; l'autre emportée par sa frénésie est même tombée à terre mais elle sourit encore. Tournez autour du groupe. Que voyez-vous ? Des raisins ? Un tambourin ? Des corps enchevêtrés ? Un enfant effrayé par le tourbillon ?

Un peu plus loin, ne soyez pas surpris de découvrir **La Statue de la Liberté éclairant le monde**. C'est une version réduite de la célèbre statue de New York sculptée par le Français Bartholdi et offerte par la France aux États-Unis en 1886. À sa droite a été planté un chêne dédié aux victimes du 11 septembre 2001. Deux signes de l'amitié franco-américaine.

Passez devant le jeu de pétanque et continuez vers le **rucher-école** fondé en 1856. On y apprend tout des abeilles. Puis pénétrez dans le verger qui poursuit la tradition des arbres fruitiers des Chartreux. C'est une sorte de musée vivant où sont conservées plus de 600 variétés de pommiers et de poiriers en voie de disparition. Des passionnés viennent chaque année y suivre des cours pour apprendre à cultiver et à tailler les arbres à l'ancienne.

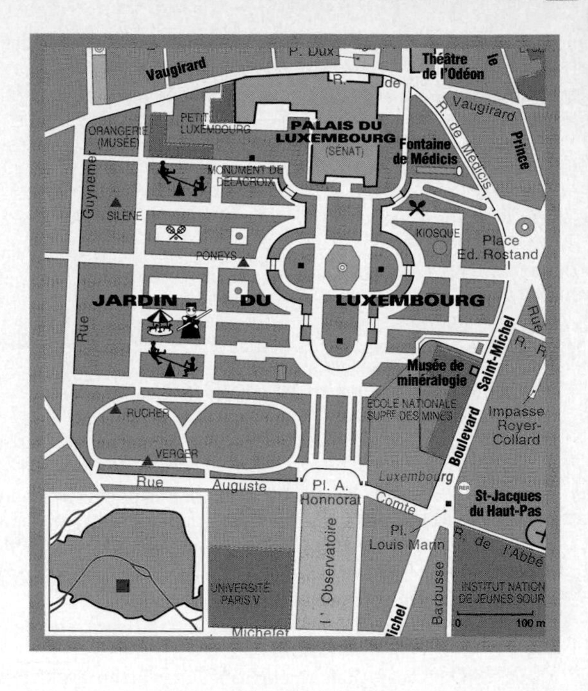

Puis traversez cette partie du jardin anglais, la plus jolie, en direction de l'allée des sulkys pour dénicher **Le Poète**. Sculptée en 1954 par Zadkine, un artiste d'origine russe, c'est l'une des rares sculptures modernes installées au Luxembourg. Elle rend hommage à Paul Éluard et à son le poème *Liberté* (1942). Ce poème écrit durant la guerre fut publié à des milliers d'exemplaires et parachuté comme des tracts sur la France occupée par les nazis. « Je suis né pour te connaître pour te nommer Liberté » : ainsi se finit le poème. Les résistants en firent leur cri de ralliement. Essayez de lire les mots gravés sur le corps du poète : vous découvrirez des fragments des poèmes d'Éluard. Regardez ce pied en forme de racine, ce personnage-arbre, ce violon, ce visage de face et de profil comme pour voir davantage…

Dans le jardin anglais, vous pourrez encore découvrir une belle *Harde de cerfs* et un *Lion de Nubie* dévorant sa proie, avant de rejoindre le bord de la terrasse Ouest pour aller saluer **Marie de Médicis**. Les mauvaises langues disent qu'elle n'était pas très intelligente, mais il est sûr qu'elle avait bon goût et le sens de sa publicité : elle commanda à Rubens, le célèbre peintre flamand, 24 portraits d'elle, grandeur nature, illustrant l'épopée de sa vie. Ces tableaux magnifiques ornaient une galerie du palais. Ils sont aujourd'hui au Louvre.

Une vingtaine d'autres statues de reines ou de femmes illustres furent placées autour des terrasses au 19e s. Amusez-vous à comparer leurs airs et leurs coiffures. Cherchez celle qui a des nattes (sainte Geneviève, la patronne de Paris), celle qui a l'air le plus autoritaire (Louise de Savoie, mère de François Ier) ou le plus triste (Marguerite d'Anjou, qui fut chassée d'Angleterre après en avoir été reine).

Puis admirez la belle perspective sur le palais avant de revenir vers le point de départ en vous arrêtant un instant devant l'amusant **Marchand de masque**. Celui qu'il porte à la main, c'est celui de Victor Hugo. Si vous n'avez pas encore trouvé le ginkgo biloba mâle, vous avez une deuxième chance : il se situe sur la droite avant la sortie.

Jouer dans le jardin

Les plaisirs nature

Au **jardin d'enfants de la roseraie** (près de l'orangerie), vous pourrez poser les petits dans l'herbe, les faire jouer sur le sable ou patauger dans le bassin peu profond (l'été). Ce jardin clos est réservé aux bambins et à ceux qui les accompagnent (interdit de fumer). Seul inconvénient, il manque d'ombre ! Quand le soleil frappe, on peut se rabattre sur les bacs à sable ombragés situés près des marionnettes. Pour les plus grands, le jeu de longue paume équipé d'un panier sert aussi de terrain de basket.

Grimper, glisser, tournoyer, voler

✆ 01 44 07 28 29 - WC, mini-buvette et abri sur place - de 10h à la fermeture du jardin ou au plus tard à 19h - 2,50 € (adulte accompagnateur 1,50 €), tarif pour la journée quelle que soit l'heure d'arrivée. Pour revenir, conserver le ticket ou faire tamponner la main de l'enfant.

Réservé aux enfants et aux adultes qui les accompagnent, le **parc de jeux Poussin vert** comporte une zone de jeux bleue pour les moins de 7 ans et une zone de jeux verte pour les plus de 7 ans. Rénové en 1991, il est revêtu de dalles caoutchoutées pour amortir les chutes de plus de 2 m. Aux animaux sur ressort, toboggans, camion,

Devinettes

1 - Mon premier est un pronom possessif, mon deuxième est le contraire de pleure, mon troisième est un chiffre de 1 à 10, mon quatrième est un mois de l'année, mon cinquième et mon sixième sont des chiffres de 1 à 10 et mon tout est la reine qui a fait bâtir le palais du Luxembourg. **Réponse** : ma, rit, 2, mai, 10, 6 = Marie de Médicis.
2 - Mon premier est un fleuve qui coule à Paris, mon deuxième est une voyelle et mon tout est une assemblée qui discute et vote les lois et qui occupe le palais du Luxembourg. **Réponse** : Seine, a = Sénat.
3 - Mon premier est un chiffre de 1 à 10, mon deuxième est une cigarette en argot et mon tout est un fils de Neptune doté d'un seul œil sur le front dont on peut voir une statue au Luxembourg. **Réponse :** 6, clope = Cyclope.
4 - Mon premier est un outil, mon deuxième se tricote et mon tout est un vieillard ivre qui fut l'éducateur de Bacchus (le dieu du Vin) et dont on peut voir une sculpture au Luxembourg. **Réponse** : scie, laine : Silène.
5 - Je porte une flamme et je suis à la fois à New York et à Paris. Qui suis-je ? **Réponse :** la statue de la Liberté.

train et autres grands classiques s'ajoutent des ponts suspendus, tunnels et toiles d'araignée en cordage dans lesquelles on peut grimper. Mais l'attraction favorite des grands reste une « liane mécanique » sur laquelle glissent des perches : les enfants adorent, ils ont l'impression de voler…

Chevaux de bois et jeu de bague

Tlj l'apr.-midi (sf par mauvais temps), merc., w.-end et vac. scol. de 11h à la fermeture du jardin ou au plus tard 19h - payant.
Cheval, cerf, chameau, girafe ou éléphant ? Chacun son favori… Le poète Rainer Maria Rilke aimait tant l'éléphant qu'il lui a consacré un poème. Mais l'important dès que l'on tient bien en selle, c'est surtout de s'installer sur un animal en bordure pour tenter d'attraper une bague à chaque tour. Ce charmant **manège** fut construit en 1879 sur des plans de Charles Garnier, l'architecte de l'opéra de Paris.

Sulkys et autos à pédales

Merc., w.-end et vac. scol. horaires variables selon le temps. Payant. Sulky, jeep, camion, moto ou kart ? Il y en a pour tous les goûts. Des véhicules avec une canne pour pousser les tout-petits sur une piste spéciale ou des véhicules à pédales pour les plus grands. À proximité existent aussi des **balançoires**. *Payant.*

Balade à dos d'âne ou de poney

Mêmes horaires que le manège - payant. Les plus petits préfèrent la voiture à cheval. Les plus téméraires chevauchent fièrement âne ou poney. Mais tous suivent la même allée pour une belle et brève promenade accompagnée.

Tennis

De 8h à la fermeture du jardin. Tarif à l'heure ou à la demi-heure ; presque moitié prix en semaine avant 11h.
Les six courts de tennis du Luxembourg sont ouverts à tous. Et très demandés ! La réservation s'effectue le jour même au chalet du tennis, près de la buvette des Marionnettes.

Vogue voilier

Merc., w.-end. et vac. scol. de 11h à la fermeture du jardin ou au plus tard 20h - 1,80 €/30mn, 3 €/h. Un loueur de petits voiliers s'installe près du grand bassin dès qu'il fait beau.

Regarder et écouter

Théâtre de marionnettes du Luxembourg

✆ 01 43 26 46 47/29 50 97. Merc., w.-end, j. fériés et vac. scol. à partir de 14h30 (w.-end séance suppl. à 11h). 4 €.
L'accueil manque d'amabilité et les textes préenregistrés ne laissent pas place à la spontanéité. Mais les enfants apprécient toujours ce théâtre de marionnettes fondé en 1933 par Robert Desarthis et dirigé aujourd'hui par son fils. *Blanche-*

M.-R. Lawton / MICHELIN

Promenade à dos de poney.

Neige, Cendrillon, Aladin, Le Petit Chaperon rouge… les spectacles changent tous les mois parmi un répertoire de 50 contes classiques.

Concerts et expos dans le jardin

Il se passe toujours quelque chose au Luxembourg. Au printemps, des **sculptures contemporaines** sont exposées dans le jardin. Certains après-midi de mai à août, le **kiosque à musique** abrite des concerts (gratuit). L'été, des opéras (payant) sont donnés devant le palais et des **expositions temporaires** occupent l'orangerie (gratuit ou non selon les cas). Tout au long de l'année, on peut même voir le monde en photo sur l'extérieur des grilles *(côté rue de Médicis)* : *La Terre vue du Ciel*, *Territoires de France* ou *Un demi-siècle vu par* l'Express…, les expositions se succèdent et sont même éclairées le soir.

Promenades guidées

L'art en lire – *Voir partie « Maman, j'sais pas quoi faire ! », rubrique Visites guidées.*

Un peu de rab ?

En savoir plus sur le Luxembourg et le Sénat

Espace librairie du Sénat – *20 r. de Vaugirard, 6ᵉ arr. ✆ 01 42 34 21 21. Lun.-vend. 10h-18h, sam. 10h-12h30, 14h-17h.* Brochure gratuite pour les enfants sur le Sénat et comportant un jeu test.

Visite virtuelle du palais du Luxembourg – *www.senat.fr/visite/visit.htm*

Site du Sénat pour les jeunes – *www.junior.senat.fr*

Musée Zadkine

Sortir rue Guynemer à gauche, puis tourner à gauche dans la rue d'Assas. 100 bis r. d'Assas. ✆ 01 55 42 77 20 - tlj sf lun. 10h-18h - fermé j. fériés - gratuit collections permanentes, expositions temporaires, tarif se renseigner.

Après avoir observé *Le Poète*, les curieux voudront peut-être découvrir d'autres œuvres de Zadkine dans l'atelier où il vécut de 1928 à sa mort en 1967. Niché au milieu d'un jardin secret, c'est un lieu plein de charme où 300 sculptures font comprendre l'évolution de l'artiste, du cubisme à l'abstraction.

Carnet d'adresses

PAUSE DÉJEUNER

Buvette des Marionnettes – *Jardin du Luxembourg, r. Guynemer - 6ᵉ arr. - M° N.-D.-des-Champs - fermé 10 janv.-10 fév. et lun. en hiver - 14/30 €.* En plein cœur du Luxembourg, à deux pas des marionnettes et du parc de jeux, une salle agréable (non-fumeurs) et une vaste terrasse ombragée l'été. C'est parfait pour aller déguster une crêpe et boire un chocolat chaud ou une limonade en famille. On peut même y prendre un plat du jour, mais le service souffre souvent de lenteur quand il y a foule le dimanche ou dès qu'il fait beau.

Les Papilles – *30 r. Gay-Lussac - 5ᵉ arr. - RER Luxembourg - ✆ 01 43 25 20 79 - fermé 1 sem. en janv., 3 sem. en août et dim. - à partir de 12 €.* L'enseigne annonce « Épicerie fine - Produits du terroir - Vins de propriété - Déjeuner - Dîner ». À gauche, une cave à vins. À droite, conserves, foies gras, charcuteries et fromages de pays, confitures, etc. Au restaurant, plat chaud, assiette de charcuteries, légumes grillés et délicieuses tartes salées.

PAUSE QUATRE-HEURES

Christian-Constant – *37 r. d'Assas - 6ᵉ arr. - M° N.-D.-des-Champs - ✆ 01 53 63 15 15 - 8h30-21h.* Inventeur de l'Appellation d'origine pur cru, ce chocolatier, pâtissier et glacier n'est pas seulement le meilleur de Paris, c'est également un explorateur du goût dont les étonnantes créations résultent d'un subtil mariage des saveurs.

Le Rostand – *6 pl. Edmond-Rostand - 6ᵉ arr. - RER Luxembourg - ✆ 01 43 54 61 58 - 8h-2h.* Nouveau décor pour ce café qui a accueilli des générations d'étudiants et de professeurs de la Sorbonne. Des fauteuils en osier, des murs ornés de tableaux accueillent le cinéphile ou le promeneur échappé du jardin du Luxembourg tout proche.

PAUSE ACHATS

Le Ciel est à tout le monde – *10 r. Gay-Lussac - 5ᵉ arr. - RER Luxembourg - ✆ 01 46 33 21 50 - lun.-sam. 10h30-19h - fermé 25 déc., 1ᵉʳ janv. et 1ᵉʳ Mai.* Mes parents sont venus avec moi dans une chouette boutique avec plein de jouets, des livres et des cerfs-volants. J'voulais y aller tout seul, mais comme ce sont eux qui ont la carte de crédit, il fallait bien que j'les traîne avec moi. Même que mon papa il regardait bizarrement un ours en peluche qui traînait sur une étagère, comme s'il avait retrouvé un vieux copain…

25 Parc Georges-Brassens

ATLAS MICHELIN PARIS N° 56 (P. 53) ET N° 57 (P. 56), REPÈRES N-P 8 – 15E ARR.

Un jardin de senteurs, un bout de rivière, un terrain d'escalade, un guignol, un manège, plusieurs aires de jeux et des pelouses où s'allonger, une vigne, un rucher et, le week-end, un marché aux livres anciens où même les enfants peuvent dénicher des trésors… Ce parc de création récente offre certains aménagements et activités originaux qui attirent du monde le mercredi et en fin de semaine.

ACCÈS

En **métro** : ligne 12, station Convention, ou ligne 4, station Porte-de-Vanves.
En **bus** : lignes 89 et 95, arrêt Brancion-Morillons, et PC1, arrêt Porte-Brancion.
Venez si possible en bus, car les stations de métro sont un peu loin du parc.
Entrées du parc : pl. J.-Marette, r. des Morillons, r. des Périchaux et r. Brancion.

POUR LES PETITS MALINS

Le plan du parc est affiché à la porte principale (pl. J.-Marette) et à la porte de la rue des Périchaux. Poste de surveillance (prêt gratuit de fauteuils roulants) et W-C sont dans l'ancien beffroi, au centre du parc (accès par l'arrière).
Le parc est interdit aux chiens, mais une allée réservée aux chiens tenus en laisse borde le jardin côté Ouest.
Le premier samedi d'octobre a lieu la fête des vendanges et du miel.

LE CLOU DE LA VISITE

Grimper, glisser, sauter de rocher en rocher sur le terrain d'escalade. Puis s'allonger dans l'herbe à l'ombre des pins pour se plonger dans une BD ou un livre de la Bibliothèque Rose déniché au marché aux livres anciens.

Pour mieux comprendre

Ce parc vallonné de plus de 8 ha a été créé en 1991. À son emplacement s'étendaient autrefois des vignobles qui donnaient des vins réputés : le clos des Morillons et les clos des Périchaux – deux rues voisines du parc portent encore ces noms. Puis la vigne fut remplacée par des cultures maraîchères et le village de Vaugirard finit par être rattaché

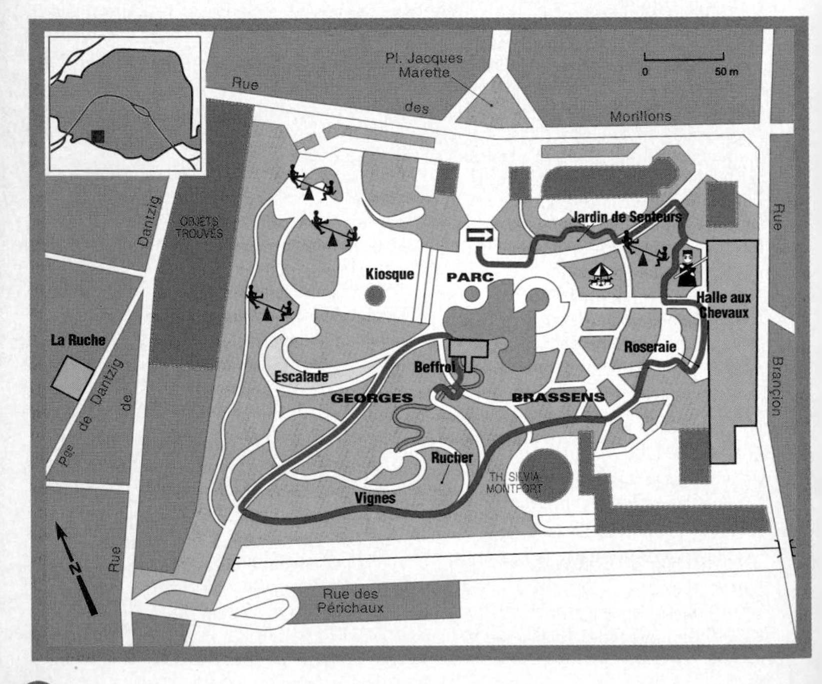

P. Jausserand / MICHELIN

Le beffroi du parc Georges-Brassens dominait jadis la halle à la criée des abattoirs de Vaugirard.

à Paris. À la fin du 19e s., on construisit sur ce terrain des abattoirs équipés pour tuer environ 110 000 bœufs, 500 000 moutons, 80 000 porcs et 70 000 veaux par an. Un peu plus tard, on y ajouta des abattoirs pour chevaux. Et pendant près d'un siècle, là où poussent aujourd'hui des arbres et des fleurs, on vit défiler des processions de bestiaux. Ils arrivaient par camions ou par wagons entiers grâce au chemin de fer de la Petite Ceinture. Après une intense activité au début du 20e s., ces abattoirs furent fermés en 1966. Mais le parc conserve quelques souvenirs de cette époque : deux superbes taureaux en bronze du sculpteur Cain (près de la porte principale), l'ancienne halle aux chevaux (r. Brancion) et le beffroi où s'effectuait la criée (au centre du parc).

Promenade au jardin

Entrer dans le parc par la porte principale (pl. J. Marette) et tourner tout de suite à gauche en direction des halles.

De délicieux parfums embaument les lieux : vous voilà dans un **jardin de senteurs** qui comprend 80 variétés de plantes odoriférantes et médicinales. Des pancartes, traduites en braille, permettent d'identifier les essences : chimonanthe odorant (aux fleurs hivernales jaune pâle et parfumées), oranger du Mexique, lavande, fenouil de Florence, jasmin, thym citronné…, n'hésitez pas à y mettre le nez ! Passez devant le théâtre du Polichinelle pour rejoindre la **roseraie** *(côté r. Brancion)* qui regroupe une trentaine de variétés de rosiers. Continuez le chemin qui grimpe en direction du **rucher** où les enfants viennent avec leur école apprendre tout sur l'abeille. Il regroupe une vingtaine de ruches, soit environ 80 000 abeilles. À côté s'alignent quelques rangées de **vigne**, du pinot noir, qui renoue avec la tradition viticole du site. Les vendanges ont lieu début octobre. Au Sud du parc remarquez le théâtre Sylvia-Montfort et l'ancienne ligne de chemin de fer de la Petite Ceinture par où arrivaient les bestiaux. La large allée se poursuit à l'ombre d'une **pinède** puis dévale la colline jusqu'aux **rochers d'escalade** et les aires de jeux.

Revenez maintenant vers le **beffroi**. Il dominait jadis la halle à la criée dans laquelle avait lieu la vente des animaux. En passant par-derrière, franchissez la rivière par le petit pont et grimpez contempler la vue sur l'ensemble du jardin et sur le bassin.

Les activités

Abeille ou mammouth ?

Tas de sable, toboggans, jeux à grimper ou sur ressort, en forme d'abeille ou de mammouth, de chien ou de morse, maisonnettes… Les enfants ont le choix, car il existe plusieurs aires de jeux.

Georges Brassens

Ce parc rend hommage au célèbre chanteur Georges Brassens. Né à Sète en 1921, l'auteur des *Copains d'abord* s'était installé en 1968 dans une petite maison du quartier, 42 rue Santos-Dumont, une rue qui ressemble à un décor de cinéma. Il y demeura jusqu'à sa mort en 1981. Son buste, sculpté par André Greck, est exposé dans l'une des allées du parc. Certains refrains de ses chansons sont disséminés au milieu des pelouses. Cherchez-les…

Pour alpinistes en herbe

Grimper en s'agrippant, sauter de rocher en rocher, glisser sur les parois lisses... Voilà de quoi se défouler ! Grand succès du parc, le terrain d'escalade a été aménagé en récupérant les pierres de taille des anciens pavillons des abattoirs.

Encore un tour...

Manège, balançoires, promenades à dos de poney le long d'une petite allée... Les attractions (payantes) ne manquent pas les mercredis, week-ends et jours de vacances scolaires. Le manège est même ouvert presque tous les jours de l'année. Trois tables de tennis de table attendent les pongistes près de la roseraie.

Théâtre du Polichinelle parisien

✆ 01 48 42 51 80. été : mer., w.-end et vac. scol. à 15h, 16h, 17h et 18h - 3,50 €. Ici ce n'est pas Guignol, c'est Polichinelle qu'on va voir ; ce personnage originaire de Naples qui plaisait tant à Victor Hugo avec sa bosse sur le dos et son costume rouge et vert. Passionné des marionnettes à l'ancienne, Philippe Casidanus fait toutes les voix, ce qui donne au spectacle une grande spontanéité. *La Boîte à fantômes*, *Les Extraterrestres*, *Voyage à Naples* ou *Goupil le Renard* raviront les enfants de 2 à 7 ans.

Qui c'est ?

Au printemps, vous entendrez peut-être retentir du haut d'un arbre des petits cris métalliques groupés par deux ou trois. Des sortes de « tirlitt »... Qui chante donc ainsi ?
C'est sans doute un serin cini, petit pinson gris-vert à la poitrine jaune vif. Cet oiseau a trouvé dans le parc le terrain qui lui plaît : des arbres espacés sur une petite colline. Vous entendrez surtout ses trilles lors de sa parade nuptiale, au début du mois de mai. Après avoir fait son nid, bien caché dans les arbres, la femelle pond 3 à 5 œufs bleu pâle avec des taches noires. 12 à 13 jours plus tard, les oisillons sortent de l'œuf. 15 jours plus tard encore, ils prendront leur envol.

Marché aux livres anciens★★

Sam. 7h30-18h30, dim. 8h30-18h30. Sous l'ancienne halle aux chevaux, à l'Est du parc, le long de la rue Brancion. Ce vaste étalage de livres en plein air amusera les enfants fouineurs. Ils dénicheront des livres de la Bibliothèque Rose ou Verte, de la collection Rouge et Or, qui ont bercé leurs parents, toutes sortes de bandes dessinées et même des livres d'occasion relativement récents.

Carnet d'adresses

PAUSE DÉJEUNER

Au Bon Coin – *85 r. de Brancion - 15e arr. - M° Porte-de-Vanves ou Convention - ✆ 01 45 32 92 37 - lun.-merc. 7h30-21h30, jeu.-dim. 9h-20h - 12,50/14,50 €.* Le grand comptoir de ce bar-brasserie est décoré de livres anciens, amusant clin d'œil à la brocante aux vieux ouvrages qui se tient juste en face, dans le parc Georges-Brassens. Bouquinistes, chineurs et gens du quartier fréquentent cette adresse en toute simplicité. Terrasse d'été.

Le Mûrier – *42 r. Olivier-de-Serres - 15e arr. - M° Convention - ✆ 01 45 32 81 88 - fermé 4-24 août, sam. midi, lun. midi et dim - 18/24,50 €.* À deux pas des boutiques de la rue de la Convention, ce modeste restaurant de quartier propose une généreuse cuisine traditionnelle servie dans une petite salle à manger ornée de vieilles affiches.

Le Marché – *59 r. de Dantzig - 15e arr. - M° Convention - ✆ 01 48 28 31 55 - fermé août, dim et lun. - 15 € déj. - 23/28 €.* Près du parc Georges-Brassens, ce sympathique bistrot au cadre des années 1950 propose ses bons petits plats du Sud-Ouest servis « à la bonne franquette ». De quoi se requinquer au cours de la visite du village de Vaugirard.

PAUSE QUATRE-HEURES

Famille Mary – *101 r. Lecourbe - 15e arr. - M° Volontaires ou Vaugirard - ✆ 01 44 38 78 98 - www.famillemary.fr - tlj sf lun. 10h-13h, 15h-19h30, sam. 10h-19h30, dim. 10h-13h - fermé 1er-15 août.* L'aventure de cette famille commence en 1921 lorsque Jean Mary décide de faire partager sa passion des abeilles et de la nature. Il ouvre une première boutique en Bretagne puis, très vite, multiplie les points de vente. Aujourd'hui, les rayonnages croulent sous le choix vertigineux de produits à base de plantes et miels « bio » : gelée royale, pains d'épice, bonbons, huiles, tisanes, etc.

Max Poilâne – *87 r. Brancion - 15e arr. - M° Porte-de-Vanves - ✆ 01 48 28 45 90 - 7h30-20h, dim. 9h-19h - fermé 25 déc. et 1er janv.* Petite boulangerie au charme d'antan, dont le décor semble ne pas avoir bougé depuis les années 1900 : banque en marbre blanc, vieux carrelage et meubles d'époque. Le pain, élaboré selon le procédé de fabrication mis au point par Max Poilâne, sans aucune levure et cuit dans un four à bois, remporte un vif succès, de même que toutes les pâtisseries à base de pâte feuilletée.

Parc de La Villette 26

ATLAS MICHELIN PARIS N° 56 (P. 11-12) ET N° 57 (P. 73), REPÈRES B-C 20-21 – 19E ARR.

Jardins des miroirs, des dunes et des vents, de la treille, des bambous, des voltiges, des équilibres et des frayeurs enfantines, des îles et du dragon. Manèges, canaux, bateaux et vélos, football, chevaux, pique-nique, sculpture géante, toboggan encore plus géant, herbe à perte de vue : tout ça c'est pour nous, rien que pour nous, pour qu'on puisse s'amuser en toute liberté, comme si on était à la campagne, mais une campagne où y a plein de choses à faire, même du pain et des dessins et où nos parents sont contents parce qu'ils n'ont pas à avoir peur des voitures, y en a pas, y en a plus, et que eux aussi peuvent se détendre. Voilà le parc de La Villette ! Dans le langage des grands, on dirait que le plus grand parc de Paris allie modernité, originalité, confort, nature et architecture. Mais c'est pareil !

ACCÈS

En **métro** : ligne 5, station Porte-de-Pantin (accès Cité de la musique) et ligne 7, station Porte-de-La-Villette (accès Cité des sciences et de l'industrie).
En **bus** : lignes 75, 151 et PC, arrêt Porte-de-Pantin.
Entrées : avenue Jean-Jaurès, au pied du métro Porte-de-Pantin (parking voiture, suivre le fléchage « Parc de La Villette Sud », parking souterrain, sous la Cité de la musique). Accès direct en voiture depuis le périphérique, sortie « Porte de Pantin ». Cette entrée est la plus adéquate à une promenade dans le parc. Autre entrée possible du côté de la Cité des sciences, avenue Corentin-Cariou, au pied du métro Porte-de-La-Villette (parking voiture, bd Mac-Donald et qual de la Charente).
Reportez-vous à la présentation des musées de La Villette (34).

POUR LES PETITS MALINS

La Villette pense aux enfants et aux parents en même temps ! Le samedi à 16h pendant que les enfants (ceux de plus 6 ans) participent à un atelier, leurs parents peuvent suivre la visite guidée du parc ou de certaines expositions.
La Carte Villette, valable un an, propose aux familles des tarifs réduits (notamment pour les ateliers et les spectacles de cirque) et plein d'avantages (des transats gratuits au cinéma en plein air, etc.) - 01 40 03 75 89.
Pour une fois, les chiens sont autorisés, mais tenus en laisse !
D'avril à octobre, les premiers samedis du mois, à 15h, visite guidée et payante du parc.
Un seul point d'information et de réservation pour tout (ateliers, visite, spectacles) : la Folie information située à la sortie du métro Porte-de-Pantin et un site : www.villette.com. Ce dernier vous permettra également de trouver tout ce qui concerne le jeune public dans la programmation des différents lieux (Grande Halle, Cabaret sauvage, Théâtre international de langue française, théâtre Paris-Villette, Zénith, Trabendo, pavillon Paul-Delouvrier), et les programmes d'été.
Des ascenseurs permettent d'éviter les escaliers pour traverser le canal.
Si les musées du parc (Cité des enfants, des sciences, de la musique, etc.) sont fermés le lundi, le parc, lui, est ouvert tous les jours de la semaine.

LE CLOU DE LA VISITE

La langue-toboggan du dragon géant (dès 4 ans) et l'ensemble du Jardin des dunes et des vents avec ses matelas d'air (dès 2 ans), ses roues dans lesquelles on peut se prendre pour des souris (dès 6 ans).

Pour mieux comprendre

Fermez les yeux et imaginez le parc couvert de vaches, de bœufs, cochons et de chevaux. Les uns boivent à la Fontaine-aux-Lions-de-Nubie qui, avant d'être une fontaine, était un abreuvoir, d'autres broutent sur la Prairie du triangle ou attendent sous la Grande Halle d'être achetés, tandis que les autres, malheureusement, passent à l'abattoir, dans un des abattoirs installés de l'autre côté du canal…
Eh oui, le parc de La Villette était autrefois (jusqu'en 1974) un immense marché aux bestiaux, rassemblant trois halles de type Baltard (en fer et en verre, comme la Grande

Halle) destinées à la vente, des porcheries, des bergeries… Les bêlements, les grognements et les meuglements étaient les seules musiques qui s'y faisaient entendre. Aujourd'hui, le choix est plus grand : la Cité de la musique s'en charge et les oiseaux ont plus de 55 ha à leur disposition.

En 1980, un grand chantier est lancé avec trois objectifs : construire un ensemble architectural uniquement consacré à la musique, donner à la France un musée des sciences et des techniques (*voir la visite 34*) et relier ces deux pôles par un parc ouvert à tous. Il s'agissait également de dynamiser l'Est parisien et de mieux l'intégrer au reste de la ville.

Le parc a été conçu comme un dessin : un architecte, Bernard Tschumi, y a dessiné des points rouges, les « folies » (petites constructions), des lignes toutes droites permettant de traverser rapidement le parc, des courbes reliant les jardins à thème, et des surfaces, toutes vertes, les prairies. Nous allons les découvrir ensemble !

Promenade cinématique et toc !

Départ depuis la Folie information, au métro Porte-de-Pantin. 2h en prenant son temps. On commence par la promenade des jardins. Les courbes sinueuses du sentier à suivre sont marquées au sol en bleu.

Longeons la Grande Halle sur la gauche. Toute de métal et de verre, elle est représentative de l'architecture du 19e s. La promenade commence juste avant le pavillon Paul-Delouvrier, une maison blanche servant de lieu d'expositions. C'est parti !

Les jardins se découvrent les uns après les autres : **le Jardin des miroirs** est la première étape. Une fois dedans, on y découvre de grands miroirs posés à la verticale, au milieu d'un sous-bois de pins sylvestres et d'érables. Les branches s'y reflètent et nous aussi ! Une partie de cache-cache commence… Le jardin est silencieux et en pente douce, le sol est doux aux pieds, il y a du sable, signe annonciateur du prochain jardin.

Tout à côté, se trouve en effet l'immense et génial **Jardin des dunes et des vents** qui peut, à lui seul, nous occuper toute une matinée *(voir description plus bas)*.

Retour sur la ligne droite de la galerie de La Villette que l'on prend à gauche et que l'on quitte ensuite à droite, un peu avant les manèges et juste après un pavillon dont le frère jumeau est le Théâtre international de langue française. On continue la promenade jusqu'au Jardin de la treille.

Pourquoi l'appelle-t-on cinématique ?

La promenade des jardins s'appelle ainsi car son tracé est tortueux comme une pellicule de film qu'un géant aimant le cinéma aurait laissé tomber sur le sol. La bande-son imaginée par l'architecte, c'est le sentier lui-même, bordé d'un talus. La bande-image, c'est la vision que le promeneur découvre. Avec ses détours et ses boucles inutiles, elle est la promenade des lents et des rêveurs et celle de tous les enfants.

Sa forme contraste avec les deux grands axes rectilignes traversant La Villette : l'axe Nord-Sud, la galerie de La Villette et son toit ondulant comme une vague qui longe la Grande Halle. L'autre, l'axe Est-Ouest, suit la galerie de l'Ourcq bordant le canal. Enfin deux autres allées coupent le parc, l'une conduit au Zénith depuis le métro Porte-de-Pantin, l'autre mène au belvédère et porte son nom.

Autrefois, avant de rejoindre les treilles, on traversait le Jardin des brouillards. Mais une grande fresque au sol est en construction. Avec ses céramiques accolées les unes aux autres à la manière d'un gigantesque puzzle, elle rappellera que le combat contre le Sida est toujours à mener.

Le **Jardin de la treille** est le royaume des fleurs. Plantées en terrasse, tulipes, marguerites et autres roses poussent au milieu de 90 petites fontaines parmi des pieds de vignes et des plantes grimpantes. Inutile de dire que le jardin est le plus beau au printemps. Mais il n'y a pas de saison particulière pour s'amuser à courir et à dévaler les escaliers. Au fait, tout le monde sait ce qu'est une treille, oui ? C'est une vigne que l'on fait pousser contre un support : un mur, un escalier ou un treillage. Quelle est ici la forme de ce support ?

En sortant du jardin, on aperçoit droit devant une **bicyclette géante** à moitié ensevelie dans l'herbe. C'est une sculpture sur laquelle il est interdit de grimper. Mais c'est vrai que la tentation est forte. Pour soulager nos envies, direction la **Folie du belvédère**, juste à droite. Généralement les parents n'ont pas le courage d'y monter ! La vue de là-haut est pourtant superbe et puis les escaliers et la rampe n'en finissent plus…

Le **Jardin des bambous** : on voit de loin ses feuilles vert pâle… Ici, c'est la jungle et le paradis pour les trente espèces de bambous qui y poussent. Encaissé en contrebas (6 m plus bas que le reste du parc), il faut le découvrir depuis les passerelles et rejoindre ensuite le sentier un rien labyrinthique qui le parcourt. Tout au bout, on tombe sur le **cylindre sonore** : de l'eau coule en rubans le long des parois et on y entend des sons bizarres (de la musique électro-acoustique). Ouh…

En sortant, on rejoint le **Jardin des équilibres**. Un peu décevant, par contraste. C'est de nouveau un sous-bois. Les grandes plaques métalliques sont censées être des cerfs-volants posés comme des oiseaux géants… Le seul truc amusant : la passerelle qui le surplombe et mène au Zénith.

Autre lieu vraiment impressionnant : le **Jardin des frayeurs enfantines**. Il n'y a pourtant pas grand-chose à voir ni à faire. Mais que de bruits effrayants ! Dans la pénombre du sous-bois d'épicéas, une musique inquiétante se propage. Les plus grands disent « même pas peur », les plus petits ne sont pas du même avis ! Vite, sortons et courons jusqu'au **Jardin des voltiges**.

Ah ! enfin des jeux ! Et pas n'importe lesquels. Ce jardin doit son nom à ses agrès et ses jeux de mouvements et d'équilibre : une poutre qui bascule et nous oblige à retrouver en permanence notre équilibre, une toupie géante sur laquelle on peut monter avec nos parents. La pause s'impose. Nos parents peuvent en profiter pour faire quelques abdos…

On repart et on traverse le canal à hauteur de la Folie, rouge comme toujours *(escalier ou ascenseur au choix)*. De là-haut, le panorama sur le canal de l'Ourq et le parc est superbe. Une fois en bas, une fois passée la passerelle ondoyante, on a un peu de mal à trouver les îles du jardin ; il y a pourtant un bassin, un banc et des beaux bouleaux, ainsi qu'un magnifique massif de fleurs bleues au printemps.

Profitons-en pour rejoindre le centre équestre de La Villette, situé un peu plus loin, au fond à droite. Grâce à de grandes baies vitrées, on peut regarder les chevaux faire leurs exercices dans le manège…

Retour au Jardin des îles, en suivant la courbe du sentier qui bientôt se perd au milieu de la pelouse de la prairie du cercle.

Sur la gauche, le canal, sur la droite, la **Cité des sciences**, la **Géode**, entre les deux, l'**Argonaute**, un sous-marin de guerre que l'on peut visiter *(voir la visite 34)*.

Dernière étape, la plus belle peut-être (avec le Jardin des voltiges) : le **Jardin du dragon**. Sa langue forme un immense toboggan. Que celui qui n'y est jamais venu fasse un vœu : y revenir ! La glissade est grisante et parfaitement sécurisée. Les plus petits (4 ans) demanderont quand même à leurs parents de les accompagner. Mais attention aux jours de grand soleil : pour éviter de vous brûler les fesses, le toboggan est fermé au public. Le corps et la queue du dragon sont aussi des espaces de jeux dans lesquels on s'assoit et on se faufile. Autre aire de jeux pour les plus petits juste derrière le dragon. Notre balade s'achève, mais on peut la prolonger en allant soit à droite vers la Cité des sciences, soit à gauche, de l'autre côté du canal, pour rejoindre le Jardin des dunes et des vents…

P. Jausserand / MICHELIN, Parc de La Villette

Le toboggan-dragon du Jardin du dragon, au parc de La Villette.

Le corps et l'esprit bougent !

ATTRACTIONS GRATUITES

Jardin des dunes et des vents

Dès 2 ans. Toilettes à l'entrée. Il est tout simplement parfait : parfait pour les parents qui n'ont pas à s'inquiéter car il est fermé et l'entrée est surveillée. Ils peuvent donc, s'il en reste, se caler dans une des chaises – presque longues – nez au vent ou au soleil, un bon livre ou la presse en main. Idéal ou plutôt génial pour les enfants de tous les âges (de plus de 2 ans à moins de 12 ans). Le jardin propose des jeux et des découvertes comme on n'en voit nulle part ailleurs. Les enfants déambulent et se cachent en toute sécurité dans les tunnels et les grottes à la conquête de trésors inestimables, comme les matelas d'eau et d'air, avant de se lancer à l'assaut des dunes ! Répartis par âge, il y a les jeux d'écoutes, les roues, les pelleteuses à sable, le treuil, les éoliennes à pédales…

Jardin du dragon et jardin des voltiges

Jeux pour enfants *(voir description dans la promenade cinématique et toc).*

Jardins passagers

Les Jardins passagers sont généralement situés derrière le Jardin des dunes. Avr.-sept. - 10h-19h30 - gratuit.

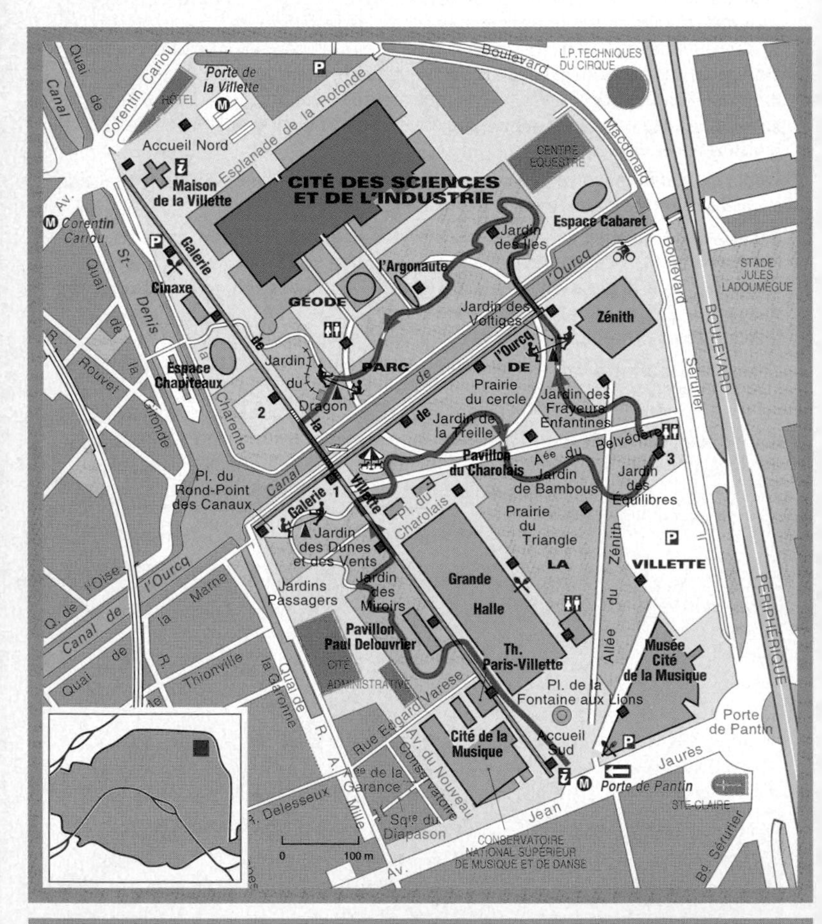

Bio et écolos, il s'agit de potagers à découvrir et même à déguster. On peut en effet y boire des jus de fruits de saison. Lors de la visite guidée, on apprend avec le jardinier des astuces et les techniques pour cultiver son jardin. Chaque enfant peut utiliser de façon ludique et pédagogique pelle, rateau, pioche ainsi que ses petites mains pour gratter la terre et observer au gré des saisons l'évolution de ses propres plantations.

Vélo, foot et compagnie sur les prairies

Pour tous. Une piste cyclable longe le canal de l'Ourcq. Elle permet de suivre le canal jusqu'à Bobigny, et rejoint dans Paris la place de Stalingrad. Vous pouvez aussi faire du vélo sur les autres allées du parc.

Les deux prairies, celle du Triangle et celle du Cercle, sont ouvertes à tous les jeux de balle. On peut même y jouer au cricket comme le font certains Indiens. Pique-niques, siestes et couvertures sont bien évidemment autorisés. Le parc est suffisamment grand pour trouver, même les jours d'affluence, un coin tranquille. Les petits malins dénicheront une pelouse peu fréquentée située derrière le pavillon Paul-Delouvrier *(derrière le Jardin des miroirs)*.

Du boulevard du Crime aux Abattoirs

Aucune crainte ! Il s'agit seulement de la balade qu'ont faite les lions... de la Fontaine aux Lions de Nubie ! Construite en 1811, elle fut placée sur la place du Château-d'Eau (l'actuelle place de la République). Cette place faisait partie de ce qu'on appelait à l'époque le boulevard du Crime, investi par une foire permanente de bateleurs, bonimenteurs, théâtres, etc. Mais en 1867, les travaux engagés par Haussmann afin d'élargir les chaussées et d'assainir les quartiers populaires, en vinrent à agrandir la place du Château-d'Eau et à disperser la foule de badauds, de forains et d'artistes populaires.

Devenue trop petite pour cette immense nouvelle place, la Fontaine aux Lions de Nubie fut démantelée et transférée aux Abattoirs de La Villette. Elle servait d'abreuvoir aux animaux, qui n'avaient même pas peur des huit lions de bronze qui la dominent !

L'été à La Villette

Rens. sur www.villette.com. C'est un moment particulier de l'année : il fait beau, il fait chaud, on a envie de flâner dans les jardins du parc. Au détour des sentiers, on peut tomber nez à nez avec un musicien, un chorégraphe ou un plasticien, en train d'accomplir quelque performance... Les artistes en résidence sur le parc se joignent souvent à des artistes internationaux pour des œuvres inédites. C'est aussi le temps des concerts gratuits et en plein air : jazz, électro, musiques du monde.

ATTRACTIONS PAYANTES

Les ateliers

Pour les 3 à 10 ans - ✆ 01 40 03 75 75. Durée 1h30, merc. et sam. apr.-midi (15h ou 16h). Informations sur les dates et les thèmes correspondant aux âges (3-6, 4-8 et 5-10 ans). Réserv. obligatoire. Nombre d'enfants limité par atelier ; les -6 ans doivent être accompagnés. RV à la Folie information - 6 € (4 € avec la carte Villette).

Faites votre choix : atelier du « bon pain » où les enfants fabriquent leur propre pain, le mangent et le partagent, atelier « jardin » où les kids réalisent un jardin imaginaire avec des éléments de la nature (sables, graines, coquillages), atelier « cuisiner la terre » où à l'occasion d'un jeu de relais, les petits rassemblent tous les ingrédients nécessaires pour faire une bonne terre. Et d'autres thèmes encore, variables selon les années et les âges : découverte des bambous, des arbres de la ville, aventures culinaires, réalisation d'*azulejos*... Un coup de cœur spécial pour ces ateliers très bien conçus et qui présentent l'avantage de se dérouler sur une seule séance.

Les spectacles

Rens. sur www.villette.com. Parmi tous les spectacles que propose toute l'année La Villette, il y en a bien évidemment pour les enfants, et ce d'autant plus que le cirque et les marionnettes sont deux domaines chouchoutés par le parc.

Ainsi, depuis 1994, La Villette participe au développement de nouvelles formes de spectacles utilisant les techniques du cirque. Elle donne à voir un cirque nouveau, au croisement du cirque traditionnel, du théâtre et de la danse. La plupart des spectacles de cirque ont lieu dans l'**espace Chapiteaux**, mais aussi dans la **Grande Halle de La Villette**, ou encore au **théâtre Paris-Villette**.

Les marionnettes sont également à l'honneur car depuis 2001 s'y déroule la Biennale internationale des Arts de la marionnette.

Cinéma en plein air

Prairie du Triangle, de mi-juil. à mi-août, mar.-dim. Gratuit. Location transat et couverture : 6,50 € (-16 ans gratuit).
C'est devenu un classique de l'été parisien : on s'y donne rendez-vous pour pique-niquer sur l'immense plage verte, puis on attend la magie de l'écran, qui majestueusement se gonfle, et la tombée de la nuit, assis sur des transats, couchés sur des couvertures. Une véritable aventure pour les enfants, même si toute la programmation ne leur est pas réservée.

Promenade en bateau

Paris Canal et **Canauxrama** – *Voir la partie « Maman j'sais pas quoi faire ! », rubrique « Croisières sur les canaux ».* Promenades sur le canal de l'Ourcq et le canal St-Martin.

Carnet d'adresses

Voir également le carnet d'adresses des musées de La Villette (34).

PAUSE DÉJEUNER

Le Rendez-Vous des Quais – *10 quai de la Seine - Cinémas MK2 - 19e arr. - M° Jaurès - ✆ 01 40 37 02 81 - 10/30 €.* À côté des cinémas, ce restaurant au bord du bassin de La Villette vous offre une bouffée de vacances en plein Paris. Profitez de sa superbe terrasse - idyllique en été - et pour les repas, préférez plutôt la partie snack-salon de thé. Vins choisis par le cinéaste Claude Chabrol.

Étoile de Chine – *95 bis r. Petit - 19e arr. - M° Porte-de-Pantin ou Ourcq - ✆ 01 42 08 62 68 - fermé lun. soir - 12 €.* Un petit chinois de quartier avec en prime la gentillesse de la patronne qui ne peut mentir sur le fait qu'elle aime vraiment les enfants : entre nems et rouleaux de printemps, elle les couvre de petits cadeaux…

Couderc – *102 av. de Flandre - 19e arr. - M° Crimée - ✆ 01 40 36 36 24 - 7h30-19h30 - fermé 3 sem. en août - à partir de 7 €.* Durant la semaine, cette maison privilégie son activité traiteur (salades composées, sandwichs variés et plats cuisinés). Le week-end, elle se recentre sur la pâtisserie, passion du patron. Le choix est impressionnant et le rapport qualité-prix excellent. Visitez aussi la confiserie chocolaterie située juste à côté.

PAUSE QUATRE-HEURES

Café de la musique – *Place de la Fontaine-aux-Lions - 19e arr. - ✆ 01 48 03 15 91 - www.cafedelamusique.com - 8h-2h.* Sur le lieu de l'ancien marché aux bestiaux de La Villette se tient aujourd'hui, accolé à la Cité de la musique, un élégant café pourvu d'une terrasse. À l'intérieur alternent fauteuils verts et rouges autour de petites tables rondes. Un endroit parfait pour prendre le thé ou le soleil, face au Parc de La Villette.

Parc des Buttes-Chaumont

27

ATLAS MICHELIN PARIS N° 56 (P. 23) ET N° 57 (P. 75), REPÈRES D-E 19-20 – 19E ARR.

C'est une montagne dans la ville, avec ses torrents, ses cascades, ses pentes vallonnées mais aussi ses plantes venues des quatre coins du monde ! De ces 25 ha dont on ne pouvait rien faire tant le sol était miné par des kilomètres de galeries, Napoléon III et son préfet Haussmann décidèrent de faire un parc destiné aux loisirs de tous, riches et pauvres. Faisant fi de la tradition architecturale des jardins à la française, Alphand, l'architecte, le transforma en lieu de promenade, ne négligeant ni la dynamite ni les essences rares. Nous profitons aujourd'hui de toute sa splendeur et de sa diversité : les arbres ont atteint leur maturité et leurs nombreux habitants ont trouvé là de quoi satisfaire tout leur confort : des nids bien à l'abri dans de grands arbres, de longs vermisseaux dans de la bonne terre, de l'eau à boire dans les ruisseaux, des bains à prendre sous les cascades et, quelquefois, si les enfants ne les ont pas oubliées, des miettes de gâteau à picorer.

ACCÈS

En **métro** : ligne 7 bis, stations Botzaris et Buttes-Chaumont.

En **bus** : lignes 60 et 48, arrêt Botzaris, ligne 26, arrêt Botzaris-Buttes-Chaumont.

Entrées du jardin : place Armand-Carrel (entrée principale) rue Botzaris, avenue Simon-Bolivar, rue Manin, rue de Crimée.

Horaires : le parc des Buttes-Chaumont est celui des noctambules, car il ferme tard. ♿ - De déb. juin à mi-août : 7h-22h15 ; mai et de mi-août à fin sept. : 7h-21h15 ; oct.-avr. : 7h-20h15.

À proximité, vous pouvez suivre la promenade le long du canal Saint-Martin (19) et celle du parc de La Villette (26).

POUR LES PETITS MALINS

Les chiens en laisse sont admis, mais prière de ramasser les crottes, car les enfants jouent sur les pelouses. Vélos tolérés pour les enfants de moins de 5 ans. Patins et planches à roulettes interdits.

Les pelouses sont d'accès libre, sauf celles fermées pour régénération.

Vous croiserez des ruisseaux et des cascades : il sera difficile d'empêcher les enfants de s'y tremper, mais sachez que l'eau n'est pas spécialement propre car elle provient du canal Saint-Martin.

Les petits commerces situés autour du lac sont des concessions privées ; ils ont des horaires d'ouverture aléatoires qui dépendent souvent de la météo (12h-18h en général).

Il y a deux W-C publics dans le parc. À gauche de l'entrée place Armand-Carrel, et avenue Jacques-Limiers, à côté de l'entrée Bolivar, en face de la maison des gardiens. Pour les cas urgents, vous pouvez aussi utiliser les W-C du Weber Café rue des Cascades, mais c'est un lieu privé.

En outre pour les tout petits, il y a un relais bébé dans les jeux d'enfants, en haut à droite de l'avenue de Crimée. Les clés sont à récupérer auprès de la gardienne.

LE CLOU DE LA VISITE

Assurément, la grande et les petites cascades dès les beaux jours.

Pour mieux comprendre

Au 14e s., un édit du roi Philippe le Bel ordonne que chaque maison de Paris soit enduite de plâtre car c'est un excellent isolateur thermique qui protège aussi du feu. C'est ainsi que furent exploitées les carrières de gypse de Montmartre et des Buttes-Chaumont. Peu à peu, la butte qui descendait jusqu'à la place Armand-Carrel se transforma en gruyère, avec de longues galeries et des salles gigantesques. Elle devint aussi un abri pour les sans-logis, qui se réchauffaient près des fours – le gypse doit en effet être chauffé pour se transformer en plâtre – et un repaire de brigands, dont la plupart finirent pendus au sinistre gibet de Montfaucon, qui élevait ses 16 piliers de pierre le long des pentes de la butte.

Au 19e s., les Buttes méritaient encore bien plus leur réputation d'endroit mal famé, car, au fur et à mesure que le gypse s'épuisait, on bouchait les trous avec des ordures et des équarisseurs y dépeçaient les chevaux, laissant là les carcasses. Cette situation était intolérable pour Haussmann qui voulait assainir l'alimentation en eau de Paris. Ce dernier cherchait également à décongestionner la circulation et à développer des espaces verts pour les cimetières et les parcs, car ces espaces non seulement embellissent un quartier mais participent à l'assainissement de l'air. C'est ainsi qu'il créa de multiples squares et des parcs comme le parc Monceau et, en 1867, celui des Buttes-Chaumont.

L'idée des jardins

À l'instar des paysagistes anglais de son époque, Jean-Charles Alphand rompt avec l'ordre architectural des jardins à la française – symétrie, parterres réguliers – pour privilégier l'attrait romantique des jardins de campagne, avec ses bosquets pittoresques et ses arbres en forme libre. Le jardin doit prolonger la ville, c'est pourquoi ce ne sont pas des murs mais des grilles qui font le tour du parc. De plus, si on était encore loin des 35 heures, les ouvriers commençaient à être libres le dimanche. Ainsi, ce parc, destiné à la détente permettait, dans un cadre paisible, une toute nouvelle mixité sociale. Les ouvriers endimanchés croisaient les calèches des aristocrates ou des anciens combattants en mal de conversation.

Butiner sur la butte

Entrer dans le parc par l'accès au pied du métro Botzaris. 1h30 de promenade. Suivre le petit chemin en face.

Dès l'entrée, vous pouvez sentir l'esprit des concepteurs du parc le long de cette petite allée luxuriante et sauvage où chaque plante lutte librement pour accéder à la lumière. Nous sommes dans un jardin à l'anglaise, que l'on pourrait définir comme un fouillis organisé ! Il reflète l'âme romantique de l'époque, qui incitait plus à la rêverie que les alignements géométriques des jardins à la française.

Suivre légèrement à gauche l'avenue des Cascades. Construite à la largeur de deux calèches pouvant se croiser, cette rue fait tout le tour du parc. Pour la rendre plus confortable, on l'avait recouverte de macadam – une sorte de terre stabilisée –, que les Français avaient rapporté d'Angleterre en 1851. Alphand voulait au départ un arboretum (c'est-à-dire un musée vivant) des plantes de France, mais le climat n'étant pas favorable aux plantes du Midi, on élargit la plantation à des espèces venues des quatre coins du monde, comme ce magnifique noyer du Caucase à droite sur la pelouse qui descend vers les jeux d'enfants.

Passer devant le Weber Café à gauche pour arriver à l'angle de l'avenue des Alouettes et de l'avenue Édouard-Petit.

Les trois marronniers

Ils ont l'âge du parc, 150 ans, et sont bien vaillants. En plus de nous impressionner, leur grandeur permet à de gros oiseaux comme les pies ou les corneilles de nidifier dans leur tronc ou leurs ramures. Allez vers le troisième marronnier, posez votre dos sur l'énorme cicatrice – vestige de la tempête de 1999 –, faites quinze pas face à vous et plongez votre regard vers le bas. Cachée derrière le bosquet d'arbres se trouve la voie de chemin de fer de la Petite Ceinture qui passe exactement sous le Weber Café.

Retournez vous asseoir sur le banc qui se trouve derrière vous. De ce magnifique point de vue, un jardin romantique s'offre à vous. Avec tous ses attributs, les alternances de pelouse et d'arbres en formes libres, les longilignes peupliers d'Italie, les saules pleureurs, les marronniers d'Inde, dont les noms à eux seuls sont des invitations au voyage, tout en bas le lac et tout en haut le belvédère où les amoureux peuvent s'isoler du monde, c'est un véritable enchantement.

Remonter en arrière et continuer à droite dans l'avenue des Cascades.

De faux rochers !

À 100 m sur la gauche, des rochers affleurent du sol. Allez les toucher, ils sont faux… ou plutôt ils sont faits d'un mélange de moellons et de béton. Tous les rochers du parc sont artificiels. Aujourd'hui, le béton est un matériau commun ; il n'en allait pas de même en 1864. Si on le connaissait depuis la fin du 18e s., ce n'est que vers le milieu du 19e s. que les propriétés du béton furent étudiées et que ce matériau fut utilisé. Un ingénieur français, Coignet, mit au point le béton armé, qui consiste à renforcer le béton par des grilles ou des barres métalliques. Ce procédé permit de construire très rapidement des ouvrages très importants. On mit immédiatement son invention en pratique, notamment en créant l'énorme rocher artificiel du Belvédère.

Poursuivez votre chemin jusqu'à la résurgence d'eau.

Résurgence d'eau

Toutes les rivières et tous les fleuves commencent ainsi : un filet d'eau jaillissant de la terre après un long périple souterrain. Normalement, la source est alimentée par les eaux de pluie, mais cette eau-ci vient du canal St-Martin. Elle est transportée par des tuyaux et poussée par des pompes. Accoudez-vous aux balustrades, elles sont fausses aussi. Qu'imitent-elles ? Pensez à l'énorme cicatrice du marronnier. Elles ont été installées en 1901, pour donner encore plus de pittoresque au jardin. De l'autre côté du chemin, vous pouvez voir la plus grande cascade de Paris dévaler la colline.

Poursuivre sur l'avenue des Cascades. Derrière les balustrades, à gauche, vous pouvez entendre les exclamations des joueurs de boules. Au deuxième chemin à droite, descendre jusqu'au pont.

Pont des suicidés

Si l'amoureux romantique aime le pittoresque et la poésie, il ne supporte pas les chagrins d'amour. Ainsi nombre d'amoureux éconduits ne résistaient pas à la tentation de faire le grand saut pour oublier définitivement leur bien-aimée. Heureusement, de solides grillages empêchèrent ces pratiques... Avant de franchir le pont, vous pourrez voir à gauche trois cèdres, symboles du Liban. C'est avec le bois de cet arbre que l'on construisait les galères qui sillonnaient la Méditerranée au temps des Romains. À droite, on voit un curieux cônifère originaire des Andes, l'Araucaria, qui est aussi appelé « désespoir des singes ». Vous devinerez facilement pourquoi.

Monter en face jusqu'au temple de la Sibylle.

Temple de la Sibylle

Du haut de cette réplique d'un temple bâti près de Rome, vous apercevez la masse blanche du Sacré-Cœur, le Nord de Paris et l'avenue Laumière qui descend tout droit vers le bassin de La Villette. Mais vous pouvez aussi vous attarder à déchiffrer les graffitis que des promeneurs ou des touristes tout fiers de leurs 50 mètres d'ascension ont laissés là.

Contourner le temple pour franchir la porte du chemin des Aiguilles

Chemin des Aiguilles

200 marches sont creusées dans la roche de cette montagne artificielle, mais vous n'en ferez qu'une partie. Des à-pics vertigineux, des méandres mystérieux, des rochers bizarres : il devait subir une influence diabolique cet architecte ! À chaque détour, on se demande si on ne va pas plonger dans le lac... Mais heureusement pour les parents, tout a une fin.

En bas des marches, rejoindre à droite le pont suspendu.

Pont suspendu

Ô la douce ondulation frissonnante du pont quand vous marchez dessus ! Ce pont, d'une portée de 63 m, est encore un fruit des progrès industriels du 19e s. Avec le béton est apparu l'acier. L'élasticité et la légèreté de l'acier par rapport à la pierre ou à la brique ont permis de construire des ouvrages de grande portée, plus vite et moins cher. Le grand exemple, qui fut aussi un exercice d'architecte, est la tour Eiffel.

Au bout du pont, tourner à gauche et remonter l'avenue Alphand. Un grand hêtre pourpre sur une petite pelouse vous indique qu'il faut maintenant descendre le chemin à gauche pour rejoindre le ruisseau que vous suivez vers le bas.

G. Targat / MICHELIN

Un lac, une falaise avec un temple perché tout en haut : c'est le parc des Buttes-Chaumont !

Petites cascades

À droite, le ruisseau descend joyeusement au bord de l'herbe et les tout-petits gazouillent au milieu des oiseaux qui viennent picorer les restes de leurs biscuits. À gauche, vous pénétrez dans de mystérieux sous-bois, mais avant cela il faudra encourager vos parents à traverser le torrent impétueux… En bas des cascades, sur votre droite, vous découvrez le seul endroit naturel du parc : de la poussière grisâtre qui affleure de la montagne. C'est du gypse. Il est normalement blanc mais les intempéries et la poussière lui donnent cet aspect. À l'origine, on appelait les Buttes-Chaumont le « mont Chauve », car rien ne pousse dans le gypse, et pour planter des arbres dans le parc, il a fallu apporter 130 000 m³ de terre végétale.

Suivre à droite la route circulaire du parc. Après le pont voûté en brique, prendre le petit chemin à droite.

Grande cascade

Vous avez vu sa source, vous voyez sa chute. 32 mètres ! Une immense **grotte**★, dont le confort a séduit nombre de pigeons et d'hirondelles (ils sont nichés près des stalactites), s'ouvre à vous. Cette grotte était une ancienne entrée des carrières souterraines et vous donne une idée des trous que les bâtisseurs du jardin ont dû boucher. *Traverser le ruisseau pour prendre le petit chemin à gauche.* À gauche, un très vieux buis est taillé comme un bonzaï. Quelquefois, la nuit, un des nombreux hérissons du parc vient s'y frotter.

Retourner sur la route circulaire du lac. 50 mètres plus loin…

L'horrible Dieu Pan

Laissez les parents s'attarder tranquillement devant les canards de Barbarie, dont les mâles ont une caroncule rouge sur la tête, ou s'ils ont de la chance, devant les cygnes noirs ou les oies à tête barrée. Remontez le cours du ruisseau de l'autre côté. Là, un petit être grimaçant, barbu, cornu, avec des pieds et une queue de bouc, ne cherchera même pas à cacher son zizi, puisque c'est le dieu de la Fécondité.

Rejoignez vos parents, poursuivez sur la route circulaire. Les bancs sur lesquels devisent des retraités ou s'embrassent les amoureux nous rappellent qu'au travers de ses parcs, Haussmann voulait promouvoir la mixité sociale : tout le monde pouvait fréquenter le parc, les aristocrates, les bourgeois, les ouvriers, les seniors et les enfants… comme aujourd'hui.

Au niveau du kiosque à musique, continuer tout droit, puis, en face du manège, prendre la route de gauche pour sortir du parc par la place Armand-Carrel (métro Laumière en bas de l'avenue).

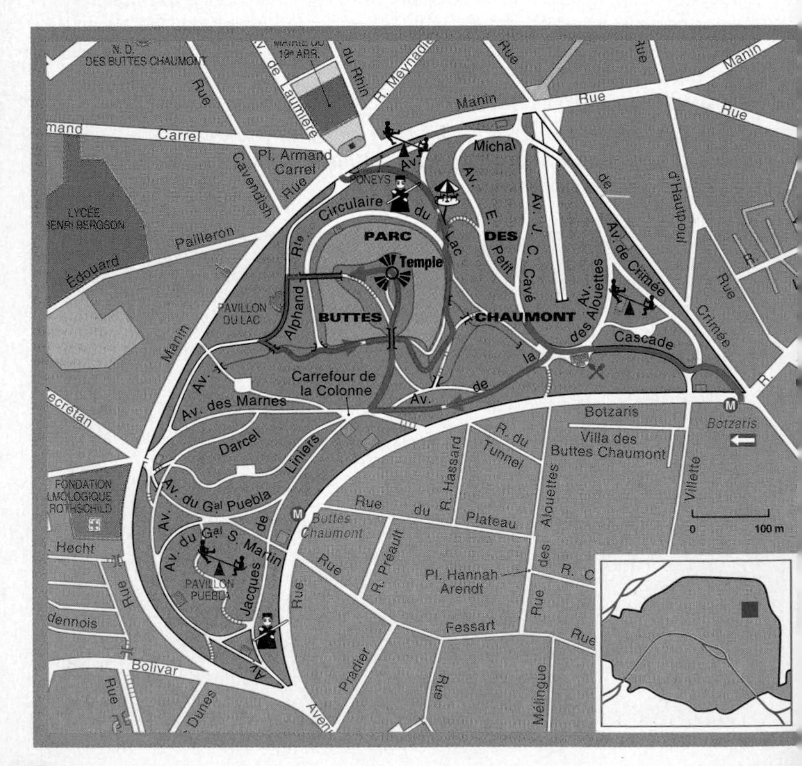

Papillonner gaiement…

Balade à dos d'âne ou de poney

Merc. 15h30, w.-end et j. fériés 16h - payant. Par beau temps uniquement, des balades sont proposées à dos de poney ou en calèche.

C'est Guignol !

Guignol Anatole – *Entrée proche du M° Buttes-Chaumont - ✆ 01 40 30 97 60 - de mi-mars à fin oct. : merc. w.-end et j. fériés à 15h30 et 16h30 - 3 €.* Créées en 1872 aux Champs-Élysées, les marionnettes du Guignol Anatole ont migré en 1892 aux Buttes. Un spectacle traditionnel de marionnettes parisiennes et lyonnaises revisité à la sauce de la compagnie.

Guignol de Paris – *Merc., w.-end et j. fériés à 15h30. 3 €.* Un autre petit théâtre en plein air avec Guignol en guest star, lui aussi soumis à la pluie et au beau temps.

Balançoires à l'ancienne

Entrée de la place Armand-Carrel. Payant (gratuit pour les tout-petits). L'Oiseau bleu propose des tours de 5mn dans ces balançoires vertes qui ont peut-être connu les fesses de nos grand-mères…

Manège des Lutins

Ouverture en fonction du temps, 10h30-12h30, 14h30-18h30. Payant. Le seul manège du parc qui fait tourner la tête de vos enfants dès les beaux jours. Le pompon attrapé, c'est un tour de gagné.

Aire de jeux

Située près de l'entrée proche du métro Botzaris (av. de Crimée), c'est une vraie aire de jeux pour petits et grands, avec toboggans, tapis souple au sol et moult attractions. Mais la seule à faire toujours recette dès les beaux jours, c'est la vieille fontaine verte et l'eau qu'elle dispense… Une gardienne est toujours là. À côté du manège, vous trouverez un **bac à sable** fermé, pour les petits.

Carnet d'adresses

PAUSE DÉJEUNER

Salon Weber – *Allée de la Cascade, parc des Buttes-Chaumont - 19e arr. - M° Botzaris - 12h-19h - [pas de CB] - 7/12 €.* Ce pavillon de style Napoléon III dispose d'un emplacement privilégié dans la partie haute du parc. Le décor intérieur ne s'embarrasse guère de considérations esthétiques, mais plat du jour, sandwiches et crêpes complètent la carte des boissons et combleront les petites faims.

Mon Oncle le Vigneron – *2 r. Pradier - 19e arr. - M° Pyrénées - ✆ 01 42 00 43 30 - fermé dim. et jeu. - réserv. obligatoire - 12/25 €.* Le patron, originaire du pays Basque, s'est fixé une mission : régaler les Parisiens avec les beaux produits de nos régions. Foies gras et confits du Sud-Ouest, charcuteries fabriquées par un artisan du Nord. Le « must » ? Prendre un copieux repas à la table d'hôte.

Les Tontons – *6 r. Botzaris - 19e arr. - M° Buttes-Chaumont - ✆ 01 42 02 04 55 - fermé lun. soir, dim. et j. fériés - 11 €.* Un bistrot sympathique situé en face de la porte Bolivar du parc. Un menu enfant, des assiettes végétariennes, des salades… Les trois tontons, références aux *Tontons flingeurs*, sont charmants.

PAUSE QUATRE-HEURES

Les Kiosques du Parc des Buttes-Chaumont – *19e arr. - M° Botzaris ou Laumière ou Buttes-Chaumont.* Que serait un parc public sans ses kiosques à bonbons ? Adieu gaufres dégoulinantes, barbe à papa d'un rose délicat, crêpes brûlantes pliées dans un papier, boissons multicolores, berlingots, etc. ? Que nenni ! Rendez-vous à l'entrée du parc, côté mairie, pour un instant de nostalgie…

La Vieille France – *5 av. Laumière - 19e arr. - M° Laumière - ✆ 01 40 40 08 31 - mar.-dim. 9h-20h - fermé 1 sem. en fév. et en août.* Il règne une douce atmosphère surannée dans cette pâtisserie située face à la mairie du 19e arrondissement. Le décor, où domine le bois, accentue le côté ancien du lieu. L'œil est également attiré par les magnifiques douceurs sucrées réalisées par le patron. Parmi les pâtisseries les plus appréciées : la tarte au citron, le millefeuille et les gâteaux secs.

PAUSE ACHATS

Tatanka – *13 bis r. Pradier - 19e arr. - M° Pyrénées - ✆ 01 42 08 30 30 - tlj sf dim. et lun. 10h30-13h, 14h-19h30 - fermé août et j. fériés.* Cette boutique dédiée aux jouets en bois a choisi comme nom « Tatanka », un mot sioux désignant le petit bison en bois sculpté par le grand-père pour le nouveau-né. Çà et là, chevaux à bascule, bateaux, jeux de société, poupées, figurines, cerfs-volants et boomerangs.

28 Cimetière du Père-Lachaise

ATLAS MICHELIN PARIS N° 56 (P. 35-36 ET 48) ET N° 57 (P. 78 ET 81), REPÈRES G-J21, H20-21 – 20E ARR.

Sous les ramures de plus de 5 000 arbres, vous visiterez une véritable ville, avec ses allées tortueuses, ses quartiers neufs ou anciens, ses bâtisses baroques, simples ou excentriques et ses 126 000 résidents. Mais une ville où le temps qui passe a une résonance toute particulière. Où l'atmosphère combine étrangement recueillement et curiosité. C'est à la fois un lieu de mémoire ou de culte et une sorte de musée représentant les différents hommages rendus aux morts selon les époques ou les religions. Le Père-Lachaise offre un voyage à travers les hommes et l'art funéraire. Mais l'imagination des sculpteurs, les oiseaux innombrables et les plantes indisciplinées sont surtout le symbole de la force de la vie.

ACCÈS

En **métro** : ligne 2, station Père-Lachaise, ligne 3, station Gambetta.
En **bus** : lignes 61, 69, 26 et 102, arrêt Place-Gambetta.
Entrées : boulevard de Ménilmontant (entrée principale), rue des Rondeaux, rue de Ménilmontant, rue de la Réunion, rue du Repos (celle qui ferme en dernier).
Horaires : ✆ 01 40 71 75 60 - de mi-mars à déb. nov. : 7h30-18h, sam. 8h30-18h, dim. et j. fériés 9h-18h ; reste de l'année : 8h-17h30, sam. 8h30-17h30, dim. et j. fériés 9h-17h30 - gratuit - possibilité de visite guidée (2h) - 6 € (enf. 3 €).

POUR LES PETITS MALINS

Normalement, des plans sont mis à la disposition des visiteurs à l'entrée du cimetière. Vous pouvez aussi en trouver en vente chez les commerçants jouxtant le cimetière. Dans tous les cas, nous vous conseillons de vous en procurer un. Vu le terrain accidenté, et pour vous laisser aller au plaisir de la découverte, évitez les poussettes.
Il y a trois W-C publics : à gauche de l'entrée de l'avenue du Père-Lachaise (77e division), à gauche de l'entrée de la rue de la Réunion (76e division) et à droite de l'entrée principale du boulevard de Ménilmontant (1re division).
Une piste cyclable longe le cimetière, à côté du boulevard de Ménilmontant, depuis la place Stalingrad jusqu'à la place de la Nation.
Le cimetière est partagé en divisions, de la 1re à la 97e, de taille variable : en gros, les chiffres les plus bas sont près de la porte du boulevard de Ménilmontant et les chiffres les plus élevés sont dans la partie haute, la plus récente.

LE CLOU DE LA VISITE

La partie centrale du cimetière (entre l'avenue de la Chapelle et l'avenue transversale n° 1) où cohabitent dans un joyeux capharnaüm arbres et tombes.

Pour mieux comprendre

Du confesseur du roi à La Fontaine – Dominant le centre de Paris, ce grand enclos fut longtemps la propriété des Jésuites. Le plus célèbre d'entre eux, le père François de La Chaise, fut durant 34 ans l'excellent confesseur du roi Louis XIV. Il profita de cette situation enviable pour recevoir, dans sa maison de campagne, nombre de grandes dames qui, en cherchant les faveurs du roi, obtinrent celles du confesseur ! Ainsi, malgré les noms dont ses concepteurs voulurent l'affubler (cimetière de l'Est ou du Mont-Louis), c'est celui de son plus illustre habitant qui fut donné au plus grand des cimetières parisiens. Il ouvre en 1804. À cette époque, Paris était encore éloignée et les Parisiens rechignaient à se faire enterrer si loin. Aussi, en 1817, pour convaincre les futurs « clients » qu'ils étaient en bonne compagnie, on transféra les tombeaux de deux hommes célèbres, La Fontaine et Molière, ainsi que les restes des deux amants Héloïse et Abélard. Le succès fut immédiat et comme la place était illimitée, les parisiens célèbres ou fortunés se firent dresser des monuments baroques ou pharaonesques comme le phare de cet ancien consul, Félix de Beaujour (48e division). Ouvert à tous, ce grand jardin devint rapidement un lieu de promenade, recommandé dans les guides de l'époque, où les petites gens pouvaient enfin côtoyer des personnages célèbres…

Pour ceux qui sont debout !

2h de promenade. Entrer porte de la Dhuys. Suivre à gauche l'avenue Circulaire. Les numéros entre parenthèses sont des renvois au plan ci-contre, sur lequel vous trouverez l'emplacement des tombes.

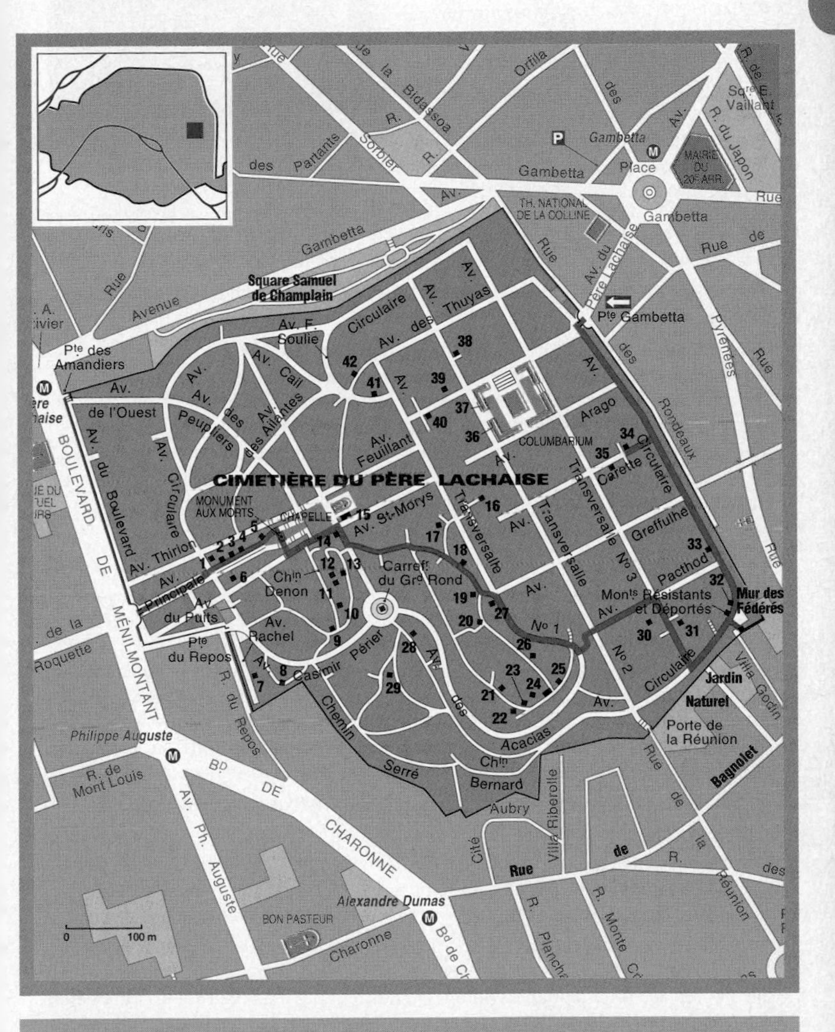

Cimetière du Père Lachaise

1 - Colette
2 - Rossini (cénotaphe)
3 - A. de Musset (sous un saule, selon son vœu)
4 - Baron Haussmann
5 - Généraux Lecomte et Thomas
6 - Arago
7 - James de Rothschild
8 - Abélard, Héloïse
9 - Miguel Angel Asturias
10 - Chopin
11 - Cherubini
12 - Boieldieu (cénotaphe)
13 - Bellini
14 - Géricault
15 - Thiers
16 - Sarah Bernhardt
17 - Corot
18 - Molière et La Fontaine
19 - Alphonse Daudet
20 - Famille Hugo
21 - Famille Bibesco (Anna de Noailles)
22 - Maréchal Ney
23 - Beaumarchais
24 - Maréchaux Davout, Masséna, Lefebvre
25 - Murat et Caroline Bonaparte
26 - David d'Angers
27 - Parmentier
28 - Auguste Comte
29 - Jim Morrison
30 - Modigliani
31 - Édith Piaf
32 - Paul Éluard, Maurice Thorez
33 - Gertrude Stein, Alice B. Toklas
34 - Oscar Wilde
35 - Félix Ziem
36 - Richard Wright
37 - Isadora Duncan
38 - Marcel Proust
39 - Guillaume Apollinaire
40 - Allan Kardec (fondateur de la philosophie spirite)
41 - Delacroix
42 - Balzac et la comtesse Hanska

Cette partie est la moins pittoresque du cimetière ; aussi nous vous conseillons d'éviter les détours pour flâner tout à loisir dans la partie basse.

Aller au coin gauche de la 88e division, juste face à vous en entrant. Une petite danseuse pour vous accueillir : Harriet Toby. Souvent, des symboles représentant l'art ou la vie du défunt ornent les tombes ; quelquefois ils sont faciles à reconnaître comme ici, quelquefois non. *Reprendre l'avenue Circulaire, tourner à droite dans l'avenue Carette.*

S. Sauvignier / MICHELIN

Une des allées ombragées du cimetière.

Oscar Wilde (34)

À 30 m à droite se dresse un énorme sphinx ailé recouvert à sa base de rouges baisers d'admiratrices. L'écrivain Oscar Wilde est mort pauvre, mais son tombeau est démesuré et les rancunes qu'il a suscitées sont tenaces puisque cette sculpture comportait des attributs virils qui ont été détruits par deux Anglaises pudibondes en 1961 !

Revenir sur vos pas et continuer à droite dans l'avenue Circulaire. Aller tout au bout, jusqu'au virage.

Monuments en « souvenir des hécatombes du 20e s. »

De part et d'autres de l'avenue sont regroupés des monuments à la « gloire des déportés et des combattants de la liberté » ou « en souvenir des hécatombes du 20e s. » Observez notamment sur votre gauche le monument *Auschwitz III*. Quatre hommes décharnés entourent un cinquième poussant une brouette dans laquelle se trouve un de leurs camarades épuisé ou mort. Œuvre du sculpteur Tim, ce monument est une représentation tragique de la vie et de la souffrance dans les camps de concentration de la Seconde Guerre mondiale.

Prendre le petit chemin à gauche vers le mur des Fédérés.

Mur des Fédérés

Ces monuments que l'on appelle des cénotaphes (parce qu'ils célèbrent le souvenir de tout un peuple ou d'un évènement) se sont rassemblés autour du plus ancien d'entre eux, incontournable dans le cimetière, puisqu'il est en lui-même un morceau d'histoire. Le samedi 27 mai 1871, les derniers combattants de la Commune de Paris livrent leur ultime combat au milieu des tombes. Épuisés, sans munitions, ils se rendent. Le lendemain, les Versaillais, dont le chef était Thiers, fusillent les 147 survivants avant de les jeter dans la fosse creusée à leurs pieds. Pendant longtemps des touristes venant des anciens pays communistes en ont fait leur unique lieu de visite dans la capitale.

Reprendre l'avenue Circulaire pour prendre à droite l'avenue transversale no 3.

Édith Piaf (31)

Des tombes chinoises rouges protégées par des lions précèdent sa tombe, toute simple, en cela caractéristique du 20e s., et toujours fleurie. Edith Piaf incarnait la petite fille pauvre des faubourgs qui a réussi par la chanson à exprimer toute sa rage de vivre.

Continuer à monter et tourner dans la première avenue à gauche, l'avenue Pacthod ; aller jusqu'au bout. L'ambiance du cimetière change du tout au tout, certains érables sycomores, sans égard pour les défunts, n'hésitent pas à pousser sur les tombeaux. *Faufilez-vous entre les tombes, puis prenez à droite l'avenue transerversale no 1 que vous suivez jusqu'à un petit chemin vers la gauche.*

Parmentier (27)

Tout de suite à gauche se trouve ce très joli tombeau sur lequel sont sculptés des bas-reliefs rendant hommage à l'homme qui a introduit la pomme de terre en Occident. Malgré ses qualités nutritives, on se méfiait de ce tubercule. Aussi Parmentier fit planter des pommes de terre dans un champ, puis il posta des gardes autour. Les gens se dirent que ce devait être un bien bon produit pour être si bien gardé et la nuit, une fois les gardes rentrés dans leur caserne, ils vinrent les chaparder !

Descendre le chemin et tourner à droite dans le chemin de Molière. Sur le côté droit se trouvent côte à côte les tombes de **Molière** et de **La Fontaine** (18). Des buis d'un âge respectable les entourent.

Descendre assez longtemps jusqu'à l'avenue de la Chapelle que l'on prend à droite. En contrebas sur votre gauche, le *Cuirassier blessé* et le *Radeau de la Méduse* ornent le tombeau de **Géricault** (14), le célèbre peintre romantique. Le grand bâtiment sur votre droite est celui de **Thiers** (15), l'homme qui renversa la Commune de Paris.

Non, vous ne rêvez pas, ce tombeau est le plus grand du cimetière ! À sa gauche, la **chapelle** construite à l'emplacement de la maison de M. de La Chaise. Entre les arbres, vue plongeante sur les faubourgs de la Bastille.

Descendre l'escalier de gauche. Vous passez devant le fier sergent Hoff, en uniforme des soldats de 1870, puis devant l'austère tombe de Ledru-Rollin. *Descendre à gauche pour revenir en arrière vers le monument aux morts.*

Monument aux morts de Bartholomé

Assurément une des plus belles sculptures de la nécropole par son sujet et par la finesse de ses détails. Belle n'est pas le mot juste, réaliste, dure plutôt, car à la suite de ses personnages, le sculpteur nous fait littéralement pénétrer dans le royaume des ombres.

En redescendant tout droit vers la sortie, vous pouvez vous arrêter devant la tombe d'**Alfred de Musset (3)**. L'amant de George Sand a exigé, dans de charmants vers gravés dans la pierre, que l'on plantât un saule sur sa tombe, arbre romantique s'il en est. L'arbre est tout petit car le saule n'aime pas la terre sèche du cimetière. Aussi les admirateurs de Musset doivent en replanter un nouveau régulièrement !

Un peu de rab ?

Jardin naturel

120 r. de la Réunion. M° Gambetta ou Alexandre-Dumas. ♿ *- 7h30-17h30 ou 20h (selon coucher du soleil), w.-end 9h-17h30 ou 20h (selon coucher du soleil). Afin de respecter la faune et la flore, les enfants disposent d'un espace de jeux dans le square situé de l'autre côté de la rue de Lesseps.* Dans ce jardin, les plantes typiques de l'Île-de-France trouvent un terrain où s'épanouir sans l'intervention de l'homme. La pelouse n'est pas tondue et les insectes en profitent, la mare est toute crasseuse et les grenouilles s'en délectent… C'est bien un jardin naturel ! Des panneaux sont là pour renseigner les plus curieux et des jeux attendent les intrépides. Un endroit vraiment magique !

Carnet d'adresses

PAUSE DÉJEUNER

Chez l'Artiste – *153 r. de la Roquette - 11e arr. - M° Philippe-Auguste - ☎ 01 43 79 96 19 - 9h-0h (été 9h-2h) - 6/20 €.* Jolie salle à la fois moderne et « cosy » pour ce nouveau restaurant italien proposant une appétissante cuisine de la Botte escortée de plats du jour, salades, etc. La superbe terrasse ombragée de platanes, très prisée aux beaux jours, s'avère également idéale pour boire un verre l'après-midi.

La Mère Lachaise – *78 bd de Ménilmontant - 20e arr. - M° Père-Lachaise - ☎ 01 47 97 61 60 - 8h-2h, dim 10h30-2h - 8,60/36,60 €.* Un incontournable du quartier qui fait souvent salle comble. D'un côté, le bar et son décor hétéroclite (objets de récupération, expositions d'œuvres d'artistes du coin) ; de l'autre, la partie restauration-bistrot aux murs couleur aluminium. Cuisine traditionnelle et brunchs dominicaux.

Cat café – *13 bd de Ménilmontant - 20e arr. - M° Père-Lachaise - ☎ 01 43 70 49 24 - fermé dim. - 3 €.* Pour les petites ou les grandes faims, une adresse toute simple située juste en face de la sortie du cimetière du Père-Lachaise. De charmantes dames vous proposent des petites salades, des quiches, des soupes et des sandwiches indiens.

Troubadour Coffee House – *70 bd de Ménilmontant - 20e arr. - M° Père-Lachaise - ☎ 01 47 97 21 08 - fermé dim. soir et lun. - 14,50/25 €.* Cuisine traditionnelle, recettes à l'ancienne (notamment médiévales) et plats des quatre coins du monde à découvrir dans un cadre mêlant aussi les styles et les influences : Afrique du Nord, Asie, etc. Ambiance musicale originale. Belle terrasse agréablement ensoleillée ; salon de thé et brunchs dominicaux.

PAUSE QUATRE-HEURES

Boulangerie Ganachaud – *226 r. des Pyrénées - 20e arr. - M° Gambetta - ☎ 01 43 58 42 62 - mar.-sam. 7h30-20h.* La flûte Gana, vous connaissez ? C'est Monsieur Ganachaud qui inventa cette baguette traditionnelle, craquante, fermentée sur Poolish et façonnée à la main sous vos yeux. Ses deux filles, Isabelle et Valérie, ont repris la belle boulangerie rustique et ses produits phare : pain biologique, complet, campagne, seigle, brioche, étoile au beurre, kouing amann et marbré au chocolat.

Sucré-Cacao – *89 av. Gambetta - 20e arr. - M° Père-Lachaise - ☎ 01 46 36 87 11 - tlj sf lun. 9h-19h30 (dim. 18h) - fermé vac. de fév., 1 sem. en juil. et 3 sem. en août.* Face à la mairie du 20e arrondissement, cette boutique propose de savoureuses spécialités à base de chocolat : ganaches noires ou au lait, gâteaux, pâtisseries fines et bonbons. James Berthier s'applique à n'utiliser qu'un minimum de sucre dans ses préparations. Bonne nouvelle pour les incorrigibles gourmands !

Parc de Bercy

ATLAS MICHELIN PARIS N° 56 (P. 59) ET N° 57 (P. 36), REPÈRES M-N19, N20 – 12E ARR.

Il y a de l'eau partout, des canards, un héron, des arbres, des fleurs, de bonnes odeurs, de grandes pelouses, des pistes pour rollers, une patinoire ouverte toute l'année, un manège, des aires de jeux et surtout plein de sentiers et des murets qui autorisent toutes les parties de cache-cache et d'escalade imaginables. Ce paradis pour les enfants s'appelle le parc de Bercy. Bercy pour les intimes. 12 ha d'anciens entrepôts de vins reconvertis en parc de promenade et de découverte de la nature, avec, en prime, les traces du « bon vieux temps » : des allées pavées, les rails sur lesquels roulaient les wagonnets chargés de tonneaux de vins, des marronniers et des platanes plus que centenaires, deux belles maisons au faux air de campagne… Un vrai plaisir pour tous, petits et grands.

ACCÈS

En **métro** : ligne 14, stations Bercy ou Cour-St-Émilion ; ligne 6, station Bercy.
En **bus** : ligne 24, arrêt Bercy-TAC-POPB, ligne 87, arrêt Gare-de-Bercy-TAC.
Entrées : au pied du palais omnisports de Paris-Bercy (POPB), rues de Bercy et François-Truffaut, côté cour St-Émilion (entrées principales). Plusieurs entrées le long des rues Paul-Belmondo et de l'Ambroisie, et de la rue Joseph-Kessel qui coupe le parc. La terrasse du parc de Bercy, qui longe le quai de Bercy, est également accessible (escaliers) à la hauteur des rues François-Truffaut et Joseph-Kessel, et le long du quai (entrée parking voiture).
Horaires : - de 8h (w.-end. 9h) au coucher du soleil.
À proximité, vous pouvez suivre la promenade de la Bastille (18).

POUR LES PETITS MALINS

On peut marcher, dormir, jouer et rêver sur les pelouses de la grande prairie, au pied du POPB. Pelouses de repos uniquement autour de l'aire de jeux du jardin Yitzhak-Rabin.
Toilettes propres et confortables dans le passage St-Vivant, cour St-Émilion, et sous la terrasse du parc, de part et d'autre de la rue Joseph-Kessel.
Aucune vente de boissons ou de friandises dans le parc, mais de quoi faire à la sortie du métro Cour-St-Émilion. Quelques fontaines d'eau potable.
Accès interdit aux chiens sauf dans la grande prairie.
Penser à emporter du pain dur pour les canards de la Maison du lac.
Parkings à disposition quai de Bercy, rue de Bercy et place Lacambaudie.

LE CLOU DE LA VISITE

Tout ! Ou si l'on doit vraiment faire un choix : les abords de la Maison du lac avec ses canards ; pour ceux qui ont la bougeotte, la série de labyrinthes de verdure qui jouxtent la Maison du jardinage, côté Seine, et le potager.

Pour mieux comprendre

Le parc de Bercy a eu plusieurs vies. Au 17e s., il n'est qu'une partie d'un immense domaine, le Petit Château ou Petit Bercy, s'étendant jusqu'à Charenton. En 1880, il est transformé en entrepôts de vin et devient vite le plus grand marché de vins du monde. Pour remédier au manque de fraîcheur, de nombreux arbres sont alors plantés. On y fait la fête, on boit et on canote sur la Seine, sans contrainte, car l'endroit n'est pas sous l'autorité de la police parisienne. Bandit célèbre, Cartouche devient un habitué du lieu et Hector Malot, l'auteur de *Sans Famille*, tombe sous le charme. Mais, petit à petit, le vin ne faisant plus recette, les entrepôts sont abandonnés. Commence alors la nouvelle vie de Bercy : être un parc de promenade, de découverte et de loisirs pour les Parisiens qui ont vraiment besoin de nature !
À partir de 1980, 8 ha sont réservés à la création du palais omnisports de Paris-Bercy. Puis est aménagé le parc proprement dit sur 12,5 ha. La rénovation de la cour St-Émilion, le « village de Bercy », est la dernière en date. Le parc garde la mémoire de sa première vie, mémoire du vin et des chais : c'est ainsi que certaines allées pavées, ponctuées de rails (qui servaient à acheminer les tonneaux), deux maisons de négociants, un chai et une quantité incroyable de grands marronniers et platanes centenaires ont été conservés. Seul ajout : quelques pieds de vignes…

Jeu de piste dans les jardins

Entrer dans le parc depuis la rue François-Truffaut, à la sortie du métro Cour-St-Émilion. Prendre l'entrée principale, à droite après le marchand de bonbons et le petit manège.

Le jardin romantique

Votre premier contact avec le parc de Bercy commence avec le jardin romantique, l'une des trois parties du parc. Romantique ? Qu'est-ce que ça veut dire ? Ne vous posez pas tout de suite la question. Imaginez seulement que c'est un jardin qui veut faire croire qu'il est sauvage, qu'aucun jardinier, qu'aucun homme n'est venu s'occuper de lui. Mais ce n'est pas vrai, car vous allez en croiser des jardiniers ! surtout si vous vous promenez le mercredi matin.

Vous voyez une belle maison entourée d'un petit lac avec des canards, des roseaux et plein de plantes et d'arbres vivant au bord de l'eau comme les saules et les bouleaux. Il devait déjà y avoir de l'eau et des marécages à l'époque des hommes préhistoriques, car on a retrouvé à côté, dans la rue des Pirogues, des pirogues datant du néolithique.

Prenez tout de suite à droite le petit sentier menant à une volée de marches à travers les feuillages ou celui qui monte en colimaçon…

Du haut du **belvédère**, vous aurez une belle vue d'ensemble sur le jardin et la **Maison du lac**. Elle appartenait autrefois à un marchand de vin. Aujourd'hui, elle trône sur sa petite île et propose de temps en temps des expositions pour les grands.

Redescendre et prendre tous les chemins que vous voulez pour découvrir le petit lac. Les canards et le héron, qui a élu domicile au parc depuis plusieurs années, interrompant sa migration, vous attendent. Attention à ne pas tomber dans l'eau (même si des grilles longent le plan d'eau pour les plus maladroits). Si jamais vous faites une chute, il faudra nager jusqu'aux cabanes en bois construites pour les canards. Mais elles sont vraiment très petites…

À droite du lac (du côté des immeubles, r. de l'Ambroisie), on aperçoit des monticules de terre et un sentier sinueux (et souvent boueux). C'est un endroit idéal pour courir,

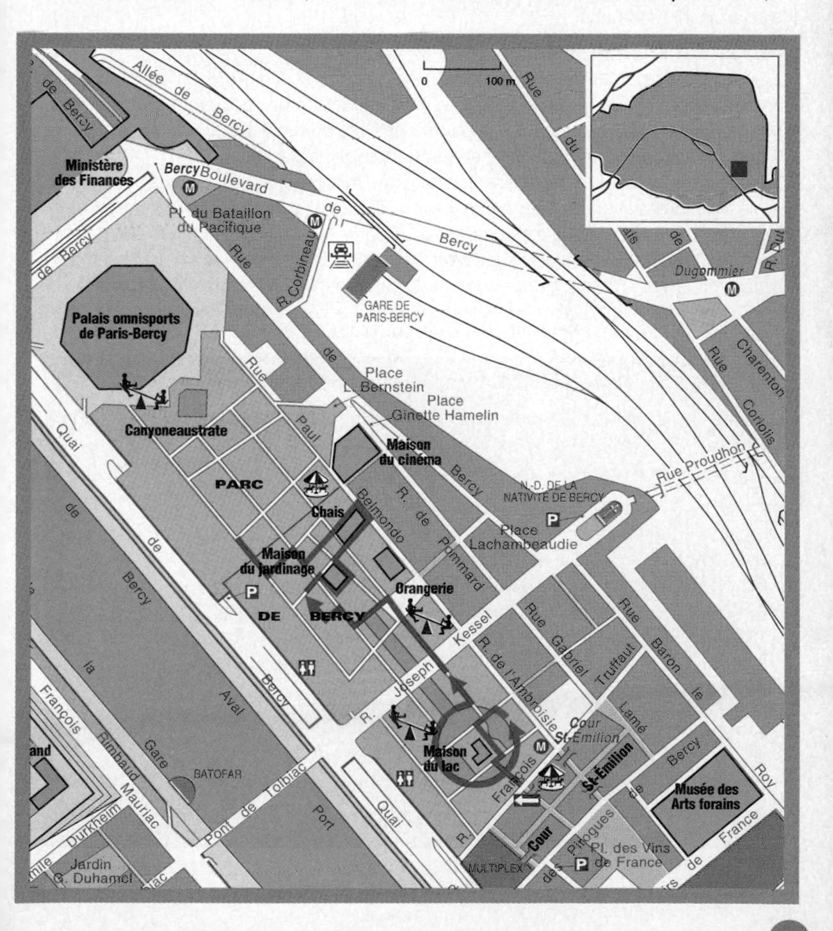

grimper et dévaler… Si vous en sortez sans égratignure, rejoignez la maison par la gauche – le héron est généralement de ce côté-ci de la maison – puis longez-la toujours sur la gauche pour retrouver les canards.
En face de la maison, les pieds dans l'eau, une immense **sculpture en bronze**. De face, un visage se révèle, de côté, ce sont quatre hommes assis ou presque… Passez devant et rejoignez l'**amphithéâtre** et ses terrasses de fleurs : savez-vous reconnaître les primevères, les pensées, les tulipes, les œillets de poète ? Faites-en le tour pour emprunter le minitunnel qui conduit au **tertre de bouleaux**. Vous savez ce qu'est un tertre ? C'est une butte. Un sentier traverse le sous-bois de bouleaux, il monte, il descend au milieu des fleurs, c'est génial ! En le suivant, toujours tout droit, vous passez entre deux énormes marronniers. C'est l'entrée de la vallée. Vous remontez un chemin bordé de lilas blancs, puis d'iris. En haut, la vue sur le lac est superbe. Un banc vous attend. Vous voyez le petit abri en bois au bout de la jetée, surplombant le lac ? Pas mal, non ? Ce sera pour la prochaine fois ! Redescendez la vallée en courant, les escaliers le permettent. Prenez le temps quand même d'approcher le nez des rosiers ! Tout en bas, une aire de jeux carrée entourée de hautes haies. Pas de plastique, que des jeux en bois (toboggans et autres amusements, des bancs pour les parents ou la baby-sitter). Traversez-la ou contournez-la en suivant les sentiers qui la bordent de chaque côté.
On commence à entendre le bruit des voitures : la rue Joseph-Kessel est toute proche, comme l'est la fin de la première partie du parc. Mais avant, prenez sur la droite en direction du canal. Pour ceux qui ont soif, sachez qu'une fontaine verte est toute proche ; avancez un tout petit peu, vous brûlez… De l'autre côté du canal, vous voyez des arches de pierre. Elles proviennent de l'ancien marché de Saint-Germain *(voir la promenade 3)*. Cette partie du parc s'appelle le **Jardin du philosophe**.

Revenez quelques pas en arrière et suivez les marches à droite. On passe au-dessus des voitures et de la rue Jospeh-Kessel, pavée et bordée de platanes. À droite, on imagine plus que l'on ne voit la Seine. La descente s'amorce. Les odeurs des prochains massifs de fleurs montent jusqu'à vous. Vous entrez dans la seconde partie du parc, le jardin Yitzhak-Rabin.

Le jardin Yitzhak-Rabin

Un nouveau spectacle s'ouvre à vous : une composition d'arbres, d'arbustes et de fleurs, avec sur la droite une élégante enfilade de colonnes couvertes de glycines, bordée de saules, et bercée par le clapotis de l'eau du canal. Il faut vraiment s'arrêter quelques instants pour observer et admirer ce joli paysage.
Inutile de vous dire de prendre sur la droite une fois arrivé en bas. L'eau est un aimant. Elle attire petits et grands. Les petits traverseront en courant le canal ou s'amuseront à grimper sur le muret entre eau remuante et un vide de plus en plus « haut ». Les parents auront tendance à courir eux aussi pour rattraper les plus petits, même si les dangers sont minimes… Dans le prolongement du canal, à gauche, surgissent le **tumulus** et son arbre, dans l'axe de l'entrée. Allez tout droit : cachée derrière un énorme massif de

Ph. Gajic / MICHELIN

Autrefois, Bercy était un grand centre de négoce des vins ; aujourd'hui, la vigne et le chai du parc sont les témoins de ce passé.

rhododendrons, une nouvelle aire de jeux, circulaire cette fois, vous attend, fière de son château fort et de ses donjons en bois. Nouvelle pause possible ou obligatoire. De l'autre côté du cercle, au sol, vous voyez de nouveau des rails, et, à hauteur d'yeux, un bâtiment presque orange, précédé d'un verger : c'est l'**orangerie**. Elle abrite pendant l'hiver des arbres ou des arbustes fragiles (comme au jardin du Luxembourg). à gauche, des pelouses autorisées pour le repos et les jeux des jeunes enfants, *dixit* la pancarte verte. *Prendre à gauche la direction du tumulus.* Ce monticule de terre, qui peut évoquer un tombeau ou un temple, porte en son centre un cylindre creux et un bassin rond. Approchez-vous de la grille qui en marque l'entrée, juste derrière l'arbre planté au milieu des galets *(attention aux marches, elles sont coupantes)*. Dans la pénombre, un banc de pierre attend quelque étrange visiteur...

Jeu de piste

Et maintenant, ouvre grands les yeux (et les narines) et essaie de trouver du chèvrefeuille, du houblon et un petit appareil pour mesurer le vent. Tu as trouvé ? Indices pour t'aider :

1 - Le chèvrefeuille est une plante grimpante ; quand elle est en fleurs (de mai-juin à août), elle sent très bon.

2 - Le houblon est également une plante grimpante ; ses tiges s'enroulent autour du tuteur dans le sens des aiguilles d'une montre ; ses fleurs ont la forme d'une toute petite pomme de pin, vert tendre (ce sont ces fleurs qui sont utilisées pour aromatiser la bière).

3 - Pour trouver l'appareil à mesurer le vent, il faut lever la tête.

Poursuivez tout droit, en laissant le tumulus sur votre droite, et gagnez le **Jardin des senteurs**. Bordée d'arbustes et de haies, une vaste terrasse rectangulaire ponctuée de bancs et ornée en son centre d'un petit jardin à la française s'ouvre à vous. Des haies de buis dessinent avec rigueur rectangles et carrés. Plutôt que de rejoindre directement la terrasse, entrez dans le massif bordant le côté gauche de la terrasse à laquelle d'étroits sentiers vous ramèneront. Au bout du Jardin des senteurs (côté Seine) apparaît un **mur en ruine**. Ce sont les vestiges du Petit Château de Bercy. Traversez la terrasse et continuez tout droit afin de gagner un autre dédale de haies qui constitue un vrai labyrinthe de verdure. Elles sont très hautes mais pas d'inquiétude tout de même, vous ne pourrez pas vous perdre et n'aurez pas besoin d'une paire d'ailes.

Sortez du labyrinthe pour vous rapprochez de la maison aux volets bleu-vert. C'est la **Maison du jardinage** *(voir « jardiner au club du jardinage »)*. Vous pouvez la longer et vous reposer quelques minutes sur un des bancs en tek, sous la glycine et face à l'une des tours de la Grande Bibliothèque de France. Jetez un œil à la serre pédagogique utilisée par les enfants des écoles lors d'initiations au jardinage.

Dirigez-vous maintenant vers l'orangerie. Faites le tour de la serre. Vous longez ensuite un muret de brique ondulant derrière lequel poussent bruyères et bambous. Faufilez-vous à travers les hautes colonnes de marbre : vous êtes au cœur du Pavillon des vents, qui en donne également la mesure. En sortant, rejoignez sur la droite le bâtiment au toit arrondi. Il s'agit d'un ancien **chai** (où l'on mettait le vin en bouteille) réaménagé en centre d'information (vente de posters sur la faune et la flore de Paris ainsi que de plans proposant des promenades nature par arrondissement).

En sortant vous attend l'un des « clous » de la visite du parc : le **potager**. Un muret de brique et de grands pots en terre cuite garnis de boules de buis le délimitent. Carottes, choux rouges, oignons, citronnelle, essais de purins d'orties, touffes de romarin et « abreuvoir pour attirer les insectes et les oiseaux utiles au jardin » constituent le BA BA de ce potager exclusivement entretenu par les enfants, (centres de loisirs et écoles).

Prenez la sortie de gauche. Elle donne sur un sentier bordé d'un muret de brique et de vignes suspendues à une treille. Puis vient la vigne sur pieds, 350 en tout, qui produit chaque année 250 l de vin ! Elle rappelle le passé vinicole et représente l'automne. Un peu plus loin, la cheminée de brique rouge à demi enterrée symbolise, elle, le feu.

Poursuivre tout droit. Vous tombez sur la **roseraie**. À gauche, la pergola et ses rosiers grimpants, à droite les rosiers délimités par les haies de buis. 95 espèces de roses sont à découvrir et à sentir. Tout au bout s'ouvre la perspective de la terrasse. À droite, les grilles vertes marquent la fin du jardin et le début de la grande prairie, qui se prête, elle, à de nombreuses activités.

S'amuser dans la grande prairie

Où ? Tout d'abord sur les **pelouses**. On peut y jouer au ballon, y dormir avec son chien, et pique-niquer.

Près du palais omnisports de Paris-Bercy, côté Seine, trois rampes et des modules sont à la disposition des fans de **roller** et de **skate**. Il faut simplement apporter son équipement.

Sous les escaliers menant à la terrasse (près de l'ascenseur de droite), un point **Roue libre (RATP)** permet de louer des **vélos** le dimanche de 9h à 19h *(4 €/h, 9 €/½ j, 14 €/j)*. Malheureusement, en raison d'un accident, on ne peut plus louer de siège enfant. Sachez que vous pouvez également apporter votre propre vélo et pédaler sur les allées quadrillant la prairie. Vers la Cinémathèque française (côté rue Paul-Belmondo) et juste avant l'entrée du jardin Yitzhak-Rabin, un **manège** de chevaux de bois à l'ancienne attend les tout-petits. *16h-19h, merc. et w.-end 14h30-19h. Payant.*
D'autres idées ? Monter quatre à quatre les escaliers monumentaux menant à la terrasse, patauger dans l'eau de la cascade se trouvant au milieu, se rafraîchir encore en admirant la Seine, une fois en haut, ou en observant les statues d'enfants du monde entier. Patauger encore ou courir autour du **canyoneaustrate**, la grande fontaine, et enfin pour les grands, faire du patinage ! La **patinoire Sonia-Henie** est ouverte toute l'année. *POPB - r. de Bercy - 12e arr. - M° Bercy - ✆ 01 40 02 60 67 - merc. 15h-18h ; vend. 21h30-00h30 ; sam. 15h-18h, 21h30-00h30 ; dim. 10h-12h, 15h-18h - patins 3 €, casque 1 €, protections (coudes et gants conseillés) 1 €. Tarif réduit pour -26 ans.*

Jardiner au club du jardinage

Maison du jardinage

41 r. Paul-Belmondo - ♿ - ✆ 01 53 46 19 19 - avr.-sept. : tlj sf lun. 13h30-17h30 (w.-end et j. fériés 18h30) ; oct. et mars : tlj sf lun. et j. fériés 13h30-17h30 ; nov.-fév. : tlj sf lun., dim. et j. fériés 13h-17h30 - cours de jardinage sur inscription sam. 10h30-12h30 - 6 €.
Vos enfants ont-ils la main verte ? Peu importe : ils adorent arroser, patouiller dans la terre et cueillir les fleurs ? Tous les mercredis matin, des jardiniers et des éco-éducateurs de la Ville de Paris les attendent pour leur proposer des expériences, des travaux pratiques et ludiques autour du jardin. En fonction des saisons, un projet est élaboré sur plusieurs séances : création d'une jardinière en été, réalisation de semis, préparation des bulbes en hiver, découvertes des légumes du monde, etc. Les enfants devant être accompagnés, les parents profitent aussi du potager du parc. Et si par hasard l'atelier est complet le jour de votre venue, vous pourrez profiter l'après-midi de l'exposition permanente proposée au rez-de-chaussée de la Maison du jardinage ainsi que de la bibliothèque du premier étage.

Carnet d'adresses

PAUSE DÉJEUNER

Partie de Campagne – *36 cour St-Émilion - 12e arr. - M° Cour-St-Émilion - ✆ 01 43 40 44 00 - lun.-vend. 8h-23h, sam.-dim. 9h-23h - 9,50/17 €.* Pierre apparente, mobilier en bois massif, vaisselle et bibelots à l'ancienne, bouquets champêtres… C'est dans ce décor très campagne, que l'on propose des tartines, salades, tartes et assiettes gourmandes. Terrasse prise d'assaut dès que quelques rayons percent les nuages.

La Compagnie des crêpes – *30-32 cour St-Émilion - 12e arr. - M° Cour-St-Émilion - ✆ 01 43 40 24 40 - 7 €.* Un menu petit compagnon, des crêpes salées, sucrées, mais aussi des salades, des moules-frites, le tout servi sur des nappes à carreaux.

Lina's – *2 r. Henri-Desgrange - 12e arr. - M° Bercy - ✆ 01 43 40 42 42 - lun.-sam. 8h-17h - 5/16 €.* Ce Lina's situé juste en face du POPB est le point de chute idéal si vous avez un petit creux avant d'entamer la balade. Soupes, sandwichs, salades composées et pâtisseries à emporter ou à déguster sur place dans un cadre lumineux associant le bois, le fer forgé et les couleurs du Sud.

PAUSE QUATRE-HEURES

Raimo Glacier – *61 bd de Reuilly - 12e arr. - M° Daumesnil - ✆ 01 43 43 70 17 - tlj sf lun. 9h-24h - fermé fév.* Monsieur Raimo régale les amateurs de glace depuis plus de 50 ans. Au melon, au miel, à la pêche, au muscat, à la pistache, au pamplemousse ou, plus insolite, au gingembre, aux quatre-épices, au lait d'amandes, il y en a pour tous les goûts ! Ne manquez pas non plus les deux spécialités maison : le nectar de vanille et le parfait au praliné. Terrasse dotée de jolis sièges en rotin.

PAUSE ACHATS

Bercy village – *Cour St-Émilion - 12e arr. - M° Cour-St-Émilion - www.bercyvillage.com.* Fnac junior, Nature et Découvertes, Album (BD pour tous les âges), Loisirs et Création, Animalis, Réunion des musées nationaux (coin enfant autour de l'art), Club Med (boutique et restaurant) : de quoi vider un porte-monnaie ! Certaines de ces boutiques proposent également des ateliers *(voir le chapitre « Maman, j'sais pas quoi faire ! », rubrique « Ateliers des boutiques »).*

Bois de Vincennes

30

ATLAS MICHELIN PARIS N° 56 (P. 61 ET 73), REPÈRES N-P 22-24 – À LA LIMITE DU 12E ARR.

Mon premier est aussi grand que le 15e arrondissement. Mon second est aussi époustouflant qu'une forêt qui comporterait une fête foraine, une ferme, un zoo, des lacs, des jardins et des aires de jeux. Mon troisième dit que c'est à l'Est de Paris. Mon tout est une bouffée de verdure et un trésor d'amusements pour les enfants et les grands. Vous avez deviné ? Il s'agit bien du bois de Vincennes. Un bois, non, diantre ! une forêt, qui s'étend sur 995 ha dont près de la moitié est boisée. Cet immense espace vert offre de grandes balades à pied (32 km de route sans voitures), à vélo et à cheval. Mais ce n'est pas tout : on y croise aussi bien des éléphants que des rosalies, des pieuvres jaune et bleu que des pinèdes ! Si ce lieu fait à 90 % pour les enfants amoureux de la nature vous intrigue, venez le voir de près. Vous ferez partie des 11 millions de visiteurs annuels...

ACCÈS

En **métro** : ligne 8, stations Porte-Dorée et Porte-de-Charenton-Liberté ; ligne 1, stations Château-de-Vincennes et St-Mandé-Tourelle (pour le lac de St-Mandé).

En **RER** : ligne A4, gare Vincennes ; ligne A2, gare Fontenay-sous-Bois, Nogent-sur-Marne, Joinville-le-Pont (pour la ferme).

En **bus** : ligne 46, arrêts Porte-Dorée, St-Mandé-Demi-Lune (pour le parc zoologique) et Château-de-Vincennes (desserte périodique) ; ligne 56, arrêts Porte-de-St-Mandé, Vincennes-RER et Château-de-Vincennes ; ligne 86, arrêt St-Mandé-Demi-Lune (pour le parc zoologique).

À l'intérieur du bois, utilisez le bus 325 qui longe le parc zoologique en direction de Charenton, ou le 112 qui vous conduira depuis le château jusqu'à la Cartoucherie et la plaine Mortemart. Les bus 210 et 114 relient le château de Vincennes au lac des Minimes.

POUR LES PETITS MALINS

Si vous voulez découvrir le bois dans ses recoins les plus secrets ou les plus éloignés (comme la ferme), prenez un vélo *(location sur place, près des lacs et un point roue libre sur l'esplanade du château)*. C'est le moyen le plus agréable et le plus pratique, et surtout le seul qui vous évitera les nombreux embouteillages à l'intérieur du parc le week-end.

Si vous venez en voiture, sachez que vous pouvez stationner tout autour (ou presque) du lac Daumesnil, le long du parc zoologique, route de la Pyramide, route Saint-Hubert et route du Pesage conduisant à la ferme *(voir plan)*. Sachez encore que la circulation automobile va être fortement réduite dans le bois.

Soyez attentif avec le bus 46 : il ne dessert le Parc floral le mercredi et les autres jours de la semaine que l'après-midi, à partir de 14h (à l'arrêt St-Mandé-Demi-Lune), et ce d'avril à septembre ; le week-end, il le fait toute la journée sauf les samedi d'octobre à mars où, là encore, il faut attendre 14h.

Pour découvrir le parc zoologique, entrez par la Porte Saint-Mandé *(arrêt du bus 46)* : c'est l'arrivée la plus belle grâce au rocher et aux grands pins noirs. Profitez de cette balade à Vincennes pour apprendre à vos enfants à lire un plan et à se repérer : tant au Parc floral qu'au parc zoologique, des plans sont distribués gratuitement. Apprendre à s'orienter en répérant l'enclos des girafes et la tannière des guépards, c'est ludique et facile, non ?

LE CLOU DE LA VISITE

Le Parc floral pour sa beauté, la sérénité qu'il dégage et, bien évidemment, pour son immense aire de jeux, dont la pieuvre et l'araignée sont les stars. Le Parc zoologique, car tous les enfants craquent lorsqu'ils reconnaissent leurs héros préférés : Bambi, Dumbo, Shangat et Kumal...

Pour mieux comprendre

L'histoire du bois de Vincennes est associée aux noms des grands rois qui fréquentèrent le lieu. Le premier fut Philippe Auguste, qui décida de murer une partie de l'ancienne forêt *Vilcena Sylva* pour en faire une réserve de chasse. Il construisit un petit manoir à l'emplacement du futur château et y fit lâcher cerfs, daims et biches. Arrive ensuite Philippe VI qui entreprend de construire un vrai château fort ; ce sera un autre roi, Charles V, qui le finira en 1370. Le donjon est encore sous nos yeux *(voir « un peu de rab ? »)*. Louis XIV s'installe à Vincennes et agrandit le château avant de l'abandonner pour Versailles. Au 18e s., grâce à Louis XV, le bois est ouvert au peuple de Paris, même s'il reste une réserve de chasse royale. Les premiers aménagements sont faits, des avenues rectilignes sont percées et le bois est complètement reboisé. À partir des années 1830, l'armée s'installe : un champ de tir et de manœuvres et des bâtiments, comme la Cartoucherie, sont construits. Parallèlement, grâce à l'empereur Napoléon III et au succès du bois de Boulogne, ce qui reste d'espace boisé est aménagé pour les habitants de l'Est parisien à partir de 1853, et cédé à la Ville de Paris en 1860. Adolphe Alphand le transforme en lieu de promenade à l'anglaise avec de grandes pelouses reliées par des sentiers sinueux plantés de massifs et de bosquets et trois lacs artificiels. Une ferme impériale est créée en 1858, puis un champ de courses pour le trot, en 1863. Après la Première Guerre mondiale, pendant laquelle l'armée occupe presque tout le bois, après l'implantation de l'Exposition coloniale de 1931 et la création du zoo, Vincennes s'ouvre aux grands sportifs avec l'Institut national des sports.

À l'orée de la porte Dorée

Tous les lieux et attractions présentés ci-dessous sont accessibles depuis le métro Porte-Dorée, sortie Porte Dorée.

En sortant du métro Porte-Dorée, on débouche sur la place Édouard-Renard, l'ancienne porte de Picpus, qui fut aménagée pour l'Exposition coloniale de 1931. Elle a conservé de cette époque une fontaine où trône la statue dorée de la « France colonisatrice », et a retrouvé depuis peu les palmiers qui, il y a 80 ans, donnaient aux visiteurs de l'Exposition un avant-goût des contrées exotiques qu'ils allaient découvrir. Nombre de passants attribuent sans autre examen l'adjectif « doré » à la statue qui domine la place. En fait, le nom fait allusion à la situation du lieu par rapport au bois : il s'agit en effet de la porte d'orée (de l'orée du bois)…

La maman des poissons à l'aquarium de la porte Dorée★

293 av. Daumesnil. M° Porte-Dorée (sortie boulevard Soult). ☎ 01 44 74 84 80 - *www.aquarium-portedoree.org - tlj sf mar. 10h-17h15 - 4 € (enf. 2,60 €).*

Construit pour l'Exposition coloniale de 1931, comme le fait facilement comprendre sa superbe façade, l'ancien palais des Arts d'Afrique et d'Océanie abrite aujourd'hui l'aquarium de la porte Dorée. Y vivent des poissons des zones chaudes et tempérées, tandis que des crocodiles et des tortues évoluent dans des terrariums. Demandez à l'entrée les jeux de piste ou de parcours : ces petits carnets à remplir permettront à vos enfants d'en voir plus encore, tout en s'amusant et en apprenant.

Les z'animaux du Parc zoologique★★

52 av. de St-Maurice. Plusieurs entrées : porte de Paris (M° Porte-Dorée, bus 46 et PC), porte de St-Mandé (bus 46, 86 et 325), porte de St-Maurice (ni bus ni métro) et porte de Charenton, ouverte seult les apr.-midi des merc., sam., dim., j. fériés et vac. scol. ☎ *01 44 75 20 10 -* ♿ *- avr.-sept. : 9h-18h (dim. et j. fériés 18h30) ; janv. et nov.-déc. : 9h-17h ; fév.-mars : 9h-17h30 ; oct. : 9h-18h (dernière entrée 30mn av. fermeture) - tarif se renseigner. Pour des raisons de sécurité des travaux, certaines zones sont interdites au public.*

Repas des animaux : *14h15 pour les pélicans, 14h30 pour les manchots, 15h pour les loutres, 16h pour les phoques et les otaries. Il est strictement interdit de donner de la nourriture aux animaux.*

Mystère à la porte Dorée

La station de métro « Porte-Dorée » fut le théâtre, en 1937, d'une énigme judiciaire qui défraya longtemps la chronique sans jamais trouver de solution satisfaisante : une passagère y fut en effet retrouvée, par les voyageurs qui attendaient la rame, poignardée dans un wagon. Or, elle était seule à bord du train ! Quarante secondes avaient suffi, depuis la station précédente (Porte-de-Charenton) pour que le meurtrier accomplisse son forfait et disparaisse… Plusieurs hypothèses plausibles furent avancées quant aux mobiles possibles du crime (passionnel, crapuleux, politique…), mais on ne sait toujours pas aujourd'hui comment l'assassin a opéré !

Maman hippopotame et son petit, au zoo de Vincennes.

C'est le zoo le plus riche de France ! 60 espèces d'oiseaux et 75 espèces de mammifères, soit un peu plus de 1 000 animaux et quelque 120 naissances annuelles. Impossible donc de les voir tous. Mais on ne peut en aucun cas éviter les lions, les éléphants (qui sentent mauvais selon les enfants !), les girafes, le rocher aux singes, les vautours ni les loups. Les enfants les voient s'ébattre à quelques mètres d'eux dans un cadre inspiré de leur milieu naturel. N'hésitez pas non plus à entrer dans les **galeries couvertes** (en gris sur le plan qu'on vous donne à l'entrée). Dans la pénombre, les enfants crient « ouh, ouh », tout en admirant les locataires des vitrines de verre. Un coup de cœur pour la galerie des oiseaux et ses perroquets bavards.
Autre attraction : le **grand rocher** artificiel, haut de 65 m et peuplé de mouflons, bouquetins et vautours que l'on aperçoit très bien. On peut y monter : 352 marches au programme ou tout simplement par l'ascenseur vitré *(interdit aux enfants mesurant moins de 1,40 m)*. Et encore : un petit train, des toilettes propres, une minuscule aire de jeux (près des tamarins), un restaurant, plusieurs points où abondent boissons et friandises, des tables pour pique-niquer, une boutique et un mobilo-pédago, grande hutte en bois où pendant les vacances scolaires, des après-midi découvertes sont proposés à tous les enfants. Enfin, si vos enfants aiment vraiment les animaux, inscrivez-les au **club des petits amis des animaux sauvages** *(rens. à la SECA,*

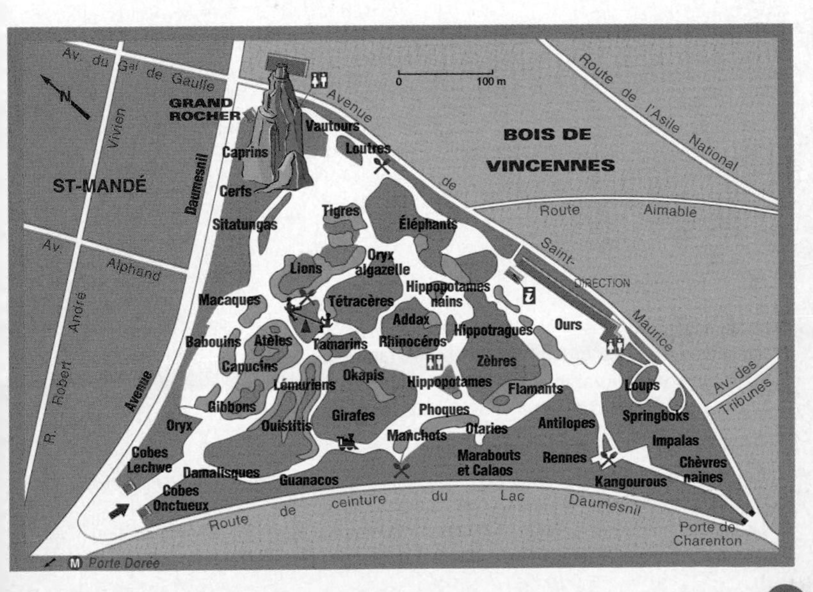

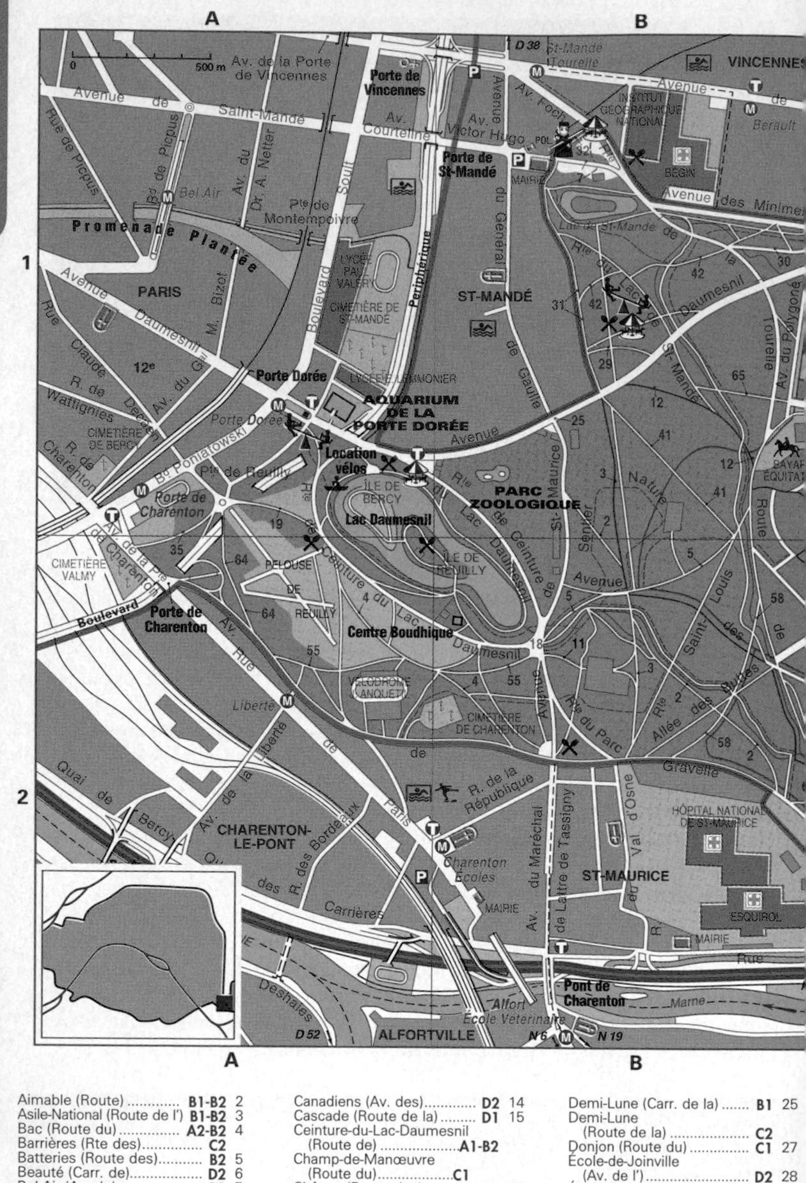

✆ 01 44 75 20 80, chalet près de l'entrée de la porte St-Mandé). Ce club leur donne libre accès à différents zoos (ceux de Paris et certains parcs en France), les informe par un petit journal sur les animaux protégés. Mais, surtout, il leur permet de parrainer un animal dont ils rencontreront le soigneur une fois par an. Pas mal, non ?

Batifoler autour du lac Daumesnil★

Location de barques – *De mi-fév. à mi-nov. : horaires variables selon la saison (été : 9h-19h). 12 €/h pour 1 à 2 pers. Prévoir une caution.*

Louez une barque au prénom de votre choix et prenez la mer ; avec votre chien (c'est possible), partez à la conquête du lac Daumesnil et prenez d'assaut les îles de Reuilly

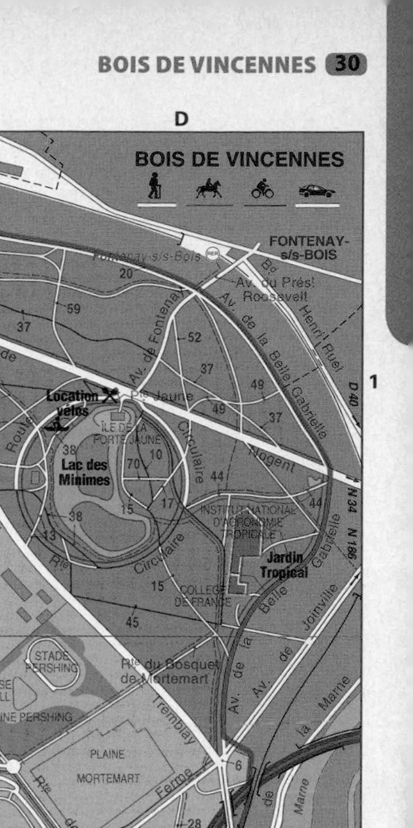

C D

et de Bercy. Attention : des pirates peuvent débarquer de l'autre côté, en empruntant le pont pour piétons (et voitures) situé près du centre bouddhique. À droite du pont, le kiosque vous indique l'accès à la grotte. Qu'allez-vous y découvrir ? Sachez que celle-ci est complètement artificielle et qu'elle a été construite vers 1860. Vous n'aurez pas de problème de déshydratation : il y a un café sur l'île de Reuilly et plusieurs fontaines. Sur l'île de Bercy se trouvent trois arbres remarquables pour leur hauteur et leur âge : deux platanes plantés en 1860 et haut de 44 et 45 m, et un frêne de 25 m planté en 1868. Leurs troncs font presque 4 m de diamètre…

Location de vélos – *Mars-oct. : 13h-17h, w.-end 10h30-17h30 (de déb. mars à mi-mai et de mi-sept. à fin oct. : merc. 13h-17h). 6,50 €/30mn - 7 €/h.*

Vous pouvez aussi faire le tour du lac à pied ou à vélo – un sentier longe la berge où les bernaches du Canada n'hésitent pas à venir se dandiner. N'hésitez pas à aller espionner du côté du centre bouddhique. C'est tout ce que vous pourrez faire, car il est le plus souvent fermé. Mais apercevoir la dorure des pagodes et l'immense toiture conique (composée de 180 000 tavillons de bois taillés à la hache dans du châtaignier) de l'ancien pavillon de l'Exposition coloniale de 1931, vous transportent déjà au bout du monde.

Sur la pelouse de Reuilly : entre fête foraine et square

Accès bd Poniatowsky. Voir plan. La pelouse de Reuilly est avant tout connue pour le grand évènement ludique qu'elle accueille chaque année : la **foire du Trône**. 300 attractions foraines pour les petits et les grands : des grandes roues, des montagnes russes, bien évidemment toutes les espèces de manèges possibles, des loteries, des stands de tir et des brasseries pour les parents. *Avr.-mai : 11h45-0h (vend., sam. et veilles de fêtes 1h)*

Mais la pelouse affiche des airs beaucoup plus calmes le long de la route de la Croix-Rouge où les boulistes s'entraînent et où se cache malgré son immensité, le **square de la Croix-Rouge**. Souvent oublié sur les cartes et les plans, ce vaste square arboré propose pourtant une belle série de jeux très athlétiques pour les enfants : un long treuil, une plate-forme d'escalade et de ponts, sans oublier le classique tobbogan…

Côté château de Vincennes

Tous les lieux et attractions présentés ci-dessous sont accessibles depuis le métro Château-de-Vincennes.

S'amuser comme nulle part ailleurs au Parc floral★★

✆ 0 820 007 575 - www.parcfloraldeparis.com - ♿ - avr.-sept. : 9h30-20h ; mars et oct. : 9h30-18h ; nov.-fév. : 9h30-17h - fermé 1er Mai - 1 € (enf. 0,50 €), 3 € merc. apr.-midi (enf. 1,50 €), 4 € sam. et dim. pdt expositions et manifestations (enf. 2 €).

Que le petit Parisien qui n'est jamais venu au Parc floral punisse ses parents ! Quant aux autres, qu'ils nous écoutent attentivement : le Parc floral est un endroit absolument extraordinaire. Tout d'abord parce que les plus belles fleurs de Paris y poussent – quel square peut rivaliser avec ses massifs de rhododendrons ? –, ensuite parce que la plus somptueuse des pinèdes y prodigue son ombre dès les beaux jours, enfin et surtout parce que la plus grande aire de jeux de l'Est parisien (qui aurait peut-être comme seul concurrent le Jardin des dunes et des vents du parc de La Villette) s'y trouve.

Les jeux – *13h45-17h30 (w.-end 19h). Tous sont payants ; les billets sont valables un an. Seuls les pavillons et le jardin des pavillons sont en accès libre. Aire de jeux : 1,50 €. Quadricycles parisiens : de 9 € à 12 € (15 € de caution). Mini-golf : 5 € (-12 ans 3 €). Arrêt 15mn av. la fermeture du parc.*

Suivez le plan ou plutôt les enfants. Le principe est simple : la plupart des jeux sont gratuits. Seuls une petite dizaine de jeux (indiqués par des panneaux orange) sont payants. Au programme et au gré des sentiers : un long treuil (ou télésiège) puis, en longeant le sentier de droite, une enfilade de 3 aires déclinant toutes les formes de toboggans et de grimpes possibles. Tout au bout à droite, les **taxis-brousse** (payant) qui embarquent vos enfants sur un mini-circuit. Un peu plus loin sur la droite, l'une des stars du parc : l'**araignée**, encore appelée la pyracorde. Réservée aux enfants de plus de 11 ans, elle attire sur sa toile une myriade de deux-pattes. Une petite araignée est à disposition des plus jeunes juste à côté. En suivant le sentier, un petit train-toboggan en bois et en face les **petits navires** ; il faut mesurer au minimum 80 cm et au maximum 105 cm pour avoir le droit de monter à bord. Dans la partie boisée de l'aire de jeux, les enfants trouveront les **bolides**, mini-circuit de karting, un grand espace avec des jeux plus tranquilles comme des balançoires (avec un siège ingénieux qui prévient de toute chute), des agrès, des jeux à bascule, des cabanes pour les parties de cache-cache. Tout au fond s'étendent de belles pelouses avec des tables pour les pique-niques, un toboggan tubulaire, c'est-à-dire couvert et qui procure des sensations sur plusieurs mètres pendant 1 ou 2mn. Un peu plus loin, on se rapproche alors du chalet d'entrée (caisses) ; on y trouve les **trotteurs** (l'ancien hipprodome), où les enfants se fatiguent très vite à pédaler sur de petits chevaux, et la **piscine de boules et billes** couverte (comme chez Ikea !). Enfin, clou de la visite et autre star, la **pieuvre** : il s'agit d'un énorme toboggan à plusieurs branches bleues et jaunes. Un vrai bonheur : on part ensemble, on descend chacun dans son toboggan. Qui arrivera le premier ? Autres attractions payantes : un petit train blanc permettant de visiter tout le parc et des **rosalies,** de drôles de vélos-poussettes rouges où le papa (ou la maman) pédale pendant que les enfants crient « Plus vite ! ».

Les pestacles et autres spectacles pour enfants – *☏ 01 43 71 31 10 (réserv. obligatoire) - merc. dim., j. fériés et vac. scol.* Tous les ans, les mercredis de mai à septembre, à partir de 14h30, ont lieu les « pestacles » du Parc floral : il s'agit de concerts et de spectacles musicaux. Comptines, chansons, one-man show, jazz, gospel, musique yiddish et autres enchantent les petits tout un après-midi. Situé près de l'aire de jeux, **le théâtre Astral** propose chaque année une nouvelle pièce de théâtre avec deux comédiens, conçue pour les enfants, dès 3 ans. *☏ 01 43 71 31 10 - (réserv. obligatoire) - merc., dim., j. fériés et vac. scol.*

Les marionnettes – *Du printemps à la Toussaint : merc., jeu. et w.-end 15h et 16h - 2,60 €.* Les marionnettes ne sont pas en reste : une salle couverte (et chauffée) située en face du restaurant Le Bosquet présente un spectacle de guignol.

Les arbres, les plantes et les fleurs – Créé en 1969, le Parc floral présente sur 30 ha des centaines d'espèces de fleurs. Que ce soit dans la **vallée des Fleurs**, dans le **Jardin des dahlias** *(floraison en sept.-oct.)*, dans le **Jardin des 4 saisons** ou dans le **Jardin d'iris** *(mai)*, tout est couleur, odeur et ravissement. Certaines collections de plantes (bonzaïs, plantes méditerranéennes) sont à l'abri des pavillons. Le plan distribué à l'entrée permet de les repérer. Un coup de cœur pour le Jardin des papillons. De mai à octobre, ces derniers y « naissent » et volent au-dessus de vos têtes.

Lac de Saint-Mandé

Il est proche de Paris et pour nos petits se révèle pleinement satisfaisant : pas trop grand, avec trois **manèges**, des **canards** ayant toujours faim, de quoi boire et manger, un **guignol**. *Théâtre de marionnettes de Paris, à partir de 3 ans - merc., dim., j. fériés et vac. scol. 15h30 et 16h30 - 3 €.*

Une piste de randonnée longeant le lac vous mène au choix jusqu'à la ferme de Paris (très longue marche) ou jusqu'à l'esplanade Saint-Louis et l'entrée du Parc floral.

Lac des Minimes

Boissons et friandises. Location de barques – Mars-nov. : merc., w.-end et vac. scol. l'apr.-midi - 9 €/h pour 1 à 2 pers. ; 10 €/h pour 3, 4 ou 5 pers.

Location de vélos – Vac. scol. : 14h-19h ; hors vac. scol. : merc. et sam. 14h-19h, dim. 10h30-19h et apr.-midi le reste de la sem. - 6,50 €/30mn, 8 €/h, 10 €/3h. On le connaît moins bien car il est plus loin (du moins pour les Parisiens). Et pourtant il est plus sauvage, plus boisé et peut-être plus beau. Et qui plus est, on peut tout y faire : de la barque, du vélo (le long de la berge ou sur la route circulaire). À la différence du lac Daumesnil, on ne débarque pas sur les îles !

Ferme de Paris

Rte de la Ferme de Paris - RER Joinville-le-Pont - ☏ 01 53 66 14 00 - avr.-juin et sept. : w.-end et j. fériés 13h30-18h30 ; oct.-mars : w.-end et j. fériés 13h30-17h ; vac. de printemps, juil. et août : tlj sf lun. 13h30-18h30 - 2 €. Veaux, vaches, cochons, brebis, moutons, arbres fruitiers et champs de blé : une vraie ferme pour apprendre aux petits citadins que la salade ne pousse pas dans des sachets et que les poules ont des plumes. On peut assister à la traite des vaches à 16h et, selon la saison, à la tonte des moutons. Les petits malins demanderont à leurs parents de prendre une carte d'abonnement annuel qui leur permettra de venir aussi souvent qu'ils veulent. Certaines animations proposées le dimanche.

Un peu de rab ?

Château de Vincennes★★

M° Château-de-Vincennes. ☏ 01 48 08 31 20 - circuit court (présentation générale et Sainte-Chapelle) mai-août : visite guidée (45mn) 10h15, 11h45, 13h30, 17h15 ; sept.-avr. : 10h15, 11h45, 13h30, 16h15 - circuit long (présentation générale, châtelet, chemin de ronde du donjon et Sainte-Chapelle) mai-août : visite guidée (1h15) 11h, 14h15, 15h, 15h45, 16h30 ; sept.-avr. : 11h, 14h15, 15h, 15h45 - fermé 1er janv., 1er Mai, 1er et 11 Nov. et 25 déc. - 4,60 € circuit court, 6,10 €, circuit long (-18 ans gratuit).

Celui qu'on surnomme le « Versailles du Moyen Âge » présente deux aspects distincts : un fier et sévère **donjon**★★ du 14e s. qui a conservé ses créneaux et ses mâchicoulis, et un majestueux ensemble du 17e s, avec sa cour royale et sa **chapelle**★.

Pour l'anecdote, sachez que le donjon recèle d'histoires, d'aventures et de secrets ! Le rez-de-chaussée servait de cuisine, tandis que les deux autres étages étaient habités par le Roi de France. En 1422, Henri V d'Angleterre, vainqueur de la célèbre bataille d'Azincourt, mourut dans ce donjon d'une dysenterie. Son corps fut bouilli dans la grande marmite de la cuisine ! Puis, à partir du 16e s., le donjon devint une prison d'État. Les incarcérations au château de Vincennes sont surtout d'ordre politique, et

les séjours beaucoup moins infamants qu'à la Bastille. S'y succéderont Le Grand Condé, le prince de Conti, le Cardinal de Retz, Diderot, Mirabeau... Même d'Artagnan y joua un rôle : sur ordre de Louis XIV, il monta personnellement la garde de Fouquet, arrêté en 1662.
À voir absolument, s'il pleut le jour de votre balade. C'est aussi l'occasion d'une bien belle leçon d'histoire pour petits et grands.

Ph. Gajic / MICHELIN

À l'assaut du donjon du château de Vincennes.

Réserve ornithologique

M° Château-de-Vincennes. Depuis l'esplanade du château de Vincennes, prendre la route Dauphine qui est piétonne.
Sur 4 ha, la réserve pour les oiseaux se déroule sur une prairie dégagée avec une partie boisée et une mare spécialement aménagée. Un observatoire permet de repérer les oiseaux sans les déranger.

Jardin tropical

RER A, gare de Nogent-sur-Marne. 45 bis av. de la Belle-Gabrielle. W.-end 11h30-17h30 - possibilité de visite guidée, renseignements sur les jours et horaires sur www.paris.fr
Précédé par un portique chinois, il est entretenu par le Centre technique forestier tropical.

Carnet d'adresses

La meilleure façon de déjeuner consiste tout simplement à pique-niquer dans le bois : tables et pelouses vous accueilleront bien volontiers. Voici quand même quelques adresses en cas de pluie.

PAUSE DEJEUNER

Le Bosquet – *Parc floral - 12e arr. - M° Château-de-Vincennes - ✆ 01 43 98 28 78 - (ouv. en fonction de la météo) - 9 €.* Avec ses tables en bois, sa terrasse, son buffet et son décor vert et serein, ce bosquet est idéal pour une pause salée ou sucrée. Le midi, une assiette de frites ou de crudités, ou, plus équilibré, un plat du jour ; à quatre heures, des glaces à foison. Le meilleur endroit pour les enfants de tout le bois.

Le Magnolia – *Parc floral - 12e arr. - M° Château-de-Vincennes - ✆ 01 48 08 33 88 - réserv. conseillée – 16/18,50 €.* Un vrai restaurant, plus pour les parents que les enfants. Mais ces derniers peuvent malgré tout s'ébattre en terrasse. Réservation fortement conseillée, en particulier le week-end dès les beaux jours.

Rigadelle – *26 r. de Montreuil - 94300 Vincennes - M° Château-de-Vincennes - ✆ 01 43 28 04 23 - 29 €.* Depuis 10 ans, Monsieur, en cuisine, et Madame, en salle, tiennent ce très petit restaurant (la réservation est prudente) d'esprit familial. Situé dans une belle maison à deux foulées du bois de Vincennes, il offre à sa clientèle d'habitués ainsi qu'aux visiteurs du château un cadre coquet et les prestations culinaires d'une bonne table au goût du jour tournée vers l'océan.

PAUSE QUATRE-HEURES

À la sortie du métro Château-de-Vincennes, plusieurs cafés avec terrasses sont parfaits pour une petite pause. Sinon :

Au pur beurre – *10 av. de Paris - 94300 Vincennes - M° Château-de-Vincennes - ✆ 01 43 28 13 61.* Cette vaste boutique agrémentée de boiseries en chêne clair et de miroirs abrite un véritable temple de la pâtisserie fine. Raymond Bisson vous proposera ses spécialités entièrement faites maison, comme le Périgourdin (mousse noisette et chocolat, noix caramélisées) ou le Caraïbe (mousse chocolat et café, noisettes caramélisées), assorties de délicieuses viennoiseries et autres brioches. Si vous ne savez que choisir, prenez le temps de tout goûter à une table du salon de thé !

Index des jardins

Pour retrouver tous les jardins, parcs et squares décrits dans le guide :

Une visite incontournable, celle du Louvre.

H. Le Gac / MICHELIN

VISITONS LES MUSÉES

Le Louvre

ATLAS MICHELIN PARIS N° 56 (P. 32) ET N° 57 (P. 2-3), REPÈRES H13 – 1ER ARR.

Le Louvre fut à travers huit siècles la demeure des rois et des empereurs. Des agrandissements successifs en ont fait le plus grand palais du monde. Mais sa renommée, il la doit à son musée, écrin de chefs-d'œuvre absolus, de trésors artistiques rassemblés au fil des siècles et qui rendent compte de la culture de grandes civilisations depuis 10 000 ans. Sans être une encyclopédie universelle, il participe largement, avec les plus grands musées du monde, aux chapitres les plus importants de l'histoire de l'art. À côté de « La Joconde » qui reste la grande star du Louvre et provoque un embouteillage d'admirateurs quasi permanent dans la salle où elle trône, il reste une multitude d'œuvres phares à découvrir. Enfin, qui sait ? dans ce vaste univers, vous dénicherez sûrement une statue ou un tableau qui ne figure pas au palmarès des vedettes mais qui sera votre coup de cœur…

ACCÈS

En **métro :** lignes 1 et 7, station Palais-Royal-Musée-du-Louvre, ou ligne 1, station Louvre-Rivoli.
En **bus** : lignes 21, 67, 69, 72, 74, 81 et 85, arrêt Louvre-Rivoli ; lignes 27, 39, 48, 68 et 95, arrêt Musée-du-Louvre.
À **pied** : entrée principale par la Pyramide de 9h à 22h. Par le passage Richelieu (entre la place du Palais-Royal et la cour de la Pyramide) pour les individuels déjà munis de leurs billets de 9h à 18h. Par la galerie du Carrousel (99 r. de Rivoli ou par le jardin du Carrousel) de 9h à 22h. Par la porte des Lions, (par le jardin du Carrousel ou le quai François-Mitterrand) de 9h à 17h30.
À proximité, vous pouvez suivre la promenade aux Tuileries (7) ou visiter le musée d'Orsay (32).

POUR LES PETITS MALINS

Le billet au musée, valable pour la journée, permet d'aller se promener aux Tuileries entre deux tours de visite : les chefs-d'œuvre s'apprécient mieux à dose homéopathique !
La base Atlas du site www.louvre.fr permet de voir un très grand nombre d'œuvres accompagnées d'informations rédigées par les conservateurs du Louvre. Très utile pour préparer votre visite ou retrouver plus tard ce que vous avez admiré.

LE CLOU DE LA VISITE

Découvrir le Louvre un soir de nocturne, avec la Pyramide illuminée : c'est magique et, en plus, il y a moins de monde dans les salles !

Pour mieux comprendre

Le Louvre a été la résidence des rois de France, jusqu'à ce que Louis XIV l'abandonne pour aller vivre à Versailles. À l'origine, c'était une forteresse construite par Philippe Auguste pour défendre Paris (12e s.). Les rois qui l'habitèrent successivement le marquèrent tous de leur personnalité en l'agrandissant et en l'embellissant. Au 20e s., ce n'est pas un roi, mais un président de la République, François Mitterrand, qui acheva cette longue évolution en faisant construire la **Pyramide★★** par laquelle vous entrerez au musée.
Quant au musée, il existe depuis le 16e s. ! C'est en effet François Ier qui est le fondateur de la première collection artistique. Il a 21 ans quand il monte sur le trône, et une seule obsession : faire venir Léonard de Vinci à la cour de France. Comme le roi insiste et lui promet château et pension, le peintre finit par accepter de venir en France. Il emporte avec lui quelques tableaux dont un portrait de femme : *La Joconde*. Les collections du Louvre sont nées ! Elles ne cesseront d'être complétées par les rois ou leurs ministres, en particulier par Richelieu (ministre de Louis XIII), Louis XIV et Louis XVI. Avec la Révolution, le Louvre devient le musée de la République et ouvre ses portes au public.
Napoléon Ier en fait le plus fastueux musée du monde en imposant aux nations vaincues (comme l'Égypte) un tribut d'œuvres d'art. Elles seront restituées pour la plupart

en 1815. Mais le musée ne cesse pas pour autant de s'enrichir grâce à des mécènes, des donations et des acquisitions. Cette histoire vous fascine ? Alors, entrez dans le plus vaste et le plus riche musée du monde !

Le Louvre, Cité des Arts

La Cour partie avec le Roi à Versailles, Paris investit le Louvre. Des locataires de toute sortes s'y installent.
Une communauté bohème d'artistes campe dans les galeries ! On y trouve Coustou, Bouchardon, Boucher. La femme d'Hubert Robert est chargée de l'entretien des lanternes.
Dans la Colonnade, l'espace est divisé en logements : de la glorieuse façade sortent des rangées de tuyaux de poêles.
Dans la cour, des maisons se sont élevées. Des cabarets, des baraques de bateleurs, des masures s'adossent à l'extérieur.
Les appartements royaux gardent cependant le ton de la solennité : les Académies (Académie française, des sciences ou d'architecture) s'y installent, déjà plus ou moins autorisées à siéger au Louvre alors que Louis XIV n'avait pas encore quitté les Tuileries.

Le Louvre : quand et comment ?

Conditions de visite

Horaires – ♿- *tlj sf mar. et certains j. fériés 9h-18h (merc. et vend. 21h45) - expositions temporaires sous la Pyramide : 9h-18h (merc. et vend. 21h45).*

Tarifs – www.louvre.fr - collections permanentes et expositions temporaires (même billet, hors exposition temporaire du hall Napoléon) : 8,50 € av. 18h, 6 € apr. 18h (-18 ans gratuit et le vend. -26 ans gratuit à partir de 18h), gratuit 1er dim. du mois et 14 Juil. Billets valables toute la journée, même si l'on sort du musée ; le billet donne accès le même jour aux collections du musée Delacroix. Leur vente se termine à 17h15 (21h15 merc. et vend.). Possibilité d'acheter les billets à l'avance en s'adressant à la FNAC au ✆ 08 92 68 46 94, à Ticketnet au ✆ 08 92 69 70 73 (prix du billet majoré de 1,10 € ; billets à date de validité illimitée.

Cartes, forfaits – La carte « Musées et Monuments » (valable 1, 3 ou 5 j. pour 60 musées et monuments) donne accès sans attente aux collections permanentes. La carte « Louvre Jeunes » (valable 1 an, pour les -26 ans) offre l'accès libre aux collections permanentes du musée et aux expositions temporaires, des activités culturelles réservées aux adhérents, des réductions à l'auditorium et aux visites-conférences. Vente à l'Espace adhésion - allée du Grand Louvre - 9h-17h15, soirée nocturne 21h45 - ✆ 01 40 20 51 04. La carte des Amis du Louvre (valable 1 an ; achat au guichet des Amis du Louvre, entre la Pyramide et la pyramide inversée) permet un accès libre au musée et aux expositions temporaires et des réductions dans de nombreuses autres expositions de la capitale. ✆ 01 40 20 53 74/34. Le forfait Transilien SNCF - Musée du Louvre, disponible dans 340 gares d'Île-de-France, combine un billet AR et une entrée coupe-file au musée ; il en est de même pour

H. Le Gac / MICHELIN

En avant pour un après-midi au Louvre !

le billet RATP-Louvre, disponible aux points de vente de l'office de tourisme et des congrès de Paris (ce dernier offre 10 % de réduction aux cafés et restaurants du musée).

Aide à la visite

Informations générales – Pour savoir si certaines salles seront fermées, vous pouvez consulter le calendrier hebdomadaire d'ouverture des salles et le programme général des activités du musée, édité chaque trimestre, disponibles à la banque d'accueil (sous la Pyramide) : ✆ 01 40 20 53 17 - www.louvre.fr

Plans – Se procurer à l'accueil (hall Napoléon) un plan du musée, gratuit et très utile pour s'orienter dans les différents départements matérialisés par des couleurs. Demander également le calendrier hebdomadaire indiquant les salles fermées ainsi que le parcours pour les enfants de 8-12 ans.

Audioguides – Disponibles en six langues, niveau mezzanine, aux accès Richelieu, Sully et Denon - en échange d'une pièce d'identité et 5 €.
Des fiches mobiles, disponibles dans les salles, fournissent des explications sur les collections, une œuvre particulière, un artiste, un style, un site, une technique.

Visiteurs handicapés – ✆ 01 40 20 59 90 - le musée a mis en œuvre différents moyens d'aide à la visite : ascenseurs, plates-formes et rampes d'accès ; prêt gratuit de fauteuils roulants et de poussettes (en échange d'une pièce d'identité - se renseigner à la banque d'information sous la Pyramide) ; galerie tactile à l'intention des malvoyants : aile Denon, entresol. Un plan/information en français et anglais pour personnes à mobilité réduite est disponible gratuitement au comptoir d'information situé sous la Pyramide. Visites-conférences et ateliers pour sourds, déficients visuels, visiteurs en situation de soutien psychologique. Par ailleurs, accès gratuit pour toute personne handicapée titulaire d'une carte d'invalidité et son accompagnateur.

Services gratuits – Vestiaires, infirmerie, poussettes, objets trouvés, petite bagagerie.

Quelques règles

L'usage du flash est vivement déconseillé. Boire ou manger dans les salles est interdit (bouteilles d'eau tolérées sous réserve que celles-ci soient tenues rangées et que leur consommation s'effectue en retrait des salles). Les porte-bébés dorsaux sont interdits, mais pas les voitures d'enfants légères.
Si vos enfants demandent pourquoi il ne faut pas toucher les œuvres, dites-leur que celles-ci sont uniques et fragiles. Elles ont traversé les siècles et doivent être conservées pour les générations futures. Toucher une peinture, une sculpture, un meuble, le détériore, surtout quand ce geste est répété des milliers de fois. Il ne faut pas non plus les désigner par des objets pointus, comme par exemple un crayon.

Pour les petits amateurs d'art

Toutes les activités sont animées par des conférenciers des musées nationaux. Programmes trimestriels, billets et rendez-vous à l'accueil des groupes (hall Napoléon). Vente possible 13 j. à l'avance, soit à l'accueil des groupes (lun., merc. 9h-19h, jeu.-sam. 9h-16h), soit au 01 40 20 51 77 (tlj sf w.-end 9h-16h).

Ateliers pour enfants

✆ 01 40 20 52 63 - 1 séance (1h30 à 2h30) ou cycle de 2 à 4 séances (2h) - merc. et sam. ; tlj pdt vac. scol. - horaires : se renseigner - réserv. conseillée 1 à 2 sem. à l'avance (✆ 01 40

Dans les coulisses !

Le Louvre possède un gigantesque laboratoire où des spécialistes soignent les statues, restaurent les tableaux, percent à coups de rayons X les couches de peintures pour découvrir ce que les peintres ont voulu cacher et redonner de l'éclat aux couleurs salies par le temps. Les restaurateurs ont parfois des surprises ! Ainsi, l'appareil radiographique a dévoilé, sous le *Portrait de Titus* (le fils de Rembrandt), un tableau fantôme : une vierge penchée sur un berceau ! Le maître a recouvert cette première composition pour faire le portrait de son fils unique qui allait mourir, avant lui, en 1668. Autres découvertes : la peinture de Léonard de Vinci défie les rayons X ! Les matériaux employés par le peintre sont si fins et légers que la radiographie ne révèle pratiquement rien. Van Eyck recouvrait le dos de ses tableaux d'un enduit à base de céruse (sorte de colorant blanc), qui formait un écran opaque. De nombreux faussaires utilisèrent la même technique en enduisant le revers de la toile de blanc de plomb pour que l'expertise radiographique ne puisse dévoiler leur supercherie.

20 51 77) - 4,50 €. Départ à l'accueil des groupes (hall Napoléon) 15mn à l'avance. L'enfant doit être conduit par un adulte à qui il est demandé de signer une décharge permettant au personnel du musée d'agir en cas d'accident.
Il y en a pour tous les âges (4 à 13 ans) et pour tous les goûts.
Pour les 4-6 ans, un premier regard sur la peinture à travers des sujets qui leur sont chers comme l'image d'autres enfants dans la peinture ou l'éveil des sens à travers des contes.
De 6 à 8 ans, la découverte de la vie quotidienne en Égypte et les principes de représentation dans l'art égyptien ; les légendes liées aux figures ailées ou le palais du roi Darius.

H. Le Gac / MICHELIN

Avant ou après la visite, petite pause près de la pyramide du Louvre.

De 8 à 12 ans, l'initiation aux paysages, au décor dans l'art roman, au corps sculpté, à l'utilisation de la couleur, à la perspective ou à des notions plus abstraites comme la représentation du monde selon les Égyptiens…
De 10 à 13 ans, la mosaïque romaine ou le fonctionnement du système hiéroglyphique ou de l'écriture cunéiforme.
La rencontre avec les œuvres s'accompagne de jeux ou d'activités permettant d'expérimenter des techniques ou de se familiariser avec des matériaux.

Un thème en duo

℘ 01 40 20 52 63 - 8-12 ans - durée 2h - réserv. conseillée 1 à 2 sem. à l'avance (℘ 01 40 20 54 77) - billet enfant + billet visite adulte + entrée au musée. Durant certains ateliers pour enfants, les parents peuvent suivre une visite-conférence sur un thème similaire. Les deux activités s'achèvent sur une discussion commune.

Visite en famille

℘ 01 40 20 52 63 - réserv. conseillée 1 à 2 sem. à l'avance (℘ 01 40 20 51 77) - billet enfant + billet visite adulte + entrée au musée. Avec les plus de 7 ans : découverte de la mythologie égytienne ou de l'architecture du palais du Louvre et son histoire (1h30 à 2h).

Ateliers en famille

℘ 0 892 684 694 - www.louvre.fr ou www.fnac.com - cycle de 4 séances (2h) - billet enfant x 4 + billet adulte x 4. Avec les plus grands (à partir de 10 ans), cycles de 4 séances de 2h : découverte des créatures fantastiques à travers plusieurs départements ou visite des monuments, statues et plantes du jardin des Tuileries. Les croquis pris sur place sont ensuite assemblés en un carnet de voyages.

Auditorium du Louvre

℘ 01 40 20 55 55 - réserv. au 01 40 20 55 00. Archéologie, histoire de l'art, littérature, cinéma, musique : conférences, lectures, films, concerts, spectacles jeunes public (7-11 ans). Idéal pour les parents, pendant que les enfants suivent un atelier.

Cyber Louvre

Dans le passage reliant le hall Napoléon à la galerie du Carrousel. Consultation gratuite de cédéroms sur le Louvre. Pour enfants et adultes.

Les stars du Louvre

Pour une première découverte ou pour ceux qui n'ont pas l'occasion de revenir au musée avant longtemps, voici une sélection parmi les œuvres les plus célèbres, de quoi susciter la curiosité des enfants, leur sensibilité, leur aptitude à l'émerveillement. La visite, sans ordre chronologique ni thématique particulière, conduit à parcourir plusieurs départements.
Comptez de cinq à dix minutes au moins devant chaque œuvre pour 2h30 de visite, à entrecouper d'une pause ! Commencez par *La Joconde*, de préférence le matin avant l'affluence.

La Joconde★★★

Aile Denon, 1er étage, salle 13. Elle a été peinte par **Léonard de Vinci**, célèbre peintre italien du 16e s. Ce portrait est celui de Monna Lisa, épouse de Francesco del Giocondo, d'où son surnom. Saurait-on dire pourquoi elle est si célèbre ? Ses cheveux sont voilés de noir car elle porte le deuil de son enfant. Elle esquisse pourtant un sourire en regardant le peintre. Sa peau donne toute la lumière au tableau. Elle se tient probablement sur une terrasse d'où la vue qui se perd dans la campagne et les collines.

Le Radeau de la Méduse★★

Aile Denon, 1er étage, salle 77 (grands formats de la peinture française). En 1816, 149 naufragés de la frégate *Méduse* abandonnés sur un radeau au large des côtes du Sénégal résistèrent durant douze jours. **Théodore Géricault** montre dans cette toile (1819) les quinze rescapés saisis d'espoir à la vue d'un navire qui va les sauver ; mais pour le spectateur, point de bateau à l'horizon, seulement une grosse vague qui risque de déferler sur les corps des malheureux, à bout de souffle. L'instant est tragique, le suspens reste entier !

La Bataille de San Romano

Aile Denon, 1er étage, Salon carré, salle 3 (peintures italiennes, 13e-15e s.). Au centre de la toile, le condottiere florentin Micheletto da Cotignola, monté sur son cheval noir, entraîne ses chevaliers dans un ballet magnifique ! Les harnachements scintillent, les chevaux piaffent, les lances se lèvent, les heaumes s'abaissent, on n'attend plus que le départ pour affronter les Siennois et remporter la victoire ! **Paolo Uccello** (peintre italien du 15e s.) a peint ainsi quatre batailles. L'une est au Louvre, deux autres à Florence et à Londres, une quatrième a disparu, sans doute au cours d'un vrai combat !

La Victoire de Samothrace★★★

Aile Denon, rez-de-chaussée, escalier Daru. Cette statue en marbre de 3,28 m de haut date de l'Antiquité grecque (vers 190 av. J.-C.). Elle provient de l'île de Samothrace, au Nord de la mer Égée. Avec ses ailes qui relient le ciel et la terre, les hommes et les dieux (ou les hommes dans l'au-delà), elle personnifiait pour les Grecs l'arc-en-ciel, le vent annonçant l'éclaircie, la bonne nouvelle, une victoire. Elle déploie largement ses ailes pour prendre son élan. Vue du bas de l'escalier, elle est encore plus impressionnante !

Aphrodite, dite Vénus de Milo★★★

Aile Sully, rez-de-chaussée, salle 12 (antiquités grecques). Là encore, une antiquité grecque (100 av. J.-C.). Elle vient de l'île de Mélos, dans les Cyclades. C'est la déesse de l'Amour, Vénus de son nom romain, Aphrodite de son nom grec. Celle-ci mesure 2,02 m de haut. Il faut imaginer la position de ses bras, quand elle ne les avait pas encore perdus, pour comprendre le mouvement de son corps, la torsion de son buste : bras droit replié vers l'avant, main sur une hanche ? Bras gauche levé ?

Le Tombeau de Philippe Pot★★

Aile Richelieu, rez-de-chaussée, salle 10 (sculptures françaises). Huit porteurs encapuchonnés, presque à taille réelle, soutiennent le chevalier gisant Philippe, puissant seigneur de La Roche-Pot, grand sénéchal du duc de Bourgogne, puis chambellan du roi de France. Les blasons portés par les hommes en deuil représentent les huit quartiers de noblesse du défunt. Le monument de pierre peinte, haut de 1,81 m provient de l'abbaye de Cîteaux (Bourgogne) et a été sculpté par un artiste anonyme, au 15e s. Chaque capuche cache un visage différent !

Fille de Zeus...

Aphrodite (Vénus chez les Romains) est selon la légende, la fille de Zeus et de Dioné. Une autre version dit qu'elle est née de l'écume de la mer. Elle est la déesse de l'Amour et de la Fécondité, et incarne la beauté féminine et l'amour en dehors de toute loi. Épouse infidèle du dieu du Feu, Héphaïstos (Vulcain chez les Romains), le plus laid de tout l'Olympe et boîteux de surcroît, elle aime le dieu de la Guerre, Arès (Mars chez les Romains). De son idylle malheureuse avec Arès naîtra Eros, celui qui décoche des flèches en plein cœur à tous les amoureux de la terre.
Elle vient en aide aux mortels et comble les amours malheureuses. Mais la colère d'Aphrodite est terrible ! Pour punir les femmes de Lemnos qui ne l'honoraient pas, elle leur infligea une odeur insupportable qui fit fuir leurs maris et tous les hommes de l'île !
Son orgueil, qui est immense, la pousse parfois à engendrer des catastrophes. Ainsi, dans l'épisode de la Pomme d'Or qui devait être offerte à la plus belle des déesses, elle promet à Pâris de lui donner la main de la Belle Hélène en échange de la pomme. Par coquetterie, elle se trouve être à l'origine de la Guerre de Troie !
Jules César se disait descendant de Vénus. Il lui a fait élever un temple somptueux à Rome pour l'honorer et attirer sa protection.

Les Taureaux du palais de Sargon II à Khorsabad★★

Aile Richelieu, rez-de-chaussée, salle 4 (antiquités orientales). Ils ont été sculptés en Mésopotamie, à la fin du 8e s. av. J.-C. Les deux taureaux ailés à tête d'homme, hauts de plus de 4 m, gardaient l'entrée des portes du palais du puissant roi assyrien. Ces animaux pourvus de cinq pattes semblent n'en avoir que quatre lorsqu'on les regarde de côté ou de face !

Gabrielle d'Estrées (et une de ses sœurs) au bain★

Aile Richelieu, 2e étage, salle 10 (peintures françaises, 14e-16e s.). Ce tableau (vers 1594) fait partie de l'école de Fontainebleau. Gabrielle, la bien-aimée du roi Henri IV, désigne son anneau, signe d'un lien d'amour, tandis que sa sœur lui pince le bout du sein ! C'est que ce téton va bientôt nourrir l'enfant qu'elle attend. À l'arrière-plan, une femme prépare déjà le trousseau du nouveau-né. Ce joli faire-part de naissance a été imaginé par un artiste de la Renaissance pour qui la nudité est avant tout esthétique.

Le Tricheur à l'as de carreau★

Aile Sully, 2e étage, salle 28 (peintures françaises du 17e s.). C'est Georges de La Tour qui l'a peint, au 17e s. Pour abattre sa carte gagnante, le tricheur a-t-il besoin d'un complice ? Serait-ce à vous qu'il réserve une place à sa droite ? Le jeune homme benêt qui se concentre sur son jeu ne remarque rien : ni le regard des femmes ni la danse des mains... Devinez qui va remporter la mise !

Le scribe accroupi★★★

Aile Sully, 1er étage, salle 22 (Égypte pharaonique, circuit chronologique). Il provient de Saqqara, en Égypte, et date de l'Ancien Empire (vers 2620-2350 av. J.-C.). Les scribes étaient de puissants fonctionnaires. Leurs écrits ont permis de découvrir l'histoire de trente dynasties de pharaons ! Bien qu'il ait perdu son pinceau, celui-ci semble prêt à dessiner des hiéroglyphes, peut-être sous la dictée de son maître. Les incrustations de pierre claire et de cristal de roche donnent à ses yeux un regard vif, intelligent. Tournez autour de lui, on dirait qu'il vous suit des yeux...

Le Régent★★★

Aile Sully, 1er étage, salle 64. Vous n'allez pas en croire vos yeux ! Cet énorme diamant appartenait à la couronne de Louis XV (que vous pouvez voir à côté). Mais il était si beau que Bonaparte, lorsqu'il était Premier Consul, l'avait fait incruster sur son épée d'apparat, puis l'impératrice Eugénie le fit sertir sur son diadème. Sa transparence exceptionnelle et la perfection de sa taille en font l'une des pierres les plus célèbres du monde !

Au pays des pharaons

Accès Sully, rez-de-chaussée. Le circuit thématique commence par la crypte du Sphinx. Ses dix-neuf salles donnent une bonne approche de la vie quotidienne et de la culture des anciens Égyptiens.

Circuit thématique

Dans l'Égypte antique, pendant près de trente siècles, le Nil fut la seule voie de communication. Les marchands, les pêcheurs et Pharaon, mais aussi les dieux et les morts naviguaient sur ce fleuve avec leurs superbes embarcations. En compagnie des œuvres d'art et des objets de tous les jours, embarquez pour un fabuleux voyage.
Un grand sphinx en granit rose (28 tonnes) marque l'entrée du département. Gardien de l'entrée des temples, il réunit la force du lion et l'intelligence du pharaon figuré ici avec sa barbe postiche et sa coiffure en tissu rayé, ornée d'un serpent dressé sur le front.

Agriculture, chasse, pêche, élevage – *Salles 3 à 5.* La crue annuelle du Nil inondait les terres riveraines durant les mois d'été. Les eaux fertilisaient le sol de la vallée enserrée entre les déserts. Grâce à ce régime favorable à l'agriculture est née la civilisation égyptienne, il y a 5 000 ans. On peut voir dans ces salles la faune sauvage du Nil et des marais, notamment un hippopotame en faïence bleue *(salle 3, vitrine 2)*, des modèles de bateaux, les outils agricoles et les travaux des champs, le chargement du grain sur un bateau *(salle 4, vitrine 3)*, le grenier *(salle 4, vitrine 11)*, les troupeaux (trois bœufs en bois peint – *salle 5, vitrine 1*) et les poissons pêchés.

L'écriture – *Salle 6.* Le papyrus était une plante à tout faire : sa tige servait à confectionner des sandales, des nattes, des barques... mais surtout de support de l'écriture hiéroglyphique, qui apparaît vers 3200 av. J.-C.
Ce n'est qu'en 1822 que les travaux du Français Champollion permirent de comprendre l'écriture des Égyptiens de l'Antiquité et de redécouvrir leur histoire. La salle montre le scribe assis en tailleur *(voir « Les stars du Louvre »)* et tout son matériel : sa boîte à

papyrus, ses godets de couleur. Pour les Égyptiens, les hiéroglyphes n'étaient pas de simples dessins immobiles : comme toute forme humaine ou animale dessinée ou sculptée, ils pouvaient s'animer magiquement. Les scribes constituaient donc un personnel préservé car leur science pouvait éventuellement se révéler redoutable !

M. Guillou / MICHELIN

Anubis, le gardien des nécropoles.

Art et artisanat – *Salle 7.* Les artisans égyptiens travaillaient le métal, le bois, le verre, la faïence, les pierres semi-précieuses… Ils créaient des statues, des vases, des amulettes et des pendentifs aux formes stylisées qui inspirent depuis des siècles les plus grands bijoutiers !

Vie domestique et loisirs – *Salles 8 à 10.* Meubles, vaisselle, vêtements, objets quotidiens tels que le chasse-mouches ou l'appui-tête servant d'oreiller reconstituent le décor de riches demeures *(salle 8)* ; parures, bijoux et accessoires pour les soins du corps (pots à kohol, miroir, rasoir, cuillères en forme de nageuse ou d'animal) témoignent du raffinement des Égyptiens *(salle 9)*. La musique des harpes, des luths et des tambours accompagnait les repas des grandes familles ou les cérémonies religieuses ; les jeux de société étaient très populaires *(salle 10)*.

Temples – *Salles 11 et 12.* Les temples égyptiens étaient entourés de monuments protecteurs comme les obélisques ou une allée de sphinx *(salle 11)* ; des vestiges de divers sites et de toutes les époques évoquent la fonction du temple et les cérémonies qui s'y déroulaient *(salle 12)*.

Rites funéraires – *Salles 13 à 17.* Après leur mort, les rois et quelques dignitaires avaient le privilège de rejoindre le monde des dieux. Dans leurs tombes, embaumés et bien conservés, entourés de tous les objets de la vie quotidienne et bien approvisionnés en nourriture, ils voyageaient vers l'immortalité pour rejoindre Osiris, le roi du monde des Morts et le symbole de la renaissance. À partir de la crypte d'Osiris *(salle 13)*, une impressionnante série de sarcophages décline les formes des cercueils souvent richement décorés *(salle 14)*, puis la momification nécessaire à la survie après la mort *(salle 15)* et le mobilier déposé dans les tombes *(salle 16)* pour la survie dans l'au-delà.

Dieux – *Salles 18 et 19.* Les dieux égyptiens sont nombreux ! Ils se distinguent des hommes par leurs pouvoirs extraordinaires comme la magie. Une vitrine présente ces divinités souvent portées en amulettes par les hommes qui pensaient se protéger ainsi des coups du sort.
Chattes, crocodiles, serpents…, de nombreux animaux sont considérés comme des images de divinités et sont même momifiés *(salle 19)*. Au fond de cette salle, vous découvrirez la statue du dieu Apis : le taureau sacré incarnait le dieu Ptah, créateur de toute chose.

Circuit chronologique

Aile Sully, 1er étage. Monter l'escalier au bout du circuit thématique ; des panneaux résument les grandes dates de la civilisation égyptienne. Après la visite thématique, ces salles peuvent se parcourir plus rapidement.
D'illustres chefs-d'œuvre résument l'histoire de l'Égypte ancienne. Par trois fois, l'autorité du pharaon fut contestée, marquant l'écroulement de l'Ancien, du Moyen et du Nouvel Empire. Chaque salle présente des séries d'objets de même époque.

Ancien Empire (vers 2700-2200 av. J.-C.) – *Salle 22.* Khéops, Khéphren et Mykérinos, rois de l'Ancien Empire, construisirent les célèbres pyramides du Caire. Leur pouvoir était sans partage. Voici une parente du roi Khéops : la princesse Néfertiabet devant son repas *(vitrine 5)* et le scribe accroupi, aux yeux de cristal *(vitrine 10)*.

Moyen Empire (vers 2023-1710 av. J.-C.) – *Salle 23.* Le contenu de la tombe du chancelier Nakhti (cercueil et mobilier funéraire) accompagne sa statue grandeur nature, en bois d'acacia. La gracieuse porteuse d'offrandes au corps délicatement moulé sous sa tunique traduit l'idéal de beauté du peuple égyptien.

Nouvel Empire (vers 1550-1353 av. J.-C.) – *Salles 24 à 28.* La période voit les règnes des pharaons célèbres : Akhénaton, Séti Ier, Ramsès II, Toutankhamon…
Parvenu au pouvoir, Aménophis IV impose le culte unique à Aton, le disque solaire qui dispense la lumière sur Terre, et se fait appeler Akhénaton, ce qui veut dire : « Celui qui plaît au disque solaire. » Repérez son visage en calcaire, autrefois peint *(salle 25, vitrine 1),* et le couple qu'il formait avec la reine Nefertiti *(vitrine 2).* De cette époque date aussi une jolie cuillère à fard dont le manche est une nageuse *(vitrine 3).*
Un magnifique bas-relief en calcaire peint, provenant de la Vallée des Rois, montre la déesse Hathor protégeant Séti Ier en lui offrant un collier bénéfique *(salle 26).* Les bijoux de son fils et successeur Ramsès II, comprennent la bague aux chevaux et le pectoral représentant un faucon à tête de bélier *(salle 28).*

Du rififi en Mésopotamie

Aile Richelieu, rez-de-chaussée (antiquités orientales).
Au cœur du Proche-Orient se trouve la Mésopotamie (l'Irak actuel) où, grâce à l'irrigation, le développement de l'agriculture et de l'élevage, naissent les premières villes (3300-2800 av. J.-C) et l'invention de l'écriture sous la forme de coins gravés dans la pierre. Mais des cités rivales se disputent, si bien qu'aucun grand empire n'arrive à se bâtir.

La stèle des Vautours

Salles 1 à 6. Deux cités se querellent jusqu'au jour où le roi de Lagash parvient à écraser son rival, piétine le corps de ses ennemis que les vautours achèvent de décharner. De retour, il fait graver le récit de sa victoire sur une dalle de pierre. La **stèle des Vautours** (vers 2450 av. J.-C.) est le premier document véritablement historique de l'humanité. Sur une face, le dieu protecteur de la cité emprisonne les ennemis dans un filet ; sur l'autre, le prince est à la tête de ses fantassins.

Ah, mon beau palais !

Salle 1b. La culture sumérienne s'étend au Nord, jusqu'à l'actuelle Syrie (site de **Mari**). L'une des coutumes était d'offrir des représentations d'adorants en prière devant son dieu. La plus belle est celle de **l'Intendant du palais Ebih-il★** (2400 av. J.-C.), aux yeux de lapis-lazuli, vêtu d'une jupe de cérémonie en peau de mouton peignée, conservant la queue de l'animal, appelé du nom grec *kaumakès.*

Mais où est passé Pazuzu ?

C'est le roi des mauvais esprits des vents : il sort violemment des montagnes et son souffle est brûlant ! Il a un visage grimaçant, des ailes et des pieds à trois doigts ! Au Louvre, rien à craindre, il ne risque pas de s'échapper de sa vitrine !
Retrouve sa petite statuette qui inspira une bande dessinée de Tardi où l'héroïne, Adèle Blanc-Sec, affronte Pazuzu dans *Le Démon de la tour Eiffel* (**réponse** : salle 6, vitrine 4).

La dure loi de Babylone

Salle 3. Vers la moitié du 18e s. av. J.-C., **Babylone** entre dans l'histoire : Hammurabi saccage Mari, capitale d'un riche royaume, et unifie la Mésopotamie. Le **Code d'Hammurabi★** (1792-1750 av. J.-C.) est gravé sur une stèle de basalte noir, haute de 2,50 m ; au sommet, un relief représente le roi recevant de Shamash, dieu du Soleil et de la Justice, les 282 lois qui dictent la bonne conduite et les peines encourues pour ceux qui l'enfreignent : « Si quelqu'un a cassé la dent d'un homme libre, son égal, on lui cassera une dent ! » Tout est réglé, même le prix des interventions chirurgicales, qui n'est pas le même selon qu'il s'agit d'un notable, d'un homme de la classe populaire ou d'un esclave. Ce recueil juridique, antérieur aux lois de la Bible, comporte certaines lois toujours appliquées de nos jours dans certains pays.

Un décor grandiose

Salle 4. À l'empire babylonien succède, aux 8e et 7e s av. J.-C., celui d'Assyrie. Les grands bas-reliefs assyriens provenant du palais de Sargon II restituent une partie du décor de Dar-Sharrukin (actuellement Khorsabad près de Mossoul). Outre les deux **taureaux ailés**, gardiens de la salle du trône, on peut voir de gigantesques héros maîtrisant des lions ; un cortège de serviteurs apportant un vase, un char de guerre ou un trône roulant ; un défilé de vaincus ; des bâtisseurs transportant par bateaux le bois de cèdre du Liban à travers des flots peuplés de créatures marines.

Découvrons la peinture française

Richelieu et Sully, 2e étage, en suivant les salles au fil des siècles.

La peinture française★★★ du 14e s. au 19e s. est regroupée dans pas moins de 73 salles : un long parcours ! Il est tentant de traverser les salles en se laissant guider par son regard mais celui-ci risque vite d'être saturé ! Mieux vaut s'arrêter sur quelques tableaux représentatifs d'une époque.

Jean le Bon★ (1350)

L'un des premiers portraits de la peinture française vous accueille. C'est un travail de commande, un gagne-pain pour l'artiste qui immortalise des personnages importants, comme le roi Jean le Bon, vu ici de profil. Le goût pour le portrait s'affirme sous la Renaissance. Souverains, princesses à marier, héritiers royaux, c'est toute la cour qui prend la pose !

François Ier★ (vers 1530)

Salle 7. Saluez le très élégant roi et l'adresse avec laquelle Jean Clouet a peint la splendeur du costume, le collier de la Toison d'or, les rideaux.

La Diseuse de bonne aventure (1626, Nicolas Regnier)

Salle 11. Remarquez comment cette « diseuse » fait rouler dans sa main l'anneau de celui à qui elle prédit l'avenir ! Cette scène de genre s'inspire de la *Diseuse de bonne aventure*★★ (1595-1598) du Caravage *(exposée dans l'aile Denon, 1er étage, grande galerie, salle 8).* Ce peintre italien fut un grand maître dans la manière de faire entrer la lumière dans un tableau afin d'opposer des zones sombres et claires pour donner du volume et de la réalité aux objets et aux personnages. Vous pouvez retrouver son influence dans *Le Concert au bas-relief* de Valentin de Boulogne (1622-1625), salle 12.

Prédication de saint Paul à Éphèse (1649, Eustache Le Sueur)

Salle 19. Au 17e s., la peinture française est classique, solennelle, imprégnée de mythologie et de thèmes religieux ou bien réaliste dans sa manière de montrer la vie paysanne. Ce tableau montre Paul, l'apôtre de Jésus, prêchant l'Évangile en Grèce ; à ses pieds, les convertis réduisent en cendres des livres scientifiques.

Saint Joseph charpentier (Georges de La Tour)

Salle 28. Joseph assemble des chevrons à la lueur du petit « veilleur de flamme » qui se tient dans une immobilité absolue.

Non loin, la *Famille de paysans*★ (Louis Le Nain) représente des personnages calmes et heureux, réunis autour d'un repas symbolique, constitué seulement de pain, de vin et de sel.

Pierrot (vers 1718-1719, Watteau)

Salle 36. Au 18e s. apparaissent des tableaux d'un nouveau genre. Les peintres représentent des scènes galantes, les fêtes et les plaisirs d'une société qui ne sent pas venir la Révolution. Pierrot se tient debout, les bras ballants, l'air un peu bêta ou songeur, sur le devant de la scène d'un théâtre de foire. Dans la même salle, *Les Deux Carrosses* de Claude Gillot montrent Scaramouche et Arlequin qui s'apostrophent comme dans une scène de la *commedia dell'arte* ; mais lequel des deux cédera le passage ?

L'Enfant au toton (1738, Chardin) et Le Déjeuner (1739, Boucher)

Salle 39. Cet enfant semble plus absorbé par son jouet (le toton est une sorte de toupie) que par ses devoirs... Chardin est le champion des natures mortes, comme sa fameuse *Raie★ (salle 38)* : sa représentation est tellement réelle qu'on croirait une photo ! *Le Déjeuner* de Boucher est une scène d'intérieur à l'époque de Louis XV, de la nouvelle mode du café et de l'habitude qu'avaient les femmes élégantes de fixer sur leur joue un point noir appelé « mouche », qui mettait en valeur leur teint délicat.

Salle 45, un pastel de Maurice-Quentin de La Tour représente *La Marquise de Pompadour, protectrice des arts*★ (remarquez les objets qui l'entourent).

La Baigneuse de Valpinçon★ (1808, Ingres)

Salle 60. Ce tableau est un des premiers d'un thème souvent représenté par Ingres : le bain. Ses femmes dénudées ont un corps tout en courbes et une peau de velours qui les rendent très sensuelles. Le plus célèbre est *Le Bain turc*★.

Derby d'Epsom★ (1821, Géricault)

Salle 61. Géricault fait courir les chevaux si vite qu'ils volent au-dessus du champ de course : est-ce qu'une photo pourrait traduire aussi bien cet élan ?

Magdalena-Bay (1882, F.-A. Biard)

Salle 66. Cet étrange tableau nous plonge dans l'atmosphère romantique d'une aurore boréale qui éclaire de sa lumière blafarde des naufragés perdus dans la neige.

Petits tableaux de Millet

Salle 71. Une série de petits formats de J.-F. Millet montrent les paysans au travail, comme le peintre pouvait les observer à Barbizon, près de Fontainebleau : *La Lessiveuse, Les Botteleurs de foin, La Brûleuse d'herbes*… Son tableau le plus célèbre, *L'Angélus* (au musée d'Orsay) a été reproduit des milliers de fois sur des calendriers, des boîtes, des assiettes.

Les géants de la peinture française★★★

Aile Denon, 1er étage, salles Daru et Mollien.

Des peintres du 19e s. ont mis leur art au service de l'histoire, concevant d'immenses toiles pour mettre en scène un fait glorieux ou tragique.

Louis David fut l'un des plus célèbres. Dans le *Sacre de l'Empereur Napoléon Ier* (1806-1807), il met en scène huit rangées de spectateurs, témoins de la gloire de l'Empereur. Il triche un peu avec la réalité puisque Madame mère, présente sur le tableau, n'a en réalité pas assisté au sacre de son fils, à Notre-Dame !

Delacroix immortalise un autre événement marquant de l'Histoire de France avec *La Liberté guidant le peuple* (1830). Le tableau évoque les trois journées révolutionnaires durant lesquelles le peuple s'insurgea dans l'espoir de rétablir la République. À L'assaut des barricades, la Liberté brandit le drapeau tricolore, et un gamin combat à ses côtés. À l'époque, l'œuvre jugée contestataire fut vite cachée aux yeux du public !

Jeux de détails

Aile Richelieu, 2e étage.

Prenez le temps de faire un tour dans les 39 salles consacrées aux peintures des écoles du Nord (Flandres, Hollande et Allemagne), du 14e au 17e s. Nous avons sélectionné quelques œuvres avec lesquelles vos enfants s'amuseront à repérer des petits détails : les retrouver dans le tableau peut faire l'objet d'un petit jeu.

Le Prêteur et sa femme★★ (1514, Flandres)

Salle 9. Quentin Metsys montre un prêteur absorbé dans ses comptes. Il soupèse l'or de ses mains si fines qu'on en distingue les veines, tandis que sa femme tourne les pages d'un livre qui est probablement la Bible. Le couple est derrière un miroir et ne voit pas ce qu'il reflète, mais nous, oui : on voit un homme en train de lire (peut-être le peintre), une fenêtre, un paysage… Deux autres figures discutent derrière une porte entrebâillée… trois plans, trois histoires dans un même tableau !

Nature morte au flacon de vin, à la miche de pain et aux petits poissons (1637, Allemagne)

Salle 14. Avez-vous repéré la mouche et le bourdon ? Georg Flegel les a représentés à taille réelle pour faire croire qu'ils vivent ! L'effet du subterfuge ne dure pas longtemps, mais le peintre s'est tout de même bien amusé ! C'est ce que l'on appelle un « trompe-l'œil ».

Bouffon au luth (vers 1624, Franz Hals, Hollande)

Salle 28. On aimerait bien entendre la musique tant l'homme a l'air heureux de toucher de son instrument !

Deux tableaux de Vermeer (17e s., Hollande)

Salle 38. Que brode *La Dentellière*★★ de Johannes Vermeer ? Elle travaille minutieusement, à la lumière du jour qui vient d'une fenêtre que l'on devine.

RMN

« L'Astronome », de Vermeer.

Du même peintre, voici aussi *L'Astronome*★★, entouré de ses objets et penché sur son globe. Toute sa vie, Vermeer (1632-1675) courut après l'argent. Pour nourrir ses dix enfants, il dut vendre ses gravures ou ses toiles qui représentent souvent des intérieurs astiqués et paisibles, des femmes à l'air rêveur.

Aucun peintre n'a eu à ce point le génie de l'harmonie, de l'espace et de la lumière transparente pour révéler la couleur. Ses tons bleu saphir, bleu passé, jaune citron, vermillon, ocre-rouge, accordés par des blancs, accrochent la lumière… et font chatoyer les tissus.

Le Louvre médiéval

Une visite des fortifications exhumées en sous-sol permet de voir à quoi ressemblait le Louvre au début de son histoire.

Accès Sully, entresol. Une ligne noire, au sol, marque l'emplacement de l'une des dix tours que comprenait le Louvre. Le visiteur pénètre alors dans l'univers impressionnant de la **forteresse** élevée par Philippe Auguste au début du 13e s.

Le circuit emprunte les fossés Nord et Est : à gauche, le mur de contrescarpe, simple parement réparé à plusieurs reprises ; à droite, la courtine de 2,60 m d'épaisseur. À l'Est, une construction quadrangulaire indique l'emplacement du soubassement du corps de logis ajouté par Charles V en 1360 ; au milieu du fossé, la pile du pont-levis est encadrée par les deux tours jumelles de la **porte orientale** du château de Philippe Auguste. Sur ces pierres rectangulaires, assemblées régulièrement, apparaissent çà et là des boulins et des marques en forme de cœur gravées par les tâcherons.

Une galerie moderne conduit au fossé du donjon circulaire ou **« grosse tour »**, bâtie entre 1190 et 1202 pour Philippe Auguste. Le fossé, large de 7,50 m en moyenne, était autrefois dallé d'énormes pierres. La visite se termine par deux salles d'exposition : dans la première sont rassemblées des poteries découvertes au cours des fouilles de la cour Carrée ; dans la **« salle Saint-Louis »** sont présentés des objets royaux trouvés au fond du puits du donjon ; parmi ceux-ci, la réplique du casque d'apparat ou **« chapel doré »** de Charles V et même des noyaux de dattes. Ces fruits rares au 13e s. en Europe attestent du train de vie luxueux des occupants des lieux.

Carnet d'adresses

Voir également la promenade aux Tuileries (7).

PAUSE DÉJEUNER

Café Denon – *Musée du Louvre-entresol de l'aile Denon - 1er arr. - M° Palais-Royal-Musée-du-Louvre - 8 €.* Petite surface logée sous les voûtes d'anciennes écuries. L'été, tables dressées dans la cour Carrée de l'aile Denon, face à une fontaine. Pour un petit-déjeuner ou un club-sandwich, ou à l'heure du thé.

Café Richelieu – *Musée du Louvre, 1er étage de l'aile Richelieu - 1er arr. - M° Palais-Royal-Musée-du-Louvre - fermé mar. - 8 €.* Dans l'ancien bureau du ministre des Finances, avec vue sur la Pyramide. Salades, club-sandwiches, assiettes.

Universal Resto – *99 r. de Rivoli - Galeries du Carrousel du Louvre - 1er arr. - M° Palais-Royal-Musée-du-Louvre - 01 47 03 96 58 - fermé mar. soir - 9,90/14,50 €.* Le concept ? Un immense self-service bordé d'une dizaine de stands présentant des plats de différents pays : Italie, Liban, Maroc, Mexique, Espagne, Asie, etc. Mais aussi des crêpes ou des sandwiches bien de chez nous. La recette rencontrant beaucoup de succès, la salle est souvent bondée.

PAUSE QUATRE-HEURES

Café Marly – *93 r. de Rivoli - 1er arr. - M° Palais-Royal-Musée-du-Louvre - 01 49 26 06 60 - 8h-2h.* Situé dans l'aile Richelieu du musée du Louvre, ce havre de paix et d'élégance arbore un esprit mondain cosmopolite, connoté « arty ». C'est l'endroit idéal pour prendre le thé ou attendre un rendez-vous de première importance. Depuis la longue terrasse sous arcades, on peut contempler la pyramide de Pei.

Café Mollien – *Musée du Louvre, 1er étage de l'aile Denon - 1er arr. - fermé mar.* Boissons et sandwiches pour une pause au bout de la galerie des peintures françaises « Grand format ». Vue superbe sur les Tuileries et, l'été, terrasse donnant sur la Pyramide.

PAUSE ACHATS

Boutique des musées nationaux – *Galeries du Carrousel du Louvre.* Reproductions, livres, jeux...

Boutique du musée du Louvre – *Galeries du Carrousel du Louvre - 1er arr. - 9h30-21h45.* Chalcographie (estampes et gravures), carterie (des centaines de cartes sur les principaux chefs-d'œuvre du musée, reproduction de tableaux), posters, librairie (sa sélection couvre toute l'histoire de l'art). Au 1er étage, large éventail de reproductions, de moulages, de bijoux et livres pour enfants.

Carterie du musée du Louvre – *Galeries du Carrousel du Louvre.* Cartes postales, posters, reproductions de gravures, peintures ou photographies : les œuvres présentées au musée constituent la plus grande offre de cette carterie d'art où l'on trouvera également beaucoup de documents sur le Paris d'autrefois.

Carrousel du Louvre – *R. de Rivoli - 1er arr. - M° Palais-Royal-Musée-du-Louvre - 01 43 16 47 10.* Plus d'une trentaine de boutiques rivalisent d'espace et d'originalité dans le cadre grandiose du Grand Louvre.

Musée d'Orsay

32

ATLAS MICHELIN PARIS N° 56 (P. 31) ET N° 57 (P. 19), REPÈRE H12 – 7E ARR.

Un musée aménagé dans une ancienne gare ! Voilà une idée originale. En même temps que l'on découvre les collections d'art des périodes allant de 1848 à 1914, on visite l'ancien hall des machines métamorphosé en jardin de sculptures, le vestibule de la gare transformé en salle d'exposition ou la somptueuse salle des fêtes de l'hôtel des voyageurs, entièrement restaurée. Par des escaliers mécaniques, des passerelles, des terrasses, entre les pylônes et les arcades métalliques, les voyageurs d'aujourd'hui partent à la découverte de multiples chefs-d'œuvre. Du départ – la IIe République – au terminus – le début de la Première Guerre mondiale, que d'escales ! L'une des plus passionnantes pour les enfants sera sans doute celle des impressionnistes, mais bien d'autres, avant ou après, méritent un arrêt ! Enfin, du haut de la gare, la vue sur Paris est magnifique !

ACCÈS

En **métro** : ligne 12, station Solferino, sortie Musée d'Orsay.
En **RER** : ligne C, gare Musée-d'Orsay.
En **bus** : lignes 24, 68, 69, 73 et Balabus, arrêt Musée-d'Orsay-RER.
À proximité, vous pouvez visiter le Louvre (31) et suivre la promenade aux Tuileries (7), accessibles, depuis le quai Anatole-France, par la passerelle Solferino.

POUR LES PETITS MALINS

N'hésitez pas à demander à l'accueil les « carnets parcours jeunes » : ils permettent de découvrir les œuvres du musée sous forme de jeux, à faire avec son papa et sa maman.
Pour les moins de 18 ans, c'est gratuit ! Et chaque 1er dimanche du mois, toute la famille peut entrer sans payer.

LE CLOU DE LA VISITE

L'impressionnisme, la plus longue (mais passionnante) séquence du musée !

Pour mieux comprendre

La forme et le décor extérieur du musée d'Orsay ne vous évoquent pas quelque chose ? Pensez aux gares de Lyon, du Nord ou de l'Est... ne trouvez-vous pas une ressemblance ? Si, bien sûr, puisque avant de devenir musée, Orsay était une gare ! Cette dernière avait été construite pour l'Exposition universelle de 1900 afin de transporter des milliers de visiteurs au cœur de Paris et de loger les plus fortunés d'entre eux dans l'hôtel attenant. Mais voilà : en 1935, l'électrification des lignes permet d'allonger les trains et remet tout en question ! Les 135 m de quais de la gare d'Orsay ne suffisent plus et la relèguent au rang de gare de banlieue.

Le gigantesque hall de 32 m de hauteur devient bientôt un bâtiment fantôme : voies désertées, sauf par les rats, noyées sous des flaques d'eau croupissantes et murs lézardés.

En 1971, c'est décidé, ce chef-d'œuvre de verre et de métal, caché à l'extérieur par sa monumentale façade de pierre imaginée par l'architecte Victor Laloux, sera abattu ; en place et lieu, un nouveau musée d'Art moderne sera construit !

Ph. Bourgeois / MICHELIN

Une des grandes horloges de l'ancienne gare d'Orsay.

Un concours est organisé. Des architectes (Le Corbusier entre autres) imaginent divers plans, mais le ministre de la Culture Jacques Duhamel en décide autrement : finalement la gare doit être inscrite à l'inventaire des Monuments historiques. Les lieux sont sauvés ! L'idée d'y installer un musée consacré aux arts du 19e s. germe et se réalise. Le projet est entériné en 1977.

En 1900, le peintre Detaille avait prononcé cette phrase prémonitoire : « La gare est superbe et a l'air d'un palais des Beaux-Arts, et le palais des Beaux-Arts ressemblant à une gare, je propose à Laloux [architecte de la gare d'Orsay] de faire l'échange s'il en est temps encore. »

Recherche gare désespérément...

Mais non, ce n'est pas si difficile de retrouver les éléments qui prouvent que le musée d'Orsay était autrefois une gare. Voici quelques indices.

1 - Attention à l'heure pour ne pas rater ton train.

2 - Pour faire entrer des trains, il faut un grand espace où mettre des quais.

3- Dans une gare, les destinations des trains sont toujours inscrites quelque part.

Tu n'as pas trouvé ? Voici les **réponses.**

1 - Regarde le musée côté Seine, en haut à gauche, tu verras une grosse horloge. Tu pourras également la voir, mais cette fois sur son envers, quand tu monteras au dernier étage découvrir le monde impressionniste.

2 - Quand tu rentres dans le musée, tu arrives directement dans une sorte de grand hall où se trouvent les sculptures : c'est là que se trouvaient les rails et les quais.

3 - Il suffit de lever la tête pour voir les inscriptions des destinations aux quatre coins de la salle 60 : Montluçon, Vendôme, Nevers, Clermont-Ferrand...

Musée d'Orsay : quand et comment ?

Conditions de visite

✆ 01 40 49 48 14 - www.musee-orsay.fr - ♿ - 20 juin-20 sept. : 9h-18h (jeu. 21h45) ; reste de l'année : 10h-18h (jeu. 21h45), dim. 9h-18h (dernière entrée 1h av. fermeture) - fermé lun., 1er janv., 1er Mai et 25 déc. - 7,50 €, dim. 5,50 € (-18 ans gratuit), gratuit 1er dim. du mois.

Aide à la visite

Informations générales – 1 r. de la Légion-d'Honneur - 7e arr. - ✆ 01 40 49 49 78 (comptoir d'accueil) et 01 40 49 48 14 (répondeur) - www.musee-orsay.fr

Plans, documents – Procurez-vous un plan du musée à l'entrée (gratuit) : très précis quant au contenu des salles, il vous permettra de bien vous repérer.

Utilisez les fiches thématiques proposées dans le parcours des collections ou participez à une visite commentée (générale, thématique, monographique) : programme détaillé aux comptoirs d'accueil - possibilité de louer un audioguide.

Visiteurs handicapés – ✆ 01 40 49 49 75 - entrée gratuite sur présentation de la carte Cotorep - gratuité pour un accompagnateur - fauteuils roulants disponibles au vestiaire « individuels ».

Services – Vestiaire et prêt de poussette gratuits. Téléphone, boîte aux lettres (utile pour envoyer une carte postale de son œuvre préférée à sa mamie).

Chaque mouvement artistique possède ses salles et ses œuvres, accompagnées de fiches explicatives.

Visite complète – La visite des collections permanentes, organisée de manière thématique et chronologique débute par le rez-de-chaussée dans la grande nef de l'ancienne gare utilisée comme axe principal du parcours du musée. Elle se poursuit par le niveau supérieur, s'achève par le niveau médian. Des expositions temporaires et des œuvres ne pouvant être exposées longtemps en raison de leur fragilité sont réparties sur le parcours ; certaines salles peuvent être en cours de réaménagement.

Avec des enfants, difficile de faire une visite complète. Nous vous proposons donc quelques thèmes pour leur faire découvrir ce merveilleux musée.

Artistes en herbe

Visite libre avec les livrets du musée

Gratuits. S'adresser au comptoir d'accueil des individuels.

Les carnets parcours – Disponibles aux comptoirs Information des visiteurs individuels - gratuit. Les thématiques suivantes, sous réserve de changement de programme, donnent une idée des sujets d'exploration en liaison avec le musée.

Pour les 5-7 ans : Ma chambre à Orsay (recherche des œuvres du musée pour aménager ta chambre imaginaire) ; Objets perdus et objets peints (observe et dessine à partir du tableau de Cézanne *Nature morte aux oignons*).

Pour les 8–12 ans : De la gare au musée (découvre l'architecture, la vie de l'ancienne gare et sa transformation en musée) ; Qu'est-ce qu'une sculpture ? (à partir des œuvres, réfléchis sur les techniques et les thèmes utilisés par les sculpteurs) ; Le Paris d'Haussmann (observe et construis une façade haussmannienne pour comprendre comment les architectes du second Empire ont transformé Paris) ; À la recherche du tableau perdu (choisis des éléments dans une liste de mots puis cherche une œuvre correspondant à cette sélection ; analyse ensuite le travail de l'artiste) ; Spectacles et fêtes (dans les tableaux exposés, pars à la recherche des lieux de détente et des spectacles fréquentés par les Parisiens au 19e s.).

Regards sur 1, 2, 3, 4, 5... – Une série de cinq carnets est destinée aux enfants de 5-12 ans venant au musée avec leurs parents qui, eux aussi, ont droit à un carnet. Regards sur 1, 2, 3, 4, 5... familles : cinq œuvres, de styles différents, avec des gammes de couleurs et des compositions variées, ont été choisies sur le thème de la famille ; Regards sur 1, 2, 3, 4, 5... trains à vapeur : le chemin de fer, l'un des symboles de la modernité au 19e s. a servi de thème d'inspiration aux artistes.

Activités en famille

✆ 01 40 49 47 50 (tlj sf w.-end 14h-17h) - www.musee-orsay.fr - certains merc. et sam. 14h30, dim. 11h et 15h (programme disponible au musée ou envoyé sur demande par Internet) - durée 1h30 - achat du billet le jour même 30mn av. la visite dans la limite des places disponibles ; réserv. par tél. conseillée - se présenter au comptoir d'information porte C - 7,50 € (enf. 6 €), gratuit 1er dim. du mois.

Le musée propose des activités (1h30) s'adressant aux adultes venant au musée avec des enfants de 5-10 ans ou 8-12 ans. Elles sont basées sur l'observation ludique des œuvres des collections permanentes.

Les **parcours-découvertes**, sur des thèmes variés, permettent d'aller voir des œuvres méconnues ou boudées par le flot des visiteurs (tant mieux pour nous !).

Avec les **jeux** et les **contes**, vous partirez pour un voyage artistique au pays des peintures, des sculptures et des objets d'art, sans oublier l'extraordinaire architecture du musée.

Visites guidées pour enfants seuls

✆ 01 40 49 47 50 (tlj sf w.-end 14h-17h) - merc. et vac. scol. 14h30 - durée 1h30 - achat du billet le jour même 30mn av. la visite dans la limite des places disponibles ; réserv. par tél. conseillée - se présenter au comptoir d'information porte C - 6 €.

Des visites (1h30) menées par des intervenants sont réservées aux enfants seuls, de 5-10 ans. Exemples pour les **5-7 ans** : Les animaux ; Les quatre saisons ; De toutes les couleurs ; Quand les œuvres racontent des histoires. Exemples pour les **8-10 ans** : Qu'est-ce qu'une sculpture ? Les grandes œuvres du musée ; Portraits peints, portraits sculptés.

Cinéma, concerts et spectacles

✆ 01 40 49 47 57 - certains sam. 16h, dim. 11h et 16h - réserv. conseillée - 6 € (- 8 ans gratuit). Des séances de cinéma (cinéma des origines, dessins animés d'hier, cinéma d'animation contemporain), des concerts et des spectacles destinés à toute la famille sont proposés.

Les impressionnistes

Niveau supérieur. Accès par l'escalator au fond de la nef et coup d'œil au passage à l'entrée de la galerie des Hauteurs sur l'une des deux grandes horloges de cet étage.

Les origines de l'impressionnisme datent de 1850-1870 : en réaction aux teintes sombres, la nouvelle génération veut traduire les vibrations lumineuses, les impressions passagères et colorées. Seul compte l'éclairage, son analyse, ses effets, d'où cette prédilection pour les jardins au soleil, la neige, les brumes, les chairs.

Le groupe des impressionnistes ne se constitue qu'après la guerre de 1870 et se manifeste en plein jour en 1874, lorsque les artistes parviennent à exposer librement. Parmi eux : Cézanne, Manet, Monet, Degas, Sisley, Berthe Morisot, Pissarro, Renoir, Boudin... Le terme impressionnisme est inspiré par le titre d'un tableau de Monet : *Impression, soleil levant* (1872) *(exposé au musée Marmottan-Monet).*

Les impressionnistes organisent par la suite huit expositions, mais leur réunion, leur vision commune de l'art, la découverte de la mise en valeur des couleurs par la division des tons, la recherche de sujets de plein air pour capter la lumière et ses effets fugitifs n'empêchent pas chacun d'entre eux de suivre un parcours personnel.

La mer et les trains

Salle 29. Claude Monet peint à grands coups de pinceaux blancs les vagues déferlantes sur les falaises d'Étretat, en Normandie (1868-1869). La mer vue du rivage est en effet un thème nouveau depuis que le chemin de fer permet d'aller rapidement sur la côte.

Le train à vapeur est aussi un autre sujet qui passionne Monet, à cause de sa nouveauté mais aussi de l'impression de vitesse, de l'instant qu'il faut vite capturer sur la toile. Ainsi il peint sept fois *La Gare St-Lazare*. Chaque peintre a ses sujets de prédilection. Gustave Caillebotte peint les ponts de Paris mais aussi les artisans, tels *Les Raboteurs de parquet* (1875). Regarde bien la lumière et les ombres que forment les raboteurs sur le parquet : ces personnages sont très réalistes !

Les petites danseuses de Degas

Salle 31. Degas est un ami des impressionnistes, mais il a sa façon de peindre bien à lui. Il aime le spectacle, que ce soit celui de la rue, des cafés, des ateliers des repasseuses, de l'hippodrome ou de la scène de l'Opéra. Qui ne connaît pas ses danseuses ? Elles tournent, virevoltent, font les pointes, se baissent, attachent leurs chaussons, saluent le public... et nous sommes des spectateurs ravis de pouvoir les observer à travers l'œil du peintre. Degas ne travaille pas de manière instantanée comme les impressionnistes, mais fait de nombreux croquis avant de composer son tableau, en prenant des libertés avec le cadrage de son image. Vois son tableau *Le Champ de course, jockeys amateurs, près d'une voiture* (vers 1876-1887). La tête du cheval de droite sort du cadre ! Celui du fond a une allure impossible ! C'est à cette époque que l'on commence seulement à savoir décomposer le mouvement du galop d'un cheval, grâce à la photographie.

Vers la fin de sa vie, devenu aveugle, Degas se tourne vers la sculpture. Dans la vitrine centrale de la salle sont réunies des danseuses et des femmes à leur toilette. Regarde en particulier la *Petite Danseuse de quatorze ans* : c'est une statue de bronze. Degas l'a habillée d'un vrai tutu en tulle et lui a attaché sa natte (faite de vrais cheveux !) avec un ruban de satin rose ; on s'attendrait presque qu'elle exécute un entrechat devant nos yeux ! On retrouve Degas salle 37 avec ses pastels et toujours ses thèmes chéris ; la danse et la toilette. Un de ses tableaux s'appelle *Le Tub*. Sais-tu ce que c'est ? regarde bien la toile, tu devineras par toi-même : au 19e s., tout le monde n'avait pas de baignoire et encore moins l'eau courante ! Alors les femmes se lavaient dans une large cuvette, un tub, en versant sur elles de l'eau grâce à un pichet.

Reconnaître une œuvre impressionniste

Maintenant que tu as fait le tour des salles impressionnistes, tu peux certainement répondre à cette question ! Tu hésites ? Voici quelques éléments de réponses :
- les impressionnistes veulent peindre la lumière, aussi, ils commencent par peindre dehors ;
- la lumière, c'est aussi la transparence ; mais comment peindre quelque chose de transparent ? en utilisant le blanc, le bleu, le gris.
- enfin, qui dit « impressionnisme » dit « impression » : la manière de peindre par petits touches de couleurs juxtaposées au lieu de grands aplats sert à donner l'« impression » d'un soleil couchant, l'impression de chaleur, ou encore l'impression de mouvement.

C'est la fête !

Salle 32. La lumière intéresse les impressionnistes parce qu'elle est mobile, instable, de même que la danse, la fête : dans *Le Bal du moulin de la Galette* (1876), Renoir place ses personnages dans une atmosphère vibrante et irisée. Regarde bien ce tableau, puis regarde *La Balançoire*... Tu as vu ? Renoir a peint le même personnage. Lequel ? C'est la jeune femme en robe blanche à nœux bleus.

Monet évoque la liesse de la *Fête du 30 juin 1878*, rue Montorgueil à Paris, à coups de drapeaux rouges qui bougent comme la foule.

Quelle heure est-il, monsieur Monet ?

Salle 34. Ce n'est pas la grande horloge de la gare d'Orsay qui te le dira, mais les cathédrales de Rouen que Monet a peintes à différents moments de la journée. Il t'apprend ainsi que les tons varient, allant du blanc et bleu matinal au brun et gris du soir. À ton tour, tu pourras essayer, lors de tes promenades le long de la Seine ou ailleurs, de trouver comme lui des impressions différentes selon l'heure.

Et regarde ses *Nymphéas bleus* : cette gamme de bleus et de verts n'est-elle pas merveilleuse ? Si tu veux voir ces mêmes couleurs, va vite admirer les grandes toiles du musée de l'Orangerie *(voir la promenade aux Tuileries)*.

Van Gogh en couleurs

Salle 35. Les couleurs utilisées par Van Gogh sont vives, presque sorties directement du tube de gouache. Un trait sombre cerne les motifs dans la *Chambre de Van Gogh à Arles* (chaque meuble est dessiné d'un trait noir, puis le peintre les a remplis de couleur), *L'Église d'Auvers-sur-Oise* (as-tu remarqué les coups de pinceau au sol : on dirait qu'ils sont là pour guider le regard vers l'église, qui est le sujet pricipal du tableau) ou encore dans *La Sieste* (1889-1890), un tableau inspiré d'une scène similaire peinte par Millet quelques années auparavant.

Les pommes de Cézanne

Salle 36. En Provence, d'où il est originaire, Cézanne peint des paysages simplifiés ; ses mosaïques d'ocre, de vert et de bleu suggèrent la montagne, le ciel, la mer, les arbres, sous le ciel de la Méditerranée (*La Montagne Sainte-Victoire*, vers 1890). Les natures mortes l'intéressent aussi. Il modèle ses pommes, ses oranges par touches épaisses, se laisse emporter par la matière, les formes, les couleurs, sans trop se soucier du figuratif. Il est plus à l'aise avec les objets qu'il peut observer durant des heures qu'avec un modèle vivant. Vois comme il fige *La Femme à la cafetière* (vers 1890-1895) !

Le jeu des sept erreurs

Salle 39. Renoir a peint deux compositions qui forment une paire : *Danse à la ville* et *Danse à la campagne* (1882-1883). Le sujet est le même : un couple de danseurs. Observe bien la scène et cherche les différences entre les deux tableaux.

Après l'impressionnisme

Niveau supérieur, à la suite des impressionnistes.

Un peintre du dimanche

Salle 42. Henri Rousseau (1844-1910), employé à l'octroi de Paris (d'où son surnom « Le Douanier Rousseau ») est un peintre amateur qui ne reçoit que rires et critiques lorsqu'il expose ses toiles. En 1885, il se consacre entièrement à son art et donne des cours de dessin, de peinture et de musique aux enfants de son quartier. Bientôt, sa peinture naïve est reconnue par des peintres comme Picasso. Sans jamais quitter son atelier, mais en s'inspirant de cartes postales, il a peint la jungle, peuplée de lions ou de serpents… et imaginé des combats terribles ou des scènes mystérieuses. À ne pas manquer : *La Charmeuse de serpent* (1907).

En Bretagne aussi, on peint

Salles 43 et 44. À Pont-Aven, un village du Finistère, en Bretagne, la qualité de la lumière attire des artistes : Paul Gauguin (1848-1903), en premier, puis Paul Sérusier et Émile Bernard. Ils forment l'école de Pont-Aven, un mouvement artistique qui se développe entre 1886 et 1895. Les peintres découpent l'espace de leur toile en plans vivement colorés délimités par des contours sombres, ce qui influencera plus tard les Nabis et les débuts de l'abstraction.
Abstrait ? pas tant que cela, surtout lorsqu'on regarde *L'Averse* (1893) de Paul Sérusier : on dirait presque une bande dessinée !

Mais aussi à Tahiti !

Salle 44. En 1891, Paul Gauguin quitte la Bretagne pour s'installer à Tahiti à la recherche d'un paradis, loin de la civilisation occidentale. Il y fait deux séjours puis finit ses jours aux îles Marquises. Là-bas, il est séduit par le charme des vahinés aux paréos colorés

Dans l'ancien hall de gare…

(*Femmes de Tahiti, sur la plage*, 1891), la luxuriance des fruits, la lumière écrasante. Sur ses tableaux, il peint souvent une jeune fille : c'est Tehura, sa compagne.

Des petits points, toujours des petits points...

Salles 45 et 46. C'est le peintre Seurat qui donne naissance au **pointillisme** (des milliers de petites touches de couleurs pures recomposent une unité de ton une fois observées avec recul ; c'est presque une illusion d'optique). *Le Cirque* (1891), si vivant, est son dernier tableau.

Signac (*La Bouée rouge*, 1895), Matisse (*Luxe, calme et volupté*, 1904) vont plus loin, en élargissant le point et en lui donnant des couleurs plus flamboyantes. *Les Îles d'or* (1892) de Henri Edmond Cross est presque devenu un tableau abstrait.

Au spectacle avec Toulouse-Lautrec

Salle 47. Dans la famille aisée de Henri de Toulouse-Lautrec, le dessin n'est qu'un violon d'Ingres, un simple passe-temps ! Mais à la suite de deux accidents qui le rendent infirme, le jeune Henri (1864-1901) consacre sa vie à la peinture et au théâtre. À Montmartre, il est de tous les spectacles nocturnes, au cirque ou au cabaret ; il crée des affiches et peint inlassablement les danseuses de french cancan. Il faut voir Jane Avril secouer la jambe (*Jane Avril dansant*, 1892) !

Les Nabis

Salle 48. Un groupe baptisé Nabis, d'un nom hébreu signifiant « prophète », naît vers 1890. Il se compose d'admirateurs de Gauguin, qui viennent aussi de découvrir l'art du Japon. Ils veulent transmettre une nouvelle peinture, décorative, libérée de la perspective et utilisent des formes simplifiées et des aplats de couleur.

Parmi eux, il y a Pierre Bonnard ; dans *Le Corsage à carreaux*, 1892, on voit le chat mettre la patte dans l'assiette de sa maîtresse ! Il y a aussi Vuillard ; dans *Au lit*, une jeune fille est endormie le nez sous les draps : draps, couvertures, traversin et oreiller forment des surfaces unies, sans ombre ; tout est fondu dans les tons gris-blanc du sommeil... On retrouvera les Nabis avec leurs toiles grand format au niveau médian. Tiens, si on y descendait ?

Les Nabis, suite de l'aventure...

Descendre au niveau médian ; salles 70 à 72. Les peintres Nabis participent activement au renouveau de l'art décoratif : ils réclament des murs à décorer pour embellir la vie quotidienne ou peignent des paravents. Et sur ces paravents, on voit très souvent des enfants : à toi d'observer leur tenue et leurs jeux ; ils sont sans doute très différents des tiens ! Le paravent de Pierre Bonnard, *Femmes au jardin*, comporte quatre volets représentant des femmes habillées de robes à motifs géométriques. Les personnages apparaissent comme des silhouettes découpées et appliquées de manière décorative sur le fond.

Vuillard peint de hauts panneaux destinés à décorer la salle à manger de M. Natanson, un collectionneur : *Fillettes jouant* (à chat, à cache-cache ? devine...), *L'Interrogatoire, Les Nourrices, La Conversation* et *L'Ombrelle rouge* forment les cinq parties d'un ensemble de neuf, intitulé *Jardins publics*.

Félix Vallotton saisit du haut d'un balcon un enfant courant après son ballon (*Le Ballon*, 1899). Au jardin, toujours, voici *Les Muses* (1893) de Maurice Denis : le peintre agence des formes simplifiées et des arabesques pour créer une atmosphère poétique. Où se trouvent ces femmes ? Peut-être au jardin des Tuileries...

Avant l'impressionnisme...

Le rez-de-chaussée est consacré aux années 1848-1870, avec la sculpture dans la nef centrale, et la peinture dans les deux longues enfilades de salles parallèles (côté Seine et côté Lille).

Bien sûr, en visitant ces salles, on revient chronologiquement en arrière. Mais ce retour a au moins le mérite de nous faire comprendre comment les techniques de peinture ont évolué pour aboutir au mouvement impressionniste.

Les artistes s'inspirent des Grecs

Côté Lille, salles 1 à 3. Le mouvement néoclassique s'inspire de l'Antique. Le peintre le plus connu de cette époque est Jean-Auguste-Dominique Ingres (1780-1867). C'est le maître incontesté de la perfection dans le rendu lisse, velouté et nacré des surfaces. Regarde la jeune fille du tableau *La Source* : ne dirait-on pas que sa peau ressemble à du velours ?

Un monde en mouvement

Parallèlement, des peintres cherchent à exalter l'émotion : on appelle ce mouvement le romantisme. Certains artistes vont en Algérie, en Égypte, au Sahara, car ils sont

fascinés par les paysages lumineux, les décors des palais, les mosaïques des mosquées, la foule bigarrée des jours de fête… Après un voyage au Maroc, à Alger et en Espagne, Eugène Delacroix (1798-1863) peint le *Passage d'un gué au Maroc* (1858), de magnifiques *Chevaux arabes se battant dans une écurie* (1860) ou une *Chasse aux lions* (1854). Sur ce dernier tableau, as-tu remarqué ces rouges et ces bruns éclatants ? C'est aussi comme cela que Delacroix exprime le mouvement et la violence de la bataille entre les lions et les chevaux.
Dans la même salle sont exposées les toiles des peintres orientalistes. À l'époque, les gens adoraient tous les sujets se rapportant à l'Orient ; les tableaux de Chassériau ou de Fromentin se vendaient comme des petits pains…

Leçon d'histoire

Salle 3. L'histoire a toujours été le sujet de prédilection des peintres. C'est plutôt réussi et ça nous permet de réviser… Les artistes peignent de grandes toiles qui ressemblent à des scènes de films sur grand écran. Curieux tableau : *Le Prix d'un tournoi* (1873), de Henri Cros, apporte une touche de fantaisie par la technique utilisée. En cire polychrome, il met en scène six personnages en relief : des femmes coiffées du hennin s'apprêtent à féliciter le vaillant chevalier.
En 1880, Cormon représente la fuite tragique de Caïn, couvert, ainsi que ses enfants, de peaux de bêtes.

Comme pour de vrai

Côté Seine, salles 4 à 7. Le mouvement appelé « réalisme » débute dans les années 1830 et se poursuit jusqu'à la fin du siècle. Les thèmes sont extraits de l'univers quotidien. Finis, donc, les sujets religieux, littéraires ou historiques. Tu te souviens : les principaux sujets choisis par les peintres impressionnistes étaient des scènes de tous les jours…
Salle 4. Honoré Daumier (1808-1879) peint *La Blanchisseuse (1863)* avec une simplicité extrême : elle rentre chez elle avec sa lessive sous le bras et aide son enfant qui porte le battoir à monter un escalier. Jette un coup d'œil aux petites têtes en terre crue *(Les Célébrités du Juste milieu*, qui viennent juste d'être restaurées*)* : Daumier est très doué pour la caricature. Sais-tu ce qu'est une caricature ? C'est l'art de révéler la vérité profonde des gens (leur caractère, par exemple) par la déformation et l'accentuation des traits. Alors, que penses-tu de Laurent Cunin, de Charles Philippon ou encore du comte Horace-François Sébastini ?
Salles 5 et 6. Jean-François Millet (1814-1875) peint le monde paysan, à Barbizon, près de Fontainebleau : *La Petite Bergère* ou *La Fileuse, chevrière auvergnate* tricotent ou comptent les heures tout en surveillant le troupeau, *Les Glaneuses* en sabots ramassent les derniers épis de blé, les faneurs se reposent à l'ombre d'une meule de foin, la laitière porte son lait au village, un couple de paysans interrompt le travail aux champs, le temps de l'*Angélus du soir* (1857-1859). À l'époque, cette peinture étonne le public habitué Jusque-là aux bergères en robes de princesse ou aux paysannes en haillons, mais rien de comparable à ces femmes ou à ces hommes de la terre qui ont l'air « trop humains », ou trop réels, comme le montre aussi Rosa Bonheur avec ses laboureurs nivernais qui encouragent trois paires de bœufs écumants à tracer les sillons…
Salle 7. « Faire de l'art vivant, tel est mon but ! » disait Gustave Courbet (1819-1877), qui représenta, dans *Un enterrement à Ornans*, 46 personnages grandeur nature, tous habitants du village où il est né, tous inconnus du grand public : le maire, le curé, le notaire, des vieux… mais aucun ministre, personnage public ou héros de la mythologie à qui l'on réservait habituellement les tableaux grand format !

Au scandale !

Côté Seine et Côté Lille, salle 14. Choquante, cette *Olympia* (1863) de Manet. Des femmes dénudées, les peintres en ont déjà représenté des milliers, en général des déesses de l'Antiquité. Mais celle-ci, avec ses petits pieds chaussés de mules, son tour du cou et son regard sans gêne, incommode beaucoup la bourgeoisie austère du second Empire. Les critiques de l'époque disent qu'elle est mal peinte, inconvenante… En 1863, l'audacieux Manet avait déjà suscité le scandale avec son *Déjeuner sur l'herbe* (exposé au niveau supérieur, salle 29) en montrant une femme toute nue pique-niquant en compagnie de deux messieurs ! Ce tableau fut exposé au salon des Refusés, une exposition spéciale organisée par Napoléon III en 1863 pour tous les peintres qui ne plaisaient pas au jury du Salon officiel.
Monet (1840-1926) commença lui aussi avec un *Déjeuner sur l'herbe* (1865-1866). Cette scène champêtre, pas plus que *Femmes au jardin* (1867), aux jupes d'une blancheur éclatante sous le soleil qui perce à travers les arbres, ou que *La Pie* (1868-1869) ne sont acceptées au Salon officiel. Pourtant, tout le monde est habillé…

Fleurs, plantes… et nouilles

Niveau médian, salles 61 à 66 consacrées à l'Art nouveau.

Quoi de neuf ? Que ce soit un chandelier, une chaise, un bijou…, la décoration ne s'applique plus comme avant sur la structure de l'objet, mais devient la structure même. Ainsi un candélabre à six branches devient une plante avec ses rameaux qui s'élance dans un mouvement tournant ; une corolle de fleur en pâte de verre forme une coupe.

Ph. Bourgeois / MICHELIN

Le portail du Castel Béranger, dans le 16e arr., a été dessiné par Hector Guimard.

Les artistes veulent faire table rase du passé, du réalisme des années précédentes et imaginer un style neuf. Ce mouvement se développe vers 1880 dans toutes les grandes villes d'Europe (Bruxelles, Vienne, Paris, Glasgow, Barcelone…) et se propage jusquaux États-Unis. Peintres et artistes s'intéressent à l'architecture et aux arts appliqués, s'ouvrent aux techniques de matériaux variés et deviennent des artistes-artisans (verriers, ébénistes, orfèvres, céramistes…). Ils fabriquent des œuvres luxueuses, à l'unité, pour de riches commanditaires ou s'associent à des industriels pour créer des objets en série. Influencés par l'art japonais, beaucoup d'entre eux s'inspirent des formes souples des végétaux, les stylisent avec beaucoup de fantaisie.

Tous les meubles sont dans la nature

Salle 61. Des papillons et des libellules batifolent sur les lits et les paravents d'une chambre à coucher ? Ça n'existe pas, ça n'existe pas ! Et pourtant si : avec l'Art nouveau, tout est permis !

Pour faire tes devoirs, voici un bureau-écritoire tout en courbes : ce doit être un vrai plaisir d'y travailler, non ?

René Lalique crée des bijoux en forme de fleurs de carotte et mille autres prouesses techniques en mélangeant des matériaux variés (ivoire, onyx, nacre, or, diamants, corne…). Comme c'est beau et original…

Le style nouille, c'est Guimard

Salle 62. L'architecte d'art Hector Guimard est le créateur des premières bouches du métro parisien ; rappelle-toi, tu en as vues en faisant les promenades à Monceau, dans le quartier de la Nouvelle Athènes et à Montmartre. Il dessine les balcons en s'inspirant des volutes des plantes. On appelle parfois son style « nouille » car toutes les lignes qu'il dessine sont courbes, un peu comme les spaghettis qui s'enroulent autour de ta fourchette ! Essaie, toi aussi, de dessiner, par exemple, la maison de tes rêves avec des lignes « nouilles », tu verras, le résultat peut être très amusant !

Emprisonnés dans le verre

Salle 63. Grenouilles, sauterelles, coquelicots ou bambous décorent les œuvres du grand maître-verrier de Nancy, Émile Gallé (1846-1904), qui peint, grave, émaille ou incruste de paillettes d'or le cristal ou le verre.

Objets insolites à retrouver

1 - Une porte du salon d'essayage d'un magasin de Nancy, décorée d'un vitrail de fleurs (E. André, E. Vallin et J. Gruber).
2 - Un lit orné de nénuphars (L. Majorelle).
3 - Des libellules soutenant une vitrine (É. Gallé).
4 - Un fouilli de poissons et de diablotins chinois sur un plat d'ornement (É. Gallé).
Réponses : 1 et 2- salle 64 ; 3 et 4- salle 63.

Carnet d'adresses

PAUSE DÉJEUNER

Les Nuits des Thés – *22 r. de Beaune - 7e arr. - M° Rue-du-Bac - 01 47 03 92 07 - fermé août - 16/25 €.* Difficile de ne pas remarquer ce salon de thé coincé entre galeries d'art et boutiques d'antiquités : l'adresse a conservé la jolie devanture de la boulangerie qui occupait autrefois ces murs. Salades composées, tartes salées et pâtisseries maison servies dans un cadre ravissant qu'affectionne la clientèle chic du quartier.

Le Restaurant du Musée d'Orsay – *Niveau médian du musée - 7e arr. - RER Musée-d'Orsay - 01 45 49 47 03 - restaurants.orsay.rv@elior.com - fermé 1er janv., 1er Mai, 31 déc. et lun. - pas de réserv. - 25/50 €.* Aménagé dans la fastueuse salle à manger de l'ancien hôtel du Palais d'Orsay, ce restaurant a conservé les fresques, dorures et moulures d'époque. Cuisine traditionnelle simple et salon de thé l'après-midi.

Café des Lettres – *53 r. de Verneuil - 7e arr. - M° Solférino - 01 42 22 52 17 - lun.-vend. 9h-0h, sam. 11h-0h, dim. 12h-16h - fermé 1er Mai et 1 sem. à Noël - 18/39 €.* Cette belle demeure construite en 1725 pour Louis de Banne, comte d'Avejan et successeur du comte d'Artagnan à la tête des mousquetaires, abrite le siège du Centre national du Livre. Cet établissement public national dispose d'un petit café accessible au public. Aux beaux jours, la cour intérieure de l'hôtel particulier est aménagée en terrasse. Brunch scandinave le dimanche.

PAUSE QUATRE-HEURES

Café des Hauteurs – *Niveau supérieur du musée - 7e arr. - RER Musée-d'Orsay - 01 42 84 12 16 - mar.-dim. 10h30-17h (21h jeu.) - fermé 25 déc. et 1er janv.* Le Café des Hauteurs, accessible avec le billet d'entrée du musée, propose tartes salées, sandwiches, salades mixtes, lasagnes, potages, quiches... boissons chaudes et froides dans un cadre ouvert avec vue sur la fameuse horloge de l'ancienne gare d'Orsay et sur Paris, les Tuileries et le Sacré-Cœur. Extra pour un tea-time.

Musée Guimet

PLAN ATLAS MICHELIN PARIS N° 56 (P. 29) ET N° 57 (P. 59), REPÈRE G7 – 16E ARR.

Depuis 2000, le musée national des Arts asiatiques présente ses collections d'art et d'archéologie dans un cadre architectural nouveau, ouvert et lumineux, qui plaira aux enfants. En suivant le circuit géographique et chronologique, ils pourront découvrir des dieux étranges, de gracieuses danseuses, des animaux fabuleux, un mobilier raffiné ; ils voyageront jusqu'en Inde, au Japon ou en Chine. Comme Marco Polo ou Émile Guimet, le fondateur du musée, ils s'émerveilleront devant les laques, les porcelaines, les jades, les calligraphies… Une visite qui nourrira sûrement leur imaginaire !

ACCÈS

En **métro** : ligne 9, station Iéna.
En **bus** : lignes 22, 30, 32 (station Trocadéro), 82 (station Lubeck) et 63 (station Iéna).
À proximité, vous pourrez suivre les promenades à Alma (9) ou au Trocadéro (10).

POUR LES PETITS MALINS

Où se trouvent le Cambodge, la Thaïlande, la Birmanie ou le Népal dans cette immense Asie ? Munissez-vous d'une photocopie d'un atlas et coloriez les pays que vous allez visiter.
Carnet et crayon en main, recherchez des détails stylisés (un dragon, une branche de bambou, un oiseau…) et dessinez-les.
Trouvez des idées pour vous déguiser, une fois rentré à la maison, en prince ou princesse d'Orient : par exemple, une superbe couronne coréenne facile à reproduire dans du carton et à peindre en doré, ou une jupe drapée du Cambodge…

LE CLOU DE LA VISITE

Les petites statues pleines de vie de la Chine antique (1er étage) : serviteurs, musiciens, cuisiniers, cavaliers, dames de la cour, joueuses de polo ou chamelier : on aurait presque envie de jouer avec !

Pour mieux comprendre

Le musée national des Arts asiatiques s'est d'abord appelé musée Guimet, du nom de son fondateur, Émile Guimet (1836-1919). Cet industriel lyonnais fut chargé par le gouvernement d'une mission d'étude sur les religions en Asie. Son voyage le conduisit au Japon, en Chine et en Inde. Comme il était un riche héritier, il consacra sa fortune à amasser des milliers de pièces rares et rapporta 300 peintures, 600 statues et quelque mille ouvrages anciens, japonais et chinois. En 1879, pour faire connaître sa collection, il fit construire un musée dans sa ville natale, à Lyon, mais, mal compris, il choisit finalement de céder ses trésors à l'État qui s'engagea à construire un musée pour les y accueillir.
Inauguré en 1889 à l'occasion de la quatrième Exposition universelle, le musée, de style néo-grec, reproduction de celui qu'Émile Guimet avait fait construire à Lyon, fut d'abord essentiellement consacré à la connaissance des religions de l'Orient.
Au fils des décennies, ce musée s'enrichit d'objets rapportés par les expéditions françaises au Tibet, en Asie centrale, en Chine, au Cambodge, de collections provenant du musée indochinois du Trocadéro puis d'œuvres afghanes, des collections d'Extrême-Orient du Louvre (en 1945), de legs et de donations de collectionneurs… si bien qu'aujourd'hui il abrite la plus grande collection d'art asiatique du monde.
Après une refonte complète et très réussie des lieux (à l'exception des façades et de la rotonde qui sont restées en l'état) menée par l'architecte Henri Gaudin, le musée a réouvert ses portes en 2000.
Les collections sont désormais présentées dans des salles ouvertes, baignées par la lumière du jour, et selon un circuit géographique et chronologique qui rend plus visible la diffusion du bouddhisme entre les différentes régions de l'Asie.
La visite se fait sur trois étages et rassemble des dessins, des estampes, des peintures, des sculptures, des armes, des monnaies, des instruments de musique, des costumes, des bijoux, du mobilier…

Une visite pas comme les autres

Horaires et tarifs

☏ 01 56 52 53 00 - www.museeguimet.fr - ♿ - tlj sf mar. 10h-18h (dernière entrée 45mn av. fermeture) - fermé 1er janv., 1er Mai et 25 déc. - 5,50 € (enf. gratuit), gratuit 1er dim. du mois.

Le site du musée, www.museeguimet.fr, est remarquablement bien conçu, et en particulier pour les enfants. Ceux-ci y trouveront des petits jeux en rapport avec les collections du musée. Excellent pour préparer la visite, ou pour la prolonger une fois revenu à la maison.

Livrets-jeux

Le musée propose des livrets-guides aux visteurs de 4-8 ans : « Le fabuleux bestiaire », et de 9-12 ans : « En route pour l'Asie du Sud-Est » et « À la découverte de l'Orient extrême ». Ces brochures sont gratuites et disponibles à l'accueil.

Visites-Contes

À partir de 7 ans - en général merc. 14h - calendrier à l'accueil ou sur www.museeguimet.fr - durée 1h30 - 4,80 €. Les visites-contes permettent de découvrir les objets des collections en les replaçant dans leur contexte culturel grâce au support d'une narration mythique ou légendaire (histoire dansée de la naissance de Rama, septième réincarnation de Visnu ; histoire de Prema, la petite bergère indienne qui voulait devenir danseuse ; la légende du Gange ou la déesse qui devient fleuve, etc.).

H. Deguine / MICHELIN

En attendant la visite du musée Guimet…

Ateliers

☏ 01 56 52 53 45 - tlj sf w.-end 10h-12h30, 14h-16h (merc. 9h-12h30) - à partir de 7 ans - en géneral merc. et pdt vac. scol. 14h - calendrier à l'accueil ou sur www.museeguimet.fr - durée 2h - réserv. obligatoire - 6,30 €.

Après la visite des œuvres et objets usuels ou religieux, représentatifs d'un savoir-faire et d'une tradition, les enfants apprennent à manier un instrument ou à maîtriser des gestes pour réaliser leur propre œuvre plastique.

Ils découvrent ainsi la peinture à l'encre de Chine, la calligraphie, l'origami (pliages de papier)…, fabriquent des marionnettes, dessinent un paysage, une fleur ou un animal symboliques sur un tee-shirt ou un kakémono (rouleau vertical), imaginent le plus beau kimono, ou, munis d'un carnet de croquis, découvrent les fabuleux animaux d'Asie peints ou sculptés dans le musée.

Les ateliers sont tout aussi nombreux que les fêtes en Asie et les réalisations en correspondance avec le calendrier des cérémonies ou des saisons. Ainsi, chaque enfant pourra à son tour profietr des fêtes populaires de l'Asie en fabriquant, selon les règles de l'art, des porte-bonheurs, des dragons, des cerfs-volants…

Le sourire des statues

Les trésors du Cambodge

Rez-de-chaussée. Un temple, ce musée ? C'est en tout cas l'impression qui s'en dégage lorsqu'on se dirige vers la première salle consacrée au Cambodge et aux **trésors de l'art khmer★★** : une des plus riches collections du monde en dehors de l'Asie et qui réunit de magnifiques statues en provenance du Bayon d'Angkor Thom. Ce site, qui rayonna du 9e s. au milieu du 15e s., resta longtemps ignoré de l'Europe. Ce n'est qu'en 1860 que les naturalistes français, un peu à la manière d'un Indiana Jones, découvrirent les ruines monumentales, envahies par la végétation depuis trois siècles.

À l'entrée, la statue colossale d'un naga (fin 12e s.-début 13e s.) a de quoi étonner ! Ce serpent fabuleux à sept doubles têtes se dressait à l'extrémité de la balustrade de la chaussée menant au temple du Preah Khan (toujours à Angkor) et indiquait au pro-

fane qu'il rentrait dans la cité des dieux.
Au cours de la visite dans les salles du Cambodge, vous rencontrerez d'autres nagas : cet animal est le symbole de ce pays d'eau et de rizières, et un élément clé du pouvoir royal qui contrôlait l'irrigation. Une légende raconte même que la première dynastie du royaume est née de l'union d'une princesse serpent avec un brahmane (religieux initié aux textes sacrés).

As-tu repéré les trois grandes divinités de l'hindouisme ici rassemblées ? Il y a Visnu, le dieu qui veille sur l'Univers, Siva, celui qui détruit l'univers, mais le répare également, et Brahmâ, le créateur de toutes choses.

Tu ne remarques rien sur le visage de toutes les statues que tu rencontres ? Elles sourient ! Ce sourire est typique de l'art khmer (cambodgien).

Portrait robot

Sauras-tu restituer à chacun des trois principaux dieux de la religion indouiste, Visnu, Siva et Brahmâ, leurs attributs ? Pour t'aider, regarde bien les statues autour de toi.

1 - 4 visages, 4 bras, barbe, pot à eau et livre dans les mains gauches, rosaire et fleur de lotus dans les mains droites.

2 - Diadème, 4 bras, disque dans la main droite, conque (coquillage) dans la main gauche.

3 - Croissant de lune, colliers et bracelets, 4 bras, hachette dans la main droite, gazelle dans la main gauche, 3e œil.

Réponses : 1 - Brahmâ ; 2 - Visnu ; 3 - Siva.

Au fond de la salle, les sculptures en bas relief d'un fronton en grès rose racontent un épisode du livre I du *Mahâbhârata*, un des deux grands poèmes épiques de l'Inde. Deux divinités se disputent une Apsara (nymphe des eaux) ; égarés par l'amour pour cette déesse pleine de charme, ils lèvent leur terrible massue et se frappent mutuellement.

Dans les salles du Cambodge, vous découvrirez encore neuf gracieuses Apsaras qui dansent avec frénésie (frise du temple de Bayon, fin 12e s.-début 13e s).

Tout près d'elles : la tête sculptée du roi khmer Jayavarman VII (1181- vers 1218), le bâtisseur du Bayon, d'Angkor Thom, un temple bouddhique comme tous les sanctuaires construits sous son règne. Ce pieux souverain avait en effet élevé au rang de religion officielle le Mahayana, une forme du bouddhisme. Son sourire empreint d'une douceur énigmatique est le même que celui de Bouddha (voyez les statues du Grand Sage dans cette même salle). On étudiera d'un peu plus près tout à l'heure qui est ce fameux Bouddha.

Danseurs indiens

Rez-de-chaussée, salle de gauche. On retrouve les divinités hindoues qui ont influencé l'art et la culture du Cambodge, mais dans un style plus chargé. Regarde Visnu, il est richement paré. Et Siva Nâtarâja ! Il est ici le roi de la danse : dans un fabuleux cercle de feu, il exécute sa danse cosmique tout en écrasant du pied le démon de l'ignorance. Kali, l'une des épouses de Siva, représente l'Énergie

T. Ollivier / RMN

Les charmantes Apsaras (déesses des eaux) du musée Guimet.

dynamique sous tous ses aspects : nourriciers, amoureux ou destructeurs. Dans ce cas précis, elle est figurée avec des yeux exorbités et des lèvres retroussées ! Un vrai monstre !
Le panthéon hindou est immense. On dit qu'il existe 33 333 dieux, mais ce nombre symbolise en fait une quantité fantastique. À côté des dieux majeurs et mineurs, il y a de nombreuses divinités féminines liées à la nature. Ces statues de femmes aux formes douces et sensuelles, dont le déhanchement est accusé par la finesse de la taille, incarnent la fertilité, la fécondité. La divinité fluviale représente le Gange et ses affluents ; la divinité à l'arbre a le pouvoir de faire fleurir l'arbre auprès duquel elle se tient. Quant à Ganesa, le dieu-éléphant, il a le pouvoir de lever les obstacles ; c'est pourquoi il protège les marchands, les voyageurs, les étudiants, mais aussi les voleurs.

À la rencontre de Bouddha

Rez-de-chaussée, salles de droite. Vietnam, Indonésie, Birmanie, Thaïlande, Laos… Tous ces pays ont été gagnés par le bouddhisme entre le 1er s. et le 13e s. Mais qui est Bouddha ? Il est né 600 ans av. J.-C. dans une bourgade népalaise, face aux contreforts de l'Himalaya. Fils d'un souverain et grand propriétaire, il est élevé par une tante et par la seconde épouse de son père, car sa mère, la reine Maya, est morte peu de temps après sa naissance. Il reçoit une noble éducation (équitation, tir à l'arc, connaissance des sciences…), se marie à l'âge de 16 ans, devient père d'un fils. Un jour, en se promenant, il rencontre un vieillard, un malade, le cadavre d'un homme, puis un mendiant ; il découvre alors que la souffrance est au cœur de l'existence humaine. À 29 ans, il quitte richesses et famille pour mener une vie de privations, mais il réalise ensuite que cette voie ne vaut pas mieux qu'une vie de plaisirs. Après des années de recherche, il parvient par la méditation à se délivrer de l'attachement aux choses terrestres. Il reprend sa vie errante pour enseigner l'amour du prochain, la bonté, la compassion, la sagesse, le renoncement aux désirs… tout ce qui permet de guérir de la souffrance afin de trouver la sérénité.
Vous rencontrerez dans ces salles de somptueux bouddhas, certains en bois laqué, doré et incrusté de nacre et de verre, un autre en bronze doré portant une robe parsemée de clous de plomb en guise de perles…
Ces statues du Bouddha paré représentent une énigme, puisque après avoir su se délivrer à tout jamais de l'attachement aux choses terrestres, Bouddha revêtit un simple costume de moine ; on pense que, peut-être, il aurait pris ces élégants habits pour aller enseigner les voies de la sagesse aux princes et aux rois.
Le Bouddha est aussi représenté dans des attitudes différentes : en méditation, assis en tailleur ou bien debout, la main droite levée, dans un geste rassurant.
Mais qui sont ces personnages aux bras multiples ? Certains en ont dix, d'autres cent ! Ce sont des bodhisattvas, des êtres d'une infinie bonté. Chaque main ouverte voit, écoute, aide les hommes en soulageant leur souffrance.

Avis de recherche

Maintenant que tu sais qui est Bouddha, essaie de le retrouver, partout dans le musée.
Voici quelques indices qui te mèneront sur la voie de la vérité : Bouddha a toujours un air serein, il est souvent assis en tailleur, il est vêtu d'une tunique drappée et, enfin, il porte un chignon tout en haut de son crâne.

Les parures d'une princesse indienne

1er étage, rotonde des arts graphiques et galerie Riboud. Avant d'aller plus loin en Asie, entrez dans la rotonde en face de l'escalier. Dans cette bibliothèque surmontée d'une coupole soutenue par des caryatides, s'est déroulée, en 1891, la première cérémonie bouddhique en France. Des vitrines présentent des expositions temporaires de miniatures. Ce sont des illustrations de scènes de vie à la cour des Grands Princes Moghols, venus de Perse envahir l'Inde au 15e s. Regarder les parures des jeunes princesses, rêver devant ces jardins pleins de fleurs où l'eau coule dans de petits canaux, admirer le beau et fier profil des Grands Princes Moghols, un faucon au poignet…
Autour de la rotonde, l'or, l'argent, le rouge, le jaune et d'autres couleurs éclatantes ornent parures de lit, costumes de satin de soie brodé, bijoux, armes et objets décoratifs du 16e s. au 19e s. On se croirait dans un palais de maharadjah, tel un prince ou une princesse.

Il y a très longtemps, en Chine

1er étage, galeries à droite de l'escalier. Ces salles exposent des objets datant de la préhistoire jusqu'aux premières dynasties chinoises : les Shang, puis les Zhou de la Chine du Nord (11e et 8e s. av. J.-C.), les Han (du 3e s. av. J.-C. au 3e s. apr. J.-C.), qui bâtirent le premier empire chinois, et enfin les Tang (du 6e s. au 8 s.).
De la période Zhou, nous proviennent des objets en bronze : une série de cloches, un masque qui sourit en montrant toutes ses dents, un vase gigantesque en forme d'éléphant.
De superbes animaux en bois laqué – un daim couché, un phénix –, datant du 5e s. av. J.-C., sont ornés de bois de cervidés fossilisés. Plutôt curieux…
Le fond de la salle est consacré à la période Han représentée par toute une série de figurines en terre cuite destinées à accompagner les dignitaires dans leur tombe. À côté des terres cuites animalières (une belette, un chien assis, un couple de chouettes…), des musiciens, des porteuses d'offrandes, des danseuses, des suivantes, des cuisiniers, des chevaux fougueux : tout un monde en miniature pour un art funéraire plein de vie qui perdura sous la dynastie Tang.
Le commerce prospère, notamment avec la Perse où les Chinois découvrent le jeu du polo. Même les femmes chinoises s'y mettent : voyez ces six cavalières en terre cuite peinte, comme elles s'inclinent sur leur monture pour attraper la balle avec leur maillet (perdu depuis !). À côté, une coquette à chignon double coque et fardée de rouge vif, un chamelier, un palefrenier et son cheval blanc, un cavalier partant à la chasse avec son faucon dressé…

Made in China

La Chine classique

2e étage. Attention, le voyage à travers le temps et l'espace continue. Nous sommes encore en Chine, mais cette fois à l'époque où Marco Polo l'a découverte (13e-14e s.). Et que voit Marco Polo lorsqu'il arrive ? Des artistes qui peignent à l'encre noire (encre de Chine bien sûr ! puisqu'elle a été inventée là-bas, ainsi que le papier, d'ailleurs…) des paysages vallonnés et boisés, des oiseaux sur des branches, des chrysanthèmes… ; des artisans qui fabriquent de jolis vases en grès blanc et noir, puis inventent une nouvelle technique pour couvrir leurs vases d'une sorte de verni vert très clair, appelé céladon. Mais il découvre surtout une extraordinaire invention : les porcelaines. Au début du 14e s., la Chine importe de Perse le cobalt, un minerai dont on extrait un colorant permettant la création de superbes vases bleu et blanc, comme celui sur lequel figure un dragon. Tiens, en parlant de dragons, sais-tu que, aussi terrifiants qu'ils paraissent, ce sont des animaux bienfaiteurs ? Ils symbolisent la puissance de l'empereur et sont capables de provoquer la pluie pour favoriser les récoltes. De nombreux vases de porcelaine sont décorés de dragons : amuse-toi à les trouver…
Le must du must en matière de porcelaines, c'est celles de l'époque Ming (1368-1644). les Européens ne s'y trompent pas : ils en font venir chez eux par bateaux entiers ! En bleu et blanc, les vases se décorent de fleurs de lotus, de guerriers, de cavaliers ou d'enfants chassant des chatons de saules…
Le mobilier de cour est tout aussi somptueux : laquées, dorées, incrustées de nacre, les armoires impériales s'ornent de dragons griffus… En Chine, il y a tout plein de bêtes étranges. En as-tu vu ? Il y a par exemple le phénix, un oiseau fabuleux qui porte chance. En Chine, on dit d'une femme qui a de beaux yeux qu'elle a des yeux de phénix ! Il y a aussi la licorne : elle porte une corne sur le front. En Chine, elle symbolise le bonheur d'avoir des enfants.

La Chine des Qing

Montons maintenat au 3e étage. Ici, peu d'objets, mais tout de même de magnifiques porcelaines qui sortent des ateliers des empereurs mandchous (dynastie Qing, 1644-1911) : la technique de l'émail cloisonné permet des prouesses techniques, comme en témoigne ce vase à décor « mille-fleurs » du 18e s. Le secret ? La pâte de verre coloré, appliquée sur la céramique, est délimitée par de fines bandes de métal qui fondent à la cuisson !
Admirez aussi le modèle réduit tout en ivoire d'un pavillon chinois, peuplé de personnages : un cadeau offert par la Chine au roi de France.

La « rotonde aux laques »

3e étage. Un paravent à douze panneaux, à décor de grives, de pins et de nuages vous transporte une dernière fois dans la Chine impériale des Qing. Mais d'où vient la laque ? D'un arbre originaire de Chine, *Rhus verniciflua*. La sève de son tronc, filtrée

La « rotonde aux laques »

3e étage. Un paravent à douze panneaux, à décor de grives, de pins et de nuages vous transporte une dernière fois dans la Chine impériale des Qing. Mais d'où vient la laque ? D'un arbre originaire de Chine, *Rhus verniciflua*. La sève de son tronc, filtrée et chauffée, colorée en rouge ou en noir, posée en couches successives sur du bois, permettait de fabriquer des objets décoratifs ou du mobilier de luxe pour les empereurs et les seigneurs de la cour. On l'utilise toujours de nos jours en Asie : plateaux, boîtes, bols…, elle sert à tout !
Des fenêtres de la rotonde, la vue sur les toits et la Seine vous ramène à Paris… Non, pas encore !

Matin calme et soleil levant

2e étage. De la Chine, on glisse doucement vers la **Corée** (le « Pays du matin calme ») qui reçoit l'influence de la Chine et des cavaliers des steppes du Nord. Des masques du 17e s. représentent les différents personnages des pièces de théâtre : le prêtre, le moine, l'officier de police, le serviteur ou le chaman… Une superbe couronne royale du 5e s., en bronze doré, témoigne de l'influence de l'art sibérien. On aimerait bien la porter pour se déguiser.
Puis on part au **Japon**. La visite commence à une époque où le pays du Soleil-Levant n'est pas encore constitué en un État. Les tombes s'ornent de cylindres de terre surmontés d'hommes ou d'animaux aux formes stylisées (6e s.).
Au 13e s., des moines chinois pénètrent au Japon, diffusent une philosophie basée sur la méditation, la simplicité et la modération, à l'origine du boud-dhisme zen et de son art de vivre. Repérez maintenant dans la salle tous les personnages qui ont effectivement l'« air zen » (à part vous, bien sûr !) : il y a Amida, le Bouddha de la lumière infinie, ou cet homme assis en tailleur, aux yeux incrustés de cristal de roche et d'une présence saisissante (17e s., époque Edo).
Émerveillement garanti aussi, devant les *inro*, ces petites boîtes laquées à trois ou cinq compartiments, qui renfermaient des médicaments et que l'on suspendait à la ceinture de son kimono.
Passez maintenat devant les paravents de l'époque Edo, laqués et recouverts de

Quiz des symboles

Au cours de cette visite au musée Guimet, tu as sans doute rencontré les animaux ou les fleurs que voici. Sais-tu leur attribuer une qualité symbolique ?
a - la grue ; b - le singe ; c - l'orchidée ; d - le lotus ; e - le prunier.
1 - la perfection, la pureté spirituelle ; 2 - la longévité et l'amour ; 3 - la pureté ; 4 - l'intelligence ; 5 - le bonheur.
Réponses : a-2 ; b-4 ; c-1 ; d-3 ; e-5.

Carnet d'adresses

Voir également le carnet d'adresses de la promenade à Alma (9).

PAUSE DÉJEUNER

Galileo – *14 r. Galilée - 16e arr. - M° Iéna ou Boissière - 01 47 20 91 30 - fermé soir et w.-end - 14/20 €.* Dans ce bistrot tout proche du musée Guimet, vous dégusterez une cuisine méditerranéenne (catalane, italienne et provençale). Dès les beaux jours, des tables sont installées en terrasse.

Le Salon des porcelaines – *Sous-sol du musée - 16e arr. - M° Iéna - 01 47 23 58 03 - fermé mar. - 15/17,50 €.* Descendez au sous-sol du musée pour déjeuner ou goûter parmi les vases chinois et les bambous. Entre le menu « Route de la soie » et le « Menu Guimet », c'est toujours la cuisine d'Asie. Les enfants peuvent cependant choisir une quiche et une salade et, dès 15h, se régaler d'un milkshake coco-banane ou d'une boisson aux fruits frais.

PAUSE ACHATS

La librairie du musée – Une sélection de CD de musiques asiatiques et de livres pour les enfants, du coloriage au manuel d'apprentissage de la calligraphie, des contes au documentaire. Choix de cartes postales, cartes de vœux, reproductions de bijoux ou d'objets d'art : des souvenirs ou des cadeaux pour toutes les bourses.

Les musées de La Villette

ATLAS MICHELIN PARIS N° 56 (P. 11-12) ET N° 57 (P. 73), REPÈRES B-C 20-21 – 19E ARR.

Einstein et Mozart les auraient adorés. Donatien, 17 ans, Eugénie, 13 ans, Ysée 7 ans et Thao, 3 ans, en raffolent. Les musées de La Villette ne sont pas comme les autres. Il n'y a pas de gardien ni d'alarme. Ici, on a le droit de toucher, on y est même fortement encouragé. On peut jouer avec l'eau, se prendre pour quelqu'un de la télé, passer des heures devant des ordinateurs, ou commencer à jouer des percussions. Et ça n'a rien à voir avec l'école ! À la Cité des sciences et de l'industrie, comme à la Cité de la musique, personne ne s'ennuie, tout le monde apprend en s'amusant.

ACCÈS

En **métro** : ligne 7, station Porte-de-La Villette (accès Cité des sciences et de l'industrie) et ligne 5, station Porte-de-Pantin (accès Cité de la musique).
En **bus** : lignes 75, 139, 150, 152 et PC2, arrêt Porte-de-La Villette-Cité-des-sciences.
En sortant des musées, allez prendre l'air dans le parc de La Villette (26).

POUR LES PETITS MALINS

Adresse : 30 av. Corentin-Cariou - 01 40 05 80 00 - www.cite-sciences.fr
En métro, prenez la sortie située en queue du train « Cité des sciences et de l'industrie - La Géode - Parc de La Villette », puis l'escalier, tout de suite à droite.
La plupart des musées de La Villette se trouvent à l'intérieur de la Cité des sciences. Vous trouverez leur description dans la rubrique « tripatouillons et comprenons ». La Géode, le Cinaxe et l'*Argonaute* se trouvent non loin, à l'extérieur.
La Cité de la musique, elle, est à l'opposé de la Cité des sciences. Pour la rejoindre, vous devez traverser le parc de La Villette. Reportez-vous à la promenade 26, qui vous donnera plein d'idées pour rendre cette traversée ludique. Voir également le chapitre « Maman, j'sais pas quoi faire ! » pour des informations sur la médiathèque de la Cité et son pôle enfance.
Les visites de la Cité des enfants sont organisées sous forme de roulement de séances de 1h30, espacées de 30mn pour permettre de tout remettre en ordre et nettoyer. Repérez bien l'heure de votre séance.
Des ascenseurs accèdent à tous les niveaux de la Cité des sciences.
Procurez-vous à l'accueil la brochure « Visite avec des enfants » : elle sélectionne les lieux et les activités les plus accessibles aux petits.
Pendant les vacances scolaires, le Rallye famille propose un parcours jeu à travers les expositions d'Explora.
Le site de la Cité de la musique, www.cite-musique.fr, présente un répertoire des sites musicaux qui peuvent intéresser les enfants.

LE CLOU DE LA VISITE

La Cité des enfants (notamment le chantier et le studio TV) qui ravira les 3-12 ans et les jeux de lumière d'Explora *(niveau 2, balcon Nord)*.

Tripatouillons et comprenons !

LA CITÉ DES ENFANTS★

Rez-de-chaussée de la Cité des sciences. - tlj sf lun. 10h-18h, dim. 10h-19h (séance 1h30) - 5 € - enf. obligatoirement accompagné - réserv. aux caisses, 0 892 697 072 (0,34 €/mn + 1,60 € frais de réserv.) ou sur www.cite-sciences.fr (gratuit).

Ouvert à tous mais squatté par les enfants, cet espace de 4 000 m² rassemble de nombreuses activités qui leur permettent de manipuler et d'apprendre, tout en s'amusant. Votre unique attention sera de canaliser leur énergie pendant 1h30 et de les guider un peu dans leurs observations. Demander la brochure « Parcours parents » pour vous aider. La Cité est composée de trois espaces séparés, l'un réservé aux 3-5 ans, l'autre aux 5-12 ans, le dernier à des expositions temporaires (par exemples Frankin, Star Wars, le Titanic, etc.).

Pour les 3-5 ans

Faire comme les grands et jouer comme les petits : une dizaine d'îlots à thèmes aménagés de part et d'autre d'un vrai ruisseau encourage l'enfant à se découvrir lui-même, ainsi que le monde qui l'entoure. Petite sélection des activités :

Découvrir son image – En écoutant du rockabilly, les enfants dansent devant un écran qui décompose leurs mouvements en images.

Percevoir et agir – Sentir une odeur et la reconnaître n'est pas si simple, même les parents se trompent !

Règles de jeux – À l'aide de boutons, on manœuvre le bras d'une grue électrique pour attraper une bille. Sans souris, sans clavier et sans pinceau, on dessine avec son doigt sur un écran. Quel étonnement !

Histoire d'un grain de blé – Ce n'est pas le moineau qui dira le contraire, le blé c'est bon, on peut même en faire du pain... Mais avant, il faut le produire, le transporter dans le tapis roulant et le trier sur le tapis vibreur. Quel boulot !

Les mains dans l'eau – Il est recommandé de mettre son tablier jaune car pour faire un barrage ça va encore, mais quand il s'agit d'orienter l'eau ou de la transvaser, c'est plus compliqué.

Le chantier – On n'entre pas sans son casque jaune ni son gilet rouge... Il faut d'abord pousser les briques dans les wagonnets, lever le passage à niveau, charger les blocs de mousse dans les seaux, les hisser à l'aide de la poulie et enfin les disposer sur le toit et les murs. Les gravats, eux, prennent un autre chemin jusqu'au tapis élévateur. Les enfants adorent rester dans le chantier !

M. Lamoureux / CSI

Le chantier de la Cité des enfants.

Petits mécaniciens – Pendant que les petites filles jouent aux belles devant les miroirs déformants, les garçons démontent et remontent une voiture, et gare à celui qui ne range pas bien ses outils sur l'établi, le patron ne sera pas content !

Si j'étais un animal – Un nid d'aigle, une carapace de tortue, à leur échelle, et même une maman kangourou avec une grande poche permettent aux enfants de se mettre dans la peau des animaux.

Pour les 5-12 ans

Le monde n'est pas si compliqué que cela, tout a une explication et un fonctionnement. On joue, on observe, on expérimente autour de 4 grands thèmes, pour à la fin se prendre pour Patrick Poivre-d'Arvor et prétendre tout connaître de la télé...

Machines et mécanismes – Les machines sont partout, elles nous aident à construire, à effectuer les tâches les plus rebutantes. Mais comment fonctionnent-elles ? Ainsi, le code barre, ça te dit quelque chose ? Mais oui ! Il y en a sur les paquets de gâteaux et même sur les stylos. Voilà comment ça marche ; tu peux même en fabriquer un...

Enquêtes sur le vivant – Qui ne s'est jamais arrêté pour caresser un chien ou écraser une fourmi ? Les animaux font partie d'un ensemble, comme les plantes ou les hommes. Les uns mangent les autres pour nourrir les suivants, c'est la belle et impitoyable loi de la nature. Ici, tu verras des **poissons transparents**. Ils sont vivants et pourtant on peut voir leur squelette ! Dans le jardin naturel du Père-Lachaise (promenade 28), tu as pu contempler la surface d'une mare. On te montre ici la **coupe d'un étang**. Accroupis-toi et observe en silence : les grenouilles se reposent, les plantes se fraient un passage vers la lumière. Si tu n'as pas vu la grenouille gober la mouche, un ordinateur présente en macrographie la scène au ralenti. Absolument génial.

Toi et les autres – Tu te sens peut-être parfois seul, mais tu vis au milieu des autres. Ils sont comme toi et pourtant si différents. Tu pourras toi-même voir ce qui te caractérise, tes cinq sens ou la couleur de tes yeux. Ainsi les autres prendront une couleur nouvelle et celle de la peau ne sera qu'accessoire.

Techniques pour communiquer – La plus courante est la parole, mais il y aussi le regard. Puis sont apparus le morse, le téléphone, internet… Avec le **studio de télévision**, on ne regarde plus la télé, on la fait. Le présentateur, les caméras, le travelling et la régie sont en place : 5, 4, 3, 2, 1, top !

Voir à l'intérieur de ton corps – Animation à déconseiller aux âmes sensibles et romantiques ! Non, un corps n'est pas composé que de peau. En dessous, il y a un entrelacs d'organes à décourager les meilleurs chirurgiens : l'estomac, le tube digestif, les poumons, le cœur qui transporte le sang…

Le tourne-disque de grand-mère – Et celui de papa, mais il fonctionne celui-là. Hou, la, la ! comme ça grésille ! Tiens, écoute papa, le lecteur laser, c'est autre chose non ?

Au secours, nous coulons – Et c'est vrai, le *Tanio* a fait naufrage en 1980. Dans ces cas-là, communiquer devient une question de survie. Heureusement, la majorité de l'équipage a survécu.

La ferme à papillons – Si tu arrives au bon moment, peut-être auras-tu la chance de voir un papillon sortir de sa chrysalide.

Avant la naissance – Si ta maman attend ton petit frère ou ta petite sœur, alors tu verras sur ce film ce qui se passe à l'intérieur de son corps et pourquoi elle est de temps en temps fatiguée.

EXPLORA★★

Niveaux 1 et 2 de la Cité des sciences. Expositions permanentes et temporaires et film en relief du cinéma Louis-Lumière. ♿ tlj sf lun. 10h-18h, dim. 10h-19h (dernière entrée 30mn av. fermeture, dim. 1h) - j. fériés, se renseigner - 7,50 € (- 25 ans 5,50 € ; - 7 ans gratuit) - supplément Planétarium : 3 € - réserv. pour les individuels : ✆ 0 892 697 072 (0,34 €/mn + 1,60 € frais de réserv.) ou www.cite-sciences.fr (gratuit).

Pour prolonger la Cité des enfants, Explora s'adresse à tous, petits et grands à partir de 7 ans. Ses expositions, nombreuses et toujours interactives (malheureusement, certains mécanismes, à force d'être manipulés, sont défectueux…), sont le cœur de la Cité des sciences. Il est impossible de les couvrir toutes en une seule journée et moins encore avec un petit. Cependant, certaines, comme Images, Sons, Espace et Jeux de lumière, sont plus facilement accessibles aux enfants. Notre sélection s'attache à suivre le processus d'élaboration des images et des sons, à comprendre comment, en quelque sorte, fonctionne un studio de télévision !

Jeux de lumière

Niveau 2, balcon Nord. L'endroit magique de la Cité. Un objet n'existe que s'il renvoie de la lumière. On dit de quelqu'un qu'il est photogénique car sa peau capte très bien l'éclairage. Mais êtes-vous sûr de bien vous représenter ce que vous voyez ? Magie des couleurs, illusion de la perception : des expériences vous apprennent à ne pas toujours faire confiance à votre première impression.

Disque de Benham – Ou comment un disque noir et blanc fait apparaître des couleurs lorsqu'il tourne.

Du coin de l'œil – Images fixes ou en mouvement : votre œil les perçoit différemment et votre champ de vision s'élargit.

Attrapez-la – Avec ou sans lunettes, vos yeux s'adaptent et vous ne pourrez plus attraper les allumettes.

Le tableau de savon – Qui n'a jamais fait des bulles de savon ? Vous ferez la plus grande bulle du monde avec des couleurs ondulantes comme un fantôme.

Jeux de lumière – Après avoir réalisé une émission de télé dans la Cité des enfants, vous devez comprendre comment réagit la couleur. Modifier les couleurs en croisant les lumières, créer du noir ou de la lumière blanche en additionnant le rouge, le bleu et le vert…

Vues du son – En tapant sur la cymbale, vous verrez le sable se déplacer et dessiner les vibrations sonores.

Images

Niveau 1, galerie Nord. Après la lumière, les images. Nous vivons dans les images, chaque enfant passe des heures devant un écran ou à feuilleter un livre. Mais que cachent les images ? Qu'y a-t-il derrière ?

Le grand Zootrope – Ancêtre du cinéma, il reconstitue les battements d'ailes et le mouvement du corps pendant le vol d'un oiseau. Pour comprendre facilement que l'image animée n'est qu'une suite d'images fixes et que le mouvement se crée en les enchaînant rapidement. À la télé, 25 images fixes défilent par seconde.

La Joconde – Elle n'est pas toujours souriante : en fait tout dépend de vous, faites lui une grimace et elle vous rendra la pareille.

Ombres colorées – La base pour comprendre comment fonctionne un poste de télévision. Le mélange des trois couleurs, rouge, vert et bleu donne de la lumière blanche. Masquez un des faisceaux : vous obtenez la complémentaire des deux autres couleurs.

Directeur de la photographie – Une grande salle, deux danseurs, plein de projecteurs : vous avez six minutes pour créer une ambiance de lumière. N'oubliez pas que c'est sur le moniteur que se juge le résultat. À la fin, vous avez tout le loisir de comparer votre éclairage avec celui qu'a réalisé un professionnel du cinéma. Le vôtre n'est pas forcément moins expressif.

Échographie – Voir avec le son, c'est possible ! Sur cet écran, vous comprendrez comment. C'est en utilisant une technique similaire qu'un sous-marin comme l'*Argonaute (voir plus bas)* peut éviter les obstacles sous la mer.

Les sons

Niveau 1, galerie Nord. Ces comédiens de la télé, il faut les entendre, mais avant, il faut les écouter. Découvrez la richesse de notre environnement sonore.

Le passage du silence – Nous sommes tellement habitués à entendre du bruit que nous n'y faisons plus attention. En passant dans ce couloir, vous aiguiserez vos oreilles.

Curiosités sonores – Avez-vous déjà entendu le bruissement d'un banc de crevettes dans la mer ou celui d'une chauve-souris chassant ? Des sons dont on n'imagine même pas qu'ils puissent exister. Dans une autre cabine, écoutez un coq chanter ; en accélérant la bande quatre fois, on dirait un petit rongeur et, au contraire, en la ralentissant, le chant du coq se transforme en un barrissement d'éléphant.

H. Le Gac / MICHELIN

Pour se rendre à la Cité des sciences, on peut passer devant la Géode.

Les paraboles – Comment chuchoter à 17 m de distance de votre copain et faire en sorte qu'il vous entende ? C'est très simple, montez les quelques marches des grandes paraboles et faites l'expérience.

Vitesse du son – À quelle vitessse le son se déplace-t-il ? Il suffit de crier dans le long tuyau de 170 m, un compteur calcule la vitesse de votre cri.

Mathématiques

Niveau 1, galerie Nord. Si vous n'aimez pas ou ne comprenez rien aux maths, commencez par écouter les deux vidéo proposées : elles vous apporteront un autre regard.

Le chemin le plus rapide – Pour une boule soumise à la gravité, ce n'est pas forcément la ligne droite.

Manège inertiel (4mn, de 14h à 18h) – Les portes se ferment, vous êtes dans une sorte de station orbitale vide, avec juste un bac dans lequel coule de l'eau de deux tuyaux. Puis le manège se met à tourner et quelles que soient vos convictions politiques, vous pencherez toujours à droite. Sur Terre, c'est la même chose, nous sommes soumis à une force produite par sa rotation.

La fontaine turbulente – Ou comment une goutte d'eau peut perturber tout un système, en dépit de savants calculs d'ordinateurs.

Roches et volcan

Niveau 2 balcon Nord. Parcourir en un clin d'œil le fonctionnement de la Terre et des terribles volcans.

Le mouvement des plaques – Pour comprendre en un tour de manivelle comment les continents se sont séparés.

Anatomie d'un volcan – Avec cette grande maquette, vous verrez d'où vient le magma qui précède les éruptions.

Échantillons profonds – Un audiovisuel de 3mn montre comment on sort de la Terre des « grosses carottes » qui serviront d'échantillons du sol.

Aéronautique

Niveau 1, galerie Sud. Si la réplique d'Ariane n'est qu'une maquette au 1/5, le Mirage IV, lui, est grandeur nature. Impressionnant ! Conçu pour porter la bombe atomique, c'était en 1960 l'avion le plus rapide du monde. Imaginez-vous dans le cockpit du navigateur : il n'apercevait même pas le sol.

Étoiles et galaxies

Niveau 2, mezzanine Ouest. Faire un petit tour dans le système solaire avec **Puissance de dix,** pour comprendre d'abord le rapport entre notre taille et l'échellle de l'univers. Ce petit film passe, en 4mn, d'un couple confortablement allongé sur l'herbe à l'infini des plus lointaines galaxies.

Le couloir des planètes vous fait passer dans la pénombre pour rejoindre les planètes et situer la Terre dans le système solaire. Enfin, **Votre poids sur**, selon que vous êtes un peu fort, vous donnera envie d'habiter sur la Lune puisque, pour un poids de 31,65 kg sur Terre, vous ne pèserez que 5,26 kg. Par contre, sur Jupiter, vous comprendriez la difficulté d'être gros puisque vous pèseriez 80 kg !

L'ARGONAUTE

À l'extérieur de la Cité. Tlj sf lun. 10h-17h30 - 3€ (- 7 ans gratuit) - interdit enf. - 3 ans.

Un sous-marin qui plonge au fond de la mer, pour se faufiler dans les abîmes mystérieux, est normalement invisible au commun des mortels. Seuls le chef de la marine et ses quarante hommes d'équipage savent où il se trouve. Pourtant, après avoir parcouru dix fois le tour de la Terre, l'*Argonaute* a échoué au pied de la Géode. Si vous n'êtes pas claustrophobe, faufilez-vous à l'intérieur de sa coque. Et essayez de ressentir l'émotion d'un sous-marinier qui vivait, pendant des mois, dans cet espace réduit, avec 300 m d'eau au-dessus de la tête !

Ouvrons grands les yeux, ça bouge !

Planétarium

Niveau 2, balcon Nord. Supplément au billet d'entrée d'Explora. Installez-vous dans les fauteuils et, pendant 30mn, laissez-vous bercer au rythme des planètes, de la Voie lactée, des nébuleuses et des comètes... Ces spectacles multimédia ont tous un thème différent et sont parfois musicaux.

Cinéma Louis-Lumière

Rez-de-chaussée de la Cité. Compris dans le billet d'entrée d'Explora. La seule salle à Paris où passent toute l'année des films en 3D. Au programme, de la fiction et des documentaires.

La Géode★★

À l'extérieur de la Cité. ✆ 01 40 05 79 99 - www.lageode.fr - ♿ - 10h30-21h30, lun. horaires particuliers : se renseigner - 9 € - interdit enf. -3 ans et femmes enceintes +6 mois.

Sous 6 433 triangles de verre formant une sphère parfaite de 36 m de diamètre est tendu un écran circulaire de 1 000 m^2. Vous voilà parti au centre des étoiles, dans les poils d'un éléphant, ou plongé dans l'herbe au milieu des insectes comme si vous y étiez.

Cinaxe

À l'extérieur de la Cité. Tlj sf lun. 11h-13h, 14h-17h - séance ttes les 15mn - 5,40 € au guichet du Cinaxe - interdit enf. -3 ans, déconseillé aux femmes enceintes et aux personnes cardiaques ou épileptiques.

Malheureusement, en dessous de 3 ans, c'est interdit. Mais pour les autres, que d'émotions dans la plus grande salle mobile d'Europe ! Pour vivre « physiquement » un vol dans l'espace, ou l'ascension d'une falaise. Les lunettes 3D sont nécessaires.

Aquarium

Niveau - 2 de la Cité des sciences - gratuit. Dans ces trois bassins, vous verrez des prédateurs des grands fonds et des poissons vivants dans des milieux plus ou moins profonds. Des dessins permettent de reconnaître la daurade royale que quelquefois vous avez dans votre assiette, la bécasse de mer au long museau, le saint-pierre vraiment laid ou le grondin canard aux ailes déployées, sans oublier la grande roussette qu'au premier regard on peut prendre pour un requin.

Écoutons « Pierre et le loup »

Cité de la musique★

☎ 01 44 84 44 84 - www.cite-musique.fr - ♿ - tlj sf lun. 12h-18h, dim. 10h-18h (20h pour les expositions temporaires les soirs de concert, dernière entrée 45mn av. fermeture) - fermé 1er janv., lun. de Pâques, 1er Mai et 25 déc. - 6,50 € (-18 ans gratuit).

Christian de Portzamparc, l'architecte, a créé un musée à l'image de son sujet : les escaliers marquent l'introduction, les lignes droites, le thème ou la mélodie, et les détours, l'improvisation. Plus de 1 000 instruments sont exposés, mais nous ne partirons à la recherche que de 7 d'entre eux. Posez un casque infrarouge sur vos oreilles pour écouter musique et textes en relation avec les instruments exposés, et cherchez ceux du célèbre conte musical *Pierre et le loup*, du compositeur Serge Prokofiev.

L'oiseau qui agace le loup joue de la flûte. Celle de la **salle 1** est en os de vautour. Profitez-en pour jeter un œil au clavicorde et à la guitare en forme de tortue. Tout à la fin, vous entendrez le grand-père rouspéter car les bassons trônent dans les vitrines, tandis que le hautbois du canard se fait plus discret. En cherchant bien dans la **salle 3**, vous trouverez peut-être le chat caché derrière sa clarinette. Mais attention, qui va là ? Voici Pierre.

Dans la **salle 5**, le petit garçon téméraire a droit sinon au plus gros instrument, du moins au luthier le plus célèbre du monde : Stradivari. Bien qu'il vécût au début du 18e s., tous les violonistes rêvent de jouer un jour sur un de ses violons. Grâce au bois dont il est construit et aux vernis dont il est recouvert, le Stradivarius émet un son unique. À côté se trouve un autre hautbois mais d'une telle taille que le loup aurait eu bien du mal à l'avaler. Enfin, les timbales des chasseurs résonneront à la sortie de la salle.

L'art de combiner les sons

La musique est l'art de combiner les sons, et le son ne peut s'obtenir que par vibration, c'est-à-dire par le tremblement rapide d'un objet. Vous pouvez ainsi faire de la musique avec les roues d'une petite voiture qui roule plus ou moins régulièrement sur le sol. Mais vous pouvez aussi en faire, et c'est ce qui se fait habituellement en utilisant un instrument de musique. On appelle les artisans qui fabriquent les instruments de musique des facteurs ou des luthiers. Vous allez pouvoir constater, en parcourant ce musée, que leur imagination et leur habilité n'ont pratiquement aucune limite. D'autant qu'autrefois la musique se regardait plus qu'elle s'écoutait, puisqu'il n'y avait ni lecteur CD ni même ces vieux tourne-disques vus dans la Cité des enfants.

Avant d'affronter le loup, faites une halte dans la **mezzanine** pour voir la partition de Moritz von Schwind rédigée avec des chats ! Tout en haut, le plus loin possible dans la **salle 7**, reposent les trois cors du terrible loup. Mais avec les bassons russes, ceux qui ont une grande gueule en forme d'anaconda, il trouvera à qui parler ! Ils étaient d'ailleurs fait pour impressionner les foules lors des défilés militaires.

Dans la **salle 8**, vous pourrez vous accouder sans problème sur le mammouth des instruments, l'octobasse. Pour pouvoir en jouer, le luthier a ajouté des manettes et des pédales. Juste en face, une jolie viole orpa a adopté une forme de trèfle. Plus loin se trouve l'instrument mythique du jazz, le saxophone, créé par un facteur d'origine belge, Adolphe Sax. Enfin dans la salle consacrée aux musiques du monde, vous découvrirez un ensemble orchestral indonésien, un gamelan rouge flamboyant.

Scientifiques et musiciens en herbe

À la Cité des sciences

Qu'il s'agisse de la Cité des enfants ou d'Explora, tout ce qui est à voir se présente déjà sous la forme d'un atelier où l'enfant est encouragé à participer de manière active et ludique. Cette interactivité est l'un des principes de la Cité des sciences qui cherche à offrir une nouvelle façon d'apprendre, d'écouter et de s'émouvoir. Toutefois, en plus des expositions interactives « classiques », des **ateliers et des animations** sont proposés aux enfants en fonction de leur âge (6, 8, 10 et 12 ans). Ils durent entre 30 et 45mn et ont lieu la semaine et le week-end. *Pour les thèmes et le calendrier, consulter le site Internet de la Cité ou le programme général (à l'accueil). Prix inclus dans l'accès à Explora.*

Quelques thèmes : Récré alu ! (dès 12 ans – les enfants découpent, plient et donnent une seconde vie aux cannettes en aluminium) ; à vous de jouer (des jeux de stratégie et d'adresse pour les 6 ans) ; Le parcours du parieur (un atelier pour apprendre à partir de 8 ans à faire des économies d'énergie). Au total, près de 40 animations et d'ateliers plus un divertissement théâtral sur l'environnement.

À la Cité de la musique

Ateliers pour enfants sans les parents – *01 44 84 44 84 - 3-11 ans - 5 ateliers proposés en cycle de 8 à 30 séances trimestriels ou annuels - inscription à l'année - merc. apr.-midi (sf vac. scol. zone C) - 55-150 €.* Ils se déroulent dans la folie musique *(dans le parc de La Villette)* et initient, par la pratique, aux musiques du monde (Afrique, monde arabe, Indonésie, Caraïbes et certaines régions d'Europe).

Ateliers en famille – *01 44 84 44 84 - 3 ateliers sous forme de séances ponctuelles - réserv. conseillée - dim. apr.-midi - se renseigner pour les dates - 9 €/séance (enf. 7 €).* On y découvre le gamelan indonésien ou tout simplement le B A BA de la musique.

Visites guidées à thème – *01 44 84 44 84 - 2 cycles de 9 ou 30 séances pour les 4-6 ans le merc. apr.-midi ou 13 visites guidées ponctuelles différentes pour les 4-16 ans sam. et tlj sf lun. pdt vac. scol. zone C - réserv. conseillée - 6 €.* Ces visites accompagnent la découverte des collections permanentes et temporaires. On les choisit en fonction de l'âge des enfants (de 4 à 16 ans), on les suit en famille et on sait qu'elles comportent toujours un moment de musique live ! Quelques thèmes : Les animaux musiciens (4-6 ans), La naissance des sons (7-11 ans), Les instruments de la samba (dès 12 ans).

Spectacles et concerts – *01 44 84 44 84 - à partir de 6 ans - spectacle merc. 14h30, concerts sam. 11h - 8 €.* La semaine sont abordés tous les répertoires ; le samedi matin, la musique classique et contemporaine. Pour chaque programme, des formes de présentation ludiques (mises en espace, création multimédia) permettent aux enfants, dès 3 ans, de découvrir le langage d'un compositeur.

Médiathèque pédagogique – *01 44 84 89 45 - http://mediatheque.cite-musique.fr - tlj sf lun. 12h-18h, dim. et j. fériés 13h-18h - accès libre, consultation sur place uniquement.* Accompagnés, les enfants à partir de 4 ans peuvent jouer sur des cédéroms musicaux, découvrir tranquillement des livres-cd ou des contes musicaux qui font la part belle aux instruments de musique. Un vaste choix de musiques traditionnelles et contemporaines avec leurs partitions sont aussi à leur disposition, ainsi que des ouvrages documentaires sur l'orchestre, l'histoire de la musique…

Carnet d'adresses

Voir également le carnet d'adresses du parc de La Villette (26).

PAUSE DÉJEUNER

Coco-rico – *33 av. Corentin-Cariou - 19e arr. - M° Porte-de-La Villette - 01 40 35 25 67 - 6 €.* Dans un grand décor propre et coloré, sous l'œil de crocodiles, heureusement figés dans les mosaïques, vous aurez le choix entre des pizzas ou des pâtes. Mais les grands appétits pourront se sustenter avec une blanquette de veau comprise dans le menu, pendant que les petites bouches engloutiront un steak haché, une glace et un jus d'orange.

La Violette – *11 av. Corentin-Cariou - 19e arr. - M° Corentin-Cariou - 01 40 35 20 45 - fermé w.-end - 16/50 €.* Un décor mariant l'ancien et le contemporain (parquet et étagères en bois, mobilier design, tons noir et blanc, éclairage soigné), une cuisine traditionnelle et un service efficace et souriant vous attendent en ce restaurant voisin de La Villette.

PAUSE QUATRE-HEURES

La Cité des sciences et de l'industrie met plusieurs bars, un restaurant traditionnel et une cafétéria à votre disposition aux niveaux - 2, 1 et 2.

PAUSE ACHATS

Boutique Explorus – *Rez-de-chaussée.* La boutique propose des jeux et des jouets, des cadeaux et autres souvenirs. Côté librairie, vous trouverez tous les catalogues d'exposition ainsi que des guides de visites thématiques. Cartes postales, revues et livres scientifiques, presse, actualité littéraire.

Index des musées

Pour retrouver tous les musées et lieux d'exposition décrits dans le guide :

À la fête foraine des Tuileries.

H. Le Gac / MICHELIN

MAMAN,
J'SAIS PAS QUOI FAIRE !

TOUT PLEIN D'ACTIVITÉS, DE A À Z...

Si, après avoir parcouru de long en large toutes les promenades que nous vous avons proposées, vos enfants vous réclament encore des occupations, en voici à la pelle. Ce n'est pas un inventaire à la Prévert mais bien des activités triées sur le volet, qui intéresseront tous les âges. Certaines sont à faire en famille, d'autres permettront aux enfants de quitter quelques heures leurs parents pour vivre un moment privilégié avec des petits copains à la découverte des nombreuses facettes et activités qu'offre Paris.

ANIMALERIES

Animalis – *Cour St-Émilion - village de Bercy - 12e arr. - M° Cour-St-Émilion - Promenade 29 - ✆ 01 53 33 87 35 - 11h-21h.* Tous les enfants aiment traîner leurs parents chez Animalis. Pas pour acheter un animal – quoique ! – mais tout simplement pour admirer les petits chiots qui attendent leur maître, observer les parcours et les mimiques des hamsters, ou contempler les couleurs des poissons exotiques. Un vrai musée animalier... Des animations sont parfois organisées le mercredi ou les week-ends. Il faut regarder sur le grand tableau à l'entrée.

Deyrolles – *46 r. du Bac - 7e arr. - M° Rue-du-Bac - Promenade 3 - ✆ 01 42 22 30 07.* Depuis 1881, la boutique à l'étage conserve de véritables trésors, dont plus de 1 400 tiroirs remplis de papillons et d'insectes en tout genre. Pousser sa porte revient à pénétrer dans un laboratoire de biologie : squelettes, fossiles, bêtes à plumes et à poils et même planches de botanique et de zoologie ! Car, répondant à la demande du gouvernement français, Deyrolles en a produit plus de 300 différentes sous la IIIe République.

Marché aux Oiseaux – *Pl. Louis-Lépine - 4e arr. - M° Cité - Promenade 1 - dim. 8h-19h.* Le dimanche, le marché aux Fleurs cède la place au marché aux Oiseaux.

Quai de la Mégisserie
– *1er arr. - M° Châtelet ou Pont-Neuf - Promenade 1.* Animaleries et jardineries jalonnent ce quai qui mène au Châtelet. Les enfants pourront y voir des poules, des lapins, des chiens, des poissons et diverses espèces d'animaux exotiques.

ANIMATIONS

Bercy-village – *Cour St-Émilion - 12e arr. - M° Cour-St-Émilion - Promenade 29 - ✆ 01 40 02 91 98 - www.bercyvillage.com - 5-12 ans - 1 merc. par mois à 15h (sf en hiver) et merc. pdt juil.-août - durée 2h30 - gratuit.* Les enfants doivent être accompagnés. Le village de Bercy fourmille d'activités pour les enfants : carnaval, chasses au trésor dans les anciens chais, ateliers l'été. Pour la chasse au trésor, les enfants reçoivent un questionnaire avec des énigmes, des rébus et des charades et un parcours à suivre à la recherche d'indices. Une manière originale de découvrir l'histoire de Bercy. Des cadeaux offerts par les commerçants aux vainqueurs et un goûter récompensent les participants.

S. Sauvignier / MICHELIN

Bercy Village.

ANNIVERSAIRES

Divers musées ou boutiques organisent des anniversaires ou vendent des articles pour la fête. Voir également la rubrique « Magie » et le carnet d'adresses de la promenade sur les Grands Boulevards.

Articles pour faire la fête

Voir aussi la rubrique « Déguisements ».

Aux feux de la fête – *125 bd du Montparnasse - 6e arr. - M° Vavin - Promenade 5 - ✆ 01 43 20 60 00 - www.auxfeuxdelafete.com.* Feux d'artifice, déguisements et accessoires pour goûters d'enfants : vaisselle à thème, ballons hélium, jouets pour pêche à la ligne, etc.

Balloons Shop – *38 r. Georges-Pitard - 15e arr. - M° Plaisance - Promenade 5 - ✆ 01 48 56 20 39.* ballons hélium, feux d'artifice, accessoires et décorations pour goûters d'enfants.

Mille fêtes – *60 r. du Cherche-Midi - 6e arr. - M° St Placide - Promenade 5 - ✆ 01 42 22 09 43 - www.millefetes.fr.* Organisation/animation de goûters d'enfants. Articles pour les fêtes : ballons gonflés à l'hélium, guirlandes, cartes d'invitation, pêche à la ligne, chasse au trésor, feux d'artifice, déguisements… Location de bouteilles d'hélium.

Organisation de la fête

L'Esprit culturel – *13 r. de la Grange-Batelière - 9e arr. - M° Richelieu-Drouot - ✆ 01 47 70 97 79 - www.lespritculturel.com.* Cette association se propose de faire découvrir les musées à vos enfants (entre 3 et 12 ans) de façon ludique (au moyen de jeux de piste notamment) et de les initier à des activités artistiques insolites (peinture au chocolat, ballons sculptés, mime, théâtre, danse hip-hop, magie).

Kata Varga - Compagnie Double Miroir – *47 r. Bargue - BL1 - 15e arr. - ✆ 01 42 19 08 93 ou 06 13 78 23 76 - à partir de 165 € pour la comédienne-chanteuse-danseuse ou 330 € si elle est accompagnée par l'accordéoniste.* Comédienne franco-hongroise, Kata peut venir seule ou accompagnée d'un accordéoniste présenter son spectacle *Jeannot du maïs* pour un goûter d'anniversaire. Ce conte, écrit par un célèbre poète hongrois et adapté pour les enfants de 5-11 ans, raconte l'histoire d'un jeune berger qui fait le tour du monde et rencontre au passage le pacha turc, le vieux roi de France, des géants, des sorcières et des fées. Tour à tour chanteuse et danseuse, la comédienne fait participer les enfants et peut poursuivre la représentation par une animation de jeux, chansons et danses avec eux.

Maison des contes et des histoires – *7 r. Pecquay - 4e arr. - M° Hôtel-de-Ville ou Rambuteau - Promenade 16 - ✆ 01 48 87 04 01 - www.conteshistoires.com - réserv. obligatoire - groupe limité à 15 enf. - tarif forfaitaire 50 € ; ateliers 7 €/enf.* Séances de contes sur mesure le mercredi à 14h, le samedi ou le dimanche à 14h45 pour un anniversaire ou une fête. Il existe la possibilité de poursuivre avec des ateliers d'illustration autour des thèmes des expositions temporaires.

Musée d'Art et d'Histoire du judaïsme – *Hôtel St-Aignan - 71 r. du Temple - 3e arr. - M° Rambuteau - Promenade 16 - réserv. au 01 53 01 86 62 - www.majh.org - lun.-jeu. 10h-17h.* Des ateliers pour les anniversaires peuvent être spécialement organisés sur demande.

Musée des Arts décoratifs -Artdécojeunes – *107 r. de Rivoli - 1er arr. - M° Palais-Royal ou Tuileries - Promenade 7 - ✆ 01 44 55 59 25/75 - www.artsdecoratifs.fr - merc., sam. et dim. - règlement à l'av. - réserv. obligatoire par tél.* « Joyeux anniversaire » propose quatre formules : visite ludique (14h15-15h15, 6,50 € par enf.) ; visite-atelier (14h30-16h30, 9,50 € par enf.) ; visite guidée ludique suivie d'un goûter (14h30-16h30, 13 € par enf.) ; visite suivie d'un atelier et d'un goûter (14h30-17h30, 18 € par enf.). Les groupes sont limités à 10 ou 15 enfants. Tout est fourni sauf le gâteau à apporter.

Musée de la Marine – *Palais de Chaillot - 17 pl. du Trocadéro - 16e arr. - M° Trocadéro - Promenade 10 - ✆ 01 53 65 69 69 - animations d'anniversaire : dim. 14h-16h30 - 10 à 15 enf. par groupe - réserv. obligatoire au 01 53 65 69 53 - 18 € entrée comprise.*

ATELIERS DES BOUTIQUES

Apache – *84 r. du Faubourg-St-Antoine - 11e arr. - M° Ledru-Rollin - Promenade 18 - ✆ 01 53 46 60 10. Atelier (3-10 ans) : merc. et sam., horaires et thèmes sur programme à retirer dans le magasin - durée : 1h - 7,50 €/atelier (cartapache et cartapache famille : tarif réduit) - stages et anniversaires.* Cet apache ne vous attaquera pas ! Loin de là ! Mais il vous sautera dessus pour vous montrer ses plus beaux jouets et tentera de vous garder quelques heures pour un atelier création (fabriquer un chapeau chinois ou une lanterne singe), cuisine (concocter des macarons ou des bonbecs de Pâques), expérience (avec un verre d'eau ou pour une pêche miraculeuse) ou tout simplement pour des jeux et un goûter.

Nature et découvertes – *Cour St-Émilion - village de Bercy - 12e arr. - M° Cour-Saint-Émilion - Promenade 29 - ✆ 01 53 33 82 40 - www.natureetdecouvertes.com - 11h-21h (sf nov. et déc.) - à partir de 6-7 ans - merc. 16h - durée : 30mn - se renseigner pour les thèmes - les parents doivent être présents - gratuit.* Apprendre à trier ses déchets, à construire une mangeoire, un baromètre, savoir utiliser des jumelles et connaître les animaux en voie de disparation : Nature et découvertes propose tous ces ateliers qui sont ou pratiques ou théoriques.

Fnac Junior – *Cour St-Émilion - village de Bercy - 12e arr. - M° Cour-Saint-Émilion - Promenade 29 - ✆ 01 44 73 01 58 - 11h-21h - 4-12 ans - merc. 11h15 ou 11h45 (sf juil. et août) - se renseigner pour les thèmes et les dates (programme mensuel sur www.fnacjunior.com) - gratuit - réserv. à l'avance - 2 ateliers de 4 pers.* Outre tous ses jeux et jouets aussi ludiques que pédagogiques, la Fnac Junior s'occupe des enfants le mercredi matin pendant 30mn. Au programme : initiation à l'anglais, décoration d'une fenêtre, petit cours de gym, lecture de conte étranger, ou approche d'un instrument de musique.

Les Fanfans – *42 r. François-Miron - 4e arr. - M° St-Paul - Promenade 17 - ✆ 01 40 27 94 47 - 3-4 ans : merc. 11h-12h ; 5-6 ans : sam. 11h-12h ; 7-10 ans : merc. 14h-15h - se renseigner pour les tarifs et les stages organisés pendant les vacances.* Les Fanfans, alias Planète enchantée, proposent à nos kids de créer des chansons. L'atelier est animé par Tamara, chanteuse de jazz… Au final, les enfants repartent avec l'enregistrement sur CD.

La Pinata – *25 r. des Vinaigriers - 10e arr. - M° Château-d'Eau ou Jacques-Bonsergent - Promenade 19 - ✆ 01 40 35 01 45 - merc. et sam. apr.-midi.* Boutique de jouets et lieu de vente presque exclusif des véritables pinatas mexicaines (ces grosses boules en papier mâché que les enfants doivent éclater à coups de bâton pour en faire sortir des surprises), La Pinata organise dorénavant des ateliers papier-crépon. En compagnie d'Elena Farah et de son charmant accent, les enfants apprendront à faire des couronnes, des déguisements et autres fleurs en papier.

ATELIERS DES MUSÉES

Musée de l'Armée – *Hôtel national des Invalides - 129 r. de Grenelle - 7e arr. - M° Invalides ou Latour-Maubourg - Promenade 8 - ✆ 01 44 42 51 73 - animations (pour familles) hors vac. scol. : merc. et sam. apr.-midi - 7,50 € (enf. 5,50 €) - animations (7-13 ans) pdt vac. scol. : lun.-vend. - 5,50 €- réserv. par tél.* Les visites-contes (1h30) font le lien entre l'histoire et les objets, témoins de la vie quotidienne, pour aborder l'histoire de France de manière concrète, dans une optique de découverte ou de prolongement des programmes scolaires. Les thèmes proposés sont : Louis XIV et l'hôtel des Invalides ; joutes et tournois au temps de François Ier ; un Français libre pendant la Seconde Guerre mondiale. Au cours des jeux d'enquêtes (2h), les enfants partent à la découverte d'un trésor à l'époque de Louis XIV.

Musée des Arts décoratifs – Artdécojeunes – *107 r. de Rivoli - 1er arr. - M° Palais-Royal ou Tuileries - Promenade 7 - ✆ 01 44 55 59 25/75 - www.artsdecoratifs.fr - merc. et vac. scol. 10h-12h ou 14h-16h - 10 € - réserv. obligatoire par téléphone.* Ces ateliers proposent des activités en lien avec le musée des Arts décoratifs, le musée de la Mode et du Textile, le musée de la Publicité et le musée Nissim de Camondo (8e arr.). De 4 à 6 ans : « Mon premier atelier » et de 7 à 12 ans : « Atelier Arts déco ». Après une visite au musée des Arts décoratifs, dans les salles Moyen Âge et Renaissance, dans la galerie des bijoux ou dans une exposition temporaire, les enfants fabriquent divers objets en lien avec le thème de la visite.

Musée d'Art et d'Histoire du judaïsme – *Hôtel St-Aignan - 71 r. du Temple - 3e arr. - M° Rambuteau - Promenade 16 - ✆ 01 53 01 86 62 (lun.-vend. 9h30-17h30) - www.majh.org* Installé dans un très joli hôtel classé du Marais, ce musée organise de nombreux ateliers pour enfants, par exemple sur l'arche de Noé, le rôle de la lettre dans la culture juive, l'Arbre de vie ou le Golem.

Musée des Arts et Métiers – *60 r. Réaumur - 3e arr. - M° Arts-et-Métiers ou Réaumur-Sébastopol - Promenade 16 - ✆ 01 53 01 82 88 (lun.-vend. 9h30-18h) - réserv. au 01 53 01 82 75 (lun.-vend. 9h-18h) - www.arts-et-metiers.net* Les ateliers du musée s'adressent aux enfants de 7 à 12 ans. Ils ont lieu chaque mercredi à 14h30 (durée 2h30) et coûtent 6,50 € par enfant. Après une phase de manipulation conduisant à une réalisation personnelle qu'ils emportent, les enfants visitent le musée pour situer l'objet réalisé dans son contexte technique, économique et humain. Les thèmes varient chaque semaine : par exemple, « Écrire avec la lumière », « Images animées », « Le Point en mer », « Les automates » ou « Si un boulier m'était conté ».

Musée d'Art moderne de la Ville de Paris – *11 av. du Prés.-Wilson - 16e arr. - M° Alma-Marceau - Promenade 9 - ☎ 01 53 67 40 80 (renseignements et réserv.) - 6-12 ans : merc., sam. et mar.-vend. pdt vac. scol. 14h30 - durée 2h - 3,80 €.* Des visites-contes et des ateliers de pratiques artistiques permettent à l'enfant de se sensibiliser à l'art contemporain.

H. Deguine / MICHELIN

À l'attaque du musée d'Art moderne !

Musée d'Art naïf - Halle Saint-Pierre – *2 r. Ronsard - 18e arr. - M° Anvers - Promenade 21 - ☎ 01 42 58 72 89 (réserv. le mat. même) - www.hallessaintpierre.org - 6-12 ans - visite animée et atelier créatif merc. 15h - 8 €- apporter un tablier.* Le musée ne se contente pas d'exposer l'art brut. Il incite très fortement les enfants à mettre les mains dans la matière grâce à des ateliers très peu conformistes. Ici, pas de beaux pinceaux ou de feuilles de papier blanc, mais des boîtes en carton récupérées, des morceaux de matériaux divers, des lambeaux de tissus que les enfants vont exploiter pour laisser parler en eux la part d'art brut. Un vrai coup de cœur pour ces ateliers menés par des animateurs extraordinaires qui cherchent toujours à immiscer les petits au cœur de l'univers d'un ou des artistes exposés. L'atelier commence ainsi toujours par la visite de l'exposition.

Musée Bourdelle – *18 r. Antoine-Bourdelle - 15e arr. - M° Montparnasse-Bienvenüe ou Falguière - Promenade 5 - ☎ 01 49 54 73 91/92 - www.paris.fr/musees/bourdelle - tlj sf lun. 10h-18h - fermé j. fériés - 6,50 €.* Le programme des activités jeune public, proposé durant l'année scolaire et pendant les vacances, varie au fil de l'année. Visites et ateliers : cycles à la journée ou de 2 à 9 séances s'adressant à des enfants de 4-6 ans à 11-15 ans. Quelques thèmes ? Mythologie, danse et sujets liés aux expositions. « Une heure - une œuvre » (1er vend. du mois à 17h) fait découvrir aux enfants à partir de 8 ans une œuvre du musée. Des activités en famille sont proposées ponctuellement.

Musée Carnavalet-Histoire de Paris – *Hôtel Carnavalet - 23 r. de Sévigné - 3e arr. - M° Saint-Paul ou Chemin-Vert - Promenade 17 - ☎ 01 44 59 58 31 - ateliers (4-12 ans) merc., sam. apr.-midi et vac. scol. - durée 2h - 6,50 €- réserv. obligatoire.* Rien de mieux qu'un musée pour donner de l'inspiration à un artiste en herbe. Le musée Carnavalet est une malle aux trésors : l'atelier de peinture et de dessin propose par la pratique des arts plastiques de faire découvrir aux enfants toutes les facettes d'un musée. Des thèmes sont proposés comme la vie à Paris ou les costumes. Dans l'atelier « Histoire contée », on écoutera des contes de Perrault, dans les salons des 17e et 18e s. du musée. « Conte et dessin » est un atelier mettant en scène un drôle de chat, Rififi, qui voyage dans le temps et raconte des histoires qu'il faut ensuite dessiner. Les petits créatifs suivront pendant les vacances scolaires les ateliers laque, gravure, mosaïque ou masque.

Musée Cognacq-Jay – *8 r. Elzévir - 3e arr. - M° St-Paul ou Chemin-Vert - Promenade 17 - ☎ 01 40 27 07 21 - se renseigner pour connaître le calendrier des activités - contes pour 5 ans (durée 1h) : merc. et mar.-vend. pdt vac. scol. 11h et 14h - 3,80 €- visites-animations pour 6-11 ans (durée 1h30) - 3,80 € - ateliers pout 7-11 ans (durée 2h) - 6,50 €- anniversaires - 30 € ou 45 €.* Toute l'année, des activités pour les enfants sont proposées autour des collections. À partir de 5 ans, le mercredi, une conteuse entraîne les enfants à la découverte des œuvres du musée. Les visites animations permettent aux 6-11 ans d'observer les peintures comme par exemple *Perrette et le pot au lait* de Fragonard, et d'en comprendre le contexte. Des « jeux d'enfants » s'appuient sur les œuvres –

tableaux, porcelaine – pour expliquer la vie quotidienne des enfants au 18e s. Pendant les vacances scolaires sont aussi organisés des ateliers de dessin autour de différents thèmes.

Palais de la Découverte – *Av. Franklin-D.-Roosevelt - 8e arr. - M° Champs-Élysées-Clemenceau ou Franklin-D.-Roosevelt - Promenade 11 - ☏ 01 56 43 20 21 - www.palais-decouverte.fr - tlj sf lun. 9h30-18h, dim. et j. fériés 9h45-19h - 6,50 € (5-18 ans 4 €) ; suppl. Planétarium 3,50 €.* Le programme de nombreux ateliers sur la chimie, les sciences de la terre, le goût et l'alimentation est distribué à l'accueil. Les ateliers de l'École de l'ADN (inscriptions le jour même) permettent par exemple d'expérimenter par soi-même les techniques de biologie moléculaire et de débattre autour du thème du génome (empreinte génétique, confrontation de suspect, clonage, thérapie génique et OGM).

Grande Galerie de l'Évolution – *36 r. Geoffroy-St-Hilaire - 5e arr. - M° Gare-d'Austerlitz, Jussieu, Censier-Daubenton ou Place-Monge - Promenade 4 - ☏ 01 40 79 56 01/54 79 - 3-6 ans et 7-12 ans - petites vac. scol. : tlj sf mar. 14h30 et 15h45 - durée 1h - 3 € - réserv. obligatoire - RV le jour même 30mn av. l'animation.* Les parents peuvent accompagner leurs enfants. Le programme des ateliers jeune public, proposé pendant les vacances, varie selon les expositions en cours.

Musée Galliera – *10 av. Pierre-Ier-de-Serbie - 16e arr. - M° Iéna ou Alma-Marceau - Promenade 9 - ☏ 01 56 52 86 00 - 5-16 ans - cycle Apprenti costumier (8-12 ans ; 5 séances de 2h30) - 32,50 € - divers ateliers autour du thème de la mode - réserv. obligatoire au 01 56 52 86 20.* Devenir Sissi Impératrice, Marie de Médicis, Marie-Antoinette, Henri IV ou d'Artagnan, Mousquetaire du roi, c'est possible. Un peu de doigté, un brin de patience et le tour est joué.

Musée Guimet – *Voir la visite 33.*

Musée du Louvre – *Voir la visite 31.*

Musée de la Marine – *Palais de Chaillot - 17 pl. du Trocadéro - 16e arr. - M° Trocadéro - Promenade 10 - ☏ 01 53 65 69 69 - animations en liaison avec les collections permanentes - à partir de 3 ans et pour les 7-12 ans - merc. et vac. scol. 15h - réserv. obligatoire au 01 53 65 69 53 - 7 €.*

Institut du Monde arabe – *1 r. des Fossés-St-Bernard - 5e arr. - M° Jussieu, Cardinal-Lemoine ou Sully-Morland - Promenade 4 - ☏ 01 40 51 38 14 - atelier artistique (6-12 ans) : certains sam. 15h-17h - réserv. obligatoire - 8 €.* Le musée propose des ateliers en liaison avec la grande exposition ou les collections permanentes (peintures inspirées des décors de la céramique et de la calligraphie, par exemple).

Musée de la Monnaie – *11 quai de Conti - 6e arr. - M° Pont-Neuf ou Odéon - Promenade 3 - ☏ 01 40 46 55 35 - 7-12 ans - 2e merc. du mois et vac. scol. - durée 1h30 - réserv. obligatoire - 4 €.* Après avoir appris quand est née la monnaie, à quoi elle sert et comment on fabrique les pièces, les enfants réalisent une œuvre sur feuille d'aluminium à partir d'une médaille en résine.

Musée national du Moyen Âge – *6 pl. Paul-Painlevé - 5e arr. - M° Cluny, St-Michel ou Odéon - Promenade 2 - ☏ 01 53 73 78 16 (9h15-17h15) - www.musee-moyenage.fr - merc. et vac. scol. (zone C) - réserv. obligatoire.* Ateliers pour les 8-12 ans (14h15, durée 2h, 8,40 €) : les thèmes (architecture, vitrail, scriptorium, jardin médiéval) varient selon les jours. Après une découverte des œuvres du musée, les enfants essaient de retrouver certains gestes des artisans du Moyen Âge en exécutant une petite réalisation qu'ils peuvent emporter. Visites découvertes pour les 7-12 ans (durée 1h30, 6,30 €) : les thèmes varient selon les jours (« Arts et artisans au Moyen Âge », « L'enfance au Moyen Âge », « Le bestiaire et la flore du Moyen Âge », « La vie d'un seigneur à la fin du Moyen Âge »).

Cité de la musique – *Voir la visite 34.*

Musée Nissim-de-Camondo – *63 r. de Monceau - 8e arr. - M° Monceau ou Villiers - Promenade 12 - ☏ 01 44 55 59 25/75 - 4-6 ans et 7-12 ans - certains merc. et vac. scol. 10h-12h ou 14h-16h - 10 €- réserv. obligatoire.* Après avoir découvert la demeure d'un grand collectionneur du 18e s., les enfants s'initient à la technique de la peinture sur porcelaine, ou réalisent un album des tendances du 18e s.

Musée d'Orsay – *Voir la visite 32.*

Musée des Plans-Reliefs – *Hôtel national des Invalides - 7e arr. - M° Invalides, Varenne ou Latour-Maubourg - Promenade 8 - ☏ 01 45 51 92 45 - réserv. obligatoire - 7 €.* Parcours-découverte, jeux de piste et ateliers de maquettes d'architecture et de cartographie.

Centre Pompidou (Beaubourg) – *Pl. Georges-Pompidou - 4e arr. - M° Rambuteau, Hôtel-de-Ville ou Châtelet - Promenade 16 - ✆ 01 44 78 49 13 ou sur place à l'espace éducatif, niveau 0, le jour même, 15mn av. la séance (dans la limite des places disponibles) - www.centrepompidou.fr/enfants.* Le programme des ateliers varie chaque année et les âges des enfants auxquels ils s'adressent (entre 2 et 10 ans) changent selon les séances. Certains ateliers s'inscrivent dans le cadre des expositions de la galerie des Enfants et ont lieu de 14h30 à 16h30 les mercredis et tous les jours des vacances scolaires de la zone C, sauf dimanche et jours fériés (9 €). D'autres ateliers pour les 6-8 ou 8-10 ans, intitulés « Formes, rythmes et couleurs », proposent soit une séance unique un samedi de 14h30 à 16h30 (9 €), soit un cycle de trois séances de 14h30 à 16h30 (45 €). Les enfants, invités à « faire pour mieux voir », commencent par explorer les outils, les matériaux et les gestes d'un artiste du 20e s. avant de découvrir ses œuvres au musée ou dans une exposition du Centre. Parmi les thèmes proposés figurent par exemple, « Jeux de lignes : trame et surface » et « Jeux de lignes : rayures en tout sens ».

Musée Rodin – *77 r. de Varenne - 7e arr. - M° Varenne - Promenade 8 - merc. - ✆ 01 44 18 61 24 - réserv. obligatoire.* Visite-découverte pour les 4-5 ans à 10h30 (1h, 3 €) pour apprendre à observer une sculpture et ses matériaux. Parcours pour décrypter les expressions du visage, les mouvements du corps, les sculptures du jardin et les spécificités de Rodin. Visite-atelier pour les 6-8 ans et les 9-12 ans à 14h30 (1h30, 4,60 €) pour explorer les collections et le jardin des sculptures. Des ateliers de dessin, de photographie et de mime permettent aux enfants de créer leur musée imaginaire et de s'initier aux techniques de la sculpture. Autour de récits historiques et mythologiques et de grandes thématiques liées aux expositions temporaires, il leur est permis de mieux comprendre Rodin.

Ateliers Tok Tok - Palais de Tokyo-site de création contemporaine – *13 av. du Prés.-Wilson - 16e arr. - M° Iéna - Promenade 9 - merc. et sam. 14h-16h30 - ✆ 01 47 23 35 16 - réserv. obligatoire - 10 €.* Pour les 6-10 ans, une approche de l'art contemporain qui développera leurs capacités d'expression et leur regard critique, et favorisera leur autonomie face aux œuvres. Visite de l'exposition et dialogue entre un intervenant et les enfants ; découverte de l'univers plastique d'un artiste, ses thèmes, ses matériaux ; réalisations avec les outils d'aujourd'hui (photo, vidéo, dessin, collage, son, performance…).

Maison de Victor Hugo – *6 pl. des Vosges - 4e arr. - M° St-Paul - Promenade 17 - ✆ 01 42 72 10 16.* Dans l'appartement que Victor Hugo a habité pendant 16 ans, des contes sont racontés aux enfants (à partir de 6 ans) : Quasimodo, Cosette et Gavroche reprennent vie tandis que « l'art d'être grand-père » est expliqué aux enfants et aux parents ! En collaboration avec la Maison du Geste et de l'Image, des ateliers permettent aussi de créer une vidéo autour d'une œuvre littéraire.

Musée de la Vie romantique – *16 r. Chaptal - 9e arr - M° St-Georges, Pigalle ou Blanche - Promenade 20 - ✆ 01 55 31 95 67 - « Contes merveilleux » (1h) : merc. et vac. scol. 14h - réserv. obligatoire - fermé janv. et fév. pour travaux - 3,80 € (billet exposition gratuit pour adulte accompagnant).* Romantique oui, mais aussi très actif ! Les activités culturelles du musée rivalisent d'ingéniosité afin de faire connaître George Sand aux enfants. Cette écrivaine avait toujours une histoire à raconter. Riquet, Poucet, le Chat botté, Cendrillon étaient ses invités. Les 5-10 ans peuvent venir les retrouver dans le jardin d'hiver du musée.

Musée Zadkine – *100 bis r. d'Assas - 6e arr. - M° Vavin, N.-D.-des-Champs, RER Port-Royal - ✆ 01 55 42 77 20 - tlj sf lun. 10h-18h - fermé j. fériés.* Nombreux ateliers et séances de contes.

ATELIERS (AUTRES)

Voir également les rubriques « magie », « marionnettes » et « musique ».

La Cabane aux lucioles – *24 pl. Raoul-Follereau - 10e arr. - M° Jacques-Bonsergent - Promenade 19 - ✆ 01 42 09 96 57 - 4-6 ans à 8-10 ans - atelier (1h30) merc. - fermé juil. et août - inscription à l'avance - ateliers-garderies les autres jours en fin d'apr.-midi - stages pdt vac. scol. et anniversaires.* Au royaume de la gribouille, on commence par observer le travail d'un artiste comme Picasso ou Matisse ou on se donne un thème précis, comme le cirque. Puis, sous la houlette de l'animatrice, on y va à coups de pinceau et de ciseaux. On se libère ! On crée, quoi !

Antonio et Bernadette Da Silva – *37 bis Cité Industrielle - 11e arr. - M° Faidherbe-Chaligny - ✆ 01 43 72 86 09 - Promenade 18 - à partir de 5-6 ans - merc. 10h-12h, 14h-16h30 - stages pendant vac. scol. (1re quinz. de juil. seult en été) - 12,5 €/séance.* Modelage de sculptures en terre, puis cuisson dans le four, mais aussi travail avec la pâte à papier : les enfants découvrent de nouveaux moyens d'expression et quand ils ont envie de se défouler, la magnifique cour dans laquelle travaillent de nombreux artisans est à leur disposition.

L'Esprit culturel – *L'Esprit culturel - 13 r. de la Grange-Batelière - 9e arr. - M° Richelieu-Drouot - ✆ 01 47 70 97 79 - www.lespritculturel.com.* Cette association se propose de faire découvrir les musées à vos enfants (entre 3 et 12 ans) de façon ludique (au moyen de jeux de piste notamment) et de les initier à des activités artistiques insolites (peinture au chocolat, ballons sculptés, mime, théâtre, danse hip-hop, magie).

Théâtre national de Chaillot – *1 pl. du Trocadéro - 16e arr. - M° Trocadéro - Promenade 10 - ✆ 01 53 65 30 01 - www.theatre-chaillot.fr.* Opération Chaillot Famille : les adultes et les enfants sont invités, à l'issue d'une représentation le samedi et le dimanche, à une séance de danse accessible et ludique plus basée sur la convivialité et le jeu que sur l'apprentissage technique. Les séances sont animées par les artistes des compagnies invitées. Les ateliers sont accessibles aux handicapés sensoriels.

BAIGNADE

Jacques Chirac, alors maire de Paris, nous avait promis qu'un jour nous pourrions nous baigner dans la Seine. Qu'à cela ne tienne, vous dites-vous, allons au moins nous tremper les pieds dans l'eau des fontaines. Sachez que c'est interdit et passible d'amende. N'ayez aucun regret : l'eau des fontaines fonctionne en circuit fermé et n'est renouvelée qu'une fois par an. Dans les parcs André-Citroën et de La Villette, les abords des bassins et fontaines se transforment en stations balnéaires : faites comme tout le monde et joignez-vous à la foule. Pour nager en toute sécurité, il vous reste les piscines à ciel ouvert, mais attention, elles sont très fréquentées. Côté bronzette, vous avez le choix entre le port de plaisance de Paris-Arsenal, les pelouses des parcs et jardins (mais attention, certaines sont interdites) et les quais de la Seine dont une partie se transforme en plage (rive droite) : inaugurée avec succès pendant l'été 2002, l'opération « Paris-Plage » est reconduite d'année en année. On ne peut pas se baigner, mais on peut s'occuper comme à la plage et même mieux qu'à la plage : beach volley, plages de sable et d'herbe, châteaux de sable, vélo, pétanque, escalade, athlétisme, jeux d'eau, rollers, bibliothèque, brumisateur, labyrinthe, buvettes…

BATOBUS

Port de la Bourdonnais - 7e arr. - ✆ 0 825 050 101 (0,15 €/mn) - RER C Champ-de-Mars-Tour-Eiffel ou M° Bir-Hakeim - mai-sept. : 10h-22h ; avr. et oct. : 10h-19h ; nov.-déc. et fév.-mars : 10h30-16h30 - 11 €/j (-16 ans 5 €) ; 13 €/2j (-16 ans 6 €). Arrêts : tour Eiffel (port de la Bourdonnais), musée d'Orsay (quai de Solférino), St-Germain-des-Prés (quai Malaquais), Notre-Dame (quai de Montebello), Jardin des Plantes (quai St-Bernard), Hôtel-de-Ville (quai de l'Hôtel-de-Ville), Louvre (quai du Louvre) et Champs-Élysées (port des Champs-Élysées).

BELVÉDÈRES

Voir Paris d'en haut est quelque chose qui plaît toujours aux enfants. Ils peuvent essayer de repérer les monuments qu'ils auront visités auparavant, le quartier où ils habitent… Et puis en bas, les gens sont grands comme des fourmis et les voitures sont autant de modèles réduits : un vrai jeu pour les petits devenus tout à coup des géants !
La tour Eiffel est, bien sûr, le lieu privilégié pour voir Paris d'en haut, mais pas le seul : voici d'autres idées de belvédères, parfois insolites et auxquels on ne pense pas toujours, pour contempler la Ville lumière, de jour comme de nuit.

Les belvédères improvisés...

Paris a ses montagnes ! Les noms de certains quartiers ou de certains monuments ne font aucun doute là-dessus : Mont-Martre, Mont-Parnasse, Ménil-Montant, Butte-aux-Cailles, Buttes-Chaumont, Saint-Étienne-du-Mont... Et qui dit montagne, dit belvédère !
Sur la butte **Montmartre**, depuis le parvis du Sacré-Cœur ou la place Émile-Goudeau, on voit à peu près tout Paris (puisque Montmartre est tout au Nord).
Depuis le sommet du **parc de Belleville** et tout en haut de la rue de Ménilmontant, c'est la même vue, mais plus au Sud-Est.
Du haut de la **montagne Ste-Geneviève**, depuis le parvis de l'église St-Étienne-du-Mont, on peut voir les petites rues du Quartier latin.
Des terrasses du **Trocadéro**, on voit très bien la tour Eiffel et les quartiers qui sont situés derrière elle.
De la **Butte-aux-Cailles**, on distingue l'avenue des Gobelins depuis la place d'Italie.
De la **Promenade plantée**, on domine le faubourg St-Antoine.
Quant au « Mont-Parnasse », il a malheureusement été rasé... Donc plus de vue d'en haut, mais tout de même une belle perspective sur la rue de Rennes jusqu'à St-Germain-des-Prés.

Les panoramas officiels

Ce sont bien sûr les plus courus, et leur accès est payant.

Notre-Dame (tours) – *Voir la promenade 1. M° Cité.*

Panthéon (parties hautes) – *Voir la promenade 2. RER Luxembourg.*

Institut du Monde arabe (terrasse du 9e étage) – *M° Jussieu - ✆ 01 40 51 38 38 - www.imarabe.org - tlj sf lun. 10h-18h - fermé 1er Mai - accès gratuit à la terrasse. Voir la promenade 4.*

Tour Montparnasse – *Voir la promenade 5. M° Montparnasse-Bienvenüe.*

Tour Eiffel – *Voir la promenade 10. M° Bir-Hakeim.*

Arc de triomphe (plate-forme) – *Voir la promenade 11. M° Charles-de-Gaulle-Étoile.*

Centre Georges-Pompidou (terrasse du 5e étage) – *Voir la promenade 16. M° Rambuteau, Hôtel-de-Ville ou RER Châtelet-Les-Halles - ✆ 01 44 78 12 33 - musée et expositions niveau 6 : 11h-21h, nocturne jeu. 23h ; bibliothèque : 12h-22h, w.-end 11h-22h (dernière entrée 1h av. fermeture) - fermé mar. - accès à la terrasse avec un billet d'entrée au musée ou aux expositions temporaires.*

Sacré-Cœur (dôme) – *M° Anvers ou Abbesses. - ✆ 01 53 41 89 00 - www.sacre-coeur-montmartre.com - 9h-18h - 5 €. Voir la promenade 21.*

Ph. Bourgeois / MICHELIN

Ballon Eutelsat, au parc André-Citroën.

Ballon captif du parc André-Citroën – *Voir la promenade 23. M° Balard ou Lourmel et RER Bd-Victor.*

Galeries Lafayette (terrasse panoramique 7e étage) – *M° Chaussée-d'Antin.*

Le Printemps – *M° Havre-Caumartin - tlj sf dim. 9h35-19h, jeu. 9h35-22h - accès gratuit par escaliers mécaniques.*

BIBLIOTHÈQUES

Les 65 bibliothèques municipales de Paris disposent d'un rayon jeunesse, certaines sont même entièrement dédiées aux enfants. Elles sont ouvertes toute l'année du mardi au samedi. La consultation sur place est gratuite et ne nécessite aucune inscription préalable. Pour emprunter des documents, il faut en revanche s'inscrire. Le prêt des livres, revues et cassettes est gratuit, celui des disques (à l'exception de ceux destinés à la jeunesse) et vidéo fait l'objet d'une cotisation forfaitaire valable pour l'ensemble du réseau. Pour de plus amples renseignements, voir le site www.paris.fr rubrique culture.
Les bibliothèques pour la jeunesse proposent souvent des animations gratuites : contes, spectacles musicaux, théâtre pour enfants, etc. Renseignements sur place, par téléphone ou sur le site www.paris.fr rubrique culture.

Ci-dessous quelques bibliothèques spécialisées jeunesse, classées par arrondissement.

Bibliothèque La Fontaine – *91 r. Rambuteau - 1er arr. - M° Halles - Promenade 16 - 01 42 33 19 50 - mar., jeu. et vend. 13h30-18h30, merc. et sam. 10h-12h30, 13h30-18h.*

Bibliothèque Isle-Saint-Louis – *21 r. St-Louis-en-l'Isle - 4e arr. - M° Pont-Marie - Promenade 1 - 01 43 25 58 21 - mar., jeu. et vend. 16h30-18h30, merc. et sam. 10h-12h30, 13h30-18h.*

Bibliothèque l'Heure Joyeuse – *6-12 r. des Prêtres-St-Séverin - 5e arr. - M° Cluny ou St-Michel - Promenade 2 - 01 43 25 83 24 - mar., jeu. et vend. 15h30-18h15, merc. et sam. 10h30-18h15.* La plus ancienne bibliothèque française destinée spécialement aux enfants. Très riche fonds de littérature enfantine d'autrefois (sur RV). La plus importante collection de Paris pour les CD musicaux et les CD de textes enregistrés, comme Harry Potter, par exemple (mais il n'y a pas de poste d'écoute sur place). Nombreuses animations régulières ou temporaires.

Bibliothèque Courcelles – *17 ter av. Beaucour - 8e arr. - M° Ternes - Promenade 12 - 01 47 63 22 81 - mar., jeu. et vend. 12h30-18h30, merc. et sam. 10h-18h.*

Bibliothèque Diderot – *42 av. Daumesnil - 12e arr. - M° Gare-de-Lyon - Promenade 29 - 01 43 40 69 94 - mar., jeu. et vend. 16h30-18h30, merc. et sam. 10h-12h30, 13h30-18h.*

Bibliothèque Gutenberg – *8 r. de la Montagne-d'Aulas - 15e arr. - M° Balard ou Javel - 01 45 54 69 76 - mar., jeu. et vend. 13h30-18h30, merc. et sam. 10h-12h30, 13h30-18h.*

Bibliothèque Brochant – *6 r. Fourneyron - 17e arr. - M° Brochant - Promenade 21 - 01 42 28 69 94 - mar., jeu. et vend. 13h30-18h30, merc. et sam. 10h-12h30, 13h30-18h.* Cédéroms.

Bibliothèque Maurice-Genevoix – *19 r. Tristan-Tzara - 18e arr. - M° Max-Dormoy - 01 46 07 35 05 - mar. et jeu. 16h-18h, merc. et vend. 12h-18h, sam. 10h-17h.*

Bibliothèque Benjamin-Rabier – *141 av. de Flandre - 19e arr. - M° Crimée - Promenade 19 - 01 42 09 31 24 - mar. et jeu. 16h30-18h30, vend. 13h30-18h30, merc. et sam. 10h-12h30, 13h30-18h.*

Bibliothèque Crimée – *42-44 r. Petit - 19e arr. - M° Laumière - Promenade 27 - 01 42 45 56 40 - mar. et jeu. 16h-18h30, vend. 13h30-18h30, merc. et sam. 10h-12h30, 13h30-18h.*

Bibliothèque Mortier – *109 bd Mortier - 20e arr. - M° Porte-des-Lilas - 01 43 61 74 64 - mar., jeu., vend. et sam. 14h-18h30, merc. 10h30-18h30.*

Bibliothèque Orteaux – *40 r. des Orteaux - 20e arr. - M° Alexandre-Dumas - Promenade 28 - 01 43 72 88 79 - mar., jeu. et vend. 16h-18h30, merc. et sam. 10h-12h30, 13h30-18h.*

Bibliothèque Sorbier – *17 r. Sorbier - 20e arr. - M° Gambetta - Promenade 28 - 01 46 36 17 79 - mar., jeu. et vend. 13h30-18h30, merc. et sam. 10h-12h30, 13h30-18h.*

BRUNCHS ANIMÉS

Club Med World – *39 cour St-Émilion - village de Bercy - 12e arr. - M° Cour-St-Émilion - Promenade 29 - 0 810 810 410 - à partir de 6 ans - atelier trapèze : merc. 14h-16h ; brunch-atelier : dim. - baptême 6 €, atelier cirque-brunch 12 €, cours de trapèze volant 12 €.* Dans l'immense salle servant de restaurant, le Club Med a aménagé des trapèzes pour des dîners-spectacles mais aussi pour les enfants. Des baptêmes et cours de trapèze volant ont ainsi lieu le mercredi, en toute sécurité. Vos enfants sont harnachés et ils atterrissent sur un immense filet. Et le dimanche, tout se passe en famille : pendant que vous brunchez les yeux mi-clos, vos actifs sont sous la houlette des GO du club pour des ateliers cirque et maquillage.

Justine (hôtel Méridien Montparnasse) – *19 r. du Cdt-Mouchotte - 14e arr. - M° Montparnasse-Bienvenüe ou Gaîté - Promenade 5 - 01 44 36 44 00 - meridien.montparnasse@lemeridien.com - baby-brunch (sept.-juin) : dim. midi ; buffet : 12h15-15h - 45 €/adulte, 22 €/4-11 ans (gratuit -4 ans) - réserv. indispensable (7 à 15 j. à l'avance vu le succès de la formule).*

L'Appart – *9-11 r. du Colisée - 8e arr. - M° Franklin-D.-Roosevelt - Promenade 11 - 01 53 75 42 00 - brunch : dim. 12h-15h - 24,50/32 € (enf. 24 €).* Le dimanche, c'est le jour des bons gâteaux maison. Et c'est bien ce que feront vos enfants pendant que les parents s'attablent autour d'un brunch familial.

BUS ET CARS TOURISTIQUES

Paris vu d'une fenêtre, à l'intérieur d'un véhicule qui connaît son chemin : voilà aussi une bonne façon de faire connaissance avec la ville, avec ou sans commentaires.

Les cars rouges (Parisbus) – *01 53 95 39 53 - 1er dép. 9h45 au pied de la tour Eiffel, puis ttes les 10mn en été - 22 € (4-12 ans 11 €) - le billet s'achète dans le bus et est valable 2 jours consécutifs.* Arrêts : tour Eiffel, Champ-de-Mars, musée du Louvre, Notre-Dame, musée d'Orsay, Opéra, Champs-Élysées-Étoile, Grand Palais, Trocadéro - trajet commenté - durée 2h15 pour l'ensemble du trajet, mais il est possible de monter et de descendre en cours de route.

Cityrama – *4 pl. des Pyramides - 1er arr. - 01 44 55 61 00 - M° Pyramides.* Circuit en autocar panoramique de jour comme de nuit.

L'Open Tour – *13 r. Auber - 9e arr. - 01 42 66 56 56 - M° Opéra ou Havre-Caumartin.* Quatre circuits pour découvrir Paris ; possibilité de descendre et monter aux 50 points d'arrêt marqués OpenTour. « Paris grand tour » : au départ du n° 13 de la rue Auber, en passant par l'Opéra, le musée du Louvre, Notre-Dame, le quartier de Saint-Michel, le musée d'Orsay, la place de la Concorde, les Champs-Élysées, l'Arc de Triomphe, le Trocadéro, la Tour Eiffel, les Invalides, la Madeleine (2h15, ttes les 10 à 20mn). « Montmartre » : circuit du Paris romantique avec arrêt proche du Sacré-Cœur (1h15, ttes les 10 à 30mn). « Bastille-Bercy » : circuit du Paris moderne, dép. de Notre-Dame, en passant par la place de la Bastille, la gare de Lyon, le parc de Bercy (1h, ttes les 30mn). « Montparnasse-Saint Germain » (1h, ttes les 10 à 25mn) : circuit à la découverte des quartiers mythiques de Paris rive gauche. 28 €/2j. consécutifs ou 25 €/j (enf. 12 €). Le « Pass OpenTour » s'achète directement dans les bus, à la boutique OpenTour ou au kiosque des arrêts Madeleine et Montmartre.

France Tourisme – *33 quai des Grands-Augustins - 6e arr. - 0 820 343 762 - www.francetourisme.fr - M° St-Michel ou Odéon.* Excursions en bus et minibus dans Paris : « Paris orientation » (3h) avec tour des principaux monuments et montée à Montmartre en funiculaire (24 €) ; « Paris grand tour » (4h) avec tour des grands monuments en bus, montée à Montmartre en funiculaire et croisière en Bateaux-Mouche (32 €). Des excursions sont également proposées en soirée, notamment la visite guidée de Paris illuminé (20 €).

BUS PARISIENS

Comme tous les transports en commun, ils sont plus ou moins réguliers, plus ou moins bondés, et cela varie suivant les lignes. Mais ils constituent un excellent moyen de découvrir Paris, pour une somme modique.
Attention, les poussettes ne sont pas les bienvenues aux heures de pointe.

Les 59 lignes complètent agréablement le réseau métropolitain. Certaines lignes passent par les monuments et quartiers phares de Paris (les 24 et 72 en particulier). Certains bus (18 lignes sont concernées) fonctionnent en nocturne : ce sont les « Noctambus » ; ils circulent la nuit de 1h à 5h30 environ, avec un dép. ttes les heures (30mn le w.-end) à Châtelet pour rayonner jusqu'à 30 km autour de Paris.

Lignes 21 (Gare-St-Lazare - Porte-de-Gentilly) et **27** (Gare-St-Lazare - Porte-d'Ivry) – Ils passent devant l'Opéra, le Palais-Royal, le Louvre, les quais, le Quartier latin et le Luxembourg.

Ligne 52 (Opéra - Pont de-St-Cloud) – Sur son itinéraire, la Madeleine, la place de la Concorde, le rond-point des Champs-Élysées, l'église St-Philippe-du-Roule, l'Arc de triomphe, l'avenue Victor-Hugo, la rue de la Pompe et Auteuil.

Ligne 63 (Porte-de-la-Muette - Gare-de-Lyon) – C'est une ligne intéressante pour visiter St-Germain-des-Prés, le Quartier latin jusqu'au Jardin des Plantes. Elle suit donc quasiment toute la rive gauche.

Ligne 72 (Pont-de-St-Cloud - Hôtel-de-Ville) – Elle longe la rive droite de la Seine : Alma-Marceau, le Grand Palais, la place de la Concorde, le Palais-Royal, le Louvre, la place du Châtelet et l'Hôtel de Ville.

Ligne 73 (La Défense - Musée-d'Orsay) – Elle vous permettra d'admirer la place de l'Étoile, les Champs-Élysées, la place de la Concorde et le musée d'Orsay.

Ligne 82 (Luxembourg - Pont-de-Neuilly - Hôpital-Américain) – Depuis le somptueux jardin du Luxembourg dont il fait le tour, en passant par le quartier du Montparnasse pour se rendre aux Invalides puis à l'École militaire et à la tour Eiffel, le bus traverse l'avenue Victor-Hugo puis l'avenue Foch avant d'aboutir porte

Maillot et prendre enfin la direction de Neuilly, qu'il traverse de part en part.

Ligne 92 (Gare-Montparnasse - Porte-de-Champerret) – Le bus passe par les Invalides, l'École militaire, Alma-Marceau, la place de l'Étoile, Wagram et la place du Mar.-Juin.

Ligne 96 (Gare-Montparnasse - Porte-des-Lilas) – Le bus traverse le quartier St-Sulpice, Odéon, le Quartier latin, l'île de la Cité, la place du Châtelet, celle de l'Hôtel-de-Ville, le Marais et enfin Belleville.

Enfin, d'anciens autobus à plate-forme sont remis en service aux beaux jours (**lignes 29** et **56**).

Balabus – *Avr.-sept. : dim. et j. fériés 12h30- 20h30(1er dép. La Défense ; dernier dép. gare de Lyon).* Il traverse Paris d'Est en Ouest, de la gare de Lyon jusqu'à La Défense (arrêts de bus marqués Balabus Bb) et permet de découvrir bon nombre de sites et monuments prestigieux de la capitale (durée : 1h).

Montmartrobus – Desserte circulaire de la butte Montmartre entre la mairie du 18e arr. et la place Pigalle.

CAFÉS ANIMÉS

La Grande Ourse – *9 r. Georges-Saché - 14e arr. - M° Mouton-Duvernet - ✆ 01 40 44 67 85 - tlj sf dim. et lun. - fermé sam. midi - menu enf. 8 € (9,50 € soirée spéciale) - possibilité de location de salle pour les anniversaires.* Coup de cœur pour ce bistrot qui se met en quatre pour faire plaisir aux parents et à leurs enfants. Chaque premier mardi du mois, les parents peuvent se retrouver en amoureux ou entre amis dans la salle principale tandis que leurs charmants bambins sont pris en main par deux animatrices dans l'arrière-salle. Ils font des jeux, des chasses au trésor, de la pâte à modeler, de la peinture ou se maquillent avant de dîner entre eux… Tout cela pour 1 € de plus que le menu enfant habituel, avec en prime la possibilité de choisir les plats sur la carte des grands (en accord avec les parents). Si le premier mardi du mois ne vous convient pas, réunissez au moins 8 copains, et la patronne, charmante au demeurant, fera venir ses animatrices le jour de votre choix. Bref, elle est prête à satisfaire tous vos désirs à condition bien sûr de réserver à l'avance. Possibilité de louer une salle pour un anniversaire.

Le Cafézoïde – *92 bis quai de la Loire - 19e arr. - M° Riquet ou Crimée - Promenade 26 - ✆ 01 42 38 26 37 - cafezoide@aol.com - café : merc.-dim. 10h-19h - ateliers pour 1-8 ans (accompagnés), 8-16 ans (seuls) 10h-19h - 1,50 €/enf., 1 €/famille nombreuse - programme des ateliers établis chaque mois - s'inscrire à l'avance - www.cafezoide.asso.fr.* C'est LE café à la mode, celui dont tous les parents – bobos de préférence – parlent. Mais il mérite bien sa réputation. Ce bistrot pour les moins de 16 ans a compris qu'un enfant n'était bien assis que sur des chaises à sa hauteur, que la couleur fait du bien aux yeux et qu'il n'y a pas mieux que les parents pour se faire servir. Résultat : en bas, un petit bar en mosaïque multicolore qui sert d'accueil et de restaurant le midi (plat unique et gourmet). Au 1er étage, une immense salle de jeux, avec un coin où les petits peuvent faire des jeux d'eau, de la peinture ou du collage (entre autres), un coin pour les plus grands avec baby-foot et ordinateur, et une salle insonorisée afin que les ados puissent écouter leur musique à fond sans gêner personne. Les règles sont simples : chacun est libre de jouer à ce qu'il veut tout en respectant l'autre et en partageant. Les parents sont souvent de la partie en aidant les permanents de l'association à animer les ateliers, en collaborant à la vie festive, ou tout simplement en racontant des histoires. Une vraie crèche parentale diront les uns, un lieu alternatif et ludique sans aucun doute.

CENTRES D'ANIMATION

Gérés par la Ville de Paris, les centres d'animation (à distinguer des centres de loisirs…) proposent aux petits Parisiens et aux autres (selon les centres), de tous les âges, des activités à l'année et des stages pendant les vacances scolaires.

Chaque arrondissement possède un ou plusieurs centres d'animation. Se renseigner en mairie pour obtenir le guide des centres d'animations de votre arrondissement et téléphoner pour connaître le programme des stages. Les activités sont culturelles (éveil musical, stage de magie, cirque-danse et percussions, etc.) ou sportives (natation, karaté, etc.).

Hors vac. scol. : merc., sam. toute la journée ; le reste de la semaine : apr.-midi et soirées ; à partir de 4 ans. Pendant vac. scol. : à partir de 6 ans minimum. Se renseigner pour les tarifs. Certains centres sont plus actifs que d'autres et se font leur petite réputation. À noter parmi eux :

La Grange-aux-Belles – *55-59 r. de la Grange-aux-Belles - 10e arr. - Mo Colonel-Fabien - Promenade 19 - ✆ 01 42 03 40 78.* Leurs spécialités : le cirque (pendant les vacances) et les arts martiaux pratiqués dans un vaste dojo. Danse également à l'honneur avec du hip hop.

Espace Jemmapes – *116 quai de Jemmapes - 10e arr. - Mo Jacques-Bonsergent - Promenade 19 - ✆ 01 48 03 33 22 - espace.jemmapes@wanadoo.fr.* À la fois un centre d'animation et un lieu de spectacle *(voir rubrique Spectacle en tout genre)*. La part belle est faite au théâtre, à la danse, et à la musique. Propose divers stages pendant les petites vacances scolaires de la zone de Paris, qui coûtent de 30 à 100 € selon l'activité. Stage d'une semaine, avec des journées complètes (9h30-17h), ou des demi-journées.

Centre Jean-Verdier – *11 r. de Lancry - 10e arr. - Mo Jacques-Bonsergent - Promenade 19 - ✆ 01 42 03 00 47.* Stages pendant les vacances, à partir de 3 ans : atelier éveil musical, théâtre, sport, cours de dessin-modelage et pour les plus de 6 ans, poterie et mosaïque. De 38 à 45 € par semaine avec 2 à 3h par jour.

CHEVAUX

Les hippodromes sont de vastes espaces de nature fleuris et préservés où les chiens sont interdits : idéal pour profiter d'une journée ensoleillée au printemps ou à l'automne, découvrir le royaume du cheval et les courses hippiques.
France Galop organise dans certains hippodromes des activités gratuites pour les enfants de 3-10 ans : baptême à poney, manège de chevaux de bois, photo dans un trompe-l'œil où l'on glisse la tête pour se retrouver en image sur un cheval.
Téléphoner pour connaître les jours précis des courses : ✆ 08 21 21 32 13.

Hippodrome de Longchamp – *Rte des Tribunes, bois de Boulogne - 16e arr. - ✆ 08 21 21 32 13 ou 01 44 30 75 00 - 3 € en sem., 4 € dim. et 8 € j. de grands prix (gratuit -18 ans) - M° Porte-d'Auteuil puis navettes gratuites w.-end et j. fériés - Promenade 22.* Espace enfants (2-10 ans) : ateliers et jeux ouverts gratuitement les jours de courses 12h30-18h30. Baptême à poney gratuit les dim. de courses et j. fériés 13h30-18h. Visites guidées des coulisses de l'hippodrome dim. à 15h, 16h et 17h ; rens. et départs au Point Accueil Information ou au 0 821 213 213.

Hippodrome d'Auteuil – *Rte des Lacs, bois de Boulogne - 16e arr. - Mo Porte-d'Auteuil, bus 52, 123, 244 ou PC - Promenade 22 - ✆ 08 21 21 32 13 - 3 € en sem., 4 € dim. et 8 € j. de grands prix (gratuit -18 ans, .* L'espace enfants accueille gratuitement, les jours de courses, les enfants (2-10 ans) : jeux et ateliers (merc., w.-end et j. fériés 10h30-18h30). Baptême à poney gratuitement proposés aux 3-10 ans (dim. de courses et j. fériés 13h30-18h). Espace musée-vidéothèque : accès gratuit j. de courses (2 expositions thématiques par saison). Visites guidées des coulisses de l'hippodrome dim. à 15h, 16h et 17h ; rens. et départs au Point Accueil Information ou au 08 21 21 32 13.

Hippodrome de Vincennes – *2 rte de la Ferme - Mo Château-de-Vincennes, puis bus 112 (arrêt Carrefour-de-Beauté), ou RER Joinville puis navette gratuite (12h-15h, 19h-21h30) - Promenade 30 - 12e arr. - ✆ 01 49 77 17 17 - 3 € et 5 € j. de grands prix (gratuit -18 ans).* Vous pouvez y amener vos enfants (5-12 ans) pour voir les courses et s'ils s'ennuient, sachez qu'il existe deux ludothèques en accès libre : livres, jeux, jouets, mais aussi activité de plein air (sorties dans l'hippodrome), goûter. Rens. au 01 49 77 16 11.

CINÉMA

Un après-midi pluvieux ou un jour de canicule sont propices à la découverte du 7e Art. Voici une sélection de cinémas soignant leur programmation pour les enfants.

Cinémas indépendants parisiens – *✆ 01 44 61 85 50 - www.cinep.org - merc., w.-end et vac. scol. - 4 €/séance ; carte abonnement individuel 30 € (soit 3 €/séance) ou carte abonnement familial 50 € (soit 5 €/séance pour toute la famille), la carte permet de recevoir les programmes.* Cette association diffuse des films de tout genre, mais toujours le meilleur de la production nationale ou internationale pour les enfants dès 3 ans. Choix de 8 films à chaque nouvelle programmation, environ tous les deux mois, de vacances à vacances.

Cinémathèque française – *51 r. de Bercy - 12e arr. - Mº Bercy - Promenade 13 - ✆ 01 71 19 33 33 - www.cinemathequefrançaise.com* Projection animée par un présentateur d'un classique du répertoire ou d'un film rare. Ces films sont regroupés par cycle thématique tel que « La vie de famille », « Cirque ! », « Machins/ Machines », « Chiens et chats », etc. Au cours de chaque cycle ont lieu des séances spéciales relevant du même thème : séances accompagnées d'une attraction animée par des magiciens, des conteurs, des danseurs ; séances de la Fée Clochette destinées aux tout-petits (3-6 ans) avec courts-métrages ou dessins animés agrémentés de contes et de toutes sortes de surprises, animées par une comédienne.

Cinoche – *1 r. de Condé - 6e arr. - Mº Odéon - Promenade 3 - ✆ 08 92 68 07 31 - 2 salles.* Ce petit cinéma passe chaque jour de nombreux films parmi lesquels figurent assez souvent des films jeune public.

Denfert – *24 pl. Denfert-Rochereau - 14e arr. - Mº Denfert-Rochereau - Promenade 5 - ✆ 08 92 68 05 73 - carte d'abonnement avec 6e place gratuite.*

Eden République – *18/20 r. du Faubourg-du-Temple - 11e arr. - Mº République - Promenade 19 - ✆ 01 43 38 17 96 - merc. 14h30, sam., dim. mat. et vac. scol. - dès 3 ans.* En collaboration avec la Mairie de Paris et l'association Cinémas indépendants parisiens, une programmation de qualité pour les enfants.

Forum des images – *Les Halles, porte Saint-Eustache - 1er arr. - Mº Les Halles - ✆ 01 44 76 62 00 - www.forumdesimages.net - tlj sf lun. 13h-21h, (mar. 22h) - 5,50 €.* « Les après-midi des enfants » : prévente à l'accueil une semaine à l'avance (pas de réserv. par téléphone) - programmes trimestriels disponibles au Forum des images ou sur Internet. Les mercredi et samedi, à 15h, a lieu une projection de film pour jeunes spectateurs présentée par un invité et suivie d'un débat. Certains films ou ciné-concerts sont accessibles à partir de 18 mois ou 3 ans. Les séances sont suivies d'un goûter.

Géode, Cinaxe – *Parc de La Villette - 19e arr. - Mº Porte-de-La Villette - voir la promenade 26.*

Le Grand Pavois – *352 r. Lecourbe - 15e arr. - Mº Balard - Promenade 21 - ✆ 01 45 54 46 85 - réserv. au 01 40 30 30 31.* Quatre salles et une abondante programmation pour les enfants.

Le Grand Rex – *1 bd Poissonnière - 2e arr. - Mº Bonne-Nouvelle - Promenade 13 - ✆ 01 42 36 83 93 - www.legrandrex.com - 10h-22h - 6,50/7,50 €.* Sept salles, dont une de 2 750 places (sur 3 niveaux), et une autre de 504 places. Deux écrans géants, dont un de 21 m. Son Dolby stéréo. Films en VF. Programmation grand public. Bar. Cinéma construit en 1932, célèbre pour son immense voûte céleste qui s'élève à 24 m au-dessus du décor Art déco orientalisant.

Max Linder Panorama – *24 bd Poissonnière - 2e arr. - Mº Grands-Boulevards - Promenade 13 - ✆ 0 836 685 052 - www.maxlinderpanorama.com - 12h-22h - 8,50 €.* Une salle, 615 places (sur trois niveaux), équipée d'un écran géant. Son THX Dolby stéréo SR, numérique DTS et SRD. Excellente acoustique. Films en VO et programmation grand public plutôt culturelle. Le cinéma est équipé d'un bar. Acquise par Max Linder, c'est la seule salle à Paris qui porte le nom d'un cinéaste.

Cinémas MK2 – **Bastille** *: 4 bd Beaumarchais - 11e arr. - Mº Bastille - Promenade 18 - ✆ 08 92 69 84 84 ;* **Quai de Seine** : *14 quai de Seine - 19e arr. - Mº Stalingrad - Promenade 27 - ✆ 08 92 69 84 84.* Une programmation cosmopolite de films et de documentaires pour les jeunes.

La Pagode – *57 bis r. de Babylone - 7e arr. - Mº St-François-Xavier - Promenade 8 - ✆ 01 45 55 48 48.* La programmation art et essai de très bonne facture de l'unique cinéma du 7e arr. et une atmosphère orientale vous transporteront dans un univers de mystère et de splendeur passés. Cette superbe pagode japonaise, offerte en 1896 à son épouse par le directeur du Bon Marché, fut le théâtre de fêtes orientales pendant plus de vingt ans avant d'être transformée en cinéma dans les années 1930.

Saint-Lambert – *6 r. Péclet - 15e arr. - Mº Vaugirard - Promenade 25 - ✆ 01 45 32 91 68 ou 08 92 68 96 99.* Le grand spécialiste des films pour jeune public.

Studio des Ursulines – *10 r. des Ursulines - 5e arr. - Mº Luxembourg - Promenade 24 - ✆ 0 825 826 130 - carte d'abonnement (6e place gratuite),*

« L'enfance de l'art » (30 €/an pour 2 pers., 50 €/an par famille. Belle programmation pour les enfants.

Cinéma UGC Ciné Cité Bercy – *2 cour St-Émilion - 12e arr. - Mº Cour-St-Émilion - Promenade 29 - ✆ 08 92 70 00 00 - www.ugc.fr - 9h30-0h - 9 €.* 18 salles avec écrans géants, 4 500 places. Son Dolby A/SR et son numérique DTS. Films en VO. Programmation plutôt grand public. Café et petite restauration. Le plus grand complexe cinématographique de la capitale, construit sur les anciens entrepôts à vins de Bercy.

CIRQUE

Le cirque a toujours la cote auprès des enfants. Alors, n'hésitez pas à les y emmener !

S. Sauvignier / MICHELIN

Façade du Cirque d'hiver.

Cirque Diana Moreno Bormann – *1 bd du Bois-Le Prêtre - 17e arr. - Mº Porte-de-Clichy ou Porte-de-St-Ouen - ✆ 01 64 05 36 25 - merc., w.-end, vac. scol. et fêtes à 15h.* Également anniversaires personnalisés pour les enfants.

Cirque du Grand-Céleste – *22 r. Paul-Meurice - 20e arr. - Mº Porte-des-Lilas - ✆ 01 53 19 99 13 - www.grandceleste.com - sam. 15h et 20h45, dim. 16h, tlj vac. scol. (zone C) 15h - fermé mai-août.*

Cirque d'hiver Bouglione – *110 r. Amelot - 11e arr. - Mº Filles-du-Calvaire - Promenade 16 - ✆ 01 47 00 12 25 - de fin oct. à fin janv.* Inauguré le 11 décembre 1852 par Napoléon III, ce cirque accueille toute l'année de nombreux spectacles et manifestations. La famille Bouglione fait rêver petits et grands en produisant des représentations de cirque traditionnel.

Espace Chapiteaux et Grande Halle de La Villette – *Parc de La Villette - Voir la promenade 26.*

Au Zèbre de Belleville – *63 bd de Belleville - 11e arr. - Mº Couronnes ou Belleville - ✆ 01 43 55 55 55 - wwwlezebre.com - 3-13 ans : 17 € (goûter compris) ; adultes : 19 € ; tarif réduit pour les résidents du quartier.* Avec les « Renzo », Olivier et Ludovic, du cirque de Paris et Pierrot, venez vous z'amuser aux z'ateliers du Zèbre, tous les dimanches après-midi, à 14h30, les z'artistes vous maquillent, à 15h ze spectacle avec l'Hamsters Academy, fil de fer, clowns et jongleurs, à 15h45, ze goûter pour reprendre des forces, et de 16h à 17h, les z'animations intervactives où c'est à vous d'entrer en piste !

CONSTRUCTION

Centre Kapla – *27 r. de Montreuil - 11e arr. - Mº Faidherbe-Chaligny - Promenade 18 - ✆ 01 43 56 13 38 - www.kapla.com - à partir de 4 ans - merc., sam. et vac. scol. - réserv. conseillée - 9 € (possibilité d'abonnement pour 10 ateliers) - durée : 1h30 - boutique - anniversaire à la maison.* Pour construire, il faut d'abord détruire ! Le viaduc de 2 m de haut et l'énorme crocodile multicolore sont rangés dans les caisses. Ainsi les enfants se rendent compte de toutes les possibilités de ce jeu de construction. La limite, c'est qu'il n'y en a pas. Les animateurs sont là pour accompagner les envies. Les outils : les mains et la tête ; le matériel : des planchettes en bois ; le temps : toujours trop court, surtout pour les papas qui ne peuvent résister à mettre la main à la planchette... Goûter offert sur place à la fin de l'atelier.

CONTES

Musée Bourdelle – *18 r. Antoine-Bourdelle - 15e arr. - M° Montparnasse-Bienvenüe et Falguière - Promenade 5 - ✆ 01 49 54 73 91/92 - www.paris.fr/musees/bourdelle - tlj sf lun. 10h-18h - fermé j. fériés.* Le programme des activités jeune public, proposé durant l'année scolaire et pendant les vacances, varie au fil des mois. Contes et récits mythologiques pour découvrir les thèmes des sculptures de Bourdelle. Les séances ont généralement lieu merc. à 14h (durée 1h) et le w.-end sur demande l'apr.-midi. Certaines sont accessibles aux petits à partir de 4 ans, d'autres sont réservées aux plus de 7 ans, tout dépend du thème (« Le bestiaire fantastique », « Les métamorphoses du printemps » ou « Les dieux et la musique », etc.).

Maison des Contes et des Histoires – *7 r. Pecquay - 4e arr. - M° Hôtel-de-Ville ou Rambuteau - Promenade 16 - ✆ 01 48 87 04 01 - www.conteshistoires.com.* Des séances de contes ont lieu merc., sam. et dim. tout au long de l'année en relation avec la thématique de chaque exposition temporaire. Mini-contes pour les 2-3 ans : merc. 11h, 5 €. Contes pour les 3-5 ans : merc. 15h30, sam. 16h, 6,90 €. Contes pour +6 ans : merc. à 16h30, sam. à 17h, 6,90 €. Contes en famille : dim. à 16h et 17h, 6,90 €. Dans la galerie d'art des enfants sont exposées des illustrations originales de livres de jeunesse (accès libre merc.-dim. 14h30-18h).

Musée Grévin – *10 bd Montmartre - 9e arr. - M° Grands-Boulevards - Promenade 13 - ✆ 01 47 70 85 05 (9h30-12h30, 14h30-16h30) - www.grevin.com - 7-12 ans - merc. et w.-end 14h30 (hors vac. scol. et j. fériés) - durée 2h - réserv. obligatoire - 15 €.* Une fois costumés en chevaliers et en princesses, les enfants sont emmenés par un comédien à la rencontre des personnalités d'hier et d'aujourd'hui : de Jeanne d'Arc à Zinedine Zidane en passant par Louis XIV, La Fontaine, Léonard de Vinci, Louis Blériot ou Jean Reno. La visite se termine par la découverte de la fabrication d'un personnage de cire.

Musée Guimet – *voir la visite 33.*

CROISIÈRES SUR LA SEINE

Paris ne serait pas Paris sans ses Bateaux-Mouche : on s'en sert comme moyen de transport, on s'y promène, on y dîne, on y fait la fête… Pas question, donc, de repartir sans avoir aperçu Notre-Dame, la tour Eiffel ou encore le Trocadéro, du pont de l'un d'entre eux ; image classique, mais image inoubliable qui restera gravée dans votre mémoire.
Cependant, les tout-petits et les boute-en-train se lasseront assez rapidement : la croisière dure plus d'une heure et le commentaire diffusé à bord du bateau n'est pas toujours adapté au jeune public. Emmenez-y donc de préférence les enfants sages (courir sur un bateau n'est pas vraiment recommandé) et ceux qui s'intéressent aux vues et aux monuments de Paris.

Bateaux-Mouche – *Embarcadère du pont de l'Alma (rive droite) - 8e arr. - ✆ 01 42 25 96 10 - M° Alma-Marceau -* dép. : pont de l'Alma, croisière (ttes les 30mn en haute sais.) entre le tour de l'île de la Cité et la satue de la Liberté, retour pont de l'Alma. Possibilité de croisières-déjeuners et dîners (idéal pour voir les monuments illuminés). Dîners : 20h30 ; déjeuners : w.-end et j. fériés.

Vedettes du Pont-Neuf – *Embarcadère square du Vert-Galant - 1er arr. - ✆ 01 46 33 98 38 - M° Pont-Neuf - trajet (1h) Pont-Neuf, pont d'Iéna, tour de l'île de la Cité et de l'île St-Louis - 10 € (enf. 5 €).* Croisière commentée par un guide en français et anglais.

Bateaux parisiens – *✆ 0 825 010 101 (0,15 €/mn) - embarcadère port de la Bourdonnais (au pied de la tour Eiffel) - 7e arr. - RER C Champ-de-Mars, M° Bir-Hakeim ou Trocadéro - embarcadère quai de Montebello (au pied de Notre-Dame) - 5e arr. - RER C Saint-Michel - durée 1h - mars-nov.*

Vedettes de Paris – *Embarcadère port de Suffren - 7e arr. - ✆ 01 47 05 71 29 - RER C Champ-de-Mars ou M° Bir-Hakeim - trajet (1h) tour Eiffel, île St-Louis AR - 9 € (-12 ans 4 €).* Possibilité d'escale à Notre-Dame et au Louvre. Dîners-croisières réguliers (réserv. obligatoire). Croisières-animation spécial enfant « Les petits matelots » : merc. 10h30 et 14h45 ; (vac. scol. : tlj 10h30 et 14h45).

CROISIÈRES SUR LES CANAUX

Canal Saint-Martin

Voir également la promenade 19 sur le canal St-Martin.

Canauxrama – *✆ 01 42 39 15 00 - www.canauxrama.com - dép. de l'embarcadère port de plaisance Paris-Arsenal, face au 50 bd de la Bastille (12e arr. - M° Bastille) : 9h45 et 14h30 ; dép. du bassin de La Villette, 13 quai de la Loire (19e arr., M° Jaurès) : 9h45 et 14h45 - trajet (2h30 env.) du port de plaisance au parc de La Villette ou inversement - 14 € (-12 ans 8 € ; -6 ans gratuit), apr.-midi de w.-end et fêtes 14 € pour tous.* Passage de 4 doubles écluses, 2 ponts tournants, 1 pont levant, une superbe voûte. Croisière commentée du Vieux Paris.

Paris Canal – *✆ 01 42 40 96 97 - réserv. obligatoire - 2 dép. de mi-mars à mi-nov. : 9h30 au musée d'Orsay (M° Solférino) ou 14h30 au parc de La Villette (M° Porte-de-Pantin) - durée*

2h45 - 16 € (enf. 9 €). Croisière d'une demi-journée sur la Seine, au cœur de Paris (Louvre, Notre-Dame, île St-Louis) et le canal St-Martin : passage d'écluses et de ponts tournants, navigation sous une voûte souterraine de 2 km en dessous de la Bastille.

S. Sauvignier / MICHELIN

Une petite croisière ?

CUISINE

Apprendre à cuisiner comme maman (ou papa), en voilà une bonne idée ! Sortis de ces ateliers, vos enfants vous mitonneront de bons petits plats et finie la soupe à la grimace devant les épinards !

Les petites Toques Lenôtre – *Pavillon Élysées-Lenôtre - 10 av. des Champs-Élysées - 8e arr. - Mo Champs-Élysées-Clemenceau - Promenade 11 - ✆ 01 42 65 85 10 -8-11 ans - merc. 14h-15h30 ou 16h-17h30 - 40 €/séance.* Guidés par des chefs et dans un cadre superbe, les enfants se retrouvent en terrain connu pour sentir, goûter, regarder et faire. Les amateurs gastronomes repartent avec leurs chefs-d'œuvre : aumônière aux pommes et caramel d'abricots, cornets à la mousse au chocolat, gaufres au sucre et à la crème de marrons, hamburger au poulet, quiche au saumon et tagliatelles...

Les Petits Marmitons du Ritz – *École Ritz-Escoffier - 38 r. Cambon - 1er arr. - Mo Madeleine - Promenade 7 - ✆ 01 43 16 30 50 - ecole@ritzparis.com - 6-12 ans - un merc. par mois, sf juil. et août.14h30 - 85 €/leçon - durée : 2h30.* Pour apprendre à cuisiner comme un grand chef, avec la tenue de rigueur (toque et tablier blanc). Les enfants cuisinent, sous l'œil d'un chef de talent, mais ne cuisent rien. Pause-goûter durant la cuisson. Ils repartent avec leurs plats cuisinés et un diplôme.

DÉGUISEMENTS

Voir aussi la rubrique « Anniversaires ».

La joie pour tous – *37 bd St-Germain - 5e arr. - Mo Maubert-Mutualité - Promenade 2 - ✆ 01 43 54 98 67.* Peluches et jouets pour les petits mais aussi spécialité de déguisements pour enfants : les classiques bien sûr, princesse, pirate et chevalier, mais aussi des déguisements de loups ou de tigres, beaucoup plus difficiles à dénicher, à des prix très raisonnables.

Académie du bal costumé – *22 av. Ledru-Rollin - 12e arr. - Mo Quai-de-la-Rapée ou Gare-de-Lyon - Promenade 29 - ✆ 01 43 47 06 08 - www.location-de-costumes.com.* On y trouve tout pour rire et faire la fête : des costumes, des farces, des maquillages, des perruques, des cotillons. Une bonne adresse pour préparer son anniversaire.

Arlequin Sommier – *33 r. Brochant - 17e arr. - Mo Brochant - ✆ 01 42 28 47 69 - www.arlequin-sommier.fr.* Location, fabrication et vente de costumes toutes tailles, perruques et accessoires.

Au clown de Montmartre – *22 r. du Faubourg-Montmartre - 9e arr. - Mo Grands-Boulevards ou Cadet - Promenade 13 - ✆ 01 47 70 05 93 - www.clown.fr.* Grand choix de déguisements et d'articles pour faire la fête. Vente par correspondance et sur Internet.

Au fou rire – *222 bis bd Faubourg-Montmartre - 9e arr. - Mo Grands-Boulevards ou Cadet - Promenade 13 - ✆ 01 48 24 75 82 - www.aufourire.com.* Location de costumes. Déguisements et accessoires de fêtes.

ESCALADE (MUR)

Pour jouer les singes ou les grands alpinistes, quelques murs où grimper (classés par arrondissement).

Association Mur-Mur – *55 r. Cartier-Bresson - Pantin (95) - Mo Aubervilliers-Pantin-Quatre-Chemins - ✆ 01 48 46 11 00.* Si votre enfant n'est pas un « grimpeur autonome », il peut apprendre la grimpe avec un moniteur ; il suffit de proposer une date et d'appeler 48h à l'avance.

Mur d'escalade Choisy-Masséna – *4 bis av. de Choisy - 13e arr. - Mo Porte-de-Choisy - ✆ 01 45 86 77 30.*

Mur d'escalade Jules-Noël – *3 av. Maurice-d'Ocagne - 14e arr. - Mo Porte-de-Vanves - ✆ 01 45 39 54 37 - lun.-vend. 17h-22h30, w.-end 8h-18h.* Mur extérieur non éclairé, haut de 8,5 m, large de 7,5 m et comportant 210 prises.

Mur d'escalade Mourlon – *19 r. Gaston-de-Caillavet - 15e arr. - Mo Charles-Michels, Dupleix ou Bir-Hakeim - Promenade 23 - ✆ 01 45 75 40 43 - 7h-20h (18h en hiver), dim. 8h-19h (18h en hiver).* Mur extérieur haut de 7 m, large de 9,20 m et comportant 220 prises.

Terrain d'escalade du parc Georges-Brassens – *R. des Périchaux - 15e arr. - bus PC1 Porte-Brancion - Promenade 25.* Là on ne joue pas dans la même cour, mais ces gros rochers sont parfaits pour l'initiation des tout-petits aux plaisirs de la grimpe.

Mur d'escalade Biancotto – *6-8 av. de la Porte-de-Clichy - 17e arr. - Mo Porte-de-Clichy.*

Mur d'escalade Poissonniers – *2 r. Jean-Cocteau - 18e arr. - Mo Porte-de-Clignancourt - Promenade 26 - ✆ 01 42 51 24 68 - 12h-14h, w.-end 12h-16h.* C'est le plus haut mur d'escalade de Paris : 21,50 m de haut ! Autant dire qu'il faut que vos enfants aient déjà une excellente maîtrise de la grimpette. Heureusement, il existe des zones plus faciles pour les débutants et les petits.

Mur d'escalade Lilas – *5 r. des Lilas - 19e arr. - Mo Place-des-Fêtes - Promenade 27 - ✆ 01 42 06 42 13.*

JARDINS, PARCS ET SQUARES

Nous recensons ici (par arrondissement) les jardins, parcs et squares où vous serez sûr de trouver des installations de qualité pour vos enfants (aires de jeux, pistes de rollers, manèges, etc.). D'autres jardins sont bien évidemment décrits dans nos diverses promenades. Nous vous invitons à consulter l'index des jardins p. 209 pour les retrouver.

Square du Temple – *R. du Temple - 3e arr. - Mo Temple ou Arts-et-Métiers - Promenade 16.* Aire de jeux pour enf., ping-pong. C'est à cet endroit que Louis XVI, Marie-Antoinette et leurs deux enfants furent enfermés à partir du 13 août 1792 (il y avait autrefois une prison). Un saule pleureur planté par la fille de Louis XVI, la seule rescapée de la famille royale, est l'unique témoin de ce passé. Les enfants pourront partir à la découverte de la grotte, du lac et de la cascade.

Jardins de l'Observatoire (square Robert-Cavelier-de-la-Salle et jardin Marco-Polo) – *Av. de l'Observatoire - 5e arr. - RER Port-Royal ou Luxembourg - Promenade 24.* Situés dans le prolongement du Luxembourg vers l'Observatoire, ces deux jardins qui se succèdent sont équipés d'aires de jeux pour enfants et de tables de ping-pong. En arrivant vers Port-Royal, ne manquez pas la très belle fontaine, des Quatre Parties du monde, de Carpeaux.

Square Boucicaut – *R. Velpea - 7e arr. - Mo Sèvres-Babylone - Promenade 3.* Manège, bac à sable et aire de jeux font de ce jardin ombragé une halte appréciable après une virée au Bon Marché ou dans les nombreuses boutiques alentour.

Square Marcel-Pagnol – *Pl. Henri-Bergson - 8e arr. - Mo St-Augustin - Promenade 12.* Bac à sable, aire de jeux et table de ping-pong. Un petit jardin calme et ombragé. Le mûrier blanc se couvre de fruits en été, ce qui attire plein d'oiseaux.

Jardin Villemin – *6 av. de Verdun - 10e arr. - Mo Gare-de-l'Est - Promenade 19.* Jeux pour enf., pétanque, piste de roller, terrains de basket et de hand-ball, toilettes publiques, pelouse libre. D'agréables pelouses descendent en pente douce jusqu'au canal Saint-Martin et, dès le printemps, le jardin regorge de parterres de fleurs aux couleurs vives. Si vous vous y promenez le mercredi ou le week-end, vous trouverez difficilement un banc libre ou un minuscule carré d'herbe pour vous allonger.

Square Maurice-Gardette – *R. Rochebrune - 11e arr. - Mo Oberkampf - Promenade 17.* Jeux pour enfants, bac à sable, pelouse libre, ping-pong, terrain de jeux de boules, toilettes publiques.

Square de la Roquette – *R. de la Roquette - 11e arr. - Mo Voltaire -*

Promenade 28. Jeux pour enfants, bac à sable, pataugeoire, terrain de jeux de boules (devant le square), toilettes publiques, relais bébé. En mai, les cerisiers en fleur sont aussi beaux qu'au Japon.

Jardin de la Rue de Charonne – *159 r. de Charonne - 11e arr. - Mº Charonne - Promenade 28.* Jeux pour enfants, bac à sable, pelouse libre, ping-pong, terrain de jeux de boules.

Square Raoul-Nordling – *R. Charles-Delescluze - 11e arr. - Mº Ledru-Rollin - Promenade 18.* Jeux pour enfants, ballons autorisés, pelouse libre, ping-pong.

Square Saint-Éloi – *8-14 passage Montgallet - 12e arr. - Mº Montgallet - Promenade 18.* Jeux pour enfants, bac à sable, pelouse libre, ping-pong, ballons et chiens autorisés. Une baleine bleue en plein Paris, vous n'y croyez pas ? Venez donc faire un tour d ce square !

Jardin de Reuilly – *R. de Charenton - 12e arr. - Mº Montgallet - Promenade 18.* Jeux pour enfants, bac à sable, ballons autorisés, pelouse libre, toilettes publiques, restauration. Située sous la promenade plantée et à la hauteur de la mairie du 12e arrondissement, ce jardin abrite une vaste pelouse centrale ornée de fleurs. Quelques terrasses belvédères et des espaces à thème entourent le gazon (bambouseraie, jardin aquatique, jardin de plantes grasses).

Square René-Le Gall – *43 r. Corvisart - 13e arr. - Mº Corvisart.* Balançoires, toboggan, table de ping-pong, piste de skate et rollers, toilettes publiques, relais bébé. Un jardin au charme désuet avec son obélisque, ses gloriettes et son amusant décor en rocaille qui représente des masques et des oiseaux.

Parc de Choisy – *128-160 av. de Choisy - 13e arr. - Mº Tolbiac.* Derrière son apparence un peu austère, ce parc cache de nombreuses activités pour enfants petits et grands : aire de jeux, piste de skate, ping-pong, baby-foot, manège, marionnettes, etc. Toilettes publiques. Relais bébé. Location de chaises longues.

Square Brassaï – *59 bd Auguste-Blanqui - 13e arr. - Mº Corvisart.* Jeux pour enfants, bac à sable, pelouse libre, ping-pong. Un petit jardin à deux pas de la Butte-aux-Cailles, un quartier qui ressemble à un village de campagne.

Jardin des Deux-Moulins – *Bd Vincent-Auriol - 13e arr. - Mº Place-d'Italie.* Jeux pour enfants, bac à sable, ping-pong, tables de jeux d'échecs.

Square Héloïse-et-Abélard – *22 r. Pierre-Gourdault - 13e arr. - Mº Chevaleret.* Bac à sable et aire de jeux. Un charmant jardin avec ses étagements en terrasse et ses escaliers d'eau. Il offre aux enfants un attrait inédit : la Maison des cinq sens (se reporter à la rubrique « Nature-Environnement »).

Parc Kellermann – *Bd Kellermann - 13e arr. - Mº Porte-d'Italie - Promenade 6.* Aire de jeux pour enfants, terrain de football, tables de ping-pong, courts de tennis, toilettes publiques, relais bébé. Ce grand jardin en terrasse (5,6 ha) permet aux enfants de pratiquer de nombreuses activités, ou tout simplement de prendre le frais près de sa rivière et de son bassin.

Square du Serment-de-Koufra – *Av. de la Légion-Étrangère - 14e arr. - Mº Porte-d'Orléans - Promenade 6.* Vaste jardin paysagé offrant un grand nombre d'activités aux enfants : structure à grimper pour petits et grands, tables de ping-pong, manège, mur de tennis et piste de roller de 480 m² de type quarter lanceur, table de street et slider.

Square Aspirant-Dunant – *R. Mouton-Duvernet - 14e arr. - Mº Mouton-Duvernet - Promenade 5.* Jeux pour enfants, pelouse libre, ping-pong, ballons autorisés, piste de roller.

Square Saint-Lambert – *R. Théophraste-Renaudot - 15e arr. - Mº Commerce - Promenade 25.* Vaste jardin comportant une aire de jeux pour les petits et une autre pour les plus grands avec tables de ping-pong et agrès. Petit guignol en plein air et manège.

Square Violet – *Pl. Violet - 15e arr. - Mº Commerce - Promenade 23.* Jeux pour enfants, bac à sable, pelouse libre, ping-pong.

Square Duranton – *R. de la Convention - 15e arr. - Mº Boucicaut - Promenade 23.* Jeux pour enfants, bac à sable, pelouse libre, ping-pong, babyfoot.

Square du Dr-Calmette – *Bd Lefebvre - 15e arr. - Mº Porte-de-Vanves - Promenade 25.* Jeux pour enfants, ballons autorisés, piste de roller, ping-pong.

Square du Clos-Feuquières – *R. du Clos-Feuquières - 15e arr. -*

M° Convention - Promenade 25. Aménagé sur l'ancienne propriété du marquis de Feuquières, ce jardin au tracé original dispose d'une aire de jeux, d'un terrain pour jouer au ballon, de tables de ping-pong et d'un potager à vocation pédagogique pour les petits écoliers parisiens.

Square de l'Amiral-Bruix – *Bd de l'Amiral-Bruix - 16e arr. - M° Porte-Maillot - Promenade 22.* Jeux pour enfants, bac à sable, pelouse libre, ping-pong, piste de roller, toilettes publiques, abri.

Jardins de l'Avenue Foch – *Av. Foch - 16e arr. - M° Porte-Dauphine ou Charles-de-Gaulle-Étoile - Promenades 11 et 22.* Aire de jeux pour enfants, bac à sable, chiens autorisés tenus en laisse. Un véritable arboretum ! Parmi les arbres les plus remarquables, un marronnier d'Inde planté en 1852 et de 4,70 m de circonférence ; un orme de Sibérie ou un catalpa de 3,45 m de circonférence… Ces titans apportent une noblesse supplémentaire à l'élégante et large avenue ; belle perspective sur l'Arc de triomphe.

Jardin Sainte-Périne – *R. Mirabeau - 16e arr. - M° Chardon-Lagache ou Mirabeau.* Jeux pour enf., bac à sable, ballons autorisés, piste de roller, pelouse libre, chiens admis. Pins, cerisier, mûrier…, les essences communes côtoient les plus rares dans ce jardin de belle taille, protégé par les immeubles alentour.

Jardins du Ranelagh – *Av. du Ranelagh - 16e arr. - M° La Muette - Promenade 22.* Kiosque à musique, chalet de vente de friandises, balançoires, manège de chevaux de bois, aires de jeux pour enfants, bac à sable, aire de jeux de ballon, piste de roller, table de ping-pong promenades à dos d'âne et de poney, location de chaises longues, pelouses accessibles au public, chiens autorisés tenus en laisse, guignol. Depuis des générations, les enfants y sont rois. Ce vaste parc en forme de triangle possède des arbres vénérables dont un marronnier d'Inde âgé de 200 ans ! La statue de La Fontaine accompagné de son corbeau et de son renard vous accueillent côté Muette. Tout près, le musée Marmottan et ses œuvres impressionnistes raviront les enfants.

Square des Épinettes – *R. Maria-Deraismes - 17e arr. - M° Guy-Môquet.* Jeux pour enfants, bac à sable, piste de roller, ballons autorisés, restauration, kiosque à musique.

Square André-Ulmann – *17-24 bd de Reims - 17e arr. - M° Porte-de-Champerret.* Jeux pour enfants, bac à sable, pelouse libre, ping-pong, terrain de jeux de boules.

Square des Batignolles – *Pl. Charles-Fillon - 17e arr. - M° Rome ou Brochant - Promenade 12.* Chalet de vente de friandises, balançoires, manège, aires de jeux pour enfants, bac à sable, piste de roller, tables de ping-pong, promenades à dos de sulkys. C'est un des 24 jardins créés sous Napoléon III. À voir : la grotte, la cascade, la rivière, le lac miniature peuplé de canards colverts, carpes et poissons rouges, des arbres magnifiques et une curieuse sculpture en pierre noire de Volvic : les *Vautours*, de Louis Monard (1930).

Square Henri-Huchard – *Av. de la Porte-de-St-Ouen - 18e arr. - M° Porte-de-St-Ouen.* Jeux pour enfants, bac à sable, pelouse libre, ping-pong, piste de roller.

Square Léon-Serpollet – *R. Marcadet - 18e arr. - M° Jules-Joffrin - Promenade 21.* Jeux pour enfants, bac à sable, ping-pong, ballons autorisés, toilettes publiques. Un grand jardin en terrasse.

Square Carpeaux – *R. Carpeaux - 18e arr. - M° Guy-Môquet - Promenade 21.* Jeux pour enfants, bac à sable, ballons autorisés, ping-pong, piste de roller, toilettes publiques, kiosque à musique.

Square de Clignancourt – *Pl. Jules-Joffrin - 18e arr. - M° Lamarck-Caulaincourt - Promenade 21.* Jeux pour enfants, bac à sable, ping-pong, kiosque à musique (concerts mai-septembre).

Square de la Porte-de-La Villette – *R. du Chemin-de-Fer - 19e arr. - M° Porte-de-La Villette - Promenade 26.* Jeux pour enfants, bac à sable, pelouse libre, piste de roller, chiens autorisés, toilettes publiques.

Parc de la Butte-du-Chapeau-Rouge – *Av. Debidour - 19e arr. - M° Pré-St-Gervais - Promenade 27.* Jeux pour enfants, bac à sable, ping-pong, pelouse libre, toilettes publiques. Certains le préfèrent au parc des Buttes-Chaumont. Il est vrai qu'il est somptueux avec ses arbres remarquables et sa vue sur Paris. Et côté enfants, il est bien équipé.

Square Emmanuel-Fleury – *R. Le Vau - 20e arr. - M° St-Fargeau - Promenade 28.* Jeux pour enfants, bac à sable, ping-pong, piste de roller, pelouse libre, terrain de jeux de boules, tables de jeux de dames, toilettes publiques.

Square des Amandiers – *R. des Cendriers - 20e arr. - Mo Ménilmontant - Promenade 28.* Jeux pour enfants, pelouse libre, ping-pong, ballons autorisés.

Square Séverine – *Bd Mortier - 20e arr. - Mo Porte-de-Bagnolet - Promenade 28.* Jeux pour enfants, bac à sable, piste de roller, ping-pong, toilettes publiques.

Square Sarah-Bernhardt – *R. de Buzenval - 20e arr. - Mo Buzenval - Promenade 28.* Jeux pour enfants, bac à sable, piste de roller, pelouse libre.

Jardin de la Gare-de-Charonne – *63 bd Davout - 20e arr. - Mo Porte-de-Montreuil.* Jeux pour enfants, bac à sable, ping-pong, ballons autorisés, pelouse libre.

Square Samuel-de-Champlain – *Av. Gambetta - 20e arr. - Mo Gambetta - Promenade 28.* Bac à sable, pelouse libre. Adossé sur tout le côté Nord du Père-Lachaise, ce jardin semble se cramponner à la pente pour ne pas glisser sur l'avenue Gambetta. Une série d'escaliers parcourent le relief accidenté à l'ombre des frênes - dont les fruits en pales d'hélice font la joie des enfants, des érables et d'autres essences, parfois centenaires. Au cours de votre promenade, vous découvrirez un couple de personnes âgées statufiées (1899) et, contre un pan du cimetière, Le Mur (1909), étrange sculpture de Paul Moreau-Vauthier réalisée en hommage aux victimes des révolutions, véritable écho du Mur des Fédérés.

Parc de Belleville – *R. Piat - 20e arr. - Mo Pyrénées - Promenade 28.* Jeux pour enfants, ballons autorisés, pelouses libres, théâtre de plein air, toilettes publiques. Descendez la rue de Belleville et prenez la rue Piat. Passés quelques numéros plutôt moches, vous allez être étonné : d'un seul coup, vous vous retrouvez sur une petite place de village, bordée de cafés, face à un parc qui s'étend à perte de vue et surplombe tout Paris. Vous êtes arrivé au parc de Belleville, le parc qu'il faut absolument fréquenter tant il est beau et fait pour les enfants.

S. Sauvignier / MICHELIN

Panorama de Paris depuis le parc de Belleville.

JARDINAGE

La Maison du jardinage – *Voir la promenade 29.*

Jardin Catherine-Labouré – *33 r. de Babylone - 7e arr. - Mo Sèvres-Babylone ou St-François-Xavier - Promenade 3.* Les enfants peuvent s'initier au jardinage dans un petit potager clos situé à l'entrée à gauche.

JOUETS (BOUTIQUES)

Les boutiques de jouets sont très nombreuses, mais celles-ci, croisées au cours de nos promenades, nous ont particulièrement charmé. Voir aussi les magasins de jeux et jouets figurant dans les carnets d'adresses des promenades, en particulier ceux de l'île de la Cité, du Quartier latin, de Saint-Germain-des-Prés, de Montparnasse, des Champs-Élysées, des passages couverts, du Marais, de la Bastille, du canal St-Martin, de Montmartre, du parc André-Citroën, du jardin du Luxembourg et du parc des Buttes-Chaumont.

Apache, Nature et découvertes, Fnac Junior – *Voir la rubrique « Ateliers des boutiques ».*

1.2.3. Famille – *21 r. Desaix - 15e arr. - Mo Dupleix ou Bir-Hakeim - Promenade 23 - ✆ 01 42 73 12 07 - www.123famille.fr.* À l'origine de cette société : le désir d'une maman, Odile de Langalerie, d'offrir à ses 4 enfants ce qu'il y a de mieux pour leur épanouissement, à commencer par une sélection de films mettant en scène des héros au grand cœur. Devant l'engouement suscité par son initiative, elle a développé un catalogue de vente par correspondance (gratuit) offrant une sélection de films pour les 3-15 ans, sans violence ni scènes choquantes, de livres développant l'imagination et présentant des héros positifs, de jeux et jouets originaux, sûrs, ludiques et stimulant la créativité. Sa boutique-show room, rue Desaix, totalement consacrée aux loisirs des enfants, est conçue comme une maison : ambiance chambre d'enfants dans l'espace pour les tout-petits, espace jeux où sont organisés ateliers et animations, fauteuils confortables devant la cheminée pour ceux qui souhaitent découvrir un jeu ou une histoire…

Au Plat d'étain – *16 r. Guisarde - 6e arr. - Mo Mabillon ou St-Germain - Promenade 3 - ✆ 01 43 54 32 06 - tlj sf dim. 11h-12h30, 14h-19h - fermé j. fériés.* Fondée en 1775, cette maison est spécialisée dans les soldats de plomb. Jouet ou objet de collection ? Petits garçons ou grands enfants ? À vous de trouver les réponses en poussant la porte de cette boutique qui nous plonge dans de passionnantes pages d'histoires, de l'antiquité jusqu'aux guerres du 20e s. en passant par la Révolution française.

Coquelicot et Paprika – *86 r. Vieille-du-Temple - 3e arr. - Mo Chemin-Vert - Promenade 17 - ✆ 01 48 87 27 47.* Une sélection de livres et de jouets très « tendance bobo » et vraiment très beaux ! Et surtout les robes, pantalons et tee-shirts de jeunes créatrices et créateurs. Un coup de cœur qui fera un trou dans votre porte-monnaie…

Eol' – *55, 62, 70 bd St-Germain - 5e arr. - Mo Maubert-Mutualité - Promenade 3 - ✆ 01 40 51 86 47 - www.eolhobby.com.* Grand spécialiste européen du modèle réduit, du maquettisme et du modélisme.

Il était une fois – *1 r. Cassette - 6e arr. - Mo St-Sulpice - Promenade 3 - ✆ 01 45 48 21 10 - www.compagnie-jouet-bois.com - tlj sf dim. 10h-19h30.* Belle sélection de jouets en bois ou traditionnels : jeux d'éveil pour les petits et de société pour les plus grands, dînettes et marionnettes, boîtes à musique ou décor pour la chambre.

Imaginarium – *7 r. Bréa - 6e arr. - Mo Vavin ou N.-D.-des-Champs - Promenade 5 - ✆ 01 43 26 18 59 - tlj sf dim. 10h-19h30, jouets pour 0-8 ans.* Pour entrer dans ce paradis du jouet, spécialisé dans le plastique, les jeunes enfants disposent d'une porte spécialement conçue pour eux. À l'intérieur, différentes activités sont proposées le mercredi et le samedi après-midi : dessins, maquillage. Allez-y à l'approche de l'été : la marque espagnole est très inventive pour tout ce qui est jeux de plage et de jardin.

L'Enfant et le sortilège – *39 r. de Crimée - 19e arr. - Mo Botzaris - Promenade 27 - ✆ 01 42 41 81 21- fermé août, vac. scol. de fév., dim. et lun.* L'enseigne de ce magasin de jouets rend hommage à la fantaisie lyrique composée par Maurice Ravel sur un livret de Colette. Si l'on en juge par l'usure du sol, des milliers d'enfants ont succombé au charme de cette véritable caverne d'Ali Baba. Peluches, jouets en bois, mobiles, boîtes à musique et autres curiosités ludiques : impossible de repartir les mains vides. Parents, vous êtes prévenus !

L'Oiseau de Paradis – *86 r. Monge - 5e arr. - Mo Place-Monge - Promenade 4 - ✆ 01 47 07 24 32. Autres adresses : 96 av. Mozart, 16e arr., ✆ 01 42 88 90 11 ; 211 bd St-Germain, 7e arr., ✆ 01 45 48 97 90.* Grand choix de jouets et de jeux de la naissance à l'adolescence. Bel éventail de jouets en bois, jouets traditionnels et déguisements.

L'Ours du Marais – *18 r. Pavée - 4e arr. - Mo St-Paul - Promenade 17 - ✆ 01 42 77 60 43.* Cette boutique ne vend que des ours en peluche, blancs, habillés ou déguisés, à quatre pattes ou couchés. C'est un vrai bonheur pour les petits.

Les 2 Étourdis s'amusent – *14 r. du Bourg-Tibourg - 4e arr. - Mo Hôtel-de-Ville - Promenade 17 - ✆ 01 42 74 18 17.* De 0 à 6 ans, dînettes, jouets traditionnels, poupées, mobiles, instruments de musique, robots.

Les Fanfans – *42 r. François-Miron - 4e arr. - Mo St-Paul - Promenade 17 - ✆ 01 40 27 94 47 - 10h-19h30, dim. 12h-19h.* La boutique est petite pour ne pas dire étroite tant elle regorge de mille et une choses : des livres bien sûr mais aussi des disques, des CD de musique de toutes les cultures, que l'on peut écouter avant de choisir, des instruments de musique pédagogiques (comme le « chercheur de notes »), des farces et attrapes amusantes et peu chères, des tours de magie, des jeux et des jouets en bois, des super-gommettes… Voir également la rubrique « Ateliers des boutiques ».

L'ourson en bois – *83 r. de Charenton - 12e arr. - Mo Ledru-Rollin - Promenade 18 - ✆ 01 40 01 02 40 - tlj sf dim. 10h-19h - fermé lun. en août.* Constamment renouvelé, ce magasin est un classique du quartier et tous les enfants font le détour pour reconnaître leurs héros favoris dans la vitrine. Les jouets sont d'excellente qualité mais pour le coup un peu chers. Tant pis ! Car il y a aussi plein de babioles à moins de 5 €.

Multicubes – *5 r. de Rivoli - 4e arr. - Mº St-Paul - Promenade 17 - ✆ 01 42 77 10 77.* Des jeux en nombre illimité, des dînettes, des trains en bois, des sacs à main en forme d'ours, des poupées et des bateaux toujours en bois…

Pylônes – *7 r. Tardieu - 18e arr. - Mº Abesses ou Anvers - Promenade 21 - ✆ 01 46 06 37 00 - www.pylones.com.* Plein de gadgets pour les enfants et les grands de toutes les couleurs et d'un intérêt certain : écuelle pour les chats, aspirateur à coccinelle…

Rouge et Noir – *26 r. Vavin - 6e arr. - Mº Vavin ou N.-D.-des Champs - Promenade 5 - ✆ 01 43 26 05 77 - http://rouge-et-noir.fr.* Spécialiste du jeu traditionnel : jeux de salon en bois, jeux de jardin, cartes anciennes et modernes, puzzles d'art, échecs, backgammon, go, Nain jaune, bilboquet, etc. Vente et location.

LIBRAIRIES POUR ENFANTS

Elles sont classées par arrondissement.

Librairie Culture – *17 bis r. Pavée - 4e arr. - Mº St-Paul - Promenade 17 - ✆ 01 48 87 78 17 - 10h-19h30, dim. 10h30-20h.* La porte est toujours ouverte ! Elle donne en fait sur une ancienne rue pavée, perpendiculaire à la rue du même nom. Ce n'est pas une librairie spécialisée pour les enfants, mais une solderie qui propose entre autres livres une quantité d'albums pour enfants, de qualité et à des prix incroyables. On y trouve ainsi les beaux petits livres des éditions du Rouergue, ou encore ceux des éditions Bilboquet et la série des Waldo qui accompagnent les premiers moments de lecture des 6-8 ans.

Librairie La Procure – *3 r. de Mézières - 6e arr. - Mº St-Sulpice - Promenade 3 - ✆ 01 45 48 20 25 - www.laprocure.com - tlj sf dim. 9h30-19h30 - fermé j. fériés.* À deux pas de Saint-Sulpice, cette librairie, connue pour son remarquable choix d'ouvrages sur les religions, offre aussi une excellente sélection de livres de jeunesse en tout genre.

Fnac Junior – *19 r. Vavin - 6e arr. - Mº Vavin ou N.-D.-des-Champs - Promenades 5 et 24 - tlj sf dim. 10h-19h30. - de 0 à 13 ans - autres adresses : 148 av. Victor-Hugo, 16e arr., ✆ 01 45 05 90 60 ; 155 r. de Courcelles, 17e arr., ✆ 01 42 67 40 22 ; cour St-Émilion, 12e arr., ✆ 01 44 73 01 58.* L'enseigne bien connue se situe sur une jolie placette à l'emplacement d'un ancien magasin de fournitures pour artistes. L'entrée est conçue pour les poussettes. Les enfants peuvent lire et découvrir les jouets éducatifs en démonstration. Les parents trouveront des livres, cédéroms, CD, jouets et loisirs créatifs classés par tranches d'âge. Pour vous aider à choisir, des guides cédéroms, livres et guide des tout-petits sont disponibles à l'entrée.

Chantelivre – *13 r. de Sèvres - 6e arr. - Mº Sèvres-Babylone - Promenade 3 - ✆ 01 45 48 87 90 - 10h30-19h30, lun. 13h-19h30.* Créée en 1974 par l'École des loisirs, c'est la plus grande librairie spécialisée pour enfants de Paris. Chaque âge a son espace bien distinct : 0-3 ans et 3-6 ans au fond, 6-10 ans, ados et famille devant. Des vendeurs très compétents sont là pour vous aider à dénicher le livre qui fera rêver Adrien, qui répondra aux questions de Gabriel sur le ciel ou qui aidera Coline à surmonter sa jalousie et ses colères. La librairie propose aussi des jeux d'éveil et de société, une sélection de disques et un rayon pour les adultes avec des ouvrages sur la psychologie de l'enfant. Un petit coin lecture et jeux aménagé au fond de la boutique permet aux plus jeunes de patienter pendant que les grands font leur choix.

Virgin Megastore – *52-60 av. des Champs-Élysées - 8e arr. - Mº Franklin-D.-Roosevelt - Promenade 11 - ✆ 01 49 53 50 00 - www.virgin.fr - 10h-0h, dim. 12h-0h.* Toutes les nouveautés jeunesse et un fonds de collections sélectionnées sont rassemblées dans la librairie au sous-sol.

Libr'Animal – *9e arr. - Voir le Carnet d'adresses de la promenade 20.*

Litote librairie – *15 bis r. Alexandre-Parodi - 10e arr. - Mº Château-Landon ou Colonel-Fabien - Promenade 19 - ✆ 01 44 65 90 04.* Une belle petite librairie de quartier avec un énorme rayon, que dis-je, un pan de mur réservé aux enfants. Et ce n'est pas une litote !

Artazart – *83 quai de Valmy - 10e arr. - Mº Jacques-Bonsergent - Promenade 19 - ✆ 01 40 40 24 00 - www.artazart.com - 10h30-19h30 (jeu. 22h), w.-end 14h-20h.* Une librairie d'arts graphiques, de photos et d'architecture avec un petit espace d'exposition et, au fond, un grand rayon consacré aux livres illustrés pour les enfants (3-7 ans).

Quelques livres également pour apprendre à dessiner. Accueil et café garantis.

Nordest – *34 bis r. de Dunkerque - 10e arr. - M° Gare-du-Nord - Promenade 19 - ✆ 01 48 74 45 59 - tlj sf dim. 10h-19h30.* Au fond de la librairie, un vent de jeunesse souffle : cap sur les albums pour têtes blondes, sur les disques et autres livres-jouets.

Mangatec – *10 r. des Goncourt - 11e arr. - M° Goncourt - Promenade 19 - ✆ 01 47 00 07 78 - www.mangatec.fr - tlj sf dim. et lun. mat. 10h30-12h30, 13h30-19h.* Tout, tout, tout, sur les mangas, de Yugioh à Dragon ball en passant par Card Captor. Vous trouverez dans cette librairie des BD, des films mais aussi des figurines ou des poupées.

La terrasse de Gutenberg – *9 r. Emilio-Castelar - 12e arr. - M° Ledru-Rollin - Promenade 18 - ✆ 01 43 07 42 15 - tlj sf lun. 10h-20h.* Un bel espace pour les enfants (à leur taille) au fond de la boutique et en sous-sol. Le mercredi matin et certains samedis, des ateliers rien que pour eux (dessin, théâtre).

Amazonie – *7 r. Antoine-Vollon, square Trousseau - 12e arr. - M° Ledru-Rollin - Promenade 18 - ✆ 01 40 04 99 52 - tlj sf dim. 11h30-19h (2 dim./mois 11h30-13h30).* Une librairie de BD neuves et d'occasion (parfois à 1 €), pour les néo-collectionneurs ; et pendant que les grands choisissent, les petits frères jouent les acrobates dans les jeux du square Trousseau.

Album – *46 cour St-émilion, village de Bercy - 12e arr. - M° Cour-St-Émilion - Promenade 29 - ✆ 01 53 33 87 88.* Ils le disent eux-mêmes : ils sont « la référence BD ». On y trouve en effet tout ce qui existe en matière de bandes dessinées, comics, mangas et gadgets en prime (tee-shirts avec tous les grands héros de BD, barbapapa en mousse, etc.). Mais le plus important reste certainement les conseils des vendeurs. Ils savent par exemple vous guider dans le choix de BD pour enfants ne sachant par encore lire, pour les 4-5 ans, par exemple. Un vrai coup de cœur pour cette boutique qui ravira toute la famille.

L'Arbre à lettres – *56 r. du Faubourg-St-Antoine - 12e arr. - M° Ledru-Rollin - Promenade 18 - ✆ 01 53 33 83 23 - 10h-20h, dim. 14h-19h - fermé j. fériés.* C'est une petite chaîne de quatre librairies qui a ses inconditionnels. En effet, le personnel est compétent et passionné et la présentation des nouveautés est agrémentée des coups de cœur de la maison. Une belle sélection jeunesse.

Le Chat Pitre – *22 bis r. Duchefdelaville - 13e arr. - M° Chevaleret - ✆ 01 44 24 52 20 - tlj sf dim. 10h30-19h30, lun. 15h-19h30.* Face à un petit square, cette grande librairie offre un vaste choix de livres pour la jeunesse ainsi qu'une petite sélection d'ouvrages pour adultes.

L'Herbe rouge – *1 bis r. d'Alésia - 14e arr. - M° Glacière - ✆ 01 45 89 00 99 - tlj sf dim. 11h-19h30.* Une charmante petite librairie établie depuis 25 ans qui renferme des trésors de livres et de jeux. Le mardi après l'école, les enfants sont conviés à un « goûter des livres » (dès 5 ans, sur réservation).

Le Dragon savant – *36 r. de La Villette - 19e arr. - M° Pyrénées - Promenades 19 et 27 - ✆ 01 42 45 75 30 - tlj sf dim. et lun. 10h30-19h30 ; été : 10h30-13h, 15h-19h30 - fermé 30 juil.-18 août - 3-15 ans.* Un bon libraire fait une bonne librairie ! Et là, c'est la libraire ! Depuis 10 ans, elle ne cesse de mener tambour battant et dragon savant pour faire aimer la lecture aux enfants et, qui plus est, aux parents. Son association, La cabane du dragon, propose également le samedi et le dimanche matin des ateliers de théâtre, d'écriture et de danse

La Girafe et la lune – *16-18 r. du Cambodge - 20e arr. - M° Gambetta - Promenade 28 - ✆ 01 46 36 80 47 - tlf sf dim. et lun. 10h30-19h30.* Une estrade où s'allonger, des livres à portée de main : et c'est parti pour quelques minutes de lecture intenses ou effrayantes…

LOISIRS CRÉATIFS (MATÉRIEL)

Voir aussi les « Carnets d'adresses » des promenades aux Halles, à Beaubourg et aux Tuileries.

Rougier et Plé – *13 bd des Filles-du-Calvaire - 3e arr. - M° Filles-du-Calvaire - Promenade 17 - ✆ 01 44 54 81 00 - www.rougieretple.fr - lun.-sam. 9h30-19h - fermé j. fériés.* Artisanat et loisirs. Sur trois étages, on trouve tout le matériel pour la reliure, le cartonnage, l'impression, le dessin, le graphisme, le modelage…

Le Bon Marché – *24 r. de Sèvres - 7e arr. - M° Sèvres-Babylone - Promenade 3 - ✆ 01 44 39 80 00 - lun.-merc. et vend. 9h30-19h, jeu. 10h-21h, sam. 9h30-20h.* Important rayon de travaux manuels, livres pour enfants, jeux et jouets au sous-sol.

Loisirs et création – *53 r. de Passy - 16e arr. - M° Passy - tlj sf dim. 10h-19h30. Autres magasins : au Carrousel du Louvre, ✆ 01 58 62 53 95 ; à Bercy Village, ✆ 01 53 17 11 90.* Artistes en herbe et petits bricoleurs y trouveront tout le matériel nécessaire pour leurs créations : perles, peintures, modelage, patchwork, pochoirs, mosaïques... Démonstrations sur les techniques et réalisations, merc. et sam. 14h30-7h30.

MAGIE

Métamorphosis – *Avr.- oct. : sur berge face au 3 quai Montebello - 5e arr. - M° Maubert-Mutualité - ✆ 01 43 54 08 08 ; nov.-mars : sur berge face au 7 quai Malaquais - 6e arr. - M° St-Germain-des-Prés. - tlj sf lun. 21h30, dim. 15h.* Spectacle de magie et d'illusion sur une péniche.

Musée de la Magie – *11 r. St-Paul - 4e arr. - M° St-Paul - Promenade 17 - ✆ 01 42 72 13 26 - à partir de 10 ans : cours sam. 15h15 - 20 €- anniversaire sur réserv.* Le musée de la Magie est aussi une école de la magie. Aussi sérieuse que celle d'Harry Potter. Écoutez plutôt : des ateliers sont proposés deux matinées par semaine pendant les petites vacances de la zone C pour les enfants de 6 à 9 ans. Après un petit-déjeuner, ces derniers apprennent des tours qu'ils montrent sur scène aux parents.

Le Double Fond – *1 pl. du Marché-Ste-Catherine - 4e arr. - M° St-Paul - Promenade 17 - ✆ 01 42 71 40 20 - www.doublefond.com - merc. 16h30 et sam. 14h30 et 16h30 - anniversaire sur réservation.* Connaissez-vous le tour de la corde coupée ? Non ? Alors allez voir le spectacle qu'organise ce café-théâtre de la magie. Si oui, restez après le spectacle pour apprendre ce tour. Tous les spectacles déjà interactifs sont suivis d'un atelier d'une heure où le magicien initie les enfants à quelques-uns de ses secrets. Pour les accros, des cours individuels sont aussi proposés. Spectacles de magie constamment renouvelés pour grands et petits.

MANÈGES

Les manèges font et feront toujours la joie des enfants. Les heures et jours d'ouverture sont souvent aléatoires, en fonction de la météo et de l'affluence. En voici une liste non exhaustive, classée par arrondissement.

Les Halles – *Forum des Halles, porte Lescot - r. Lescot - 1er arr. - M° Les-Halles - Promenade 15.* Beau manège ancien.

M. Guillot / MICHELIN

Jardin des Tuileries – *Côté terrasse des Feuillants - 1er arr. - M° Tuileries - Promenade 7 - 11h-19h.*

Hôtel de Ville – *Pl. de l'Hôtel-de-Ville - 4e arr. - M° Hôtel-de-Ville - Promenade 17.* Carrousel de la Belle Époque.

Jardin des Plantes – *Côté r. Buffon, au coin de la galerie d'Anatomie et du Jardin des iris - 5e arr. - M° Austerlitz, Jussieu ou Monge.* Le manège « Dodo », du nom d'un oiseau disparu, fait tourner les enfants sur son dos ou sur celui d'un dinosaure.

Jardin du Luxembourg – *6e arr. - RER Luxembourg - Promenade 24.* C'est le plus ancien manège de Paris avec de vrais chevaux de bois. Il fut construit en 1879 sur des plans de Charles Garnier, l'architecte de l'Opéra.

Square Boucicaut – *R. de Sèvres, en face du Bon Marché - 6e arr. - M° Sèvres-Babylone - Promenade 3.*

Champ-de-Mars – *Côté av. de la Bourdonnais et côté av. de Suffren - 7e arr. - M° École-Militaire - Promenade 10 - merc., w.-end et vac. scol. à partir de 14h.* Deux manèges.

Pont d'Iéna – *Pont d'Iéna (côté tour Eiffel) - 7e arr. - RER Champs-de-Mars-Tour-Eiffel - Promenade 10.*

Jardin des Champs-élysées – *Angle av. de Marigny et av. Gabriel - 8e arr. - M° Champs-Élysées-Clemenceau - Promenade 11 - merc., w.-end et vac. scol. à partir de 14h.*

Parc de Bercy – *12e arr. - M° Bercy - Promenade 29.*

Bois de Vincennes – *12e arr. - Promenade 30.* Il existe 7 manèges en tout : trois vers le lac de St-

Mandé (M° St-Mandé-Tourelle), deux en face du Parc zoologique (M° Porte-Dorée), un av. de la Dame-Blanche (M° Château-de-Vincennes) et un au lac Daumesnil (M° Porte-Dorée).

Parc de Choisy – *128-160 av. de Choisy - 13e arr. - M° Tolbiac.*

Montparnasse – *Pl. Raoul-Dautry, devant la gare Montparnasse - 14e arr. - M° Montparnasse-Bienvenüe - Promenade 5.* Beau manège ancien.

Square du Cardinal-Wyszynski – *52-76 r. Vercingétorix - 14e arr. - M° Pernety ou Gaîté - Promenade 5.*

Square du Serment-de-Koufra – *Av. de la Porte-de-Montrouge - 14e arr. - M° Porte-d'Orléans.*

Parc Montsouris – *Au bord du lac, côté r. Gazan - 14e arr. - RER Cité-Universitaire - Promenade 6.*

Square Saint-Lambert – *R. Théophraste-Renaudot - 15e arr. - M° Commerce - Promenade 25.*

Parc Georges-Brassens – *R. des Morillons - 15e arr. - M° Convention - Promenade 25.*

Métro Convention – *R. de la Convention - 15e arr. - M° Convention - Promenade 25.*

Jardins du Trocadéro – *En bas des jardins, pl. de Varsovie - 16e arr. - M° Trocadéro - Promenade 10.*

Jardins du Ranelagh – *Côté av. Raphaël, en face du musée Marmottan - 16e arr. - M° La Muette ou Ranelagh - Promenade 22.* Réédition d'anciens chevaux de bois.

Parc Monceau – *17e arr. - M° Courcelles ou Monceau - Promenade 12 - apr.-midi sous réserve météo + merc. et w.-end mat. par beau temps.*

Square des Batignolles – *17e arr. - M° Brochant. Carrousel ancien.*

Square Willette – *Pl. St-Pierre - 18e arr. - M° Anvers - Promenade 21.*

MARIONNETTES

En plein air

Les grands jardins publics ont leur théâtre de marionnettes. Ils sont en général ouverts le mercredi après-midi et le week-end, ainsi que pendant les vacances scolaires et l'été tous les jours. Il faut prendre les places à l'avance. Les parents sont priés de s'installer sur les bancs du fond, ce qui ne les empêche pas de profiter du spectacle... Un spectacle coûte en moyenne 3 €.

Guignol & Compagnie – *Jardin d'Acclimatation, bois de Boulogne - 16e arr. - M° Sablons - Promenade 22 - ✆ 01 45 01 53 52 - www.guignol.fr - merc., w.-end, fêtes et vac. scol. 15h et 16h.*

Guignol Anatole – *Parc des Buttes-Chaumont - 19e arr. - M° Laumière - Promenade 27 - ✆ 01 40 30 97 60 - théâtre de plein air (de mi-mars à fin oct.) : merc., w.-end et fêtes 15h30 et 16h30.*

La Vallée des fleurs – *Parc floral de Paris, bois de Vincennes - 12e arr. - M° Château-de-Vincennes - Promenade 30 -* accès libre une fois dans le parc. Spectacles de théâtre, mimes, clowns et marionnettes.

Marionnettes des Champs-Élysées – *Rond-Point des Champs-Élysées - 8e arr. - M° Champs-Élysées-Clemenceau - Promenade 11 - ✆ 01 42 45 38 30 - www.theatreguignol.fr - merc., w.-end et vac. scol. 15h, 16h et 17h - fermé juil. et août, lun.-mar. et jeu.-vend. (sf vac. scol.).*

Marionnettes du Champs-de-Mars – *Av. du Gén.-Margueritte - 7e arr. - M° École-Militaire - Promenade 10 - ✆ 01 48 56 01 44 - merc. et w.-end 15h15 et 16h15.*

Marionnettes du Luxembourg – *Jardin du Luxembourg - 6e arr. - M° Vavin - Promenade 24 - ✆ 01 43 26 46 47 et 01 43 29 50 97 - merc., w.-end, j. fériés et vac. scol. à partir de 14h30 (w.-end.séance suppl. 11h).*

Marionnettes du Ranelagh – *Jardins du Ranelagh - 16e arr. - M° Muette - Promenade 22 - ✆ 01 45 83 51 75 - mars-nov. : merc. et w.-end 15h15 et 16h15 ; vac. scol. : tlj.*

Théâtre du Polichinelle parisien – *Parc Georges-Brassens - r. Brancion - 15e arr. - M° Porte-de-Vanves - Promenade 25 - ✆ 01 48 42 51 80 - été : merc., w.-end et vac. scol. 15h, 16h et 17h ; hiver : mêmes j. 15h30 et 16h30 - fermé de mi-juil. à mi-août.*

En salle

Atelier de la bonne graine – *16 passage de la Bonne-Graine - 11e arr. - M° Ledru-Rollin - Promenade 18 - ✆ 01 43 57 40 47 - spectacle : merc., sam., dim, et tlj pdt vac. scol. ; adultes : 8 €, enf. : 6 € - atelier à partir de 6 ans : merc. 10h-11h30 et dates ponctuelles ; 8 €/séance, 60 €/5 séances (atelier fabrication) - anniversaire sur réserv.* L'Atelier de la bonne graine est un petit théâtre destiné essentiellement aux enfants et présentant la marionnette

Ph. Gajic / MICHELIN

Le théâtre de marionettes du jardin du Luxembourg.

contemporaine sous toutes ses formes (marionnettes et théâtre d'acteurs, marionnettes à gaine, sur table, en castelet, théâtre masqué, contes, films d'animation). C'est aussi un endroit où les enfants peuvent apprendre à manipuler ou à fabriquer des marionnettes ou encore à découvrir le cinéma d'animation (10 fois dans la saison). Ce dernier atelier est suivi d'une projection.

La Charlotte de l'Isle – *24 r. St-Louis-en-l'Île - 4e arr. - M° Pont-Marie ou Sully-Morland - ✆ 01 43 54 25 83 - www. la-charlotte.fr - fermé de déb.juil. à mi-sept.* Dans sa minuscule chocolaterie de l'île Saint-Louis, Sylvie Langlet ressemble un peu à dame Tartine : elle transforme tout en douceurs sucrées et en amusements. Le mercredi, à 15h, elle accueille petits et grands (de 3 à 99 ans) pour un spectacle de marionnettes à sa façon. Puis, après un goûter maison, elle vous entraîne dans sa cuisine pour vous montrer comment elle fabrique ses incroyables chocolats en forme de chaumière, de balais de sorcière, de crocodile ou de Pierrot. Elle vous fera découvrir sa réserve de moules anciens, mais aussi sa façon de travailler le chocolat comme l'argile (elle était auparavant céramiste). Bien sûr, il faut réserver... souvent longtemps à l'avance.

Théâtredelalune – *Au théâtre de la Main-d'Or - 15 passage de la Main-d'Or - 11e arr. - M° Ledru-Rollin - Promenade 18 - ✆ 01 42 41 04 40 - spectacle merc. 14h30, dim. 15h, et vac. scol. - à partir de 3 ans.* La petite salle du théâtre de la Main d'Or se fait enfantine les mercredi et dimanche après-midi. D'étranges créatures (baguettes de pain, ver de terre...) s'y agitent sur un rythme souvent endiablé.

Musée Dapper – *35 r. Paul-Valéry - 16e arr. - M° Victor-Hugo - Promenade 22 - ✆ 01 45 00 91 75 - de déb. oct. à fin fév. : dim. et certains merc. 15h - réserv. obligatoire - se renseigner pour les tarifs.* Dès 3-4 ans, des lectures de contes et des spectacles de marionnettes (1h) sensibilisent les enfants à la tradition orale africaine.

MUSÉES

Vous avez visité tous les musées décrits dans « Découvrons les quartiers » et dans « Visitons les musées » ? Voici d'autres destinations pour vos enfants, classées par ordre alphabétique.
Un index de tous les musées décrits dans le guide se trouve p. 245.

Musée arménien – *59 av. Foch - 16e arr. - M° Victor-Hugo ou Dauphine - Promenade 22 - Fermé pour travaux.* Les deux salles sont consacrées à l'histoire, la civilisation de l'Arménie, ainsi qu'au génocide du début du siècle. Sont exposés des manuscrits, des céramiques, des peintures, des sculptures, du mobilier, des tapis, depuis l'Antiquité jusqu'à nos jours.

Pavillon de l'Arsenal – *21 bd Morland - 4e arr. - M° Sully-Morland - Promenade 18 - ✆ 01 42 76 33 97 - www.pavillon-arsenal.com - ♿ - tlj sf lun. 10h30-18h30, dim. et j. fériés 11h-19h - fermé 1er janv. - gratuit.*
À partir de 8 ans, le Paris d'hier et d'aujourd'hui, vu à travers tous les modes d'expression visuels : photos, dessin, mais aussi ordinateur. Parfois grande, parfois petite, la ville est vue sous différents angles émaillés de chiffres amusants comme le nombre de cafés : 20 000 !

Musée d'Art et d'Histoire du judaïsme – *Hôtel St-Aignan - 71 r. du Temple - 3e arr. - M° Rambuteau - Promenade 16 - ✆ 01 53 01 86 60 - ♿ - tlj sf sam. 11h-18h, dim. et j. fériés 10h-18h (dernière entrée 30mn av. fermeture) ; possibilité de visite guidée (1h30) dim. 15h - fermé 1er janv., 1er Mai, Rosh Hashanah et Yom Kippour - pour le tarif, se renseigner.*
Installé dans un très joli hôtel classé du Marais, ce musée présente de façon très moderne des œuvres anciennes et contemporaines, accompagnées de nombreuses notes explicatives, qui permettent de découvrir pleinement la culture juive.
Outre de nombreux ateliers pour enfants *(voir la rubrique « Ateliers des musées »)*, il propose aussi des ateliers en famille au cours desquels

les enfants à partir de 5 ans et les adultes découvrent la culture juive à travers les salles du musée mais aussi par la saveur et les goûts en préparant des plats de fêtes juives : délices de Shabbat, fête des Sorts, Pâque. Réservation indispensable. 8,50 € (enf. : 5,30 €). Les séances de contes du Mahj, souvent accompagnées de chants et de musique, peuvent également intéresser les enfants à partir de 8 ans. Pour toutes ces activités : renseignements et réservation au 01 53 01 86 62 (lun.-jeu. 10h-17h).

Maison de Balzac – *47 r. Raynouard - 16e arr. - Mº Passy - Promenade 10 - ✆ 01 55 74 41 80 - www.balzac.paris.fr - tlj sf lun. 10h-18h - fermé j. fériés - gratuit.* La seule demeure parisienne de l'écrivain qui subsiste aujourd'hui. Balzac y vécut de 1840 à 1847 et y conçut notamment *La Comédie humaine*. Il y avait trouvé refuge sous le nom de M. de Breugnol pour fuir ses créanciers ; il fallait un mot de passe pour entrer chez lui… Le mobilier de l'écrivain ayant été dispersé à la mort de sa veuve, Mme Hanska, le cabinet de travail, seul, a été partiellement reconstitué. Dans les autres pièces, des tableaux, des objets personnels de Balzac, des manuscrits rendent compte de la vie de l'écrivain et de son époque. Pour les enfants : La Canne de Monsieur de Balzac (à partir de 8 ans), un parcours en six énigmes au terme duquel se révèle l'identité d'un mystérieux inconnu fauteur de troubles…

Musée Bouchard – *25 r. de l'Yvette - 16e arr. - Mº Jasmin - Promenade 22 - ✆ 01 46 47 63 46 - www.musee-bouchard.com - de déb. juil. à mi-sept., oct.-déc., de déb. janv. à mi-mars et de déb. avr. à mi-juin. : merc. et sam. 14h-19h - 4 € (enf. 2,50 €).* Dans un petit jardin typique du vieil Auteuil, l'atelier du sculpteur a été conservé avec de nombreuses œuvres, des outils et des moules. Marqué par l'esthétique moderniste des années 1930, Henri Bouchard (1875-1960) composa essentiellement des sculptures figuratives.

Catacombes – *Pl. Denfert-Rochereau - 14e arr. - Mº Denfert-Rochereau - Promenade 5 - ✆ 01 43 22 47 63 - www.carnavalet.paris.fr - tlj sf lun. 10h-17h, (dernière entrée 1h av. fermeture) - j. fériés : se renseigner - 5 € (-13 ans gratuit).* Ces carrières gallo-romaines furent reconverties en ossuaire de 1785 à 1810, réunissant tous les squelettes des cimetières paroissiaux parisiens, dont celui des Saints-Innocents. En août 1944, Henri Rol-Tanguy, chef des FFI d'Île-de-France, y installa son état-major, durant l'insurrection de Paris contre l'occupant. Attention, décoration on ne peut plus macabre (têtes de morts et tibias croisés), ou idyllique (têtes de morts formant un cœur). Âmes sensibles s'abstenir !

Musée Cognacq-Jay – *8 r. Elzévir - 3e arr. - Mº St-Paul ou Chemin-Vert - Promenade 17 - ✆ 01 40 27 07 21 - tlj sf lun. 10h-18h (dernière entrée 20mn av. fermeture) - fermé j. fériés - gratuit.* Dans un vieil hôtel du Marais, deux collectionneurs passionnés du 18e s. français ont réuni un ensemble extraordinaire de tableaux, de meubles et d'objets.

Musée des Collections historiques de la préfecture de Paris – *1 bis r. des Carmes - 5e arr. - Mº Maubert-Mutualité - Promenade 2 - ✆ 01 44 41 52 50 - tlj sf dim. 9h-17h, sam. 10h-17h - fermé j. fériés - gratuit.* Voici retracée l'histoire de la police parisienne, depuis le guet du Moyen Âge jusqu'en 1870, date de la création du Corps des gardiens de la paix. De très intéressants documents judiciaires sont à découvrir, mais surtout l'histoire sordide des grands assassins comme Ravaillac (le meutrier d'Henri IV), Landru (qui découpait ses femmes en morceaux) ou le docteur Petiot. Maman, j'ai peur !

Musée de la Contrefaçon – *16 r. de la Faisanderie - 16e arr. - Mº Porte-Dauphine ou RER Avenue-Foch - Promenade 22 - ✆ 01 56 26 14 00 - www.unifab.com - tlj sf lun. 14h-17h30 - fermé j. fériés et w.-end du mois d'août - 4 € (-12 ans gratuit ; 12-16 ans 3 €) - gratuit journée mondiale de l'anti-contrefaçon (juin).* Le musée créé en 1951 dans un hôtel particulier classé permet de s'informer sur l'étendue de la contrefaçon et son retentissement sur l'économie mondiale, de prendre conscience de l'importance de la protection de la propriété industrielle et de connaître les sanctions prévues par la loi. Unique en son genre, il présente un éventail très diversifié de produits contrefaisants et de modèles authentiques, afin que le visiteur apprenne à les différencier : bronzes de Rodin, moyens de paiement, cigares, dictionnaires, logiciels, CD, DVD, outillage et électroménager, produits d'entretien, textile, articles de luxe, vaisselle, pièces détachées d'automobile, stylos, jeux ou jouets… tout peut être copié !

Musée Curie – *11 r. Pierre-et-Marie-Curie - 5e arr. - RER Luxembourg - Promenades 2 et 24 - ✆ 01 42 34 67 49 - www.curie.fr/musee - tlj sf w.-end 13h30-17h - possibilité de visite guidée (45mn) : lun. 15h - fermé août et j. fériés -gratuit - Parcours-enquête pour le jeune public.* À la découverte de la radioactivité naturelle et artificielle et de la famille qui a reçu le plus de prix Nobel de l'histoire : prix Nobel de physique pour Pierre et Marie Curie en 1903, de chimie pour Marie en 1911, de physique pour Irène et Frédéric Joliot-Curie en 1935. Le musée se trouve au rez-de-chaussée de l'ancien Institut du radium, fondé à l'initiative de Marie Curie, et destiné à la recherche scientifique et médicale.

Musée Dapper – *35 r. Paul-Valéry - 16e arr. - Mº Victor-Hugo ou Charles-de-Gaulle-Étoile - Promenade 11 - ✆ 01 45 00 01 50 - www.dapper.com.fr - ♿ - tlj sf mar. 11h-19h - fermé 1er janv., 1er Mai, 25 déc., et entre les expositions - 6 €, gratuit dernier merc. du mois.* Entièrement consacré à l'Afrique ancienne et contemporaine, le musée Dapper propose chaque année de magnifiques expositions temporaires (sur les parures de tête et sur les signes du corps récemment).

Musée d'Ennery – *59 av. Foch - 16e arr. - Mº Victor Hugo ou Dauphine - Promenade 22 - ✆ 01 45 53 57 96 - se renseigner.* Aménagé dans un appartement privé, il présente la collection particulière d'objets d'art d'Extrême-Orient d'Adolphe d'Ennery, auteur dramatique de la fin du 19e s. On y voit une profusion d'objets façonnés par des techniques artisanales souvent disparues aujourd'hui comme des boutons ouvragés qui permettaient de suspendre à la ceinture un étui de pipe ou une boîte à médicaments. Des boîtes à parfum illustrent la vie quotidienne et les croyances populaires en Chine et au Japon du 17e au 19e s.

Musée de l'Éventail – *2 bd de Strasbourg - 10e arr. - Mº Strasbourg-St-Denis - Promenade 13 - ✆ 01 42 08 90 20 - lun.-merc. 14h-18h - fermé août et j. fériés - 6 € (enf. 3 €).* Dans un cadre du 19e s. classé, ce musée est le seul au monde à présenter à la fois les techniques de fabrication et une collection d'éventails du 17e s. jusqu'à nos jours.

Manufacture des Gobelins – *42 av. des Gobelins - 13e arr. - Mº Gobelins - ✆ 01 44 08 52 00 - visite guidée (1h) mar.-jeu. 14h-16h30 - fermé j. fériés - 8 € (-7 ans gratuit).* La visite étant longue, elle est à réserver aux enfants motivés. Fondée en 1664, cette manufacture abrite des métiers de haute lisse sur lesquels les lissiers exécutent des tapisseries suivant les techniques du 17e s.

Musée Jean-Jacques-Henner – *43 av. de Villiers - 17e arr. - Mº Malesherbes - Promenade 12 - Fermé pour travaux, réouverture prévue courant 2007.* Œuvres du peintre alsacien Jean-Jacques Henner (1829-1905) présentées dans un hôtel particulier du 19e s. Atmosphère délicieusement désuète. Resté en marge des courants novateurs de la fin du 19e s., Henner a connu une carrière officielle couronnée de médailles et du prix de Rome. Le deuxième étage expose ses petits paysages de la campagne romaine. Le rez-de-chaussée montre ses portraits. Le salon du premier étage est décoré d'un moucharabieh, fenêtre de l'architecture arabe.

Musée Marmottan-Monet – *2 r. Louis-Boilly - 16e arr. - Mº La Muette - Promenade 22 - ✆ 01 44 96 50 33 - www.marmottan.com - tlj sf lun. 10h-18h - fermé 1er janv., 1er Mai et 25 déc. - 7 € (enf. 4,50 €).* Situé en face du jardin du Ranelagh, ce musée a été créé en 1934 dans un bel hôtel particulier du 19e s. Paul Marmottan (1856-1932), historien d'art et collectionneur, en a fait don en 1932 à l'Académie des beaux-arts avec les collections qu'il contenait. Un petit département est consacré à des peintures de primitifs flamands et italiens collectionnés par son père, Jules Marmottan. De très importants legs firent du musée un des hauts lieux de l'impressionnisme. Ainsi on peut admirer de sublimes toiles de Monet – notamment une suite de *Nymphéas et Impression, soleil levant* – ainsi que des œuvres de ses amis : Pissarro, Morisot, Renoir et Caillebotte.

Centre de la mer et des eaux – *195 r. St-Jacques - 5e arr. - RER Luxembourg - Promenades 2 et 24 - ✆ 01 44 32 10 70 - www.oceano.org/cme - ♿ - 1er-18 août : tlj sf w.-end et lun. 10h-12h30, 13h30-17h30 ; reste de l'année : tlj sf lun. 10h-12h30, 13h30-17h30, w.-end et j. fériés 10h-17h30 - fermé 4-18 sept., 1er janv., 1er Mai, 14 Juil., 15 août et 25 déc. - 4,60 € (enf. 3 €).* Dépendant de l'Institut océanographique de Monaco, ce centre a pour but de faire connaître l'océan, son rôle et ses ressources. Dioramas et aquariums présentent la flore et la faune de l'Atlantique, de la Méditerranée et des récifs coralliens (vous y verrez le célèbre poisson-clown qui a inspiré Némo). Une salle illustre l'étrange vie qui se développe autour des sources hydrothermales dans les grandes fosses océaniques. Des films racontent la vie des méduses, des requins ou des baleines. Des jeux permettent aux petits d'apprendre qui mange qui ou les différences entre animaux et végétaux. Des feuillets pédagogiques avec coloriage et questionnaire sont remis aux enfants sur demande à la caisse. Des animations (5 €) ont lieu merc., sam., dim. et mar.-sam. pdt vac. scol. : Bassin de manipulation (3-8 ans), Jeu du détective (à partir de 8 ans) et diaporamas (à partir de 8 ans). Pour ces animations : réservations au 01 44 32 10 95.

Musée de Minéralogie – *60 bd St-Michel - 6e arr. - RER Luxembourg - Promenades 2 et 24 - ☏ 01 40 51 91 39 - www.musee.ensmp.fr - ♿ - tlj sf dim. et lun. 13h30-18h, sam. (sf de mi-juil. à fin août) 10h-12h30, 14h-17h - fermé j. fériés - 5 € (-12 ans gratuit).* À l'intérieur de l'École nationale supérieure des mines, créée en 1783 et installée en 1815 dans cet ancien hôtel de Vendôme. Pour les amateurs de géologie et de minéralogie : pierres précieuses, minerais, cristaux multicolores et météorites présentés en lumière noire.

Observatoire de Paris – *61 av. de l'Observatoire - 14e arr. - RER Port-Royal - Promenade 22 - Visite guidée (2h) 1er sam. du mois 14h30 sur demande écrite (3 mois à l'avance) à l'Observatoire de Paris, service de la communication, 61 av. de l'Observatoire, 75014 Paris - fermé août - 5 € (enf. 2,50 €).* Il faut être motivé car la liste d'attente est longue. Créé par Louis XIV, c'est le plus ancien observatoire du monde. La visite permet de découvrir la première horloge parlante, la salle Cassini traversée par le méridien de Paris, la coupole Arago du 19e s. et sa lunette astronomique, une lunette équatoriale et une lunette méridienne du 19e s. Chaque année, lors des « nuits des planètes », le public peut observer les astres de nuit avec les instruments de l'Observatoire et discuter avec les astronomes des travaux en cours.

Musée Pasteur – *25 r. du Dr-Roux - 15e arr. - Mo Pasteur - Visite guidée (1h) tlj sf w.-end 14h-17h30 - fermé août et j. fériés - 3 € (enf. 1,50 €).* Visite de l'appartement de Pasteur qui a conservé son atmosphère typique du 19e s. et de la crypte de style néo-byzantin où repose le grand savant qui a découvert le principe du vaccin.

Musée Picasso – *5 r. de Thorigny - 3e arr. - Mo Chemin-Vert - Promenade 17 - ☏ 01 42 71 25 21 - ♿ - avr.-sept. : 9h30-18h ; oct.-mars : 9h30-17h30 - fermé mar., 1er janv. et 25 déc. - 5,50 € (-18 ans et 1er dim. du mois gratuit).* Comment faire découvrir à nos enfants l'un des plus grands génies artistiques du 20e s. ? Tout simplement en allant le dimanche, sans prendre de rendez-vous, au musée Picasso : vos enfants visitent le musée avec une conférencière et vous, avec une autre (à moins que vous ne préfériez rester avec le groupe des enfants). Ou bien encore le mercredi après-midi (sur RV), avec vos enfants de 6 à 10 ans, pour partir à la découverte de l'architecture de l'hôtel Salé et des œuvres de Picasso, avec pour fil conducteur la représentation des animaux.

Musée de Radio-France – *116 av. du Prés.-Kennedy - 16e arr. - Mo Ranelagh, Passy ou Charles-Michels ; RER Maison-de-Radio-France - Promenade 23 - ☏ 01 56 40 32 01 - www.radio-france.fr - visite guidée (1h15) tlj sf w.-end - se renseigner pour horaires la veille de la visite - fermé j. fériés - 5 €.* La plus belle collection d'Europe de « machines à son et images » de 1898 à nos jours... Chaque pièce exposée, mise en situation, fait vivre une étape du développement de la radiodiffusion, du récepteur à galène au premier récepteur numérique. Le billet d'entrée comprend à la fois la visite du musée et la visite de la « Maison ronde » et de ses studios d'enregistrement que l'on découvre par de grandes baies vitrées. L'un des clous de la visite : la reconstitution du premier studio de la rue de Grenelle datant de 1935.

Musée du Vin - Caveau des Échansons – *5 et 7 sq. Charles-Dickens - 16e arr. - Mo Passy - Promenade 10 - ☏ 01 45 25 63 26 - ♿ - tlj sf lun. 10h-18h (dernière entrée 30mn av. fermeture) - fermé 24 déc. et 1er janv. - 8 € (-14 ans gratuit).* Un labyrinthe de galeries datant d'anciennes carrières lève les secrets de la vigne et du vin. Le travail du vigneron, du tonnelier et de l'œnologue est illustré par des outils, des documents, des personnages en cire, ainsi qu'une belle collection de bouteilles anciennes et de verres.

MUSIQUE

Spectacle

Opéra de Paris-Bastille – *Pl. de la Bastille - 12e arr. - Mo Bastille - Promenade 18 - ✆ 0 892 899 090 - demander la brochure Jeune public ; spectacle à partir de 3 ans - tarif réduit pour les enfants de -13 ans - réserv. obligatoire - abonnement à partir de 3 spectacles.* L'Opéra national de Paris propose chaque année une saison jeune public grâce à laquelle les enfants dès 3 ans sillonnent le monde varié de la musique et de la danse.

D. Pazery / MICHELIN

Jongleurs à Beaubourg.

Atelier

Concerts du dimanche matin – *Théâtre du Châtelet - pl. du Châtelet - 1er arr. - Mo Châtelet - Promenade 1 - ✆ 01 40 28 28 00 - www.chatelet.com - rens. et inscription au 01 42 56 90 10 (Jeanine Roze Production) - www.jeanine-roze-production.fr.* Vous aimez la musique, vous voudriez que vos enfants l'aiment aussi ? Voilà une formule géniale : pendant que vous assistez aux concerts du dimanche matin (11h, 22 €) au Châtelet, vos enfants sont pris en charge par des animateurs qui se chargent de les éveiller aux plaisirs de l'oreille. Ces ateliers pour enfants sont gratuits, mais il faut qu'au moins un adulte pour deux enfants assiste au concert. L'équipe d'animateurs les prend en charge à 10h30 dans le hall du théâtre et vous les retrouvez à l'issue du concert. Atelier d'éveil musical (4-7 ans), atelier musique et informatique (8-12 ans), atelier de chant (8-12 ans) : il existe diverses possibilités, mais le nombre d'enfant étant limité, l'inscription à l'avance est obligatoire.

Cité de la musique – *Parc de La Villette. Voir la promenade 35.*

La Mi Pierrot – *72 r. des Grands-Champs - 20e arr. - Mo Nation - ✆ 01 43 56 32 45 - 0-7 ans stages et ateliers hebdomadaires.* Cette association propose des ateliers d'éveil musical pour enfants dès la naissance, au moyen d'écoute de musique, de jeux musicaux (comptines, jeux de doigts, chansons). Également des ateliers de théâtre pour les 5-7 ans.

NATURE, ENVIRONNEMENT

Paris-nature

Mairie de Paris - ✆ 0 820 007 575 - www.paris.fr. Vous connaissez Paris-Nature ? Non ? c'est donc que vous ne connaissez rien de la nature à Paris ! Cette structure a pour objectif de faire découvrir à tous les Parisiens, petits et grands, la richesse de la nature parisienne. Nature urbaine, certes, mais nature quand même.

Ateliers pédagogiques – *Merc., dim. et vac. scol. - se renseigner sur les dates et les horaires.* À travers des expositions, des sorties découvertes, des ateliers pédagogiques, Paris-nature invite les enfants à devenir des « éco-citoyens ».

Journées à thème en famille – *Toute l'année - gratuit - ✆ 01 43 28 47 63.* Paris-nature organise également des journées à thème en famille sur un des sites-nature de la Ville de Paris. Des exemples : la fête du Vent, à la Maison de l'air, la journée de la tonte à la Ferme de Paris, la journée des senteurs à la Maison des cinq sens.

Activités pour les enfants – *À partir de 4 ans - inscription au 01 43 28 47 63.* Des exemples : « De la fleur au miel », découverte dès 8 ans, au Parc floral de Vincennes ; « Fruits et graines sauvages » (dès 6 ans) au Jardin naturel ; « Du mouton à la pelote » : jeux et réalisation d'objets en laine pour les plus de 6 ans à la Ferme de Paris.

Plans parcs et jardins – La direction des parcs, jardins et espaces verts de la Mairie de Paris édite des plans proposant par arrondissement des itinéraires de promenades axées sur la nature. Détaillés et clairs, ils vous indiquent le nom des arbres et des plantes qui ponctuent la promenade, les oiseaux que vous pouvez entendre, etc. Ils sont en vente dans le chai du parc de Bercy (12e arr., M° Bercy ou Cour-St-Émilion) et à la Maison Paris-nature au Parc floral (12e arr., M° Vincennes) pour la modique somme de 0,75 €.

Les sites pédagogiques

Tous les lieux présentés ci-dessous permettent aux enfants de se familiariser avec la nature et l'environnement. Ces derniers sont encadrés par des animateurs spécialistes de l'écologie.

Biblio-ludothèque-nature – *Pavillon 2 Parc floral - 12e arr. - M° Château-de-Vincennes, bus 112 ou 46 - Promenade 30 - ✆ 01 43 28 47 63 - w.-end 13h30-17h - bien se renseigner sur les horaires qui changent tout au long de l'année - gratuit.* C'est un pavillon tout en bois et en verre, avec à l'intérieur de drôles de tipis servant de bibliothèques… La biblio-ludothèque est un des sites de Paris-nature. 10 000 livres à consulter sur place et une centaine de jeux pour les enfants à partir de 4 ans permettront de découvrir la nature en s'amusant.

La Maison de l'air – *27 r. Piat - 20e arr. - M° Pyrénées ou Couronnes - Promenades 27 et 28 - avr.-sept. : tlj sf lun. et sam. 13h30-17h30 (dim. 18h30) ; nov.-fév. : tlj sf lun. et sam. 13h30-17h ; mars et oct. : tlj sf lun. et sam. 13h30-17h30 - fermé j. fériés - 2 € (enf. 1 €).* - À proximité du beau parc de Belleville, la Maison de l'air offre un remarquable panorama sur Paris pour observer la ville, son ciel et tous les phénomènes atmosphériques. Grâce à son exposition, les enfants comprendront les enjeux complexes de la qualité de l'air aujourd'hui menacée par la pollution des hommes…

Clos des Blancs-Manteaux – *21 r. des Blancs-Manteaux - 4e arr. - M° Hôtel-de-Ville ou Rambuteau - Promenades 16 et 17 - gratuit.* Une exposition et un jardin : voici le cadre de cette maison-atelier qui s'est donné pour mission de sensibiliser les enfants à l'environnement urbain. L'apprentissage des gestes écologiques au quotidien ne servira d'ailleurs pas qu'à eux : parents, tenez-le-vous pour dit !

Maison et Jardin des cinq sens – *Square Abélard-et-Héloïse - 22 r. Pierre-Gourdault - 13e arr. - M° Chevaleret - merc. 14h-17h - inscription obligatoire au 01 43 28 47 63 - gratuit.* La maison est entourée d'un verger, d'un potager et d'une serre. Les enfants y apprennent à connaître la nature à travers leurs 5 sens. Ateliers parfumerie dans la maison et parcours olfactif dans le jardin et la serre. Enfin des bonnes odeurs à Paris !

Jardin sauvage St-Vincent – *Voir la promenade 21 (Montmartre).*

Jardin naturel – *Voir la promenade 28 (Cimetière du Père-Lachaise).*

Ferme de Paris – *Voir la promenade 30 (Bois de Vincennes).*

NAUTISME

Base nautique de La Villette – *15-17 quai de la Loire - 19e arr. - M° Jaurès - ✆ 01 42 40 29 90.* Les plus de 18 ans peuvent s'initier

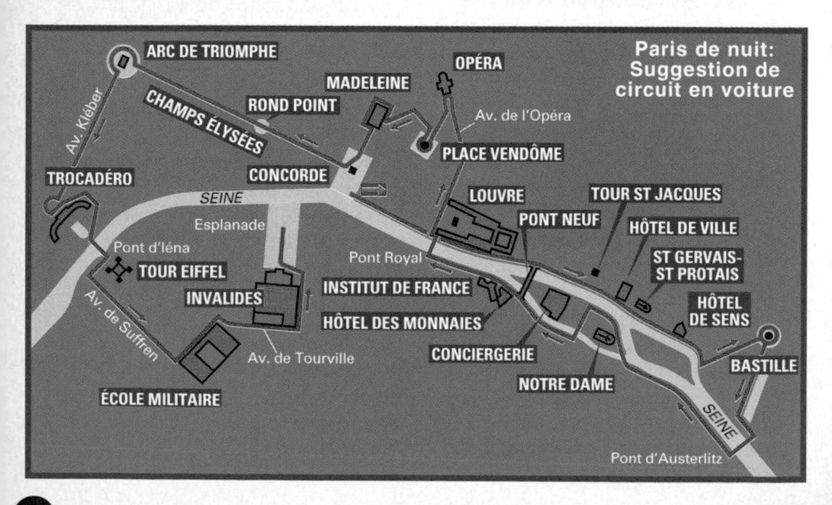

gratuitement au canoë-kayak ou à l'aviron le samedi à 9h, 10h, 11h, 14h, 15h et 16h, sauf en cas de très mauvaises conditions atmosphériques. Pour disposer d'embarcations, il faut réserver le samedi pour la semaine suivante. Pour l'inscription, se munir de deux photos d'identité et d'un brevet de natation de 50 m. Le mercredi est réservé aux enfants dans le cadre des centres d'initiation sportive et de perfectionnement.

NUIT

Dès le crépuscule, Paris se pare de somptueux atours grâce aux éclairages projetés sur de nombreux monuments, offrant aux visiteurs une vision totalement différente de celle du jour. Les illuminations des monuments et des ponts de la capitale ont lieu dès la tombée de la nuit - de mi-juin à mi-sept. : jusqu'à 1h ; de mi-sept. à mi-juin : jusqu'à 0h, sam. et veilles de fêtes jusqu'à 1h.

Rives de la Seine – Vision irréelle des monuments parisiens balayés par les projecteurs des bateaux depuis le fleuve.

Place de la Concorde – L'obélisque et les deux fontaines sont éclairés.

Champs-Élysées – Montée de la célèbre avenue jusqu'à l'Arc de triomphe.

Louvre – Avec la cour Napoléon et la Pyramide qui se reflète, ainsi que les façades majestueuses du Louvre, dans l'eau des bassins qui l'entourent.

Place André-Malraux et Comédie-Française – Les arcades sont illuminées.

Quartier St-Germain-des-Prés – Autour de l'église dont la tour paraît toute blanche sous la lumière.

Place Saint-Sulpice – Avec sa fontaine des « quatre points cardinaux ».

Invalides – Le dôme doré se détache encore plus la nuit, lorsqu'il est éclairé.

Notre-Dame – Que vous soyez sur le parvis ou face au chevet, la finesse de l'architecture gothique est magnifiquement mise en valeur par la lumière.

Esplanade du palais de Chaillot – Belle perspective illuminée sur le Champ-de-Mars et l'École militaire avec, en contrebas, les jeux d'eau du jardin du Trocadéro.

Sous la tour Eiffel – Le monument est encore plus impressionnant baigné dans la lumière, vu de dessous.

PARCS D'ATTRACTIONS

Il n'y en a pas à Paris, mais en franchissant le périphérique, vous trouverez tout ce dont vos enfants rêvent : des Mickeys, des Astérix, des spectacles, des attractions, du grand frisson et du pur plaisir. Un journée entière sera certainement requise pour rassasier vos enfants.

Parc Astérix – *Cartes Michelin Local 305 G6, et n° 106 pli 9 - Oise (60) - accès en voiture : à 30 km de Paris, par l'autoroute A 1 Paris-Lille, sortie « Parc Astérix » - en RER : ligne B, gare Roissy-Charles-de-Gaulle, puis navette par autobus jusqu'au parc - ☏ 08 92 68 30 10 ou 03 44 62 34 34 - www.parcasterix.fr - horaires et j. d'ouverture variables selon la période de l'année - 33 € (enf. : 23 €, -3 ans : gratuit)* - Plusieurs espaces « historiques » aux décors soignés, des attractions et des spectacles.

Disneyland Resort – *Cartes Michelin Local 312 F2 et n° 106 pli 22 - Seine-et-Marne (77) - accès en voiture : A 4, direction Metz-Nancy, sortie 14 « Parc Disneyland » - en RER A, gare de Marne-la-Vallée-Chessy - juil.-août : 9h-23h ; de déb. sept. à mi-janv. : 10h-20h, w.-end et j. fériés 9h-20h ; basse sais. : 10h-20h, sam. 9h-20h - ☏ 01 60 30 60 30 - parking payant - passeport Disneyland Paris en haute sais. : 41 €/j (enf. 3-11 ans 33 €) ; 109 €/3j (enf. 89 €).* Tous les spectacles et animations autour des univers créés par Walt Disney ainsi que ceux des Studios Walt Disney.

France Miniature – *Cartes Michelin Local 311 H3 et n° 106 pli 5 - Yvelines (78) - à Élancourt, à l'Ouest de Versailles - accès en voiture par A 13, puis A 12 vers St-Quentin ; rejoindre la N 10 en direction de Rambouillet ; à Trappes, prendre la D 23 qui conduit à Élancourt - ☏ 08 26 30 20 40 - www.franceminiature.com - ♿ Juil. et août : 10h-18h ; avr.-juin et 1er sept.-12 nov. : 10h-18h - fermé 1-8 nov. et 12 nov.-31 mars - 14,50 € (enf. : 9,50 €).* Ce parc a la forme d'une immense carte de France en relief, bordée par endroits de plans d'eau qui en dessinent le littoral, et sur laquelle près de 2 000 maquettes reproduisent les principaux édifices et monuments de France.

Mer de Sable – *Carte Michelin Local 305 H5 - Oise (60) - à 52 km de Paris par l'autoroute A 1, sortie 8, puis la N 324 et à droite la N 330 - ☎ 03 44 54 00 96 - www.mer-de-sable.fr - ♿ - Avr.-sept. : 10h30-18h - 16,50 € (3-11 ans 14,50 €) -*. Animations dans un décor Far West, au cœur d'une mer de sable.

PATINOIRES

En plein air

L'hiver, la Mairie de Paris installe deux patinoires en plein air. Accès gratuit. Location de patins. Rens. : 08 20 00 75 75

Place de l'Hôtel-de-Ville – *4e arr. - Mo Hôtel-de-Ville.*

Place Raoul-Dautry – *Entre la gare et la tour Monptarnasse - 15e arr. - Mo Montparnasse-Bienvenüe.*

En salle

Patinoire Sonia-Henie – *12e arr. - Mo Bercy. Voir Promenade 29.*

PISCINES

Sauf mention contraire, le tarif d'entrée des piscines municipales est de 2,40 € (tarif réduit : 1,35 €, abonnements possibles) ; leçons de natation individuelles : 11,40 €, leçons collectives : 4,85 €. à partir de 8 ans seul. Avant, les enfants doivent être accompagnés. Caleçons interdits. Bonnet obligatoire (en vente sur place). Les piscines sont classées par arrondissement.

Piscine Suzanne-Berlioux – *10 pl. de la Rotonde, Forum des Halles niveau -3 - 1er arr. - Mo les Halles - promenade 15 - ☎ 01 42 36 98 44 - lun., mar., jeu. et vend. 11h30-22h, merc. 10h-22h, w.-end et j. fériés 9h-19h - 3,80 € (4-16 ans : 3 €).* Baies vitrées donnant sur un jardin tropical.

Piscine Jean-Taris – *16 r. Thouin - 5e arr. - Mo Cardinal-Lemoine ou Place-Monge - Promenade 4 - ☎ 01 55 42 81 90 - mar.-jeu. 7h-8h, 11h30-13h, merc. 7h-8h, 11h30-17h30, vend. 7h-8h, 11h30-13h, 17h-20h, sam. 7h-17h30, dim. 8h-17h30 ; vac. scol. : lun. 14h-17h30, mar.-jeu. 7h-17h30, vend. 7h-20h, sam. 7h-17h30, dim. 8h-17h30.* Bébés nageurs. Système de télédétection des noyades. Baies vitrées.

Piscine Pontoise-Quartier latin – *18 r. de Pontoise - 5e arr. - Mo Maubert-Mutualité - Promenade 2 - ☎ 01 55 42 77 88 - lun., mar. 7h-8h30, 12h15-13h30, 16h30-20h45, merc. 7h-8h30,*

Ph. Gajic / MICHELIN

Drôle de rencontre, rue Vitruve.

12h15-20h45, jeu. 7h-8h30, 12h15-13h30, 16h30-19h15, vend. 7h-8h45, 12h-13h30, 16h30-20h, sam. 10h-19h, dim. 8h-19h.

Piscine Valeyre – *22-24 r. de Rochechouart - 9e arr. - Mo Cadet - Promenade 20 - ☎ 01 2 85 27 61 - merc. 11h30-17h15, jeu. 17h15-21h15, sam. 7h-18h, dim. 8h-20h ; vac. scol. : 7h-18h.* Un seul et même bassin. Pente déclinée. Une belle piscine, joliment décorée, ce qui ne gâche rien quand on veut jouer les requins ou les sirènes.

Piscine de la Cour-des-Lions – *9-11 r. Alphonse-Baudin - 11e arr. - Mo Richard-Lenoir - Promenades 17 et 19 - ☎ 01 43 55 09 23 - mar. 7h-8h, 11h30-13h, 16h30-19h, merc. 7h-8h, 11h30-17h, jeu. et vend. 7h-8h, 11h30-13h, sam. 7h-17h30, dim. 8h-17h30 ; vac. scol. : lun. 14h-17h30, mar. 7h-19h30, merc.-sam. 7h-19h, dim. 8h-17h30.* Baies vitrées.

Piscine Georges-Rigal – *115 bd de Charonne - 11e arr. - Mo Alexandre-Dumas - Promenade 28 - ☎ 01 44 93 28 18 - mar., jeu. et vend. 7h-8h, 11h30-13h, merc. 7h-8h, 11h30-17h30, sam. 7h-17h30, dim. 8h-17h30 ; vac. scol. : lun. 14h-17h, mar.-sam. 7h-17h30, dim. 8h-17h30.* Baies vitrées, plongeoir 1 m.

Piscine de Reuilly – *13 r. Hénard - 12e arr. - Mo Montgallet ou Dugommier - Promenade 18 - ☎ 01 40 02 08 08 - lun. 12h-13h, mar. et vend. 7h-8h, 12h-13h, merc. 7h-8h, 12h-17h30, jeu. 12h-13h, 16h30-22h, sam. 10h-17h30, dim. 8h-17h30 ; vac. scol. : lun. 12h-17h30, mar., merc. et vend. 7h-17h30, jeu. 8h30-22h, sam. et dim. 8h-17h30.* Système de télédétection des noyades, baies vitrées, solarium gazonné.

Piscine Roger-Le Gall – *34 bd Carnot - 12e arr. - Mo Porte-de-Vincennes - ☎ 01 44 73 81 12 - lun. 12h-14h, 17h-20h, mar., jeu. et vend. 12h-14h, 17h-21h, merc. 8h-21h, sam. 10h-19h, dim. et j. fériés 8h-19h.* Cafétéria, bassin découvert, pataugeoire.

Piscine Butte-aux-Cailles – *5 pl. Paul-Verlaine - 13ᵉ arr. - Mº Place-d'Italie - ☎ 01 45 89 60 05 - mar. 7h-8h, 11h30-13h, 16h30-18h30, merc. 7h-18h30, jeu. et vend. 7h-8h, 11h30-18h, sam. 7h-8h, 10h-18h, dim. 8h-17h30 ; vac. scol. : lun. 14h-18h, mar. et merc. 7h-18h30, jeu.-sam. 7h-18h, dim. 8h-17h30.* Solarium. Terrasse extérieure et bassin découvert en été.

Piscine Château-des-Rentiers – *184 r. du Château-des-Rentiers - 13ᵉ arr. - Mº Nationale - ☎ 01 45 85 18 26 - mar. 7h-8h15, 11h30-13h15, merc. 7h-8h15, 11h30-17h30, jeu. et vend. 7h-8h15, 11h30-13h15, sam. 7h-17h30, dim. 8h-17h30.*

Piscine Dunois – *70 r. Dunois - 13ᵉ arr. - Mº Nationale ou Chevaleret - ☎ 01 45 85 44 81 - lun. 17h30-19h30, mar., jeu., vend. 7h-8h, 11h30-13h, merc. 7h-8h, 11h30-17h30, sam. 7h-17h30, dim. 8h-17h30 ; vac. scol. : lun. 14h-17h30, mar.-sam. 7h-17h30, dim. 8h-17h30.* Baies vitrées.

Piscine Aspirant-Dunand – *20 r. Saillard - 14ᵉ arr. - Mº Mouton-Duvernet ou Denfert-Rochereau - ☎ 01 53 90 24 70 - mar. et jeu. 7h-8h, 11h30-13h, merc. 7h-17h30, vend. 7h-8h, 11h30-13h, 17h30-21h30, sam. 7h-18h30, dim. 8h-17h30 ; vac. scol. : lun. 14h-17h30, mar.-jeu. 7h-17h30, vend. 7h-21h30, sam. 7h-18h30, dim. 8h-17h30.* Système de télédétection des noyades. Baies vitrées.

Piscine Didot – *22 av. Georges-Lafenestre - 14ᵉ arr. - Mº Porte-de-Vanves - ☎ 01 45 39 89 29 - mar. 7h-8h, 11h30-13h, merc. 7h-8h, 11h-30-19h, jeu. et vend. 7h-8h, 11h30-13h, sam. 7h-17h30, dim. 8h-17h30 ; vac. scol. : lun. 14h-17h30, mar.-sam. 7h-17h30, merc. 7h-19h, dim. 8h-17h30.*

Aquaboulevard – *15ᵉ arr. - Voir la promenade 23 (parc André-Citroën).*

Piscine Blomet – *17 r. Blomet - 15ᵉ arr. - Mº Volontaires ou Sèvres-Lecourbe - ☎ 01 47 83 35 05 - mar.-vend. 7h-8h, 11h30-18h30, sam. 7h-18h30, dim. 8h-17h30 ; vac. scol. : lun. 14h-18h, mar.-sam. 7h-18h30, dim. 8h-17h30.*

Piscine Émile-Antoine – *9 r. Jean-Rey - 15ᵉ arr. - Mº Bir-Hakeim, RER Champ-de-Mars - Promenade 10 - ☎ 01 53 69 61 59 - mar., jeu. et vend. 7h-8h, 11h30-13h, merc. 7h-8h, 11h30-20h, sam. 7h-17h30, dim. 8h-17h30 ; vac. scol. : lun. 14h-17h30, mar., jeu. et vend. 7h-16h, merc. 7h-20h, sam. et dim. 8h17h.* Baies vitrées. Solarium. Jardins aquatiques (à partir de 4 ans).

Piscine Keller – *14 r. de L'Ingénieur-Keller - 15ᵉ arr. - Mº Charles-Michels ou Javel - Promenade 23 - ☎ 01 45 77 12 12 - lun. 12h-22h30, mar. 12h-21h30, merc. 8h-21h, jeu. et vend. 12h-20h, sam. et dim. 8h-19h ; vac. scol. : lun. 8h-22h30, mar. 8h-21h30, merc. 8h-21h, jeu. et vend. 8h-20h, sam. et dim. 8h-19h.* Toit ouvrant. Bébés nageurs.

Piscine Porte-de-La Plaine – *13 r. du Gén.-Guillaumat - 15ᵉ arr. - Mº Porte-de-Versailles ou Porte-de-Vanves - Promenade 25 - ☎ 01 45 32 34 00 - mar., jeu. et vend. 7h-8h, 11h30-13h, merc. et sam. 7h-17h30, dim. 8h-17h30 ; vac. scol. : lun. 14h-17h30, mar.-sam. 7h-17h30, dim. 8h-17h30.* Canoë-kayak.

Piscine René-et-André-Mourlon – *19 r. Gaston-de-Caillavet - 15ᵉ arr. - Mº Charles-Michels, Dupleix ou Bir-Hakeim - Promenade 10 - ☎ 01 45 75 40 02 - mar. et vend. 7h-8h, 11h30-13h, merc. 7h-8h, 11h30-17h30, jeu. 11h30-13h, 17h-19h30, sam. 7h-17h30, dim. 8h-17h30 ; vac. scol. : lun. 14h-17h30, mar., merc., vend. et sam. 7h-17h30, jeu. 8h-19h30, dim. 8h-17h30.* Animations enfants.

Piscine Henry-de-Montherlant – *32 bd Lannes - 16ᵉ arr. - Mº La Muette - Promenade 10 - ☎ 01 45 03 28 30 - mar. 7h-8h, 11h30-13h, 17h15-20h, merc. 7h-8h, 11h30-17h, jeu. et vend. 7h-8h, 11h30-13h, sam. 7h-17h15, dim. 8h-17h15 ; vac. scol. : lun. 14h-17h15, mar. 7h-20h30, merc.-sam. 7h-17h15, dim. 8h-17h15.* Baies vitrées, plongeoir, solarium. Un des bassins est équipé d'un toboggan.

Piscine d'Auteuil – *Bois de Boulogne, rte des Lacs, Carrefour de Passy - 16ᵉ arr. - Mº Porte-d'Auteuil - Promenade 22 - ☎ 01 42 24 07 59 - mar., jeu. et vend. 7h-8h, 11h30-13h, merc. 7h-8h, 11h30-17h30, sam. 7h-17h30, dim. 8h-17h30 ; vac. scol. : lun. 14h-17h30, mar.-sam. 7h-17h30, dim. 8h-17h30.* Toit ouvrant en été.

Piscine Champerret – *36 bd de Reims - 17ᵉ arr. - Mº Porte-de-Champerret - Promenade 22 - ☎ 01 47 66 49 98 - lun. et jeu. 11h30-14h, 16h30-20h, mar. 11h30-14h, 16h30-21h, merc. 11h30-20h, vend. 11h30-14h, 16h30-21h, sam., dim. et j. fériés 8h30-19h ; vac. scol. : lun.-vend. 10h-21h, sam. et dim. 8h-19h.* Les enfants la réclament à cor et à cri à cause de son toboggan long de 33 m et qui aboutit à un petit bassin où ils ont pied. Éclaboussures garanties. Ils pourront aller ensuite se reposer sur les pelouses extérieures.

Piscine Hebert – *2 r. des Fillettes - 18ᵉ arr. - Mº Marx-Dormoy - Promenade 21 - ✆ 01 55 26 84 90 - lun. 16h30-18h30, mar. 7h-8h, 11h30-13h, 16h30-18h, merc. 7h-8h, 11h30-16h30, jeu. 7h-8h, 11h30-13h, 16h30-18h, 7h-8h, 11h30-13h, 16h30-19h30, sam. 7h-17h45, dim. 8h-17h30.* Bassin découvert aux beaux jours.

Piscine Bertrand-Dauvin – *12 r. René-Binet - 18ᵉ arr. - Mº Porte-de-Clignancourt - ✆ 01 44 92 73 40 - lun. 11h-13h, mar. 7h-8h, 11h30-13h, merc. 7h-8h, 11h30-167h30, jeu. 7h-8h, 11h30-13h, 17h-19h30, vend. 7h-8h, 11h30-13h, sam. 7h-17h30, dim. 8h-17h30 ; vac. scol. : lun. 14h-17h30, mar., merc., vend. et sam. 7h-17h30, jeu. 7h-19h30, dim. 8h-17h30.* Baies vitrées.

Piscine Georges-Hermant – *4 r. David-d'Angers - 19ᵉ arr. - Mº Danube - Promenade 27 - ✆ 01 42 02 45 10 - lun. et jeu. 11h30-14h, 16h30-20h, mar. et vend. 11h30-14h, 16h30-21h, merc. 8h30-21h, sam., dim. et j. fériés 9h-18h ; vac. scol. : lun.-vend. 10h-21h.* Ce qui est formidable, c'est qu'elle est découverte l'été et que l'on peut s'entraîner à plonger de très haut ; cours de natation dès l'âge de 5 ans, de plongée, dès 8 ans.

PONEYS (PROMENADES)

Un petit tour à dos de poney, ou d'âne, fait toujours plaisir aux enfants. La balade est généralement très courte, mais le plaisir immense.
Vous trouverez des promenades à dos de poney ou d'âne dans les parcs et jardins suivants :

Jardins du Champs-de-Mars – *7ᵉ arr. - Mº École-Militaire - Promenade 10.* Poneys et ânes.

Parc Monceau – *8ᵉ arr. - Mº Monceau - Promenade 12.* Poneys.

Bois de Vincennes – *Lac des Minimes - 12ᵉ arr. - RER Fontenay-sous-Bois - Promenade 30.* Poneys.

Bois de Vincennes – *Lac Daumesnil - 12ᵉ arr. - Mº Château-de-Vincennes - Promenade 30.* Poneys.

Bois de Vincennes – *Lac de St-Mandé - 12ᵉ arr. - Mº St-Mandé-Tourelle - Promenade 30.* Poneys.

Parc Montsouris – *14ᵉ arr. - RER Cité-Universitaire - Promenade 6.* Poneys.

Parc Georges-Brassens – *15ᵉ arr. - Mº Porte-de-Vanves ou Convention - Promenade 25.* Poneys.

Jardins du Ranelagh – *16ᵉ arr. - Mº La Muette - Promenade 22.* Ânes.

Bois de Boulogne – *Lac Inférieur - 16ᵉ arr. - Mº Porte-Dauphine - Promenade 22.* Poneys.

Parc des Buttes-Chaumont – *19ᵉ arr. - Mº Buttes-Chaumont - Promenade 27.* Poneys.

ROLLER ET AUTRES GLISSES

Tout sur le roller à Paris : www.rsi.asso.fr et www.mobile-en-ville.asso.fr : plan d'accessibilité et balades dans Paris pour rollers, fauteuils roulants et trottinettes.

Randonnées en rollers

Les randonnées en rollers organisées à Paris permettent de parcourir la capitale dans des conditions privilégiées (les rues sont à vous !) et de faire des rencontres… Ne prenez quand même pas à la légère la pratique des rollers : protégez-vous avec casque, coudières, protège-poignets et genouillères (il y a toujours au moins un petit accrochage à chaque rando). Portez de préférence des vêtements clairs et choisissez une rando adaptée à votre niveau. Enfin, ces randos sont déconseillées aux enfants en trop bas âge.

Pari Roller – *5 r. Michal - 13ᵉ arr. - ✆ 06 25 21 09 99 - www.pari-roller.com.* Tous les vendredis soir, l'association Pari Roller organise une traversée de Paris à roller (environ 25 km en 3h). Le cortège est autorisé par la police, ce qui interdit l'accès des voies empruntées par les rollers à la circulation automobile et aux piétons. Dép. 22h, devant la gare Montparnasse. Débutants s'abstenir ; il faut maîtriser le freinage.

Rollers et Coquillages – *4ᵉ arr. - M° Bastille - ✆ 01 44 54 94 42 (répondeur) - www.rollers-coquillages.org.* Organise la randonnée en Rollers du dim. dans Paris. Dép. dim. à 14h30 de Bastille, 37 bd Bourdon. Durée : environ 3h. Niveaux débutant et confirmé. Trajet différent à chaque rando. Participation libre mais possibilité d'adhésion sur place. Assurance, randonnées spéciales et w.-end pour les adhérents.

Rollers Squad Institut (RSI) – *7 r. Jean-Giono - 13ᵉ arr. - M° Quai de la Gare - ✆ 01 56 61 99 61 - www.rsi.asso.fr - tlj sf w.-end 10h-13h, 14h-18h.*

Cette association propose plusieurs formules gratuites de randonnées à roller. « Rando Skating Initiation » : dim. 15h aux Invalides, devant le pont Alexandre-III ; durée : 2h ; niveau débrouillé (initiation technique) ; lieu : trottoirs. Autres randonnées (niveau débrouillé à confirmé) : se renseigner. Les randonnées sont accompagnées par des moniteurs diplômés FFRS et formés à la Prévention routière.

Les spots pour la glisse

Pour aller s'entraîner... ou pour admirer le spectacle ! Classement par arrondissement.

Suzanne-Berlioux – *4 pl. de la Rotonde, Forum des Halles, niveau -3 - 1er arr. - M° Les Halles - Promenade 15.*

Palais Royal – *Pl. du Palais-Royal - 1er arr. - M° Palais Royal - Promenade 14.*

Place de la Bourse – *Pl. de la Bourse - 2e arr. - M° Bourse - Promenade 14.*

Pont Saint-Louis – *Pont Saint-Louis - 4e arr. - M° Pont-Marie - Promenades 1 et 17.*

Place de la Bastille – *Côté Arsenal - 4e arr. - M° Bastille - Promenade 18.*

Esplanade des Invalides – *Dalle Ouest - 7e arr. - M° Invalides - Promenade 8.*

Richard-Lenoir – *Mail central - 11e arr. - M° Bastille, Bréguet-Sabin ou Richard-Lenoir - Promenade 18.*

Lepeu – *40 r. Émile-Lepeu - 11e arr. - M° Charonne - Promenade 28.*

Gare de Lyon – *Cour Châlon - 12e arr. - M° Gare de Lyon - Promenade 18.*

Roller parc de Bercy – *Parc de Bercy - 12e arr. - M° Bercy - Promenade 29.*

Roller parc Vincent-Auriol – *Face au 61 bd Vincent-Auriol, sous métro - 13e arr. - M° Chevaleret.*

Stade Boutroux – *1 av. Boutroux - 13e arr. - M° Porte-d'Ivry.*

Gymnase du Château-des-Rentiers – *184 r. du Château-des-Rentiers - 13e arr. - M° Nationale.*

Stade Jules-Noël – *3 av. Maurice-d'Ocagne - 14e arr. - M° Porte-de-Vanves.*

Square du Serment-de-Koufra – *Av. de la Porte-de-Montrouge - 14e arr. - M° Porte- d'Orléans.*

Stade Élisabeth – *7-15 av. Paul-Appell - 14e arr. - M° Porte-d'Orléans.*

Centre sportif Suzanne-Lenglen – *5 r. Camille-Desmoulins - 15e arr. - M° Balard - Promenade 23.*

Stade de la Muette – *60 bd Lannes - 16e arr. - M° Rue-de-la-Pompe - Promenade 10.*

Jardins du Trocadéro – *16e arr. - M° Trocadéro - Promenade 10.*

Bois de Boulogne – *Allée de la Reine-Marguerite - 16e arr. - M° Porte-Dauphine - Promenade 22.*

Bois de Boulogne – *Av. de St-Cloud - 16e arr. - M° Porte-Dauphine - Promenade 22.*

Roller parc de la Chapelle – *Face au 22 bd de la Chapelle, sous le métro - 18e arr. - M° Chapelle.*

Square de la Porte-d'Aubervilliers – *Av. McDonald - 19e arr. - M° Porte-de-La Villette - Promenade 26.*

Parc de La Villette – *Esplanade du Zénith - 19e arr. - M° Porte-de-Pantin - Promenade 26.*

Ph. Benet / MICHELIN

Armoiries de Paris

Square Séverine – *Angle de l'av. de la Porte-de-Bagnolet et de la r. Mortier - 20e arr. - M° Porte-de-Bagnolet - Promenade 28.*

Centre sportif Davout – *134 bd Davout - 20e arr. - M° Porte-de-Bagnolet - Promenade 28.*

Pistes de rollers

Ce sont des pistes spécialement aménagées, que l'on trouve dans les jardins publics suivants :

Square Tino-Rossi – *Quai St-Bernard - 5e arr. - M° Jussieu - Promenade 4.*

Parc Monceau – *8e arr. - M° Monceau.*

Square René-Le Gall – *43 r. Corvisart - 13e arr. - M° Corvisart.*

Parc de Choisy – *128-160 av. de Choisy - 13e arr. - M° Tolbiac.*

Square Aspirant-Dunand – *R. Mouton-Duvernet - 14e arr. - M° Mouton-Duvernet - Promenade 5.*

Square du Serment-de-Koufra – *Av. de la Porte-de-Montrouge 14e arr. - M° Porte- d'Orléans.*

Square Alexandre-et-René-Parodi – *Bd de l'Amiral-Bruix - 16e arr. - M° Porte-Maillot - Promenade 22.*

Parc Ste-Périne – *R. Mirabeau - 16e arr. - M^o^ Chardon-Lagache ou Mirabeau.*

Square Boulay-Level – *R. Boulay - 17e arr. - M^o^ Porte-de-Clichy.*

Square des Épinettes – *R. Maria-Deraismes - 17e arr. - M^o^ Guy-Môquet.*

Square des Batignolles – *Pl. Charles-Fillion - 17e arr. - M^o^ Brochant.*

Promenade Bernard-Lafay – *Du bd d'Aurelle-de-Paladines à l'av. de la Porte-d'Asnières - 17e arr. - M^o^ Porte-de-Champerret, Louise-Michel ou Porte-Maillot - Promenade 22.*

Promenade Pereire – *Bd Pereire - 17e arr. - M^o^ Porte-Maillot - Promenade 22.*

Square Henri-Huchard – *Av. de la Porte-de-St-Ouen - 18e arr. - M^o^ Porte-de-St-Ouen.*

Square Carpeaux – *R. Carpeaux - 18e arr. - M^o^ Guy-Môquet.*

Square de la Porte-de-La Villette – *R. du Chemin-de-Fer - 19e arr. - M^o^ Porte-de-La Villette - Promenade 26.*

Square Emmanuel-Fleury – *R. Le Vau - 20e arr. - M^o^ Gallieni - Promenade 28.*

Square Séverine – *Angle de l'av. de la Porte-de-Bagnolet et de la r. Mortier - 20e arr. - M^o^ Porte-de-Bagnolet - Promenade 28.*

Square Sarah-Bernhardt – *R. de Buzenval - 20e arr. - M^o^ Buzenval.*

SCIENCES

Médiathèque de la Cité des sciences – *Cité des sciences et de l'industrie - 19e arr. - M^o^ Porte-de-La Villette - Promenade 26 et visite 34 - ♿ - tlj sf lun. 12h-19h45 (mar. 18h45) - niveaux 1 et 2 pour les adultes, niveau 0 pour les enfants - tout public, avec un espace « Jeunesse » - consultation et prêt possible - accès libre et gratuit.* Vos enfants n'ont pas la bosse des maths ni la chevelure d'Einstein ? Ce n'est vraiment pas grave. Ils trouveront dans cette médiathèque autant de livres pointus sur les sciences que de romans, de BD et d'albums pour les tout-petits. Ils peuvent aussi consulter des cédéroms et visionner des films qui, tout en douceur, les ramèneront aux sciences... Un très bel espace, avec un coin bébé et une belle vue sur la Géode.

S. Sauvignier / MICHELIN

Un drôle de canon, aux Invalides.

TENNIS

Il existe à Paris 44 tennis municipaux. Pour réserver un court, il suffit de se procurer une carte Paris Sports délivrée gratuitement dans un des centres de tennis ou par courrier (Mairie de Paris -DJS - BP 4121 - 75163 Paris Cedex 04) en joignant une photocopie de votre carte d'identité (ou de votre passeport) et deux photos d'identité. La réservation peut s'effectuer par Minitel 3615 Paris en tapant le code RTEN (pour Réservation des TENnis). Elle devrait aussi être bientôt possible sur Internet. Si vous n'avez pas réservé, mieux vaut vous présenter sur les courts en début de semaine ou avant 11h. La vente des tickets est généralement assurée sur place, sinon il faut s'adresser au centre de tennis le plus proche. Tarifs : 11,40 €/h sur court couvert, 5,75 €/h sur court découvert (tarif réduit 6,10 € et 3,20 € ; également tarifs à la 1/2h et abonnements).
Nous ne donnons ci-dessous (par arrondissement) que les terrains de 3 courts ou plus.

Luxembourg – *Jardin du Luxembourg - 6e arr. - RER Luxembourg - Promenade 24 - ☏ 01 43 25 79 18.* 6 courts.

Candie – *11 r. Candie - 11e arr. - M^o^ Ledru-Rollin - Promenade 18 - ☏ 01 43 55 84 95.* 3 courts.

Carnot – *26 bd Carnot - 12e arr. - M^o^ Porte-de-Vincennes - ☏ 01 43 45 01 06.* 13 courts couverts.

La Faluère – *Bois de Vincennes, rte de la Pyramide - 12e arr. - Mo Château-de-Vincennes puis bus 112 (arrêt La Faluère) - Promenade 30 - ✆ 01 43 74 40 93.* 21 courts, 1 mur d'entraînement.

Léo-Lagrange – *Bois de Vincennes, rte des Fortifications - 12e arr. - Mo Porte-de-Charenton - Promenade 30 - ✆ 01 43 46 58 79.* 6 courts, 1 mur d'entraînement.

Paul-Valéry – *15 r. de la Nouvelle-Calédonie - 12e arr. - Mo Porte-Dorée - Promenade 30 - ✆ 01 44 87 00 50.* 6 courts, dont 3 couverts, 1 mur d'entraînement.

Charles-Moureu – *17 r. Edison - 13e arr. - Mo Place-d'Italie - ✆ 01 53 60 91 10.* 5 courts, dont 1 couvert.

La Plaine – *13 r. du Gén.-Guillaumat - 15e arr. - Mo Porte-de-Versailles - Promenade 23 - ✆ 01 45 33 56 99.* 4 courts, 1 mur d'entraînement.

Mourlon – *19 r. Gaston-de-Caillavet - centre commercial Beaugrenelle - 15e arr. - Mo Charles-Michels ou Dupleix - Promenade 23 - ✆ 01 45 75 40 43.* 3 courts.

Suzanne Lenglen – *2 r. Louis-Armand - 15e arr. - Mo Balard - Promenade 23 - ✆ 01 44 26 26 50/51.* 15 courts, dont 2 couverts, 1 mur d'entraînement.

Fonds des Princes – *61 av. de la Porte-d'Auteuil - 16e arr. - Mo Porte-d'Auteuil - Promenade 22 - ✆ 01 46 51 17 53.* 5 courts.

Henry-de-Montherlant – *30-32 bd Lannes - 16e arr. - Mo Porte-Dauphine ou Rue-de-la-Pompe - Promenade 22 - ✆ 01 40 72 28 32.* 6 courts, 1 mur d'entraînement.

Niox – *2 av. du Gén.-Niox - 16e arr. - Mo Porte-de-St-Cloud - Promenade 22 - ✆ 01 45 20 62 59.* 4 courts.

Asnières – *1-11 bd de Reims - 17e arr. - Mo Porte-de-Champerret - ✆ 01 47 66 13 47.* 3 courts.

Reims – *32-34 r. de Reims - 17e arr. - Mo Porte-de-Champerret - ✆ 01 42 67 11 33.* 6 courts, 1 mur d'entraînement.

Courcelles – *229 r. de Courcelles - 17e arr. - Mo Porte-de-Champerret - ✆ 01 48 88 00 17.* 4 courts, 2 murs d'entraînement.

Max-Rousié – *22 r. André-Bréchet - 17e arr. - Mo Porte-de-St-Ouen - ✆ 01 44 85 42 50.* 3 courts, 1 mur d'entraînement.

Bertrand-Dauvin – *12 r. René-Binet - 18e arr. - Mo Porte-de-Clignancourt - ✆ 01 44 92 73 32.* 3 courts couverts.

Championnet – *172 r. Championnet - 18e arr. - Mo Simplon - ✆ 01 46 06 71 81.* 3 courts, 1 mur d'entraînement.

Poissonniers – *2 r. Jean-Cocteau - 18e arr. - Mo Porte-de-Clignancourt - ✆ 01 42 51 24 68.* 3 courts.

Ladoumègue – *1 r. de la Porte-de-Pantin - 19e arr. - Mo Porte-de-Pantin - Promenade 26 - ✆ 01 48 43 23 86.* 6 courts, 1 mur d'entraînement.

Pailleron – *24 r. Édouard-Pailleron - 19e arr. - Mo Ourcq - Promenade 26 - ✆ 01 42 08 58 86/05 60.* 4 courts, 1 mur d'entraînement.

Sept-Arpents – *R. des Sept-Arpents - 19e arr. - Mo Porte-de-Pantin - Promenade 26 - ✆ 01 42 01 66 93.* 3 courts.

Louis-Lumière – *30 r. Louis-Lumière - 20e arr. - Mo Porte-de-Bagnolet - Promenade 28 - ✆ 01 43 70 86 32.* 5 courts, 2 murs d'entraînement.

Porte-de-Bagnolet – *72 r. Louis-Lumière - 20e arr. - Mo Porte-de-Bagnolet - Promenade 28 - ✆ 01 43 61 29 71.* 4 courts.

TENNIS DE TABLE

Vous trouverez des tables de ping-pong dans de nombreux squares et jardins, en particulier ceux que nous listons ci-dessous (classement par arrondissement). N'oubliez pas d'apporter vos raquettes et vos balles.

Square Émile-Chautemps – *Bd de Sébastopol - 3e arr. - Mo Réaumur-Sébastopol - Promenades 15 et 16.*

Square du Temple – *R. du Temple - 3e arr. - Mo Temple ou Arts-et-Métiers - Promenade 16.*

Square Georges-Caïn – *R. Payenne - 3e arr. - Mo St-Paul ou Chemin-Vert - Promenade 17.*

Square Charles-Victor-Langlois – *R. des Blancs-Manteaux - 4e arr. - Mo Rambuteau ou St-Paul - Promenade 17.*

Jardin Albert-Schweitzer – *R. de l'Hôtel-de-Ville - 4e arr. - Mo Pont-Marie - Promenade 17.*

Square Robert-Montagne – *Pl. du Puits-de-l'Ermite - 5e arr. - Mo Monge - Promenade 4.*

Jardins de l'Observatoire – *Av. de l'Observatoire (jardin Robert-Cavelier-de-la-Salle et jardin Marco-Polo) - 6e arr. - RER Port-Royal ou Luxembourg - Promenade 24.*

Squares du Président-Mithouard – *Pl. du Prés.-Mithouard - 7e arr. - Mo St-François-Xavier - Promenade 8.*

Square Marcel-Pagnol – *Pl. Henri-Bergson - 8e arr. - Mo St-Augustin - Promenade 12.*

Square d'Estienne-d'Orves – *Pl. d'Estienne-d'Orves - 9e arr. - Mo Trinité - Promenade 20.*

Jardin Amadou-Hampaté-Bâ – *Quai de Jemmapes - 10e arr. - Mo Colonel-Fabien - Promenade 19.*

Square Maurice-Gardette – *R. Lacharrière - 11e arr. - Mo St-Ambroise - Promenade 19.*

Jardin de Charonne – *159 r. de Charonne - 11e arr. - Mo Charonne - Promenade 28.*

Jardin des Jardiniers – *Impasse des Jardiniers - 11e arr. - Mo Charonne - Promenade 28.*

Square Raoul-Nordling – *28-34 r. St-Bernard - 11e arr. - Mo Faidherbe-Chaligny - Promenade 18.*

Square Trousseau – *R. du Faubourg-St-Antoine - 12e arr. - Mo Ledru-Rollin - Promenade 18.*

Promenade plantée – *Av. Daumesnil - 12e arr. - Mo Bastille - Promenade 18.*

Square St-Éloi – *8-14 passage Montgallet - 12e arr. - Mo Montgallet - Promenade 18.*

Parc de Bercy – *12e arr. - Mo Bercy - Promenade 29.*

Square Carnot – *Bd Carnot - 12e arr. - Mo Porte-de-Vincennes - Promenade 30.*

Square René-Le Gall – *43 r. Corvisart - 13e arr. - Mo Corvisart ou Gobelins.*

Square Brassaï – *59 bd Auguste-Blanqui - 13e arr. - Mo Corvisart.*

Jardin des Deux-Moulins – *Bd Vincent-Auriol - 13e arr. - Mo Place-d'Italie.*

Parc de Choisy – *128-160 av. de Choisy - 13e arr. - Mo Tolbiac.*

Square du Cardinal-Wyszynski – *52-76 r. Vercingétorix - 14e arr. - Mo Pernety - Promenade 5.*

Square Aspirant-Dunand – *R. Mouton-Duvernet - 14e arr. - Mo Mouton-Duvernet.*

Parc Montsouris – *Bd Jourdan - 14e arr. - RER Cité-Universitaire - Promenade 6.*

Square du Serment-de-Koufra – *Av. de la Porte de Montrouge - 14e arr. - Mo Porte-d'Orléans - Promenade 6.*

Square Saint-Lambert – *R. Thérophraste-Renaudot - 15e arr. - Mo Commerce.*

Square Violet – *Pl. Violet - 15e arr. - Mo Félix-Faure.*

Square du Clos-Feuquières – *R. du Clos-Feuquières - 15e arr. - Mo Convention - Promenade 25.*

Jardin Atlantique – *R. du Com.-Mouchotte - 15e arr. - Mo Montparnasse-Bienvenüe - Promenade 5.*

Parc Georges-Brassens – *R. des Morillons - 15e arr. - Mo Convention ou Porte-de-Vanves - Promenade 25.*

Square du Docteur-Calmette – *Bd Lefebvre - 15e arr. - Mo Porte-de-Vanves - Promenade 25.*

Parc André-Citroën – *15e arr. - Mo Balard - Promenade 23.*

Square Alexandre-et-René-Parodi – *Bd de l'Amiral-Bruix - 16e arr. - Mo Porte-Maillot - Promenade 22.*

Jardins du Ranelagh – *Av. du Ranelagh - 16e arr. - Mo La Muette - Promenade 22.*

Jardins de la Porte-de-St-Cloud – *Pl. de la Porte-de-St-Cloud - 16e arr. - Mo Porte-de-St-Cloud - Promenade 22.*

Square des Batignolles – *Pl. Charles-Fillion - 17e arr. - Mo Brochant.*

Promenade Pereire – *Bd Pereire - 17e arr. - Mo Pereire.*

Square Henri-Huchard – *Av. de la Porte-de-St-Ouen - 18e arr. - Mo Porte-de-St-Ouen.*

Square Léon-Serpollet – *R. Marcadet - 18e arr. - Mo Jules-Joffrin - Promenade 21.*

Jardin de Flandre-Tanger-Maroc – *R. de Flandre- 19e arr. - Mo Stalingrad - Promenade 19.*

Square Emmanuel-Fleury – *R. Le Vau - 20e arr. - Mo Gallieni - Promenade 28.*

Square Séverine – *Av. de la Porte-de-Bagnolet - 20e arr. - Mo Porte-de-Bagnolet - Promenade 28.*

THÉÂTRE

Voir aussi la rubrique « contes ». Parmi les nombreux théâtres proposant des spectacles pour enfants, nous avons choisi :

Abricadabra Théâtre – Péniche Antipod – *Face au 69 quai de la Seine - 19e arr. - Mo Riquet - Promenade 26 - ✆ 01 42 03 39 07 - merc. 10h30 et 14h30, sam. 16h, dim. 11h et 16h ; vac. sol. tlj 10h30 et 14h30, de mi-juin à fin sept., la péniche quitte le bassin de La Villette : relâche - 6 € (dès 1 an).*

Aktéon Théâtre – *11 r. du Gén.-Blaise - 11e arr. - Mo St-Ambroise - Promenade 18 - ✆ 01 43 38 74 62.*

Au Bec Fin – *6 r. Thérèse - 1er arr. - M° Palais-Royal - Promenade 14 - ✆ 01 42 96 29 35.* Nombreux spectacles les mercredi, samedi et dimanche à 15h pour les petits (à partir de 2 ans) et les plus grands.

Comédie de la Passerelle – *102 r. Orfila - 20e arr. - M° Gambetta - Promenade 28 - ✆ 01 43 15 03 70 - merc. 14h30, sam. 15h et vac. scol.*

Espace Château-Landon – *31 r. de Château-Landon - 10e arr. - M° Louis-Blanc ou Stalingrad - Promenade 19 - ✆ 01 46 07 85 77 - www.crl10.com - merc., sam. et dim. à 15h ; vac. scol. tlj 15h - 8 € (tout-petits 4 €) - réserv. conseillée*. Pour les touts-petits (dès 3 ans), des spectacles de courte durée (30mn) ont lieu le mercredi matin à 10h30 (vac. scol. lun.-vend. 10h30).

Espace Jemmapes et Jemmapes Théâtre – *116 quai de Jemmapes - 10e arr. - M° Bonsergent ou Gare-de-l'Est - Promenade 19 - ✆ 01 48 03 33 22.* Chaque dernier dimanche du mois, de 11h à 20h, sont organisés à l'espace Jemmapes des spectacles gratuit pour toute la famille. Les thèmes vont de la magie à la chanson.

Espace Kiron – *10 r. La Vacquerie - 11e arr. - M° Voltaire - Promenade 18 - ✆ 01 44 64 11 50.* Un bel espace avec un petit théâtre et une programmation qui pense toujours aux enfants.

L'Antre magique – *50 r. St-Georges - 9e arr. - M° St-Georges - Promenade 20 - ✆ 01 39 68 20 20 - merc., sam., dim., j. fériés et vac. scol. 14h30 et 16h.* L'Antre magique pense aux tout-petits , c'est-à-dire les moins de 3 ans, ce qui est rare : des spectacles de magie, des marionnettes, des clowns, des comédies musicales, qui souvent font participer les enfants en les déguisant et en les maquillant.

La Guinguette Pirate – *Quai de la Gare - 13e arr. - M° Quai-François-Mauriac - ✆ 01 43 43 86 46 - 7 € (goûter compris).* Spectacles pour petits le mercredi après-midi. Réservation indispensable.

Le Lucernaire – *53 r. Notre-Dame-des-Champs - 6e arr. - M° N.-D.-des-Champs ou Vavin - Promenade 5 - ✆ 01 45 44 57 34 - www.lucernaire.fr.* Ce théâtre d'art et d'essai propose parfois d'excellents spectacles pour les enfants comme *Le Petit Prince* ou *Les Contes de la rue Broca*.

Mélo d'Amélie – *4 r. Marie-Stuart - lieu-dit Montorgueil - 2e arr. - M° Étienne-Marcel - Promenade 15 - ✆ 01 40 26 11 11 - preau78@club-internet.fr - 21 €.* Comédies, pièces de théâtre et café-théâtre où se mêlent magie, réel et imaginaire se produisent dans cette salle dédiée à un public de tous âges.

Palais des glaces – *37 r. du Faubourg-du-Temple - 10e arr. - M° République ou Goncourt - Promenade 19 - ✆ 01 48 03 11 36 ou 01 42 02 27 17 - www.palaisdesglaces.com.*

Théâtre Astral – *Parc floral de Paris, bois de Vincennes - 12e arr. - M° Château-de-Vincennes - Promenade 30 - ✆ 01 43 71 31 10 - réserv. obligatoire - merc., dim., j. fériés et vac. scol. – 5 €.*

Théâtre Clavel – *3 r. Clavel - 19e arr. - M° Pyrénées - Promenade 27 - ✆ 01 42 38 22 58 - merc. 14h30, sam. 16h.* Programmation jeune public. Magie, cirque et théâtre classique.

Théâtre Darius-Milhaud – *80 allée Darius-Milhaud - 19e arr. - M° Porte-de-Pantin - Promenade 26 - ✆ 01 42 01 92 26 - merc. 14h pour les 8-12 ans, 15h30 pour les 4-10 ans ; vac. scol. tlj - 8 €.*

Théâtre de l'Épouvantail – *6 r. de la Folie-Méricourt - 11e arr. - M° St-Ambroise - Promenade 17 - ✆ 01 43 55 14 80 - merc. 14h20, sam. 15h -* À partir de 3 ans. Avec un nom pareil, on a déjà la chair de poule…

Théâtre de Nesle – *8 r. de Nesle - 6e arr. - M° Odéon - Promenade 3 - ✆ 01 46 34 61 04.* Spectacles pour enfants mercredi et samedi après-midi.

Théâtre Dejazet – *4 bd du Temple - 3e arr. - M° Filles-du-Calvaire - Promenade 19 - ✆ 01 48 87 52 55 - dès 4 ans.* Beaucoup de pièces classiques adaptées pour les enfants.

Théâtre des Blancs-Manteaux – *15 r. des Blancs-Manteaux - 4e arr. - M° Hôtel-de-Ville - Promenade 17 - ✆ 01 48 87 15 84 - spectacle 2-8 ans merc. 14h30, sam. 15h, dim. 16h et tlj pdt vac. scol.* Depuis 28 ans, le personnage de Gabilolo attend chaque année les enfants pour les faire participer à de nouvelles aventures.

Théâtre du Nord-Ouest – *13 r. du Faubourg-Montmartre - 9e arr. - M° Grands-Boulevards - Promenade 13 - ✆ 01 47 70 32 75.*

Théâtre Dunois – *7 r. Louise-Weiss - 13e arr. - M° Chevaleret - ✆ 01 45 84 72 00.* Spectacles pour les enfants mercredi, samedi et dimanche après-midi.

Théâtre Fontaine – *10 r. Fontaine - 9e arr. - M° St-Georges - Promenade 20 -*

☏ 01 48 74 74 40 - www. théâtrefontaine.com - à partir de 8 ans. De nombreuses pièces de théâtre rien que pour eux.

Théo Théâtre – *20 r. Théodore-Deck - 15ᵉ arr. - Mº Convention - Promenade 25 - ☏ 01 45 54 00 16.*

Vieille Grille – *9 rue Larrey - 5ᵉ arr. - Mº Place-Monge - Promenade 4 - ☏ 01 47 07 22 11.*

VÉLO

220 km de pistes cyclables couvrent Paris. Un dépliant *Paris à vélo* est disponible dans les mairies d'arrondissement et à l'Hôtel de Ville. Un axe Nord-Sud relie la piste du canal de l'Ourcq et la place de la Bataille-de-Stalingrad, à la porte de Vanves. Un deuxième, d'Est en Ouest, joint les bois de Vincennes et de Boulogne, qui sont eux-mêmes quadrillés de circuits balisés. Une piste cyclable faisant le tour complet de Paris est actuellement en cours de réalisation : un périphérique du vélo, en quelque sorte !

Des parcs à vélo sont disséminés dans toute la capitale ; la SNCF tolère et facilite l'entrée gratuite des vélos sur les RER B, C et D, mais seulement à certaines heures et dans certaines stations.

« Paris respire » – La mairie de Paris organise tous les dimanches et jours fériés l'opération « Paris respire », qui consiste à fermer les voies à la circulation automobile afin de les réserver aux piétons, cyclistes, rollers, poussettes. Trois secteurs sont concernés : les voies sur berge, de 8h à 18h, de mars à novembre (voie Georges-Pompidou, quais Anatole-France et Branly) ; les voies du 5ᵉ arrondissement, de 10h à 18h, toute l'année (rues Mouffetard, Descartes, de l'École-Polytechnique, de Lanneau, de Cluny, ainsi que la place Marcelin-Berthelot) ; et enfin les voies du 10ᵉ arrondissement, de 10h à 18h, toute l'année (quais de Valmy et de Jemmapes).

Conseils – Vous le constaterez par vous-même, les automobilistes parisiens ne font pas toujours attention aux cyclistes, bien qu'ils aient le même statut qu'eux. Nous vous déconseillons donc de faire du vélo avec vos enfants dans les rues, même celles qui comportent un couloir réservé (car dans ces couloirs passent également les bus, parfois des taxis et quelques automobilistes malotrus). Contentez-vous donc des vraies pistes cyclables.

Gardez toujours un œil sur votre vélo y compris lorsque vous êtes stationné : malgré les antivols, les pièces détachées (selles, roues avant) se revendent facilement...

H. Le Gac / MICHELIN

À vélo sur les quais.

Obligations – Sonnette et éclairage la nuit ; utilisation des sas-vélos aux feux rouges ; utilisation des emplacements de stationnement réservés ; utilisation des casques (prochainement).

Location

Voici quelques adresses pour louer des vélos. Ayez toujours sur vous vos papiers d'identité, indispensables pour toute location dans la capitale. La location comprend casque, panier, antivol et, chez certains loueurs, un siège pour enfant.

Roue Libre (RATP) – *1 passage Mondétour, 1ᵉʳ arr. - ☏ 0 810 441 534 - www.rouelibre.fr- lun.-vend. : 9 €/j ; w.-end et j. fériés : 4 €/h, 14 €/j - prévoir caution 150 €- location à la maison Roue Libre des Halles, 9h-19h ; w.-end et j. fériés sur les sites de Châtelet, porte d'Auteuil (bois de Boulogne) et esplanade du château de Vincennes (bois de Vincennes) - prêt de sièges enfants et d'antivols - assurances comprises.*

Paris à vélo, c'est sympa ! – *22 r. Alphonse Baudin - 11ᵉ arr. - Mº Richard-Lenoir - ☏ 01 48 87 60 01 - www. parisvelosympa.com - location de vélo : 12,50 €/j (prévoir 250 € de caution) - visites guidées thématiques (3h) : 32,50 € (-12 ans 18 €) - fermé mar.*

Paris Vélo – *2 r. du Fer-à-Moulin - 5e arr. - M° Censier-Daubenton - ✆ 01 43 37 59 22 - 14 €/j (10h-19h), 12 €/½j (prévoir 300 € de caution)*.

Bike'n Roller – *38 r. Fabert - 7e arr. (esplanade des Invalides) - ✆ 01 45 50 38 27 - M° Invalides - location de vélo : 17 €/j, 12 €/½j ; prêt de sièges pour enfants - Location de rollers : 12 €/j 9 €/½j (prévoir caution).*

Toy's Paradise – *Angle 26 r. Léon-Jouhaux et 41 quai de Valmy - 10e arr. - M° République - Promenade 19 - ✆ 01 40 18 95 74 - 2 €/h (10h-19h), 10 €/j.* Location de vélos pour flâner le long du canal Saint-Martin.

VISITES GUIDÉES

Jardins

Sur le site www.mnhn.fr, vous trouverez le programme de nombreuses autres visites dans les jardins, animées par des spécialistes.

Paris côté jardin – *✆ 01 40 30 47 15* - visites-conférences naturalistes historiques et architecturales dans des quartiers, jardins et monuments parisiens.

Visites guidées des parcs et jardins – La mairie de Paris propose des visites guidées (1h30 à 2h) dans les jardins et parcs de la capitale. Renseignements à la direction des Parcs et Jardins, 3 av. de la Porte-d'Auteuil, 16e arr., ✆ 01 40 71 75 60. Le programme est également donné dans les mairies d'arrondissement, à l'hôtel de Ville ou sur www.paris.fr

L'art en lire – *Mylène Caillette - 6-10 bd Jourdan - 14e arr. - RER Cité Universitaire - Promenades 7 et 24 - ✆ 06 88 20 81 28 - programmation : se renseigner - réserv. obligatoire - 7 € (enf. 4 €).* Visites guidées (1h30) à la découverte des sculptures qui jalonnent le jardin du Luxembourg ou le jardin des Tuileries. Pour retenir l'intérêt des enfants et éveiller leur esprit d'observation, Mylène Caillette émaille ses visites de tests, de quiz ou de dessins adaptés à chaque tranche d'âge.

Monuments

Centre des monuments nationaux – *Service visites-conférences - 7 bd Morland - 4e arr. - ✆ 01 44 54 19 30/35 - tlj sf w.-end. 9h-12h, 14h-17h - 8 € (-25 ans 6 €)* - visite des monuments, mais également de certains quartiers de Paris, sous l'angle de l'architecture.

Quartiers

Écoute du passé – *44 r. de Maubeuge - 9e arr. ✆ 01 42 82 11 81* - Ces visites-conférences se déroulent chaque jour dans Paris. Elles sont signalées dans certains grands quotidiens et dans la presse des spectacles. Programmes déposés à l'office du tourisme de Paris et ses annexes.

Association pour la sauvegarde et la mise en valeur du Paris historique – *44-46 r. François-Miron - 4e arr. - ✆ 01 48 87 74 31 - www.paris-historique.org - 11h-18h (dim. sous réserve).*

LES FÊTES À PARIS

Mi-janvier

La Villette – Festival international de la Géode (2e quinz. de janv.) - ✆ 01 40 05 79 99 - www.lageode.fr -Promenade 26

Fin janvier-début février

Quartiers chinois de la capitale – Nouvel An chinois (29 janv.) : grande parade dans les 3e et 13e arr. - ✆ 01 44 08 13 13 - www.mairie13.paris.fr

Début février

Cirque d'hiver Bouglione – Festival mondial du Cirque de demain - Promenade 19.

Fin février

Parc des expositions - Porte de Versailles – Si les petits animaux rencontrés lors de nos promenades dans les villages de Paris ne vous suffisent pas, partez à la rencontre des habitants des fermes. Salon de l'Agriculture - www.salon-agriculture.com - Promenade 23.

Dimanche avant mardi gras

Rues de Paris – Carnaval de Paris : « Le Bœuf dans tous ses états », cortège musical et costumé - ✆ 01 45 43 58 28 - www.carnaval-pantruche.org

Mars

Parc des expositions - Porte de Versailles – Salon du Livre - www.salondulivreparis.com

Printemps

Partout dans Paris – Portes ouvertes des ateliers d'artistes dans Paris - rens. dans les mairies d'arrondissement.

Avril à octobre

Parc floral de Vincennes – Expositions de fleurs (tulipes en avril, rhododendrons en mai, iris en mai-juin, dahlias en septembre-octobre) - ✆ 01 49 57 15 15 - Promenade 30.

Fin avril-début mai

Parc des expositions - Porte de Versailles – Foire de Paris (26 avr.-8 mai) - ✆ 01 49 09 60 00 - www.foiredeparis.fr. Allez-y surtout pour les lauréats du concours Lépine : chaque année, des inventions plus ingénieuses les unes que les autres.

Dernier week-end d'avril

Bois de Boulogne et de Vincennes – Fête de l'arbre : circuits de découverte dans les bois, ateliers de jardinage, parcours-relais d'arbre en arbre - ✆ 39 75 - www.paris.fr - Promenades 22 et 30.

Fin mai

Partout dans Paris – Immeubles en fête (30 mai) : des fêtes entre voisins, histoire de mieux faire connaissance - ✆ 01 42 12 72 72 - www.immeublesenfete.com

Rues de Paris – Le Printemps des rues : spectacles de rue ; le thème change chaque année - ✆ 01 47 97 36 06 - www.leprintempsdesrues.com

Jardins de Paris – Rendez-vous aux jardins : animations dans les jardins - www.culture.fr

Mairie du 9e arr. – Festival des enfants du 9e : exposition, spectacle de contes, ateliers, jeux de piste, goûter, vide-grenier - ✆ 01 71 37 75 11 - www.mairie9.paris.fr - Promenade 13.

Mai-juillet

Parc floral de Vincennes – Paris Jazz Festival : concerts en plein air gratuits sam. et dim. apr.-midi - ✆ 39 75 - Promenade 30.

Mai-septembre

Jardins de Paris – Musique côté jardin : concerts gratuits dans les jardins de Paris - ✆ 0 820 007 575 - www.paris.fr

Juin

La Villette – Fêtes du bassin de La Villette : spectacles de rue et feu d'artifice - ✆ 01 44 52 29 12 - Promenade 26.

21 juin

Rues de Paris – Fête de la Musique - ✆ 39 75.

De mi-juillet à mi-août

Plusieurs monuments de la capitale – Paris Quartier d'été : musique, théâtre, diverses manifestations - ✆ 01 44 94 98 00 - www.quartierdete.com

13 et 14 Juillet

Plusieurs quartiers de la capitale, dont les Champs-élysées – Bals et feux d'artifice. Défilé militaire le 14 Juillet sur les Champs-Élysées - Promenade 11.

Fin juillet (dimanche)

Champs-Élysées – Arrivée du Tour de France cycliste - Promenade 11.

Août

Quartiers de Paris – Cinéma au clair de lune : projections gratuites et en plein air de films tournés à Paris - ✆ 01 44 76 62 00 - www.forumdesimages.fr

Septembre

Parc de La Villette – Jazz à La Villette : concerts gratuits en plein air - ✆ 01 44 84 44 84 - www.cite-musique.fr - Promenade 26.

3e week-end de septembre

Plusieurs monuments de la capitale – Journées du patrimoine - ✆ 39 75 - www.paris.fr

2e samedi d'octobre

Montmartre – Fête des vendanges - ✆ 0 892 683 000 - Promenade 21.

Octobre

Parc des expositions - Porte de Versailles – Mondial de l'automobile (30 sept.-15 oct.) - ✆ 01 56 88 22 40 - www.mondial-automobile.com

Ménilmontant – Portes ouvertes des ateliers de Ménilmontant (1er w.-end. d'oct.) - ✆ 01 46 36 27 00 - http://atmenil.free.fr

Parc Georges-Brassens – Fête des vendanges et du miel - ✆ 01 55 76 75 15 - Promenade 25.

Novembre (années paires)

Différents édifices culturels et églises de la capitale – Mois de la photo - ✆ 01 44 78 75 00.

Fin novembre

Divers lieux dans le 11e arr. – Festival de contes du 11e - ✆ 01 53 27 11 11 - Promenades 18 et 19.

Mairie de Montreuil – Salon du livre et de la presse jeunesse - www.salon-livre-presse-jeunesse.net

Début décembre

Parc des expositions - Porte de Versailles – Salon nautique (2-11 déc.) - www.salonnautiqueparis.com

Parc des expositions - Porte de Versailles – Salon du cheval (fin nov.-déb. déc.) - ✆ 01 49 09 60 00 - www.salon-cheval.com

Décembre-février

Parvis de l'Hôtel de Ville et de la gare Montparnasse – Patinoires en plein air : 9h-22h.

K. Blackwell / MICHELIN

Quand la place de l'Hôtel-de-Ville prend des airs de patinoire...

NOTES

INDEX

D

E

F

G

H

T

U

V

Z

QUESTIONNAIRE
LE GUIDE VERT

VOTRE AVIS NOUS INTÉRESSE...
TOUTES VOS REMARQUES NOUS AIDERONT À ENRICHIR NOS GUIDES.

Merci de renvoyer ce questionnaire à l'adresse suivante :
MICHELIN
Questionnaire Le Guide Vert
46, avenue de Breteuil
75324 PARIS CEDEX 07

En remerciement,
les 100 premières réponses recevront en cadeau
la Carte Locale Michelin de leur choix !

VOTRE GUIDE VERT

Titre acheté : ....

Date d'achat : ....

Lieu d'achat (librairie et ville) : ....

VOS HABITUDES D'ACHAT DE GUIDES

1) Aviez-vous déjà acheté un Guide Vert Michelin ?

O oui O non

2) Achetez-vous régulièrement des Guides Verts Michelin ?

O tous les ans
O tous les 2 ans
O tous les 3 ans
O plus

3) Sur quelles destinations ?

– régions françaises : lesquelles ? ....

....

– pays étrangers : lesquels ? ....

....

– Guides Verts Thématiques : lesquels ? ....

....

4) Quelles autres collections de guides achetez-vous ?

....

5) Quelles autres sources d'information touristique utilisez-vous ?

O Internet : quels sites ? ....

....

O Presse : quels titres ? ....

....

O Brochures des offices de tourisme

Les informations récoltées sur ce questionnaire sont exclusivement destinées aux services internes de Michelin, ne feront l'objet d'aucune cession à des tiers et seront utilisées pour la réalisation d'une étude. Elles seront également conservées pour créer une base de données qui pourra être utilisée dans le cadre d'études futures. Ce questionnaire est donc soumis aux dispositions de la loi « informatique et liberté » du 6 janvier 1978. Vous disposez d'un droit d'accès, de modification, de rectification, de suppression des données qui vous concernent.

VOTRE APPRÉCIATION DU GUIDE

1) Notez votre guide sur 20 : ....

2) Quelles parties avez-vous utilisées ? ....

....

3) Qu'avez-vous aimé dans ce guide ? ....

....

4) Qu'est-ce que vous n'avez pas aimé ? ....

....

5) Avez-vous apprécié ?

	Pas du tout	Peu	Beaucoup	Énormément	Sans réponse
a. La présentation du guide (maquette intérieure, couleurs, photos...)	O	O	O	O	O
b. Les conseils du guide (sites et itinéraires)	O	O	O	O	O
c. L'intérêt des explications sur les sites	O	O	O	O	O
d. Les adresses d'hôtels, de restaurants	O	O	O	O	O
e. Les plans, les cartes	O	O	O	O	O
f. Le détail des informations pratiques (transport, horaires, prix…)	O	O	O	O	O
g. La couverture	O	O	O	O	O

Vos commentaires ....

....

6) Vos conseils, vos avis, vos suggestions d'amélioration : ....

....

7) Rachèterez-vous un Guide Vert lors de votre prochain voyage ?

O oui O non

VOUS ÊTES

O Homme O Femme Âge : .... Profession : ....

Nom..................................

Prénom..................................

Adresse..................................

....

....

....

....

Acceptez-vous d'être contacté dans le cadre d'études sur nos ouvrages ?

O oui O non

Quelle carte Local Michelin souhaitez-vous recevoir ?

Indiquez le département : ....

Offre proposée aux 100 premières personnes ayant renvoyé un questionnaire complet.
Une seule carte offerte par foyer, dans la limite des stocks disponibles.

ATLAS, CARTES ET PLANS

S'ORIENTER DANS PARIS

Les promenades proposées dans ce guide sont accompagnées d'un plan figurant l'itinéraire décrit. Dans la rubrique « Point de départ » de chaque promenade, nous vous donnons en outre les références de deux atlas Michelin, afin de faciliter ou de compléter votre orientation dans les quartiers traversés :

- **Atlas de Paris par arrondissements n° 57**, à spirales, avec index des rues, sens uniques, métro-bus-RER, parkings.
- **Atlas de Paris n° 56**, avec index des rues, sens uniques, métro-bus-RER, parkings et autres renseignements pratiques.

Les atlas de Paris, comme d'ailleurs tous les produits cartographiques Michelin sur Paris, comportent les mêmes carroyages (c'est-à-dire un repère vertical croisé avec un repère horizontal), quel que soit le découpage utilisé. Ainsi, un repère H4 concernera la même portion de plan dans l'atlas n° 56 ou l'atlas n° 57.

Un petit « truc » pour vous aider à vous orienter : la numérotation des rues parisiennes part de la Seine, et va donc croissant vers le Nord. Les rues transversales vont croissant dans le sens Est-Ouest, que ce soit sur l'une ou l'autre rive.

Il existe d'autres produits cartographiques Michelin sur Paris. À toutes fins utiles, nous vous les présentons :

- **Paris Plan Poche n° 50** ; léger, peu encombrant, il couvre tout Paris et est accompagné d'un plan de métro.
- **Plan-Guide Paris Tourisme n° 52** indique les monuments, les musées, les lieux de shopping et de spectacle et comporte quelques renseignements pratiques ainsi qu'un plan du métro-RER.
- **Paris Transports n° 51** comporte un plan de métro-RER, un plan de bus et donne toutes les informations sur les stations de taxis, les locations de voitures, les gares.
- **Plan de Paris n° 54**, avec indication des sens interdits et des parkings. Il est très utile pour ceux qui se déplacent en voiture.
- **Plan et Index de Paris n° 55** correspond au plan n° 10, mais avec un répertoire des rues en plus.

LES PLANS DU GUIDE

La **carte générale** se trouve à l'intérieur de la couverture, au début du guide.

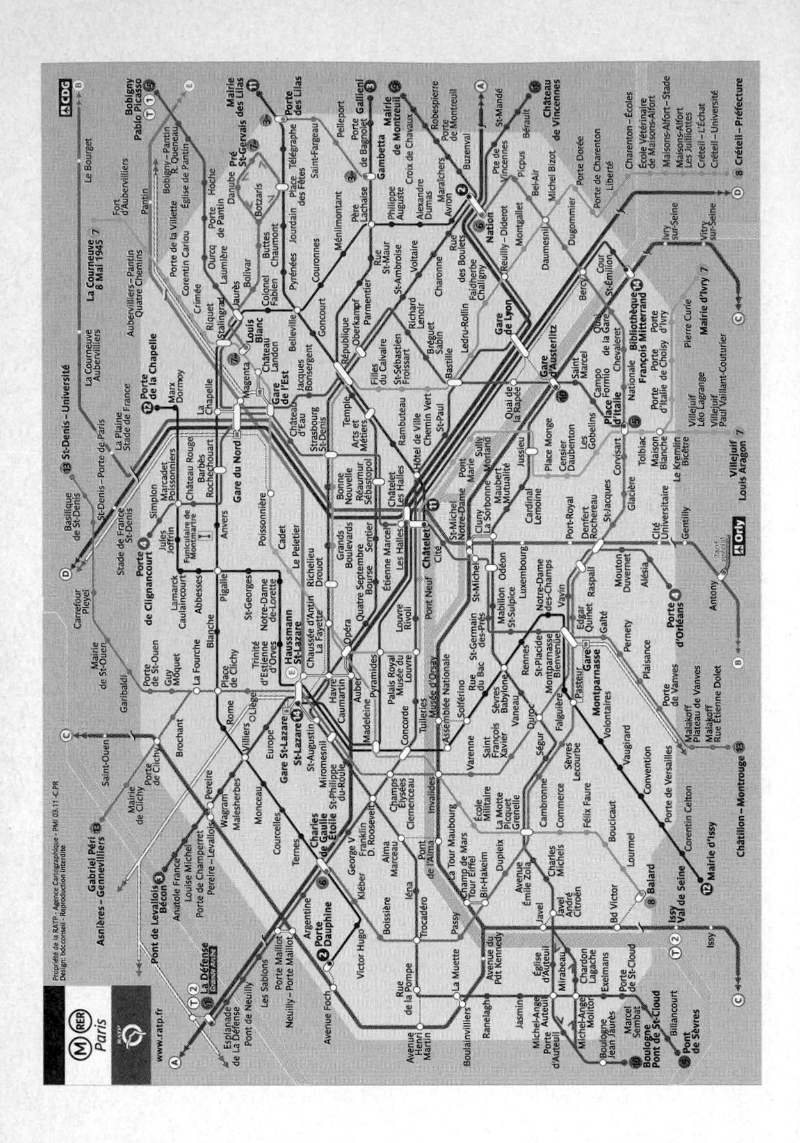

46 avenue de Breteuil – 75324 Paris Cedex 07
☏ 01 45 66 12 34
www.ViaMichelin.fr
LeGuideVert@fr.michelin.com

Manufacture française des pneumatiques Michelin

Société en commandite par actions au capital de 304 000 000 EUR
Place des Carmes-Déchaux – 63000 Clermont-Ferrand (France)
R.C.S. Clermont-Fd B 855 200 507

Dépot légal novembre 2005
Printed in France 10-05/2.1

Compogravure : Maury à Malesherbes
Impression et brochage : IME à Baume-les-Dames